CB000320

# DEUS, UM DELÍRIO

RICHARD DAWKINS

# Deus, um delírio

*Tradução*
Fernanda Ravagnani

*29ª reimpressão*

Copyright © 2006 by Richard Dawkins

*Título original*
The God delusion

*Capa*
Fabio Uehara

*Preparação*
Cacilda Guerra

*Índice remissivo*
Frederico Dentello

*Revisão*
Valquíria Della Pozza
Isabel Jorge Cury

Dados Internacionais de Catalogação na Publicação (CIP)
Câmara Brasileira do Livro, SP, Brasil

Dawkins, Richard, 1941-
Deus, um delírio / Richard Dawkins ; tradução de Fernanda Ravagnani. — São Paulo : Companhia das Letras, 2007.

Título original : The God delusion
Bibliografia.
ISBN 978-85-359-1070-4

1. Ateísmo 2. Deus – Existência 3. Fundamentalismo 4. Irreligião 5. Religião I. Título.

07-5603 CDD-211.8

Índice para catálogo sistemático:
1. Ateísmo e irreligião : Teoria da religião 211.8

Todos os direitos desta edição reservados à
EDITORA SCHWARCZ S.A.
Rua Bandeira Paulista, 702, cj. 32
04532-002 — São Paulo — SP
Telefone: (11) 3707-3500
www.companhiadasletras.com.br
www.blogdacompanhia.com.br
facebook.com/companhiadasletras
instagram.com/companhiadasletras
twitter.com/cialetras

*In memoriam*
*Douglas Adams (1952-2001)*

*“Não é o bastante ver que um jardim é bonito sem ter que acreditar também que há fadas escondidas nele?”*

# Sumário

# Prefácio à edição de bolso

*Deus, um delírio*, na edição em capa dura, foi amplamente considerado o best-seller-surpresa de 2006. Foi muito bem recebido pela grande maioria dos leitores que enviaram suas avaliações pessoais para a Amazon (cerca de mil no momento em que escrevo). A aprovação foi menos impressionante nas resenhas publicadas pela imprensa. Um cínico poderia atribuir esse fato ao reflexo pouco criativo dos editores das resenhas: se o livro tem "Deus" no título, mande para um devoto convicto. Seria, porém, cinismo demais. Várias resenhas desfavoráveis começavam com a frase que, há muito tempo, aprendi ser um péssimo sinal: "Sou ateu, MAS...". Como Dan Dennett ressaltou em *Quebrando o encanto*, um número desconcertantemente grande de intelectuais "acredita na crença", embora não tenham eles mesmos a crença religiosa. Esses fiéis de segunda mão são frequentemente mais zelosos que os originais, o zelo inflado pela tolerância simpática: "Ora, não tenho a mesma fé que você, mas *respeito-a* e me solidarizo com ela".

"Sou ateu, MAS..." A continuação é quase sempre inútil, niilista ou — pior — coberta por uma negatividade exultante. Note, aliás, a diferença em relação a outro *gênero* favorito: "Eu *era* ateu, mas...". Esse é um dos truques mais velhos no livro, adotado por apologistas da religião desde C. S. Lewis até hoje. Serve para dar logo de cara uma sensação de credibilidade, e é incrível como funciona tantas vezes. Fique de olho.

Escrevi um artigo para o site RichardDawkins.net chamado "Sou ateu, MAS...", e tirei dele a lista a seguir de pontos críticos ou negativos das resenhas da edição em capa dura. O mesmo site, dirigido pelo inspirado Josh Timonen, atraiu um número enorme de colaboradores que desentranharam todas essas críticas, mas em tons menos comedidos e mais diretos que o meu, ou que o dos meus colegas filósofos A. C. Grayling, Daniel Dennett, Paul Kurtz e outros que o fizeram através da mídia impressa.

NÃO SE PODE CRITICAR A RELIGIÃO SEM UMA ANÁLISE DETALHADA DE LIVROS ERUDITOS DE TEOLOGIA.

Best-seller-surpresa? Se eu tivesse me embrenhado, como um crítico intelectual consciente gostaria, nas diferenças epistemológicas entre Aquino e Duns Scotus; se tivesse feito jus a Erígena na questão da subjetividade, a Rahner na da graça ou a Moltmann na da esperança (como ele esperou em vão que eu fizesse), meu livro teria sido mais que um best-seller-*surpresa*: teria sido um best-seller milagroso. Mas a questão não é essa. Diferentemente de Stephen Hawking (que seguiu o conselho de que cada fórmula que ele publicasse reduziria as vendas pela metade), eu de bom grado abriria mão do status de best-seller caso houvesse a mais remota esperança de que Duns Scotus fosse iluminar minha questão central, se Deus existe ou não. A enorme maioria dos textos teológicos simplesmente assume que ele existe, e parte daí. Para os meus propósitos, preciso levar em conta apenas os teólogos que considerem a sério a possibilidade de que Deus não exista e argumentem por sua existência. Acho que isso o capítulo 3 faz, com — espero — bom humor e abrangência suficientes.

Em termos de bom humor, não tenho como superar a esplêndida "Resposta do cortesão", publicada por P. Z. Myers em seu blog Pharyngula.

> Analisei as insolentes acusações do sr. Dawkins, exasperado com sua falta de seriedade acadêmica. Aparentemente, ele não leu os discursos detalhados do conde Roderigo de Sevilha sobre o couro singular e exótico das botas do imperador, nem dedica um segundo sequer à obra-prima de Bellini, *Sobre a luminescência do chapéu de plumas do imperador*. Temos escolas inteiras dedicadas a escrever tratados eruditos sobre a beleza dos trajes do imperador, e todos os grandes jornais têm uma seção dedicada à moda imperial; [...] Dawkins ignora com arrogância todas essas ponderações filosóficas profundas e acusa cruelmente o imperador de nudez. [...] Enquanto Dawkins não for treinado nas lojas de Paris e Milão, enquanto não aprender a distinguir um babado de uma pantalona, devemos todos fingir que ele não se manifestou contra o gosto do imperador. Sua educação em biologia pode lhe dar a capacidade de reconhecer genitálias balançantes quando vir uma, mas não o ensinou a apreciar adequadamente os Tecidos Imaginários.

Ampliando o argumento, a maioria de nós desqualifica sem problemas as fadas, a astrologia e o Monstro de Espaguete Voador,* sem precisar afundar em livros de teologia pastafariana, e assim por diante.

* Flying Spaghetti Monster: deus de uma religião fictícia criada em 2005 nos Estados Unidos, para satirizar a proposta de inclusão do design inteligente no currículo das escolas públicas do estado de Kansas. Seus "adeptos" são chamados de pastafarianos (pasta [massa em inglês] + rastafariano). (N. T.)

A próxima crítica é parente desta: a grande crítica do "testa--de-ferro".

### VOCÊ SEMPRE ATACA O QUE HÁ DE PIOR NA RELIGIÃO E IGNORA O QUE HÁ DE MELHOR.

"Você persegue oportunistas grosseiros e incendiários como Ted Haggard, Jerry Falwell e Pat Robertson, em vez de teólogos sofisticados como Tillich ou Bonhoeffer, que ensinam o tipo de religião em que acredito."

Se o predomínio fosse só dessa espécie sutil e amena de religião, o mundo sem dúvida seria um lugar melhor, e eu teria escrito outro livro. A melancólica verdade é que esse tipo de religião decente e contido é numericamente irrelevante. Para a imensa maioria de fiéis no mundo todo, a religião parece-se muito com o que se ouve de gente como Robertson, Falwell ou Haggard, Osama bin Laden ou o aiatolá Khomeini. Não se trata de testas-de--ferro; são todos influentes demais e todo mundo hoje em dia tem de lidar com eles.

### SOU ATEU, MAS QUERO ME DISSOCIAR DE SUA LINGUAGEM ESTRIDENTE, DESTEMPERADA E INTOLERANTE.

Na verdade, quando se analisa a linguagem de *Deus, um delírio*, ela é menos destemperada ou estridente do que a que achamos muito normal — quando ouvimos analistas políticos, por exemplo, ou críticos de teatro, arte ou literatura. Minha linguagem só soa contundente e destemperada por causa da estranha convenção, quase universalmente aceita (veja a citação de Douglas Adams nas páginas 45 e 46), de que a fé religiosa é dona de um privilégio único: estar além e acima de qualquer crítica.

Em 1915, o parlamentar britânico Horatio Bottomley recomendou que, depois da guerra, "se por acaso num restaurante você descobrir que está sendo servido por um garçom alemão, jogue a sopa na cara suja dele; se você se vir sentado ao lado de um secretário alemão, vire o tinteiro na cabeça suja dele". Isso, sim, é estridente e intolerante (e, eu teria pensado, ridículo e ineficaz como retórica mesmo para aquela época). Compare a frase com a que abre o capítulo 2, que é o trecho citado com mais frequência como "estridente". Não cabe a mim dizer se fui bem-sucedido, mas minha intenção estava mais próxima da de um golpe duro, mas bem-humorado, do que da polêmica histérica. Nas leituras em público de *Deus, um delírio*, esse é exatamente o trecho que garantidamente produz uma boa risada, e é por isso que minha mulher e eu sempre o usamos como abertura para quebrar o gelo com uma nova plateia. Se eu pudesse me aventurar a sugerir por que o humor funciona, acho que diria que é o desencontro incongruente entre um assunto que *poderia* ter sido expresso de forma estridente ou vulgar e a expressão real, numa lista compridíssima de latinismos ou pseudoacademicismos ("filicida", "megalomaníaco", "pestilento"). Meu modelo aqui foi um dos escritores mais engraçados do século XX, e ninguém chamaria Evelyn Waugh de histérico ou estridente (até entreguei o jogo ao mencionar seu nome na anedota que vem logo depois, na página 55).

Críticos de literatura ou de teatro podem ser zombeteiramente negativos e ganhar elogios pela contundência sagaz da resenha. Mas nas críticas à religião até a *clareza* deixa de ser virtude para soar como hostilidade. Um político pode atacar sem dó um adversário no plenário do Parlamento e receber aplausos por sua combatividade. Mas basta um crítico sóbrio e justificado da religião usar o que em outros contextos seria apenas um tom direto para a sociedade polida balançar a cabeça em desaprovação; até a sociedade polida laica, e especialmente aquela parte da sociedade laica que adora anunciar: "Sou ateu, MAS...".

### VOCÊ SÓ ESTÁ PREGANDO PARA OS JÁ CONVERTIDOS. DE QUE ADIANTA?

O "Cantinho dos Convertidos" no RichardDawkins.net já invalida a mentira, mas mesmo que a levássemos a sério há boas respostas. Uma é que o coro dos descrentes é bem maior do que muita gente imagina, sobretudo nos Estados Unidos. Mas, de novo sobretudo nos Estados Unidos, é em grande parte um coro "no armário", e precisa desesperadamente de incentivo para sair dele. A julgar pelos agradecimentos que recebi em toda a turnê americana do lançamento do livro, o incentivo dado por pessoas como Sam Harris, Dan Dennett, Christopher Hitchens e por mim é bastante apreciado.

Uma razão mais sutil para pregar aos já convertidos é a necessidade de conscientização. Quando as feministas nos conscientizaram sobre os pronomes sexistas, elas estariam pregando só aos já convertidos no que se referia a questões mais significativas dos direitos das mulheres e dos males da discriminação. Mas aquele coro decente e liberal ainda precisava ser conscientizado sobre a linguagem do dia a dia. Por mais atualizados que estivéssemos nas questões políticas relativas aos direitos e à discriminação, ainda assim adotávamos inconscientemente convenções que faziam metade da raça humana sentir-se excluída.

Há outras convenções linguísticas que precisam seguir o mesmo caminho dos pronomes sexistas, e o coro ateísta não é exceção. Todos nós precisamos ser conscientizados. Tanto ateus como teístas observam inconscientemente a convenção da sociedade de que devemos ser especialmente polidos e respeitadores em relação à fé. E nunca me canso de chamar a atenção para a aceitação tácita, por parte da sociedade, da rotulação de crianças pequenas com as opiniões religiosas de seus pais. Os ateus precisam se conscientizar da anomalia: a opinião religiosa é o tipo de opinião dos pais que — por consenso quase universal — pode ser colada em crianças que, na verdade, são pequenas demais para saber qual é sua opinião. Não existe criança cristã: só filhos de pais cristãos. Use todas as oportunidades para marcar essa posição.

### VOCÊ É TÃO FUNDAMENTALISTA QUANTO AQUELES QUE CRITICA.

Não, por favor, é fácil demais confundir uma paixão capaz de mudar de opinião com fundamentalismo, coisa que nunca farei. Cristãos fundamentalistas são apaixonadamente contra a evolução, e eu sou apaixonadamente a favor dela. Paixão por paixão, estamos no mesmo nível. E isso, para algumas pessoas, significa que somos igualmente fundamentalistas. Mas, parafraseando um aforismo cuja fonte eu não saberia precisar, quando dois pontos de vista contrários são manifestados com a mesma força, a verdade não está necessariamente no meio dos dois. É possível que um dos lados esteja simplesmente errado. E isso justifica a paixão do outro lado.

Os fundamentalistas sabem no que acreditam e sabem que nada vai mudar isso. A citação de Kurt Wise na página 366 diz tudo: "[...] se todas as evidências do universo se voltarem contra o criacionismo, serei o primeiro a admiti-las, mas continuarei sendo criacionista, porque é isso que a Palavra de Deus parece indicar. Essa é minha posição". A diferença entre esse tipo de compromisso apaixonado com os fundamentos bíblicos e o compromisso igualmente apaixonado de um verdadeiro cientista com as evidências é tão grande que é impossível exagerá-la. O fundamentalista Kurt Wise declara que todas as evidências do universo não o fariam mudar de opinião. O verdadeiro cientista, por mais apaixonadamente que "acredite" na evolução, sabe exatamente o que é necessário para fazê-lo mudar de opinião: evidências. Como disse J. B. S. Haldane, quando questionado sobre que tipo de evidência poderia contradizer a evolução: "Fósseis de coelho no Pré-cambriano". Cunho aqui minha própria versão contrária ao manifesto de Kurt Wise: "Se todas as evidências do universo se voltarem a favor do criacionismo, serei o primeiro a admiti-las, e mudarei de opinião imediatamente. Na atual situação, porém, todas as evidências disponíveis (e há uma quantidade enorme delas) sustentam a evolução. É por esse motivo, e apenas por esse motivo, que defendo a evolução com uma paixão comparável à paixão daqueles que a atacam. Minha paixão baseia-se nas evidências. A deles, que ignora as evidências, é verdadeiramente fundamentalista".

### SOU ATEU, MAS A RELIGIÃO VAI PERSISTIR. CONFORME-SE.

"Você quer se ver livre da religião? Boa sorte! Você acha que vai conseguir se ver livre da religião? Em que planeta você vive? A religião faz parte dele. Esqueça isso!"

Eu aguentaria qualquer um desses argumentos, se eles fossem ditos num tom que chegasse pelo menos perto do da pena ou da preocupação. Pelo contrário. O tom de voz é às vezes até alegrinho. Não acho que se trate de masoquismo. O mais provável é que possamos de novo classificar o fenômeno como a "crença na crença". Essa gente pode não ser religiosa, mas adora a ideia de que os outros sejam. O que me leva à categoria final das minhas réplicas.

### SOU ATEU, MAS AS PESSOAS PRECISAM DA RELIGIÃO.

"O que você vai colocar no lugar dela? Como você vai consolar quem perde um ente querido? Como vai suprir a carência?"

Quanta condescendência! "Você e eu, é claro, somos inteligentes e cultos demais para precisar de religião. Mas as pessoas comuns, a patuleia, o proletariado orwelliano, os semi-idiotas deltas e ípsilons huxleanos, eles precisam da religião." Isso me faz lembrar de uma ocasião em que estava dando uma palestra numa conferência sobre a compreensão pública da ciência, e investi brevemente contra "baixar o nível". Na sessão de perguntas e respostas do final, uma pessoa da plateia ficou de pé e sugeriu que "baixar o nível" poderia ser necessário para "trazer as minorias e as mulheres para a ciência". Seu tom de voz mostrava que ela realmente acreditava que estava sendo liberal e progressista. Só fico imaginando o que as mulheres e as "minorias" da plateia acharam.

Voltando à necessidade de consolo da humanidade, ela existe, é claro, mas não há alguma infantilidade na crença de que o universo nos deve um consolo, como de direito? A afirmação de Isaac Asimov sobre a infantilidade da pseudociência é igualmente aplicável à religião: "Vasculhe cada exemplar da pseudociência e você encontrará um cobertorzinho de estimação, um dedo para chupar, uma saia para segurar". É impressionante, além do mais, a quantidade de gente que não consegue entender que "X é um consolo" não significa "X é verdade".

Uma crítica análoga a essa trata da necessidade de um "propósito" na vida. Citando um crítico canadense:

> Os ateus podem estar certos sobre Deus. Vai saber. Mas, com Deus ou sem Deus, fica claro que há algo na alma humana que demanda a crença de que a vida tem um objetivo que transcende o plano material. Era de imaginar que um empiricista do tipo mais-racional-que-vós como Dawkins reconhecesse esse aspecto imutável da natureza humana [...] Será que Dawkins acha mesmo que este mundo seria um lugar mais humano se todos nós procurássemos a verdade e o consolo em *Deus, um delírio* e não na Bíblia?

Na verdade sim, já que você mencionou "humano", sim, acho, mas devo repetir, mais uma vez, que o potencial de consolo de uma crença não eleva seu valor de verdade. É claro que não posso negar a necessidade de consolo emocional, e não tenho como defender que a visão de mundo adotada neste livro ofereça um consolo mais que apenas moderado para, por exemplo, quem perdeu um ente querido. Mas, se o consolo que a religião parece oferecer se fundamenta na premissa neurologicamente implausibilíssima de que sobrevivemos à morte de nosso cérebro, você está mesmo disposto a defendê-lo? De qualquer maneira, acho que nunca encontrei ninguém que não concorde que, nas cerimônias fúnebres, as partes não religiosas (homenagens, poemas ou músicas favoritas do falecido) são mais tocantes que as orações.

Depois de ler *Deus, um delírio*, o dr. David Ashton, um médico britânico, escreveu-me contando da morte inesperada, no Natal de 2006, de seu adorado filho Luke, de dezessete anos. Pouco antes, os dois haviam conversado elogiando a entidade sem fins lucrativos que estou montando para incentivar a razão e a ciência. No enterro de Luke, na ilha de Man, seu pai sugeriu à congregação que, se alguém quisesse fazer algum tipo de contribuição em memória do filho, deveria enviá-la a minha fundação, como Luke gostaria. Os trinta cheques recebidos somaram mais de 2 mil libras, incluindo mais de seiscentas libras arrecadadas num evento no pub local. O garoto era obviamente muito querido. Quando li o livreto da cerimônia fúnebre, chorei, literalmente, embora não conhecesse Luke, e pedi permissão para reproduzi-lo no RichardDawkins.net. Um gaitista solitário tocou o lamento local "Ellen Vallin". Dois amigos fizeram discursos de homenagem, e o dr. Ashton recitou o belo poema "Fern Hill" ["Monte das samambaias"] ("Era eu jovem e tranquilo, debaixo das macieiras"* — que evoca tão dolorosamente a juventude perdida). E então, e tenho de respirar fundo para contar, ele leu as primeiras linhas de meu *Desvendando o arco-íris*, linhas que havia tempos eu tinha separado para o meu próprio enterro.

> Nós vamos morrer, e isso nos torna afortunados. A maioria das pessoas nunca vai morrer, porque nunca vai nascer. As pessoas potenciais que poderiam estar no meu lugar, mas que jamais verão a luz do dia, são mais numerosas que os grãos de areia da Arábia. Certamente esses fantasmas não nascidos incluem poetas maiores que Keats, cientistas maiores que Newton. Sabemos disso porque o conjunto das pessoas possíveis permitidas pelo nosso DNA excede em muito o conjunto de pessoas reais. Apesar dessas probabilidades assombrosas, somos eu e você, com toda a nossa banalidade, que aqui estamos...

Nós, uns poucos privilegiados que ganharam na loteria do nascimento, contrariando todas as probabilidades, como nos atrevemos a choramingar por causa do retorno inevitável àquele estado anterior, do qual a enorme maioria jamais nem saiu?

É óbvio que há exceções, mas suspeito que para muitas pessoas o principal motivo de se agarrarem à religião não seja o fato de ela oferecer consolo, e sim o de elas terem sido iludidas por nosso sistema educacional e não se darem conta de que podem não acreditar. Decerto é assim para a maioria das pessoas que acham que são criacionistas. Simplesmente não ensinaram direito a elas a impressionante alternativa de Darwin. É provável que o mesmo aconteça com o mito depreciativo de que as pessoas "precisam" da religião. Numa conferência recente, em 2006, um antropólogo (e exemplar perfeito do tipo eu-sou-ateu-mas) ci-

* "Now I was young and easy, under the apple boughs". (N. T.)

tou a resposta de Golda Meir quando questionada se acreditava em Deus: "Acredito no povo judaico, e o povo judaico acredita em Deus". Nosso antropólogo usou sua própria versão: "Acredito nas pessoas, e as pessoas acreditam em Deus". Prefiro dizer que acredito nas pessoas, e as pessoas, quando incentivadas a pensar por si sós sobre toda a informação disponível hoje em dia, com muita frequência acabam *não* acreditando em Deus, e vivem uma vida realizada — uma vida *livre* de verdade.

# Prefácio

Quando era criança, minha mulher odiava a escola em que estudava e sonhava poder sair de lá. Tempos depois, quando tinha seus vinte e poucos anos, ela revelou sua infelicidade para os pais, e a mãe ficou horrorizada: "Mas, querida, por que você não nos contou?". A resposta de Lalla é minha leitura do dia: "Mas eu não sabia que podia".

*Eu não sabia que podia.*

Suspeito — quer dizer, tenho certeza — que há muita gente por aí que foi criada dentro de uma ou outra religião e ou está infeliz com ela, ou não acredita nela, ou está preocupada com tudo de mau que tem sido feito em seu nome; pessoas que sentem um vago desejo de abandonar a religião de seus pais e que gostariam de poder fazê-lo, mas simplesmente não percebem que deixar a religião é uma opção. Se você for uma delas, este livro é para você. Sua intenção é conscientizar — conscientizar para o fato de que ser ateu é uma aspiração realista, e uma aspiração corajosa e esplêndida. É possível ser um ateu feliz, equilibrado, ético e intelectualmente realizado. Essa é a primeira das minhas mensagens de conscientização. Também quero conscientizar de três outras formas, que explico a seguir.

Em janeiro de 2006, apresentei um documentário de duas partes na televisão britânica (Channel Four) chamado *Root of all evil?* [*Raiz de todo o mal?*]. Desde o começo não gostei do título. A religião não é a raiz de *todo* o mal, pois não há nada que possa ser a raiz de tudo, seja lá o que tudo for. Mas adorei o anúncio que o Channel Four publicou nos jornais nacionais. Era uma foto da silhueta dos prédios de Manhattan com a legenda: "Imagine um mundo sem religião". Qual era a ligação? A presença gritante das torres gêmeas do World Trade Center.

Imagine, junto com John Lennon, um mundo sem religião. Imagine o mundo sem ataques suicidas, sem o 11/9, sem o 7/7 londrino, sem as Cruzadas, sem caça às bruxas, sem a Conspiração da Pólvora, sem a partição da Índia, sem as guerras entre israelenses e palestinos, sem massacres sérvios/croatas/muçulmanos, sem a perseguição de judeus como "assassinos de Cristo", sem os "problemas" da Irlanda do Norte, sem "assassinatos em nome da honra", sem evangélicos televisivos de terno brilhante e cabelo bufante tirando dinheiro dos ingênuos ("Deus quer que você doe até doer"). Imagine o mundo sem o Talibã para explodir estátuas antigas, sem decapitações públicas de blasfemos, sem o açoite da pele feminina pelo crime de ter se mostrado em um centímetro. Aliás, meu colega Desmond Morris me informa que a magnífica canção de John Lennon às vezes é executada nos Estados Unidos com a frase "and no religion too" expurgada. Uma versão chegou à afronta de trocá-la por "and *one* religion too".

Talvez você ache que o agnosticismo é uma posição razoável, mas que o ateísmo é tão dogmático quanto a crença religiosa. Nesse caso, espero que o capítulo 2 o faça mudar de ideia, convencendo-o de que "A Hipótese de que Deus Existe" é uma hipótese científica sobre o universo, que deve ser analisada com o mesmo ceticismo que qualquer outra. Talvez tenham lhe ensinado que filósofos e teólogos já apresentaram bons motivos para acreditar em Deus. Se você pensa assim, pode ser que goste do capítulo 3, sobre os "Argumentos para a existência de Deus" — os argumentos se revelam de uma fragilidade espetacular. Talvez você ache que é óbvio que Deus tem de existir, porque, do contrário, como o mundo teria sido criado? Como poderia haver a vida, em sua diversidade tão rica, com todas as espécies parecendo ter sido misteriosamente "projetadas"? Se suas ideias tendem para esse lado, espero que obtenha esclarecimentos com o capítulo 4, sobre "Por que quase com certeza Deus não existe". Longe de indicar um projetista, a ilusão de que o mundo vivo foi projetado é explicada de modo bem mais econômico e com elegância devastadora pela seleção natural darwiniana. E, embora a seleção natural por si só se limite a explicar o mundo das coisas vivas, ela nos conscientiza para a probabilidade de que haja "guindastes" explicativos comparáveis que possam nos ajudar a entender o próprio cosmos. O poder de guindastes como a seleção natural é a segunda das minhas quatro conscientizações.

Talvez você ache que tem de existir um deus, ou deuses, porque antropólogos e historiadores registram que os crentes dominam todas as culturas da humanidade. Se para você esse argumento é convincente, por favor consulte o capítulo 5, sobre "As raízes da religião", que explica por que a fé é tão onipresente. Ou talvez você ache que a fé religiosa é necessária para que tenhamos valores morais justificáveis. Não precisamos de Deus para ser bons? Por favor leia os capítulos 6 e 7 para ver por que isso não é verdade. Você ainda tem um fraco pela religião e acha que ela é uma coisa boa para o mundo, mesmo que pessoalmente já tenha perdido a fé? O capítulo 8 o convidará a pensar sobre as formas pelas quais a religião não é algo tão bom assim para o mundo.

Se você se sente aprisionado na religião em que foi criado, valeria a pena se perguntar como isso aconteceu. A resposta normalmente é alguma forma de doutrinação infantil. Se você é religioso, a imensa probabilidade é de que tenha a mesma religião de seus pais. Caso tenha nascido no Arkansas e ache que o cristianismo é a verdade e o islã é a mentira, sabendo muito bem que acharia o contrário se tivesse nascido no Afeganistão, então você é vítima da doutrinação infantil. *Mutatis mutandis* se você nasceu no Afeganistão.

A questão da religião e da infância é o tema do capítulo 9, que também inclui minha terceira conscientização. Assim como as feministas se arrepiam quando ouvem um "ele" em vez de "ele ou ela", ou "o homem" em vez de "a humanidade", quero que todo mundo estremeça quando ouvir uma expressão como "criança católica" ou "criança muçulmana". Fale de uma "criança de pais católicos", se quiser; mas, se ouvir alguém falando de uma "criança católica", interrompa-o e educadamente lembre que as crianças são novas demais para ter uma posição nesse tipo de assunto, assim como são novas demais para ter uma posição sobre economia ou política. Exatamente porque meu objetivo é conscientizar, não peço desculpas por mencionar isso neste prefácio e também no capítulo 9. Nunca é demais repetir. Vou dizer de novo. Aquela não é uma criança muçulmana, mas uma criança de pais muçulmanos. Aquela criança é nova demais para saber se é muçulmana ou não. Não existe criança muçulmana. Não existe criança cristã.

Os capítulos 1 e 10 abrem e fecham o livro explicando, de formas diferentes, como uma compreensão adequada da magnificência do mundo real, mesmo sem jamais se transformar numa religião, é capaz de preencher o papel inspiracional historicamente — e inadequadamente — usurpado pela religião.

Minha quarta conscientização diz respeito ao orgulho ateu. Não há nada de que se desculpar por ser ateu. Pelo contrário, é uma coisa da qual se deve ter orgulho, encarando o horizonte de cabeça erguida, já que o ateísmo quase sempre indica uma independência de pensamento saudável e, mesmo, uma mente saudável. Existem muitos que sabem, no fundo do coração, que são ateus, mas não se atrevem a admitir isso para suas famílias e, em alguns casos, nem para si mesmos. Isso acontece, em parte, porque a própria palavra "ateu" frequentemente é usada como um rótulo terrível e assustador. O capítulo 9 cita a tragicômica história de quando os pais da comediante Julia Sweeney descobriram, lendo o jornal, que ela tinha virado ateia. O fato de ela não acreditar em Deus eles até que aguentariam, mas ateia! ATEIA? (A voz da mãe elevou-se num grito.)

Neste ponto, preciso dizer uma coisa em especial aos leitores americanos, pois a religiosidade hoje nos Estados Unidos é verdadeiramente impressionante. A advogada Wendy Kaminer exagerou só um pouquinho quando observou que brincar com religião é tão perigoso quanto queimar uma bandeira na sede da Legião Americana.[1] O status dos ateus na América de hoje é equivalente ao dos homossexuais cinquenta anos atrás. Agora, depois do movimento do Orgulho Gay, é possível, embora não muito fácil, para um homossexual ser eleito para um cargo público. Uma pesquisa da Gallup realizada em 1999 perguntou aos americanos se eles votariam em uma pessoa qualificada que fosse mulher (95% votariam), católica (94% votariam), judia (92%), negra (92%), mórmon (79%), homossexual (79%) ou ateia (49%). É evidente que há um longo caminho a percorrer. Mas os ateus são muito mais numerosos, especialmente entre a elite culta, do que muita gente imagina. Já era assim no século XIX, quando John Stuart Mill pôde dizer: "O mundo ficaria surpreso se soubesse como é grande a proporção dos seus ornamentos mais brilhantes, dos mais destacados até na apreciação popular por sua sabedoria e virtude, que são completamente céticos no que diz respeito à religião".

Isso pode ser ainda mais verdadeiro hoje em dia, e apresento evidências para tal no capítulo 3. O motivo de muitas pessoas não notarem os ateus é que muitos de nós relutam em "sair do armário". Meu sonho é que este livro ajude as pessoas a fazê-lo. Exatamente como no caso do movimento gay, quanto mais gente sair do armário, mais fácil será para os outros fazer a mesma coisa. Pode ser que haja uma massa crítica para o início da reação em cadeia.

Pesquisas americanas sugerem que o número de ateus e agnósticos supera de longe o de judeus religiosos, e até o da maioria dos outros grupos religiosos específicos. Diferentemente dos judeus, porém, que notoriamente são um dos lobbies políticos mais eficazes dos Estados Unidos, e diferentemente dos evangélicos, que exercem um poder político maior ainda, os ateus e agnósticos não são organizados e portanto praticamente não têm nenhuma influência. Na verdade, organizar ateus já foi comparado a arrebanhar gatos, porque eles tendem a pensar de forma independente e a não se adaptar à autoridade. Mas um bom primeiro passo seria construir uma massa crítica daqueles dispostos a "sair do armário", incentivando assim os outros a fazer o mesmo. Embora não formem um rebanho, gatos em número suficiente podem fazer bastante barulho e não ser ignorados.

A palavra "delírio" do meu título inquietou alguns psiquiatras, que a consideram um termo técnico que não deve ser usado à toa. Três deles me escreveram para propor um termo técnico especial para a alucinação religiosa: "relírio".[2] Talvez pegue. Mas por enquanto vou ficar com "delírio", e preciso justificar seu uso. O *Penguin English dictionary* define "*delusion*" [delírio] como "crença ou impressão falsa". O surpreendente é que a citação ilustrativa dada pelo dicionário é de Phillip E. Johnson: "O darwinismo é a história da libertação da humanidade do delírio de que seu destino é controlado por um poder maior que ela mesma". Será possível que esse seja o mesmo Phillip E. Johnson que lidera a ofensiva criacionista contra o darwinismo nos Estados Unidos atuais? É ele mesmo, e a citação, como seria de imaginar, foi tirada do contexto. Espero que o fato de eu ter afirmado isso seja notado, já que a mesma cortesia não me foi estendida em várias citações criacionistas de minhas obras, tiradas do contexto de forma deliberada e enganadora. Qualquer que seja o significado pretendido por Johnson, eu teria o maior prazer em endossar a frase da forma como ela está lá. O dicionário que vem com o Microsoft Word define delírio como "uma falsa crença persistente que se sustenta mesmo diante de fortes evidências que a contradigam, especialmente como sintoma de um transtorno psiquiátrico". A primeira parte captura perfeitamente a fé religiosa. Quanto a ser ou não um sintoma de transtorno psiquiátrico, tendo a concordar com Robert M. Pirsig, autor de *Zen e a arte da manutenção de motocicletas*: "Quando uma pessoa sofre de um delírio, isso se chama insanidade. Quando muitas pessoas sofrem de um delírio, isso se chama Religião".

Se este livro funcionar do modo como pretendo, os leitores religiosos que o abrirem serão ateus quando o terminarem. Quanto otimismo e quanta presunção! É claro que fiéis radicais são imunes a qualquer argumentação, com a resistência erguida por anos de doutrinação infantil executada com técnicas que levaram séculos para amadurecer (ou pela evolução ou por ardil). Entre os dispositivos imunológicos mais eficazes está a temerosa advertência contra o simples ato de abrir um livro como este, que certamente é obra de Satã. Mas acredito que há muita gente de mente aberta por aí: pessoas cuja doutrinação infantil não foi tão insidiosa, ou que por outros motivos não "pegou", ou cuja inteligência natural seja forte o bastante para superá-la. Espíritos livres como esses devem precisar só de um pequeno incentivo para se libertar de vez do vício da religião. No mínimo, espero que ninguém que tenha lido este livro ainda possa dizer: "Eu não sabia que podia".

Pela ajuda na elaboração deste livro, sou grato a muitos amigos e colegas. Não tenho como citar todos, mas entre eles estão meu agente literário John Brockman e meus editores, Sally Gaminara (para a Transworld) e Eamon Dolan (para a Houghton Mifflin), que leram o livro com sensibilidade e compreensão e me deram uma mistura muito útil de críticas e conselhos. Sua fé entusiasmada e sincera no livro foi um grande incentivo para mim. Gillian Somerscales foi uma preparadora exemplar, tão construtiva em suas sugestões como meticulosa em suas correções. Outros que criticaram os vários esboços, e aos quais sou muito grato, são Jerry Coyne, J. Anderson Thomson, R. Elisabeth Cornwell, Ursula Goodenough, Latha Menon e especialmente Karen Owens, crítica *extraordinaire*, cuja familiaridade com a costura e a descostura de cada rascunho do livro foi quase tão detalhada quanto a minha.

O livro deve algo (e vice-versa) ao teledocumentário em duas partes *Root of all evil?*, que apresentei na televisão britânica (Channel Four) em janeiro de 2006. Sou grato a todos os que se envolveram na produção, incluindo Deborah Kidd, Russell Barnes, Tim Cragg, Adam Prescod, Alan Clements e Hamish Mykura. Pela permissão de usar citações do documentário, agradeço à IWC Media e ao Channel Four. *Root of all evil?* teve índices excelentes de audiência na Grã-Bretanha, e também foi transmitido pela Australian Broadcasting Corporation. Ainda não se sabe se alguma emissora dos Estados Unidos vai ter a ousadia de exibi-lo.*

* Atualmente, o DVD do documentário está disponível para compra em www.richarddawkins.net/store.

Este livro já vinha se desenvolvendo na minha cabeça fazia alguns anos. Durante esse tempo, foi inevitável que algumas das ideias fossem apresentadas em palestras, como nas minhas Tanner Lectures em Harvard, e em artigos de jornais e revistas. Os leitores de minha coluna regular na *Free Inquiry*, especialmente, podem achar certos trechos familiares. Sou grato a Tom Flynn, editor dessa revista admirável, pelo estímulo que me deu quando me entregou uma coluna regular. Depois de um intervalo temporário para a conclusão do livro, espero agora retomá-la, e sem dúvida vou usá-la para responder às repercussões do livro.

Por vários motivos sou grato a Dan Dennett, Marc Hauser, Michael Stirrat, Sam Harris, Helen Fisher, Margaret Downey, Ibn Warraq, Hermione Lee, Julia Sweeney, Dan Barker, Josephine Welsh, Ian Baird e especialmente George Scales. Hoje em dia, um livro como este não estará completo enquanto não se tornar o núcleo de um site cheio de vida, um fórum para materiais complementares, reações, discussões, perguntas e respostas — quem sabe o que o futuro pode trazer? Espero que o endereço www.richarddawkins.net/, da Fundação Richard Dawkins para a Razão e a Ciência, supra esse papel, e sou extremamente grato a Josh Timonen pela arte, pelo profissionalismo e pelo trabalho duro que ele empenha no site.

Acima de tudo, agradeço a minha mulher, Lalla Ward, que com paciência me orientou ao longo de todas as minhas hesitações e autoquestionamentos, não apenas com apoio moral e sugestões sagazes de aperfeiçoamento, mas também ao ler o livro inteiro em voz alta para mim, em dois estágios diferentes de seu desenvolvimento, para que eu pudesse captar diretamente como ele soaria para outro leitor que não eu mesmo. Recomendo a técnica a outros autores, mas devo advertir que para melhores resultados o leitor precisa ser um ator profissional, com a voz e o ouvido sensivelmente sintonizados com a música da linguagem.

# 1. Um descrente profundamente religioso

*Não tento imaginar um Deus pessoal; basta admirar assombrado a estrutura do mundo, pelo menos na proporção em que ela se permite apreciar por nossos sentidos inadequados.*

Albert Einstein

## RESPEITO MERECIDO

O menino descansava de bruços na grama, o queixo apoiado nas mãos. De repente, sentiu-se invadido por uma percepção exacerbada das raízes e dos caules entrelaçados, uma floresta em microcosmo, um mundo transfigurado de formigas e besouros e até — embora na época ele não soubesse dos detalhes — de bactérias aos bilhões no solo, sustentando silenciosa e invisivelmente a economia do micromundo. De repente, a microfloresta de grama pareceu inflar e se unir ao universo, e à mente extasiada do garoto que a contemplava. Ele interpretou a experiência em termos religiosos e ela acabou levando-o ao sacerdócio. Foi ordenado padre anglicano e tornou-se capelão de minha escola, um professor de quem eu gostava. É graças a religiosos liberais e decentes como ele que ninguém jamais pôde dizer que tive a religião enfiada goela abaixo.*

Em outro tempo e lugar, aquele menino podia ter estado sob as estrelas, fascinado pela Órion, pela Cassiopeia e pela Ursa Maior, com lágrimas nos olhos pela música inaudível da Via Láctea, intoxicado pelo perfume noturno dos jasmins e das solandras num jardim africano. Não é fácil responder por que motivo a mesma emoção levou meu capelão para uma direção e a mim para outra. A reação como que mística à natureza e ao universo é comum entre cientistas e racionalistas. Ela não tem nenhuma conexão com a fé sobrenatural. Em sua meninice, pelo menos, presumo que meu capelão não conhecesse (como eu também não conhecia) as linhas que encerram *A origem das espécies* — o famoso trecho da "margem emaranhada", "com pássaros cantando nos arbustos, com vários insetos revoando e com vermes rastejando pela terra úmida".** Se ele as conhecesse, certamente teria se identificado com elas e, em vez de ao sacerdócio, teria sido levado na direção da visão de Darwin de que tudo foi "criado por leis que atuam à nossa volta":

* Nossa diversão durante as aulas era desviá-lo das Escrituras e conduzi-lo na direção das emocionantes histórias sobre o Comando de Caças e "Os Poucos". Ele tinha servido na RAF durante a guerra e foi com uma sensação de familiaridade, e com algo da afeição que ainda nutro pela Igreja da Inglaterra (pelo menos em comparação com a concorrência), que mais tarde li o poema de John Betjeman: *Nosso padre é um velho piloto dos céus,/ Severamente, agora, cortaram-lhe as asas,/ Mas ainda o mastro no jardim da paróquia/ Aponta para Coisas Mais Elevadas...* [Our padre is an old sky pilot,/ Severely now they've clipped his wings,/ But still the flagstaff in the Rect'ry garden/ Points to Higher Things...].
** Tradução direta do inglês. A versão consagrada em português é a de Eugênio Amado, *Origem das espécies*, Itatiaia, 2002. (N. T.)

> Assim, é da guerra da natureza, da fome e da morte, que deriva diretamente o mais exaltado objeto que somos capazes de conceber, a produção de animais superiores. Há grandeza nessa visão da vida, com seus tantos poderes tendo sido originalmente insuflados em algumas poucas formas ou em apenas uma; e de que, enquanto este planeta girava seguindo a lei imutável da gravidade, de um começo tão simples, infinitas formas, as mais belas e as mais maravilhosas, evoluíram e continuam evoluindo.

Carl Sagan escreveu, em *Pálido ponto azul*:

> Como é possível que praticamente nenhuma religião importante tenha olhado para a ciência e concluído: "Isso é melhor do que imaginávamos! O universo é muito maior do que disseram nossos profetas, mais grandioso, mais sutil, mais elegante"? Em vez disso, dizem: "Não, não, não! Meu deus é um deus pequenininho, e quero que ele continue assim". Uma religião, antiga ou nova, que ressaltasse a magnificência do universo como a ciência moderna o revelou poderia atrair reservas de reverência e respeito que continuam quase intocadas pelas crenças convencionais.

Todos os livros de Sagan tocam no nervo exposto do assombro transcendente monopolizado pela religião nos últimos séculos. Meus livros têm a mesma aspiração. Em consequência disso, muitas vezes me vejo descrito como um homem profundamente religioso. Uma estudante americana me escreveu dizendo que tinha perguntado ao seu professor se ele tinha uma opinião sobre mim. "É claro", ele respondeu. "Ele tem certeza de que a ciência é incompatível com a religião, mas vive se extasiando com a natureza e com o universo. Para mim, isso *é* religião!" Mas será "religião" a palavra certa? Acho que não. O físico e prêmio Nobel (e ateu) Steven Weinberg defendeu a questão melhor que ninguém em *Sonhos de uma teoria final*:

> Algumas pessoas têm uma visão de Deus tão ampla e flexível que é inevitável que encontrem Deus onde quer que procurem por ele. Ouvimos que "Deus é o supremo" ou que "Deus é nossa melhor natureza" ou que "Deus é o universo". É claro que, como qualquer outra palavra, a palavra "Deus" pode ter o significado que quisermos. Se alguém quiser dizer que "Deus é energia", poderá encontrar Deus num pedaço de carvão.

Weinberg está bem certo quando diz que, para que a palavra Deus não se torne completamente inútil, ela deve ser usada do modo como as pessoas normalmente a entendem: para denotar um criador sobrenatural "adequado à nossa adoração".

Infelizmente, a indistinção entre o que se pode chamar de religião einsteniana e a religião sobrenatural causa muita confusão. Einstein às vezes invocava o nome de Deus (e ele não é o único cientista ateu a fazer isso), dando espaço para mal-entendidos por parte de adeptos do sobrenaturalismo loucos para interpretá-lo mal e reclamar para o seu time pensador tão ilustre. O final dramático (ou seria malicioso?) de *Uma breve história do tempo*, de Stephen Hawking, "pois então conheceremos a mente de Deus", é notoriamente mal interpretado. Ele levou as pessoas a acreditar, erroneamente, é claro, que Hawking é um homem religioso. A bióloga celular Ursula Goodenough, em *The sacred depths of nature* [As profundezas sagradas da natureza], soa ainda mais religiosa que Hawking e Einstein. Ela adora igrejas, mesquitas e templos, e vários trechos de seu livro são um convite a ser tirados de contexto e usados como munição para a religião sobrenatural. Ela chega até a chamar a si mesma de "naturalista religiosa". Mas uma leitura cuidadosa mostra que na verdade ela é uma ateia tão convicta quanto eu.

"Naturalista" é uma palavra ambígua. Para mim, ela faz lembrar o herói da minha infância, o dr. Dolittle (que, aliás, tinha bem mais do que só uma pitada do naturalista "filósofo" do *H. M. S. Beagle*), de Hugh Lofting. Nos séculos XVIII e XIX, naturalista significava o que ainda significa para a maioria de nós hoje em dia: um estudioso do mundo da natureza. Nesse sentido, os naturalistas, a começar por Gilbert White, muitas vezes eram sacerdotes. O próprio Darwin estava destinado à Igreja quando jovem, na esperança de que a vida tranquila de padre rural lhe permitisse explorar sua paixão pelos besouros. Mas os filósofos usam "naturalista" num sentido bem diferente, como oposto de *sobrenaturalista*. Julian Baggini explica em *Atheism: A very short introduction* o significado do comprometimento de um ateu com o naturalismo: "O que a maioria dos ateus acredita é que, embora só haja um tipo de matéria no universo, e é a matéria física, dessa matéria nascem a mente, a beleza, as emoções, os valores morais — em suma, a gama completa de fenômenos que enriquecem a vida humana".

Os pensamentos e as emoções humanas *emergem* de interconexões incrivelmente complexas de entidades físicas dentro do cérebro. Um ateu, nesse sentido filosófico de naturalista, é alguém que acredita que não há nada além do mundo natural e físico, nenhuma inteligência *sobre*natural vagando por trás do universo observável, que não existe uma alma que sobrevive ao corpo e que não existem milagres — exceto no sentido de fenômenos naturais que não compreendemos ainda. Se houver alguma coisa que pareça estar além do mundo natural, conforme o entendemos hoje, esperamos no fim ser capazes de entendê-la e adotá-la dentro da natureza. Assim como acontece sempre que desvendamos um arco-íris, ela não será menos maravilhosa por causa disso.

Grandes cientistas de nossos tempos que soam religiosos normalmente não se revelam tão religiosos assim quando têm suas crenças examinadas mais a fundo. É esse certamente o caso de Einstein e Hawking. O atual astrônomo real e presidente da

Royal Society, Martin Rees, me contou que vai à igreja como um "anglicano descrente [...] pela lealdade à tribo". Ele não tem crenças teístas, mas possui o mesmo naturalismo poético que o cosmos provoca nos outros cientistas que mencionei. Durante uma conversa recente transmitida pela televisão, desafiei meu amigo obstetra Robert Winston, um dos mais respeitados pilares da comunidade judaica britânica, a admitir que seu judaísmo era exatamente dessa natureza, e que ele não acreditava de verdade em nada sobrenatural. Ele chegou perto de fazer a admissão, mas recuou no último minuto (para ser justo, era ele quem devia estar me entrevistando, e não o contrário).[3] Quando o pressionei, ele disse achar que o judaísmo proporcionava uma boa disciplina para ajudá-lo a estruturar sua vida e conduzi-la bem. Talvez seja verdade; mas isso, é claro, não influi em nada na veracidade de nenhuma das alegações sobrenaturais do judaísmo. Existem muitos intelectuais ateus que com orgulho se autodenominam judeus e observam os ritos judaicos, talvez pela lealdade a uma tradição antiga ou aos parentes assassinados, mas também pela equivocada e enganadora disposição de rotular como "religião" a reverência panteísta que muitos de nós destinam a seu expoente mais destacado, Albert Einstein. Eles podem não acreditar, mas, para tomar emprestada uma frase do filósofo Dan Dennett, eles "creem na crença".[4]

Uma das declarações mais citadas de Einstein é "Sem a religião, a ciência é capenga; sem a ciência, a religião é cega". Mas Einstein também disse:

> É claro que era mentira o que você leu sobre minhas convicções religiosas, uma mentira que está sendo sistematicamente repetida. Não acredito num Deus pessoal e nunca neguei isso, e sim o manifestei claramente. Se há algo em mim que possa ser chamado de religioso, é a admiração ilimitada pela estrutura do mundo, do modo como nossa ciência é capaz de revelar.

Parece que Einstein se contradiz? Que suas palavras podem ser escolhidas a dedo para arranjar citações que sustentem os dois lados da discussão? Não. Por "religião" Einstein quis dizer algo totalmente diferente do significado convencional. Conforme eu prosseguir esclarecendo a distinção entre a religião sobrenatural, de um lado, e a religião einsteiniana, do outro, tenha em mente que só estou chamando de delírio os deuses *sobrenaturais*.

Seguem algumas outras citações de Einstein, para dar um gostinho da religião einsteiniana:

> Sou um descrente profundamente religioso. Isso é, de certa forma, um novo tipo de religião.
>
> Jamais imputei à natureza um propósito ou um objetivo, nem nada que possa ser entendido como antropomórfico. O que vejo na natureza é uma estrutura magnífica que só compreendemos de modo muito imperfeito, e que não tem como não encher uma pessoa racional de um sentimento de humildade. É um sentimento genuinamente religioso, que não tem nada a ver com misticismo.
>
> A ideia de um Deus pessoal me é bastante estranha, e me parece até ingênua.

Em números cada vez maiores desde sua morte, apologistas da religião, de forma compreensível, tentam reclamar Einstein para o seu time. Alguns dos religiosos contemporâneos a ele o viram de maneira bem diferente. Em 1940, Einstein escreveu um trabalho famoso justificando sua declaração "Eu não acredito num Deus pessoal". Junto com outras semelhantes, essa declaração provocou uma enxurrada de cartas de religiosos ortodoxos, muitas delas aludindo à origem judaica de Einstein. Os trechos que se seguem são tirados do livro *Einstein e a religião*, de Max Jammer (que também é minha principal fonte de citações do próprio Einstein sobre as questões religiosas). O bispo católico de Kansas City disse: "É triste ver um homem que descende da raça do Velho Testamento e de seus ensinamentos negar a grande tradição dessa raça". Outro religioso católico opinou: "Não há nenhum outro Deus que não um Deus pessoal [...] Einstein não sabe do que está falando. Ele está totalmente errado. Alguns homens acham que só porque atingiram um alto nível de especialidade em determinada área são qualificados para manifestar suas opiniões em todas". A noção de que a religião é uma *área* adequada, em que alguém possa alegar *ser especialista*, não pode passar sem questionamento. Aquele religioso certamente não teria feito deferências à opinião de especialista de um autodenominado "fadólogo" sobre a forma e a cor exatas das asas das fadas. Tanto ele como o bispo achavam que Einstein, por não ter treinamento teológico, havia interpretado mal a natureza de Deus. Pelo contrário — Einstein sabia perfeitamente bem o que estava negando.

Um advogado católico americano, em nome de uma coalizão ecumênica, escreveu para Einstein:

> Lamentamos profundamente que o senhor tenha feito a declaração [...] em que ridiculariza a ideia de um Deus pessoal. Nos últimos dez anos, nada foi tão bem calculado para fazer as pessoas acharem que Hitler tinha alguma razão ao expulsar os judeus da Alemanha quanto sua declaração. Admitindo seu direito à liberdade de expressão, digo ainda assim que sua declaração o constitui em uma das maiores fontes de discórdia dos Estados Unidos.

Um rabino de Nova York disse: "Einstein é sem dúvida um grande cientista, mas suas opiniões religiosas são diametralmente opostas ao judaísmo".

"Mas"? "*Mas*"? Por que não "e"?

O presidente de uma sociedade de história em Nova Jersey escreveu uma carta que deixa tão incriminadoramente exposta a debilidade do pensamento religioso que vale a pena lê-la duas vezes:

> Respeitamos sua sabedoria, dr. Einstein; mas existe uma coisa que o senhor não parece ter aprendido: que Deus é um espírito e não pode ser encontrado pelo telescópio ou pelo microscópio, assim como o pensamento ou a emoção humanos não podem ser encontrados na análise do cérebro. Como todo mundo sabe, a religião se baseia na Fé, não no conhecimento. Todas as pessoas que pensam talvez sejam assaltadas, às vezes, por dúvidas religiosas. Minha própria fé já vacilou muitas vezes. Mas nunca contei a ninguém sobre minhas aberrações espirituais, por dois motivos: 1) temi que pudesse, pela mera sugestão, perturbar e prejudicar a vida e as esperanças de alguém; 2) porque concordo com o escritor que disse: "Há algo de maligno em alguém que queira destruir a fé do outro". [...] Espero, dr. Einstein, que a citação esteja errada e que o senhor ainda vá dizer alguma coisa mais agradável para o vasto número de americanos que têm o prazer de homenageá-lo.

Que carta reveladora! Cada frase está encharcada de covardia intelectual e moral.

Menos abjeta, mas mais chocante, foi a carta do fundador da Associação do Tabernáculo do Calvário, em Oklahoma:

> Professor Einstein, acredito que todo cristão nos Estados Unidos vai lhe responder: "Não vamos abrir mão de nossa crença em nosso Deus e em seu filho Jesus Cristo, mas o convidamos, se o senhor não acredita no Deus do povo desta nação, a voltar ao local de onde veio". Fiz tudo o que podia para ser uma bênção para Israel, e vem o senhor com uma declaração de sua língua blasfema

e faz mais para prejudicar a causa de seu povo que todos os esforços dos cristãos que amam Israel são capazes de fazer para acabar com o antissemitismo em nossa terra. Professor Einstein, todo cristão dos Estados Unidos vai imediatamente lhe responder: "Pegue sua teoria maluca e mentirosa da evolução e volte para a Alemanha, de onde veio, ou pare de tentar destroçar a fé de um povo que o recebeu de braços abertos quando o senhor foi obrigado a fugir de sua terra natal".

A única coisa que todos esses críticos teístas entenderam direitinho foi que Einstein não era um deles. Ele indignou-se muitas vezes com a sugestão de que era teísta. Era então deísta, como Voltaire e Diderot? Ou panteísta, como Spinoza, cuja filosofia admirava: "Acredito no Deus de Spinoza, que se revela na harmonia ordenada daquilo que existe, não num Deus que se preocupa com os destinos e as ações dos seres humanos"?

Refresquemos nossa memória sobre a terminologia. Um teísta acredita numa inteligência sobrenatural que, além de sua obra principal, a de criar o universo, ainda está presente para supervisionar e influenciar o destino subsequente de sua criação inicial. Em muitos sistemas teístas de fé, a divindade está intimamente envolvida nas questões humanas. Atende a preces; perdoa ou pune pecados; intervém no mundo realizando milagres; preocupa-se com boas e más ações e sabe quando as fazemos (ou até quando *pensamos* em fazê-las). Um deísta também acredita numa inteligência sobrenatural, mas uma inteligência cujas ações se limitaram a estabelecer as leis que governam o universo. O Deus deísta nunca intervém depois, e certamente não tem interesse específico nas questões humanas. Os panteístas não acreditam num Deus sobrenatural, mas usam a palavra Deus como sinônimo não sobrenatural para a natureza, ou para o universo, ou para a ordem que governa seu funcionamento. Os deístas diferem dos teístas pelo fato de o Deus deles não atender a preces, não estar interessado em pecados ou confissões, não ler nossos pensamentos e não intervir com milagres caprichosos. Os deístas diferem dos panteístas pelo fato de que o Deus deísta é uma espécie de inteligência cósmica, mais que o *sinônimo* metafórico ou poético dos panteístas para as leis do universo. O panteísmo é um ateísmo enfeitado. O deísmo é um teísmo amenizado.

Há todos os motivos do mundo para se imaginar que einsteinismos famosos como "Deus é sutil, mas não é malicioso" ou "Ele não joga dados" ou "Deus teve escolha para criar o universo?" sejam panteístas, e não deístas, e certamente não teístas. "Deus não joga dados" deve ser traduzido como "A aleatoriedade não habita o cerne de todas as coisas". "Deus teve escolha para criar o universo?" significa "Teria podido o universo começar de alguma outra forma?". Einstein usou "Deus" num sentido puramente metafórico, poético. Assim como Stephen Hawking, e como a maioria dos físicos que ocasionalmente escorrega e cai na terminologia da metáfora religiosa. *A mente de deus*, de Paul Davies, parece estar em algum ponto entre o panteísmo einsteiniano e uma forma obscura de deísmo — pelo qual ele foi agraciado com o prêmio Templeton (uma grande soma de dinheiro entregue todo ano pela Fundação Templeton, normalmente para um cientista que esteja disposto a dizer algo de positivo sobre a religião).

Deixe-me resumir a religião einsteiniana em mais uma citação do próprio Einstein: "Ter a sensação de que por trás de tudo que pode ser vivido há alguma coisa que nossa mente não consegue captar, e cujas beleza e sublimidade só nos atingem indiretamente, na forma de um débil reflexo, isso é religiosidade. Nesse sentido, sou religioso". Nesse sentido também sou religioso, com a ressalva de que "não consegue captar" não necessariamente significa "para sempre incaptável". Mas prefiro não me autodenominar religioso, porque isso induz ao erro. Induz ao erro de forma destrutiva, porque, para a imensa maioria das pessoas, "religião" implica "sobrenatural". Carl Sagan disse bem: "[...] se por 'Deus' se quer dizer o conjunto de leis físicas que governam o universo, então é claro que esse Deus existe. É um Deus emocionalmente insatisfatório [...] não faz muito sentido rezar para a lei da gravidade".

O engraçado é que essa última observação de Sagan foi prenunciada pelo reverendo dr. Fulton J. Sheen, professor da Catholic University of America, num veemente ataque contra a desaprovação do Deus pessoal por Einstein, em 1940. Sarcasticamente, Sheen perguntou se alguém estava disposto a dar a vida pela Via Láctea. Aparentemente ele achava que estava mesmo investindo contra Einstein, pois acrescentou: "Só há um problema com sua religião cósmica [*cosmical* — N. T.]: ele colocou uma letra a mais na palavra — a letra 's'". Não há nada de cômico [*comical*] nas crenças de Einstein. Mesmo assim, gostaria que os físicos evitassem usar a palavra Deus em seu sentido metafórico especial. O Deus metafórico ou panteísta dos físicos está a anos-luz de distância do Deus intervencionista, milagreiro, telepata, castigador de pecados, atendedor de preces da Bíblia, dos padres, mulás e rabinos, e do linguajar do dia a dia. Confundir os dois deliberadamente é, na minha opinião, um ato de alta traição intelectual.

## RESPEITO NÃO MERECIDO

Meu título, *Deus, um delírio*, não se refere ao Deus de Einstein e ao de outros cientistas esclarecidos da seção anterior. É por isso que preciso tirar a religião einsteiniana da frente antes de qualquer coisa: ela tem uma capacidade comprovada de causar confusão. No restante deste livro falo só dos deuses *sobrenaturais*, entre os quais o mais familiar à maioria de meus leitores será Javé, o Deus do Antigo Testamento. Chegarei a ele num instante. Mas, antes de concluir este capítulo preliminar, preciso tratar de mais uma questão que poderia comprometer o livro inteiro. Desta vez é uma questão de etiqueta. É possível que leitores religiosos fiquem ofendidos com o que tenho a dizer, e encontrem nestas páginas um *respeito* insuficiente por suas crenças específicas (se não às crenças cultivadas por outras pessoas). Seria uma pena que essa ofensa os impedisse de continuar a ler, por isso quero esclarecer o problema aqui, logo de saída.

Uma pressuposição disseminada, aceita por quase todos em nossa sociedade — incluindo os não religiosos —, é que a fé é especialmente vulnerável às ofensas e que deve ser protegida por uma parede de respeito extremamente espessa, um tipo de respeito diferente daquele que os seres humanos devem ter uns com os outros. Douglas Adams explicou tão bem, num discurso de improviso que fez em Cambridge pouco antes de morrer,[5] que nunca me canso de divulgar suas palavras:

> A religião [...] tem determinadas ideias em seu cerne que denominamos sagradas, santas, algo assim. O que isso significa é: "Essa é uma ideia ou uma noção sobre a qual você não pode falar mal; simplesmente não pode. Por que não? Porque não, e pronto!". Se alguém vota em um partido com o qual você não concorda, você pode discutir sobre isso quanto quiser; todo mundo terá um argumento, mas ninguém vai se sentir ofendido. Se alguém acha que os impostos devem subir ou baixar, você pode ter uma discussão sobre isso. Mas, se alguém disser: "Não posso apertar o interruptor da luz no sábado", você diz: "Eu *respeito* isso".
>
> Como é possível que seja perfeitamente legítimo apoiar o Partido Trabalhista ou o Partido Conservador, republicanos ou democratas, um ou outro modelo econômico, o Macintosh e não o Windows — mas não ter uma opinião sobre como o universo começou,

sobre quem criou o universo [...] não, isso é sagrado? [...] Estamos acostumados a não questionar ideias religiosas, mas é muito interessante como Richard causa furor quando o faz! Todo mundo fica absolutamente louco, porque não se pode falar dessas coisas. Mas, quando se analisa racionalmente, não há nenhuma razão para que essas ideias não estejam tão sujeitas a debate quanto quaisquer outras, exceto o fato de que, de alguma forma, concordamos entre nós que elas não devem estar.

Veja um exemplo específico do respeito exagerado de nossa sociedade pela religião, um exemplo realmente importante. De longe o meio mais fácil de se obter permissão para ser dispensado do serviço militar em tempos de guerra é por motivos religiosos. Você pode ser um filósofo brilhante da moralidade, com uma tese de doutorado premiada sobre os males da guerra, e mesmo assim pode ter dificuldade diante dos avaliadores para ser dispensado por motivos de consciência. Mas, se você disser que seus pais são quakers, consegue fácil, mesmo que seja completamente iletrado e desarticulado quanto à teoria do pacifismo ou até quanto ao próprio quakerismo.

No outro extremo do espectro do pacifismo, temos uma relutância pusilânime em usar nomes religiosos para facções de guerra. Na Irlanda do Norte, católicos e protestantes ganham os nomes eufemistas de "nacionalistas" e "legalistas", respectivamente. A própria palavra "religiões" é censurada e transformada em "comunidades", como em "guerra intercomunidades". O Iraque, em consequência da invasão anglo-americana de 2003, entrou numa guerra civil sectarista entre muçulmanos sunitas e xiitas. É claramente um conflito religioso — mas no *The Independent* do dia 20 de maio de 2006 tanto a manchete de primeira página quanto a notícia o descreviam como "limpeza étnica". "Étnica", nesse contexto, é mais um eufemismo. O que estamos vendo no Iraque é uma limpeza religiosa. Também é possível argumentar que o uso original do termo "limpeza étnica" na ex--Iugoslávia tenha sido um eufemismo para limpeza religiosa, envolvendo sérvios ortodoxos, croatas católicos e bósnios muçulmanos.[6]

Já chamei a atenção para o privilégio dado à religião em discussões públicas sobre ética na imprensa e no governo.[7] Sempre que surge uma controvérsia sobre a moral sexual ou reprodutiva, pode-se apostar que haverá líderes religiosos dos mais diversos grupos de fiéis proeminentemente representados em comissões influentes, ou em mesas-redondas no rádio ou na televisão. Não estou sugerindo que deveríamos nos dar ao trabalho de censurar as opiniões dessa gente. Mas por que nossa sociedade corre a ouvi-los, como se fossem especialistas comparáveis a, digamos, um filósofo da moralidade, um advogado de família ou um médico?

Veja outro exemplo estranho do privilégio dado à religião. No dia 21 de fevereiro de 2006, a Suprema Corte dos Estados Unidos determinou, de acordo com a Constituição, que uma igreja do Novo México deveria ser isentada de cumprir uma lei, a que todo mundo tem de obedecer, que proíbe o uso de drogas alucinógenas.[8] Os integrantes do Centro Espírita Beneficente União do Vegetal acreditam que só conseguem compreender Deus tomando chá de *ayahuasca*, que contém a droga alucinógena ilegal dimetiltriptamina. Perceba que basta que eles *acreditem* que a droga aumenta sua compreensão. Eles não têm de fornecer provas. Por outro lado, há muitas provas de que a maconha alivia a náusea e o desconforto de doentes de câncer submetidos a quimioterapia. Mesmo assim, novamente de acordo com a Constituição, a Suprema Corte determinou, em 2005, que todos os pacientes que usarem a maconha com fins medicinais estarão sujeitos a indiciamento federal (até na minoria dos estados em que esse uso especializado foi legalizado). A religião é, como sempre, o trunfo. Imagine se os integrantes de uma sociedade de apreciadores de arte alegassem à Justiça que "acreditam" precisar de um alucinógeno para aumentar sua compreensão dos quadros impressionistas ou surrealistas. Mas, quando uma igreja alega uma necessidade semelhante, recebe o apoio da mais alta corte do país. É tal o poder da religião como talismã.

Há dezoito anos, fui um dos 36 escritores e artistas convocados pela revista *New Statesman* para escrever um manifesto de apoio ao respeitado autor Salman Rushdie,[9] então condenado à morte por ter escrito um romance. Irritado com as manifestações de "solidariedade" de líderes cristãos e até de alguns formadores de opinião laicos à "mágoa" e à "ofensa" dos muçulmanos, tracei o seguinte paralelo:

> Se os defensores do apartheid fossem espertos, eles teriam alegado — com sinceridade, pelo que sei — que permitir a mistura de raças era contra sua religião. Uma boa parte da oposição teria respeitosamente se afastado. E não adianta afirmar que se trata de um paralelo injusto porque o apartheid não tem justificativa racional. O grande ponto da fé religiosa, sua força e sua glória, é que ela não depende de justificativas racionais. Recai sobre o resto de nós a expectativa de que justifiquemos nossos preconceitos. Mas peça a uma pessoa religiosa que justifique sua fé e você infringirá a "liberdade de religião".

Mal sabia eu que uma coisa muito parecida aconteceria no século XXI. O *Los Angeles Times* (10 de abril de 2006) afirmou que vários grupos cristãos de campi dos Estados Unidos estavam processando suas universidades por adotar normas antidiscriminação, como a proibição de agredir homossexuais. Num exemplo típico, em 2004 James Nixon, um menino de doze anos de Ohio, ganhou na Justiça o direito de usar uma camiseta na escola com as palavras "Homossexualidade é pecado, islã é mentira, aborto é assassinato. Certas questões são preto no branco!".[10] A escola disse a ele que não usasse a camiseta — e os pais do menino processaram a escola. Os pais talvez tivessem um caso aceitável se houvessem se baseado na garantia de liberdade de expressão da Primeira Emenda. Mas eles não tinham. Em vez disso, os advogados de Nixon argumentaram com o direito constitucional à liberdade de *religião*. A ação vitoriosa recebeu o apoio do Alliance Defense Fund do Arizona, cuja missão é "pressionar por batalhas legais pela liberdade de religião".

O reverendo Rick Scarborough, apoiando a onda de ações cristãs semelhantes para estabelecer a religião como justificativa legal para a discriminação de homossexuais e outros grupos, declarou-a como a luta pelos direitos civis do século XXI: "Os cristãos vão ter de se posicionar pelo direito de ser cristãos".[11] Se essas pessoas se posicionassem em nome da liberdade de expressão, haveria relutância em apoiá-las. Mas não é disso que se trata. O "direito de ser cristão" parece, nesse caso, significar o "direito de meter o bedelho na vida privada dos outros". O caso jurídico a favor da discriminação de homossexuais está sendo montado como uma reação contra uma suposta discriminação religiosa! E a lei parece respeitar a atitude. Não dá para se safar dizendo: "Se você tentar me impedir de insultar homossexuais, estará violando minha liberdade de preconceito". Mas dá para se safar dizendo: "Isso viola minha liberdade de religião". Qual é a diferença, pensando bem? A religião, mais uma vez, supera tudo.

Encerro o capítulo com um estudo de caso especial, que escancara de forma iluminadora o respeito exagerado da sociedade pela religião, acima de todo respeito humano comum. O caso pegou fogo em fevereiro de 2006 — um episódio ridículo, que oscilou loucamente entre os extremos da comédia e da tragédia. Em setembro do ano anterior, o jornal dinamarquês *Jyllands-*

-*Posten* publicou doze caricaturas do profeta Maomé. Ao longo dos três meses seguintes, a indignação foi sendo cuidadosa e sistematicamente alimentada no mundo islâmico por um pequeno grupo de muçulmanos que moram na Dinamarca, liderado por dois imãs que haviam recebido guarida ali.[12] No fim de 2005, esses exilados malévolos viajaram da Dinamarca para o Egito carregando consigo um dossiê, que foi copiado e circulou em todo o mundo islâmico, incluindo, decisivamente, a Indonésia. O dossiê continha falsidades sobre supostos maus-tratos sofridos por muçulmanos na Dinamarca, e a mentira tendenciosa de que o *Jyllands-Posten* era um jornal estatal. Também continha as doze caricaturas, às quais os imãs haviam acrescentado, de forma crucial, mais três, cuja origem era misteriosa, mas que certamente não tinha nenhuma ligação com a Dinamarca. Ao contrário das doze originais, essas três novas caricaturas eram genuinamente ofensivas — ou teriam sido se tivessem, como alegaram os zelosos propagandistas, retratado Maomé. Uma das três novas imagens, particularmente negativa, não era nem um desenho, e sim a reprodução por fax de uma foto de um homem barbado usando um nariz de porco falso, preso por um elástico. Depois foi revelado que era uma foto da Associated Press de um francês que participava de um concurso de imitação de porcos numa feira rural da França.[13] A foto não tinha a menor conexão com o profeta Maomé, nem com o islã, nem com a Dinamarca. Mas os ativistas muçulmanos, em sua missão agitadora ao Cairo, insinuaram as três conexões... com resultados previsíveis.

A "mágoa" e a "ofensa" cuidadosamente cultivadas explodiram cinco meses depois da publicação original das doze caricaturas. Manifestantes no Paquistão e na Indonésia queimaram bandeiras dinamarquesas (onde será que eles foram arrumá-las?) e exigências histéricas foram feitas para que o governo da Dinamarca pedisse desculpas. (Desculpas pelo quê? Eles não desenharam as caricaturas, nem as publicaram. Os dinamarqueses só vivem num país com liberdade de imprensa, uma coisa que muitos países islâmicos podem ter dificuldade de entender.) Jornais na Noruega, na Alemanha, na França e até nos Estados Unidos (mas, notavelmente, não na Grã-Bretanha) republicaram as caricaturas num gesto de solidariedade ao *Jyllands-Posten*, o que pôs mais lenha na fogueira. Embaixadas e consulados foram depredados, produtos dinamarqueses foram boicotados, cidadãos dinamarqueses — e até ocidentais em geral — foram fisicamente ameaçados; igrejas católicas no Paquistão, sem nenhum tipo de ligação com dinamarqueses ou europeus, foram incendiadas. Nove pessoas morreram quando manifestantes líbios atacaram e incendiaram o consulado italiano em Benghazi. Como escreveu Germaine Greer, o que essa gente gosta mesmo, e faz melhor, é de pandemônio.[14]

Uma recompensa de 1 milhão de dólares pela cabeça do "cartunista dinamarquês" foi estabelecida por um imã paquistanês — que aparentemente não sabia que eram doze cartunistas dinamarqueses diferentes, e que decerto não sabia que as três imagens mais ofensivas jamais tinham sido publicadas na Dinamarca (e, aliás, de onde ia vir aquele milhão?). Na Nigéria, manifestantes muçulmanos que protestavam contra as caricaturas dinamarquesas queimaram várias igrejas católicas, e usaram machados para atacar e matar cristãos (nigerianos negros) nas ruas. Um cristão foi enfiado dentro de um pneu, encharcado de gasolina e incendiado. Na Grã-Bretanha, manifestantes foram fotografados segurando faixas com os dizeres "Matem quem insulta o islã", "Assassinem quem ridiculariza o islã", "Europa, você vai pagar: a demolição está a caminho" e "Decapitem aqueles que insultam o islã". Felizmente, nossos líderes políticos estavam a postos para nos lembrar que o islã é uma religião de paz e compaixão.

Nos desdobramentos que se seguiram a isso tudo, o jornalista Andrew Mueller entrevistou o principal muçulmano "moderado" da Grã-Bretanha, sir Iqbal Sacranie.[15] Ele pode ser moderado pelos padrões islâmicos atuais, mas, segundo relato de Andrew Mueller, ele ainda faz jus à declaração que deu quando Salman Rushdie foi condenado à morte por ter escrito um romance: "Talvez a morte seja fácil demais para ele" — uma declaração que estabelece um contraste ignominioso com seu corajoso antecessor, o muçulmano mais influente da Grã-Bretanha, o falecido dr. Zaki Badawi, que ofereceu refúgio em sua própria casa a Salman Rushdie. Sacranie disse a Mueller quanto estava preocupado com as caricaturas dinamarquesas. Mueller também estava preocupado, mas por um motivo diferente: "Temo que a reação ridícula, desproporcional, a alguns desenhos sem graça de um jornal escandinavo obscuro confirme que [...] o islã e o Ocidente são fundamentalmente irreconciliáveis". Sacranie, por sua vez, elogiou os jornais britânicos por não terem reproduzido as caricaturas, e Mueller respondeu ecoando as suspeitas da maior parte do país, de que "a contenção dos jornais britânicos deveu-se menos à sensibilidade em relação ao descontentamento muçulmano e mais ao desejo de não ter suas janelas depredadas".

Sacranie explicou que "a pessoa do Profeta, que a paz esteja com ele, é profundamente reverenciada no mundo muçulmano, com um amor e uma afeição que palavras não conseguem explicar. Vai além de seus pais, dos entes queridos, dos filhos. Isso faz parte da fé. Também há um ensinamento islâmico de que não se retrata o Profeta". Isso pressupõe, como observou Mueller,

> que os valores do islã têm um trunfo sobre todos os outros — coisa que todo seguidor do islã pressupõe, do mesmo modo como todo seguidor de toda religião acredita que o seu é o único caminho, a verdade e a luz. Se as pessoas querem amar um religioso do

século VII mais que a suas próprias famílias, problema delas, mas ninguém é obrigado a levar isso a sério [...]

Exceto que, se você não levar isso a sério e não lhe destinar o respeito adequado, sofrerá ameaças físicas, numa escala a que nenhuma outra religião aspirou desde a Idade Média. Não dá para não se perguntar por que esse tipo de violência é necessário, considerando que, como observa Mueller: "Se vocês, palhaços, tiverem alguma razão, os cartunistas vão mesmo para o inferno — não basta? Enquanto isso, se vocês quiserem ficar mesmo abalados com afrontas a muçulmanos, leiam os relatórios da Anistia Internacional sobre a Síria e a Arábia Saudita".

Muita gente já ressaltou o contraste entre a "mágoa" histérica professada pelos muçulmanos e a prontidão com que a imprensa árabe publica charges antijudaicas estereotipadas. Numa manifestação no Paquistão contra as caricaturas dinamarquesas, uma mulher de burca negra foi fotografada carregando um cartaz que dizia "Deus abençoe Hitler".

Em resposta a todo esse pandemônio, os jornais condenaram a violência e fizeram um pouco de barulho em defesa da liberdade de expressão. Mas ao mesmo tempo manifestaram "respeito" e "solidariedade" pela "ofensa" e pela "mágoa" profundas "sofridas" pelos muçulmanos. A "mágoa" e o "sofrimento" consistiam, lembre-se, não na imposição de qualquer violência ou dor real a uma pessoa: nada mais que alguns traços de tinta impressa num jornal sobre o qual ninguém jamais teria ouvido falar fora da Dinamarca se não fosse por uma campanha deliberada de incitação à desordem.

Não sou a favor de ofender nem magoar ninguém sem motivo. Mas fico intrigado e espantado com o privilégio desproporcional da religião em nossas sociedades ditas laicas. Todos os políticos têm de se acostumar às caricaturas desrespeitosas de seu rosto, e ninguém faz atos públicos em sua defesa. O que a religião tem de tão especial para que asseguremos a ela um respeito tão privilegiado e singular? Como disse H. L. Mencken: "Devemos respeitar a religião do outro, mas só no mesmo sentido e na mesma proporção com que respeitamos sua teoria de que sua mulher é linda e que seus filhos são inteligentes".

É sob a luz da pressuposição de respeito pela religião sem paralelos que faço meu aviso sobre este livro. Não farei ofensas gratuitas, mas tampouco usarei luvas de pelica para tratar da religião com mais delicadeza do que trataria qualquer outra coisa.

# 2. A Hipótese de que Deus Existe

*A religião de uma era é o entretenimento literário da seguinte.*
Ralph Waldo Emerson

O Deus do Antigo Testamento é talvez o personagem mais desagradável da ficção: ciumento, e com orgulho; controlador mesquinho, injusto e intransigente; genocida étnico e vingativo, sedento de sangue; perseguidor misógino, homofóbico, racista, infanticida, filicida, pestilento, megalomaníaco, sadomasoquista, malévolo. Aqueles que são acostumados desde a infância ao jeitão dele podem ficar dessensibilizados com o terror que sentem. Um *naïf* dotado da perspectiva da inocência tem uma percepção mais clara. Randolph, filho de Winston Churchill, conseguiu — não sei como — permanecer ignorante em relação às Escrituras até que Evelyn Waugh e um irmão soldado, na vã tentativa de manter Churchill quieto quando eles estavam no mesmo destacamento, apostaram que ele não seria capaz de ler a Bíblia inteira em quinze dias: "Infelizmente isso não surtiu o efeito que esperávamos.

Ele nunca tinha lido nada dela e está horrivelmente entusiasmado; fica lendo citações em voz alta: 'Garanto que vocês não sabiam que isso veio da Bíblia...', ou então fica se remexendo e dando risada: 'Meu Deus, Deus não é um merda?'".[16] Thomas Jefferson — mais informado — tinha opinião parecida, descrevendo o Deus de Moisés como "um ser de caráter terrível — cruel, vingativo, caprichoso e injusto".

É injusto atacar um alvo tão fácil. A Hipótese de que Deus Existe não deve ser sustentada ou ser derrubada com base em sua instância mais desagradável, Javé, nem em seu oposto, o insípido rosto cristão do "Jesus gentil, manso e suave".* (Para ser justo, essa *persona* efeminada deve-se mais a seus seguidores vitorianos que ao próprio Jesus. Será que alguma coisa pode ser mais açucarada e enjoativa que o "Todas as crianças cristãs devem ser/ Calmas, obedientes, boas como ele",** de C. F. Alexander?) Não estou atacando as qualidades específicas de Javé, ou Jesus, ou Alá, ou de nenhum outro deus em particular como Baal, Zeus ou Wotan. Definirei a Hipótese de que Deus Existe de modo mais defensável: *existe uma inteligência sobre-humana e sobrenatural que projetou e criou deliberadamente o universo e tudo que há nele, incluindo nós.* Este livro vai pregar outra visão: *qualquer inteligência criativa, de complexidade suficiente para projetar qualquer coisa, só existe como produto final de um processo extenso de evolução gradativa.* Inteligências criativas, por terem evoluído, necessariamente chegam mais tarde ao universo e, portanto, não podem ser responsáveis por projetá-lo. Deus, no sentido da definição, é um delírio; e, como os capítulos posteriores mostrarão, um delírio pernicioso.

* Referência ao hino "Gentle Jesus meek and mild", do metodista do século XVIII Charles Wesley. (N. T.)

** "Christian children all must be/ Mild, obedient, good as he." (N. T.)

Não é de surpreender, já que ela se baseia mais em tradições locais de revelações específicas do que em provas, que a Hipótese de que Deus Existe apareça em várias versões. Os historiadores da religião reconhecem uma progressão de animismos tribais primitivos, passando por politeísmos como os dos gregos, romanos e nórdicos, até os monoteísmos, como o judaísmo e seus derivados, o cristianismo e o islã.

## POLITEÍSMO

Não está claro por que a passagem do politeísmo para o monoteísmo deva ser encarada como um aperfeiçoamento progressivo evidente. Mas ela é amplamente aceita como tal — uma pressuposição que provocou Ibn Warraq (autor de *Why I am not a Muslim* [*Por que não sou muçulmano*]) a conjecturar sagazmente que o monoteísmo está por sua vez fadado a subtrair mais um deus e se transformar em ateísmo. A *Catholic encyclopedia* coloca o politeísmo e o ateísmo no mesmo nível de desimportância: "O ateísmo dogmático formal é uma autonegação e nunca obteve *de facto* a aprovação racional de um número considerável de homens. Assim como o politeísmo, por mais facilmente que se apodere da imaginação popular, jamais satisfará a mente de um filósofo".[17]

O chauvinismo monoteísta estava até bem recentemente encravado na lei de entidades beneficentes tanto da Inglaterra quanto da Escócia, a qual discriminava religiões politeístas para garantir o status de isenção de impostos ao mesmo tempo que facilitava a vida de entidades cujo objetivo fosse promover a religião monoteísta, liberando-as do rigoroso exame exigido, com bons motivos, das entidades beneficentes laicas. Minha ideia era convencer um integrante da respeitada comunidade hindu britânica a se manifestar e entrar com uma ação civil para por à prova essa discriminação esnobe contra o politeísmo.

Bem melhor, é claro, seria abandonar de vez a promoção da religião como base para o status de entidade beneficente. As vantagens dessa medida para a sociedade seriam enormes, especialmente nos Estados Unidos, onde as somas de dinheiro isento de impostos sugadas por igrejas, e que enchem ainda mais os bolsos dos televangelistas, atingem níveis que poderiam ser descritos sem remorsos como obscenos. Oral Roberts, que tem um nome bem adequado, disse uma vez a sua audiência que Deus o mataria se ele não lhe desse 8 milhões de dólares. É quase inacreditável, mas funcionou. Livres de impostos! Roberts continua com a corda toda, assim como a "Universidade Oral Roberts" de Tulsa, Oklahoma. Suas instalações, estimadas em 250 milhões de dólares, foram encomendadas pelo próprio Deus, com essas palavras: "Mobilize seus alunos para ouvir Minha voz, para ir aonde Minha luz é fraca, aonde Minha voz soa pequena, e Meu poder de cura não é conhecido, até nos limites mais extremos da Terra. O trabalho deles superará o seu, e com isso estarei satisfeito".

Pensando bem, meu litigante hindu imaginário provavelmente entraria no jogo do "Se não pode vencê-los, junte-se a eles". Seu politeísmo não é um politeísmo de verdade, mas um monoteísmo disfarçado. Há apenas um Deus — Brahma, o criador; Vishnu, o preservador; Shiva, o destruidor; as deusas Saraswati, Lakshmi e Parvati (mulheres de Brahma, Vishnu e Shiva); Ganesh, o deus-elefante, e as centenas de outros são apenas manifestações diferentes ou encarnações do mesmo Deus.

Os cristãos devem aprovar tal sofisma. Rios de tinta medieval, sem falar do sangue, foram gastos para explicar o "mistério" da Trindade, e para suprimir desvios como a heresia ariana. Ário de Alexandria, no século IV d. C., negou que Jesus fosse *consubstancial* (isto é, de mesma substância ou essência) com Deus. Que diabos isso queria dizer, você deve estar se perguntando. Substância? Que "substância"? O que exatamente se quer dizer com "essência"? "Muito pouco" parece a única resposta razoável. Mesmo assim, a controvérsia dividiu a cristandade ao meio por um século, e o imperador Constantino ordenou que todos os exemplares do livro de Ário fossem queimados. Dividir a cristandade brigando por minúcias — é o que a teologia sempre faz.

Temos um Deus em três partes, ou serão três Deuses em um? A *Catholic encyclopedia* esclarece a questão, numa obra-prima do raciocínio teológico:

> Na unidade da Divindade há três Pessoas, o Pai, o Filho e o Espírito Santo, sendo que essas Três Pessoas são distintas umas das outras. Assim, nas palavras do Credo de Atanásio: "o Pai é Deus, o Filho é Deus, o Espírito Santo é Deus, contudo não há três Deuses, mas um só Deus".

Como se isso não estivesse suficientemente claro, a *Encyclopedia* cita o teólogo do século III são Gregório, o Milagreiro:

> Não há portanto nada que tenha sido criado, nada que tenha sido sujeitado a outro na Trindade: nem há nada que tenha sido acrescentado como se uma vez não tivesse existido, mas entrado depois: portanto o Pai jamais esteve sem o Filho, nem o Filho sem o Espírito Santo: e essa mesma Trindade é imutável e inalterável para sempre.

Quaisquer que tenham sido os milagres que deram a são Gregório seu apelido, não eram milagres de lucidez. Suas palavras carregam o traço obscurantista característico da teologia, que — diferentemente da ciência e da maioria dos outros ramos da sabedoria humana — não mudou em dezoito séculos. Thomas Jefferson, como tantas outras vezes, falou bem quando disse: "O ridículo é a única arma que pode ser usada contra proposições ininteligíveis. As ideias têm de ser definidas para que a razão possa agir sobre elas; e nenhum homem jamais teve uma ideia definida sobre a Trindade. Não passa do abracadabra dos charlatães que se autodenominam sacerdotes de Jesus".

A outra coisa que não posso deixar de ressaltar é a confiança pretensiosa com a qual os religiosos atribuem mínimos detalhes àquilo para o que nenhum deles tem nenhuma prova — nem poderia ter. Talvez seja exatamente o fato de que não há provas que sustentem as opiniões teológicas, para qualquer lado, que alimente a hostilidade draconiana característica em relação a quem tem uma opinião ligeiramente diferente, sobretudo, como ocorre, na área específica da Trindade.

Jefferson lançou o ridículo sobre a doutrina de que, nas palavras dele, "há três Deuses", em sua crítica ao calvinismo. Mas é principalmente o ramo católico romano da cristandade que empurra seu recorrente flerte com o politeísmo para a inflação descontrolada. A Trindade é (são?) acrescida de Maria, "Rainha do Céu", que só não é deusa no nome, mas que certamente coloca o próprio Deus em segundo lugar como alvo de preces. O panteão ainda é inchado por um exército de santos, cujo poder de intercessão faz com que eles sejam, se não semideuses, úteis em seus assuntos específicos. O Fórum da Comunidade Católica nos dá uma mão e lista 5120 santos,[18] junto com suas áreas de especialidade, que incluem dores abdominais, vítimas de abusos, anorexia, vendedores de armas, ferreiros, fraturas de ossos, técnicos de explosivos e problemas intestinais, para ficar só no comecinho da lista. E não podemos esquecer os Coros Angélicos, organizados em nove ordens: Serafins, Querubins, Tronos, Dominações, Virtudes, Potestades, Principados, Arcanjos e os Anjos simples, incluindo nossos melhores amigos, os sempre atentos Anjos da

Guarda. O que me impressiona na mitologia católica é em parte seu kitsch de mau gosto, mas principalmente a tranquilidade com que essa gente vai criando os detalhes. É uma invenção descarada.

O papa João Paulo II criou mais santos que todos os seus antecessores de vários séculos juntos, e tinha uma afinidade especial com a Virgem Maria. Seus impulsos politeístas ficaram dramaticamente demonstrados em 1981, quando sofreu uma tentativa de assassinato em Roma e atribuiu sua sobrevivência à intervenção de Nossa Senhora de Fátima: "Uma mão materna guiou a bala". Não dá para não se perguntar por que ela não a guiou para que se desviasse de vez dele. Ou se pode questionar se a equipe de cirurgiões que o operou por seis horas não merece pelo menos uma parte do crédito; mas talvez as mãos deles também tenham sido maternalmente guiadas. O ponto relevante é que não foi só Nossa Senhora que, na opinião do papa, guiou a bala, mas especificamente Nossa Senhora *de Fátima*. Presume-se que Nossa Senhora de Lourdes, Nossa Senhora de Guadalupe, Nossa Senhora de Medjugorje, Nossa Senhora de Akita, Nossa Senhora de Zeitoun, Nossa Senhora de Garabandal e Nossa Senhora de Knock estavam ocupadas com outros afazeres naquela hora.

Como os gregos, os romanos e os vikings lidam com essas charadas politeológicas? Vênus era só outro nome para Afrodite ou elas eram duas deusas distintas do amor? Thor, com seu martelo, era uma manifestação de Wotan ou outro deus? Quem se importa? A vida é curta demais para nos preocuparmos com a distinção entre os muitos produtos da imaginação. Como já tratei um pouco do politeísmo para evitar a acusação de negligência, não direi mais nada sobre ele. Em nome da concisão, vou me referir a todas as divindades, sejam poli ou monoteístas, como apenas "Deus". Também tenho consciência de que o Deus de Abraão é (para usar termos leves) agressivamente masculino, e esse fato aceitarei como convenção para o uso dos pronomes. Teólogos mais sofisticados declaram que Deus não tem sexo, embora algumas teólogas feministas queiram compensar injustiças históricas designando-a mulher. Mas, afinal de contas, qual é a diferença entre uma mulher inexistente e um homem inexistente? Imagino que, no cruzamento irreal entre teologia e feminismo, a existência possa mesmo ser um atributo menos importante que o gênero.

Sei que aqueles que criticam a religião podem ser atacados por não dar o devido crédito à fértil diversidade de tradições e visões de mundo que vêm sendo chamadas de religiosas. Obras antropologicamente informadas, de *O ramo de ouro*, de James Frazer, a *Religion explained*, de Pascal Boyer, ou *In gods we trust* [Acreditamos em deuses], de Scott Atran, documentam de forma fascinante a bizarra fenomenologia das superstições e dos rituais. Leia esses livros e maravilhe-se com a riqueza da credulidade humana.

Mas não é essa a natureza deste livro. Condeno o sobrenaturalismo em todas as suas formas, e o modo mais eficaz de prosseguir é me concentrar na forma que tem a maior chance de ser familiar aos meus leitores — a forma que influencia mais ameaçadoramente todas as nossas sociedades. É provável que a maioria dos meus leitores tenha sido criada em uma ou outra das três "grandes" religiões monoteístas da atualidade (quatro, se se contar o mormonismo), todas as quais remontam ao patriarca mitológico Abraão, e será conveniente manter essa família de tradições em mente ao longo do restante do livro.

Este é um momento tão bom quanto qualquer outro para antecipar uma réplica provável ao livro, que se não aparecesse aqui surgiria, com certeza absoluta, numa resenha: "Eu também não acredito no Deus em que Dawkins não acredita. Não acredito num senhor de compridas barbas brancas que fica no céu".

Aquele senhor é um elemento irrelevante de distração, e suas barbas são tão tediosas quanto compridas. Na verdade, a distração é pior que irrelevante. Sua bobice é calculada para desviar a atenção do fato de que aquilo no que o autor da crítica realmente acredita não é menos bobo. Sei que você não acredita num senhor barbado sentado numa nuvem, então não percamos mais tempo com isso. Não estou atacando nenhuma versão específica de Deus ou deuses. Estou atacando Deus, todos os deuses, toda e qualquer coisa que seja sobrenatural, que já foi e que ainda será inventada.

## MONOTEÍSMO

> *O grande e indizível mal no cerne de nossa cultura é o monoteísmo. A partir de um texto bárbaro da Idade do Bronze, conhecido como Antigo Testamento, evoluíram três religiões anti-humanas — o judaísmo, o cristianismo e o islã. São religiões de deus-no-céu. São, literalmente, patriarcais — Deus é o Pai Onipotente —, daí o desprezo às mulheres por 2 mil anos nos países afligidos pelo deus-no-céu e seus enviados masculinos terrestres.*
>
> Gore Vidal

A mais antiga das três religiões abraâmicas, e a clara ancestral das outras duas, é o judaísmo: originalmente um culto tribal a um Deus único e desagradável, que tinha uma obsessão mórbida por restrições sexuais, pelo cheiro de carne queimada, por sua superioridade em relação aos deuses rivais e pelo exclusivismo de sua tribo desértica escolhida. Durante a ocupação romana da Palestina, o cristianismo foi fundado por Paulo de Tarso como uma seita do judaísmo menos intransigentemente monoteísta e menos exclusivista, que olhou além dos judeus e para o resto do mundo. Vários séculos depois, Maomé e seus seguidores retomaram o monoteísmo inflexível do original judaico, mas não seu exclusivismo, e fundaram o islamismo a partir de um novo livro sagrado, o Corão, ou Qur'an, acrescentando uma forte ideologia de conquista militar à disseminação da fé. O cristianismo também foi disseminado pela espada, primeiro nas mãos romanas, quando o imperador Constantino o elevou de culto excêntrico a religião oficial, depois nas dos cruzados e depois nas dos conquistadores e outros invasores e colonizadores europeus, com acompanhamento missionário. Para a maior parte de meus propósitos, as três religiões abraâmicas podem ser tratadas como indistinguíveis. Exceto quando eu declarar o contrário, terei principalmente o cristianismo em mente, mas apenas porque por acaso essa é a versão com que tenho mais familiaridade. E não me preocuparei nem um pouco com outras religiões como o budismo e o confucionismo. Na verdade, o fato de elas serem tratadas não como religiões mas como sistemas éticos ou filosofias de vida quer dizer alguma coisa.

A definição simples da Hipótese de que Deus Existe com que comecei tem de ser significativamente engordada para acomodar o Deus abraâmico. Ele não criou apenas o universo; ele é um Deus *pessoal* que vive dentro dele, ou talvez fora dele (o que quer que isso signifique), possuidor das qualidades humanas desagradáveis às quais aludi.

Qualidades pessoais, sejam agradáveis ou desagradáveis, não têm espaço no deus deísta de Voltaire e Thomas Paine. Comparado ao delinquente psicótico do Antigo Testamento, o Deus deísta do Iluminismo setecentista é um ser mais grandioso: respeitável por sua criação cósmica, altivamente despreocupado com as questões humanas, sublimemente indiferente a nossos pensamentos e esperanças particulares, alheio a nossos pecados ou penitências resmungadas. O Deus deísta é um físico que encerra toda a física, o alfa e ômega dos matemáticos, a apoteose dos projetistas; um hiperengenheiro que estabeleceu as leis e as constantes do universo, ajustou-as com uma precisão e uma antevisão extraordinárias, detonou o que hoje chamamos de big bang, aposentou-se e ninguém nunca mais soube dele.

Em épocas de fé mais exacerbada, os deístas foram considerados iguais aos ateus. Susan Jacoby, em *Freethinkers: A history of American secularism* [Livres-pensadores: uma história do secularismo americano], lista uma seleção dos epítetos lançados contra o pobre Tom Paine: "Judas, réptil, porco, cachorro louco, bêbado, nefasto, arquibesta, bruto, mentiroso e, é claro, infiel". Paine morreu abandonado por ex-amigos políticos envergonhados com suas opiniões anticristãs (com a honorável exceção de Jefferson). Hoje em dia, a situação mudou tanto que é mais provável que os deístas sejam contrastados com os ateus e agregados aos teístas. Afinal, eles realmente acreditam numa inteligência suprema que criou o universo.

## SECULARISMO, OS PAIS FUNDADORES E A RELIGIÃO DOS ESTADOS UNIDOS

É tradição assumir que os Pais Fundadores da República americana eram deístas. Sem dúvida muitos eram, embora já tenha sido alegada a possibilidade de que os maiores deles tenham sido ateus. O que eles escreveram sobre religião em sua época não me deixa dúvidas de que a maioria teria sido ateia em nossos tempos. Mas, quaisquer que tenham sido as opiniões religiosas de cada um deles para aquela época, a única coisa que eles eram coletivamente é *secularistas*, tópico para o qual me volto neste trecho, começando com uma citação — talvez surpreendente — do senador Barry Goldwater em 1981, mostrando claramente a determinação com que o presidenciável e herói do conservadorismo americano sustentava a tradição laica da fundação da República:

> Em nenhuma outra posição as pessoas são tão irremovíveis como em suas crenças religiosas. Não se pode arregimentar aliado mais poderoso num debate do que Jesus Cristo, ou Deus, ou Alá, ou como quer que se denomine esse ser superior. Mas, como toda arma poderosa, o uso do nome de Deus para benefício próprio deve ser usado criteriosamente. As facções religiosas que estão crescendo em toda a nossa nação não estão usando seu trunfo religioso com sabedoria. Estão tentando obrigar os líderes do governo a seguir cem por cento de sua posição. Se você discorda desses grupos religiosos numa questão moral específica, eles reclamam e o ameaçam com a perda de dinheiro, a perda de votos ou ambas. Estou sinceramente farto de pregadores políticos em todo este país me dizendo que, como cidadão, se eu quiser ser uma pessoa de moral, tenho de acreditar em A, B, C e D. Quem eles pensam que são? E de onde eles tiram a ideia de que têm o direito de impor suas crenças religiosas a mim? E fico ainda mais furioso porque sou um legislador que é obrigado a suportar as ameaças de todo grupo religioso que acha que tem algum direito divino de controlar meu voto em todas as votações do Senado. Hoje os advirto: vou combatê-los sem cessar se eles tentarem impor suas convicções morais a todos os americanos em nome do conservadorismo.[19]

As opiniões religiosas dos Pais Fundadores são objeto de grande interesse dos propagandistas da direita americana atual, ansiosa por empurrar sua versão da história. Contrariamente à visão deles, o fato de que os Estados Unidos *não* foram fundados como uma nação cristã foi bem cedo declarado nos termos do tratado de Trípoli, elaborado em 1796, durante a presidência de George Washington, e assinado por John Adams em 1797:

> Como o governo dos Estados Unidos da América não é, em nenhum sentido, fundamentado na religião cristã; como não tem em si nenhum caráter de inimizade contra as leis, a religião ou a tranquilidade dos muçulmanos; e como os ditos estados jamais entraram em guerra nem executaram nenhum ato de hostilidade contra nenhuma nação maometana, os lados declaram que nenhum pretexto derivado de opiniões religiosas jamais deverá causar a interrupção da harmonia existente entre os dois países.

As palavras que abrem essa citação hoje causariam furor nas autoridades de Washington. Mas Ed Buckner demonstrou de maneira convincente que elas não causaram discórdia na época,[20] nem entre políticos nem no público.

Muitas vezes já se ressaltou o paradoxo de que os Estados Unidos foram fundados com base no secularismo e hoje são o país mais religioso da cristandande, enquanto a Inglaterra, com uma Igreja estabelecida e chefiada por seu monarca constitucional, está entre os menos religiosos. Constantemente me perguntam por que isso acontece, e eu não sei a resposta. Imagino ser possível que a Inglaterra tenha ficado cansada da religião depois do seu pavoroso histórico de violência entre crenças, com protestantes e católicos obtendo alternadamente a supremacia e sistematicamente assassinando o outro grupo. Outra sugestão emana da observação de que os Estados Unidos são um país de imigrantes. Um colega me aponta que os imigrantes, arrancados da estabilidade e do conforto de sua família na Europa, podem muito bem ter adotado a Igreja como uma espécie de parente substituto em terra estrangeira. É uma ideia interessante, merecedora de mais pesquisas. Não há dúvida de que muitos americanos encaram sua igreja local como uma unidade importante de identidade, que tem, sim, alguns dos atributos de família.

Outra hipótese é que a religiosidade dos Estados Unidos provém, paradoxalmente, do secularismo de sua Constituição. Precisamente porque os Estados Unidos são legalmente laicos, a religião se transformou num empreendimento liberado. Igrejas rivais competem por congregações — e pelo gordo dízimo que elas trazem consigo — e a concorrência é marcada por todas as técnicas agressivas de venda do mercado. O que funciona para o sabão em pó funciona para Deus, e o resultado é algo que se aproxima de uma mania de religião nas classes menos instruídas. Na Inglaterra, por outro lado, a religião, sob a égide da Igreja estabelecida, transformou-se em pouco mais que um passatempo social agradável, quase não mais reconhecível como religião. Essa tradição inglesa é bem descrita por Giles Fraser, um sacerdote anglicano que também é monitor de filosofia em Oxford, em um texto publicado no *The Guardian*. O subtítulo do artigo de Fraser é "O estabelecimento da Igreja da Inglaterra tirou Deus da religião, mas há riscos numa abordagem mais vigorosa da fé":

> Houve um tempo em que o vigário da região era figurinha carimbada da *dramatis personae* inglesa. Aquele homem excêntrico e gentil, apreciador de chá, com seus sapatos lustrosos e jeito bondoso, representava um tipo de religião que não deixava desconfortáveis as pessoas que não eram religiosas. Ele não teria um chilique existencial nem o colocaria contra a parede perguntando se você já foi salvo, menos ainda lançaria cruzadas desde o altar ou plantaria bombas de beira de estrada em nome de algum poder maior.[21]

(Ecos de "Nosso Padre", de Betjeman, que citei no início do capítulo 1.) Fraser continua e diz que "o vigário simpático do campo na prática imunizou boa parte dos ingleses contra o cristianismo". Ele encerra seu artigo lamentando a tendência mais recente da Igreja da Inglaterra de levar de novo a religião a sério, e sua última frase é uma advertência: "O temor é que podemos ter libertado o gênio do fanatismo religioso da lâmpada do establishment em que ele estava adormecido havia séculos".

O gênio do fanatismo religioso está à solta nos Estados Unidos atuais, e os Pais Fundadores teriam ficado horrorizados. Seja ou não correto abraçar o paradoxo e culpar a Constituição laica que eles elaboraram, os fundadores eram certamente secularistas que acreditavam na separação entre religião e política, e isso é o bastante para colocá-los firmemente do lado daqueles que são contra, por exemplo, a exibição ostentatória dos Dez Mandamentos em lugares públicos estatais. Mas é tentador especular que pelo menos alguns entre os fundadores tenham ido além do deísmo. Quem sabe eles tenham sido agnósticos ou até absolutamente ateus? A declaração de Jefferson a seguir é indistinguível do que hoje chamaríamos de agnosticismo:

> Falar de existências imateriais é falar de *nadas*. Dizer que a alma, os anjos e deus são imateriais é dizer que eles são nadas, ou que não existe deus, nem anjos, nem alma. Não consigo pensar de outra maneira [...] sem mergulhar no abismo insondável dos sonhos e fantasmas. Satisfaço-me e fico suficientemente ocupado com as coisas que existem, sem me atormentar com as coisas que podem até existir, mas das quais não tenho provas.

Christopher Hitchens, em sua biografia *Thomas Jefferson: Author of America*, acha provável que Jefferson tenha sido ateu, mesmo naquela época, quando isso era bem mais difícil:

> Quanto a se ele era ateu, temos de manter nossas reservas, no mínimo pela prudência que ele foi obrigado a observar durante sua vida política. Mas, como ele escreveu para o sobrinho Peter Carr, já em 1787, não se deve se afastar da dúvida por medo de suas

consequências. "Se ela terminar na crença de que Deus não existe, encontrarás incentivos à virtude no conforto e no prazer que sentes nesse exercício, e no amor dos outros que te atingirá."

Considero emocionante o conselho de Jefferson, ainda na carta a Peter Carr:

> Joga fora todos os medos de preconceitos servis, sob os quais as mentes dos fracos se curvam. Coloca a razão firmemente no trono dela, e apela ao tribunal dela para todos os fatos, todas as opiniões. Questiona com coragem até a existência de Deus; porque, se houver um, ele deve aprovar mais o respeito à razão que o medo cego.

Declarações de Jefferson, como a de que "o cristianismo é o sistema mais pervertido que já brilhou sobre o homem", são compatíveis com o deísmo, mas também com o ateísmo. Assim como o anticlericalismo robusto de James Madison: "Por quase quinze séculos o establishment legal do cristianismo esteve em teste. Quais foram seus frutos? Mais ou menos, em todos os lugares, orgulho e indolência no clero; ignorância e servilismo nos leigos; em ambos, superstição, intolerância e perseguição". Pode-se dizer o mesmo sobre a declaração "faróis são mais úteis que igrejas", de Benjamin Franklin. John Adams parece ter sido um deísta do tipo fortemente anticlerical ("As terríveis engrenagens das assembleias eclasiásticas [...]") e foi autor de ótimas tiradas contra o cristianismo em particular: "Pelo que entendo da religião cristã, ela foi, e é, uma revelação. Mas como foi possível que milhões de fábulas, histórias, lendas tenham se misturado tanto à revelação judaica quanto à cristã e as transformado na religião mais sangrenta que já existiu?". E, em outra carta, desta vez para Jefferson, ele diz: "Quase estremeço só de pensar em aludir ao exemplo mais fatal dos abusos de sofrimento que a história da humanidade já preservou — a Cruz. Pense nas calamidades que essa máquina de sofrimento já produziu!".

Fossem Jefferson e seus colegas teístas, deístas, agnósticos ou ateus, eles eram também secularistas apaixonados, que acreditavam que as opiniões religiosas de um presidente, ou sua falta, só interessavam a ele mesmo. Todos os Pais Fundadores, quaisquer que fossem suas crenças religiosas particulares, teriam ficado perplexos ao ler a reportagem do jornalista Robert Sherman sobre a resposta que George Bush pai deu quando Sherman perguntou se ele reconhecia a igualdade de cidadania e patriotismo dos americanos ateus: "Não, não sei se ateus deviam ser considerados cidadãos, nem se deveriam ser considerados patriotas. Esta é uma nação regida por Deus".[22] Pressupondo que o relato de Sherman esteja correto (infelizmente ele não gravou a declaração, e nenhum outro jornal publicou a reportagem na época), faça a experiência de substituir "ateus" por "judeus" ou "muçulmanos" ou "negros". Isso dá uma ideia do preconceito e da discriminação que os ateus americanos têm de enfrentar hoje em dia. O artigo "Confessions of a lonely atheist" ["Confissões de uma ateia solitária"], de Natalie Angier, no *The New York Times*, é uma descrição triste e tocante de sua sensação de isolamento por ser ateia nos Estados Unidos atuais.[23] Mas o isolamento dos ateus americanos é uma ilusão, assiduamente cultivada pelo preconceito. Os ateus americanos são mais numerosos do que a maioria das pessoas imagina. Como disse no prefácio, eles superam de longe em número o de judeus religiosos, embora o lobby judeu seja conhecido por sua enorme influência em Washington. O que os ateus americanos poderiam conseguir se se organizassem adequadamente?*

* Tom Flynn, editor da *Free Inquiry*, fala bem e com contundência ("Secularism's breakthrough moment" ["O momento revolucionário do secularismo"], *Free Inquiry*, 26/3/2006, pp. 16-7): "Se os ateus são solitários e oprimidos, a culpa é só nossa. Numericamente, somos fortes. Vamos começar a exercer nosso peso".

David Mills, em seu admirável livro *Atheist universe*, conta uma história que você chamaria de uma caricatura pouco realista de intolerância policial, se fosse ficção. Um curandeiro cristão fazia uma "Cruzada dos Milagres" que chegava à cidade de Mills uma vez por ano. Entre outras coisas, o curandeiro incentivava os diabéticos a jogar sua insulina fora, e os pacientes de câncer a desistir da quimioterapia e a rezar por um milagre. Com bons motivos, Mills decidiu organizar uma manifestação pacífica para advertir as pessoas. Mas ele cometeu o erro de contar sobre suas intenções à polícia e pedir proteção policial para possíveis ataques dos defensores do curandeiro. O primeiro policial com quem ele falou perguntou: "Você vai protestar por ele ou contra ele?". Quando Mills respondeu "contra ele", o policial disse que pretendia ir ele mesmo ao ato e que planejava cuspir no rosto de Mills quando passasse diante da manifestação.

Mills resolveu tentar a sorte com um segundo policial, que disse que, se algum defensor do curandeiro atacasse Mills com violência, Mills seria preso por estar "tentando interferir na obra de Deus". Mills foi para casa e tentou telefonar para a delegacia, na esperança de encontrar um pouco mais de solidariedade num nível superior. Finalmente conseguiu falar com um sargento, que disse: "Vá para o inferno, amigo. Nenhum policial quer proteger um ateu maldito. Espero que alguém o acerte direitinho". Parece que naquela delegacia estavam em falta o leite da bondade humana e o senso do dever. Mills conta que falou com sete ou oito policiais naquele dia. Nenhum quis ajudar, e a maioria lhe fez ameaças diretas de violência.

São muitas as histórias de preconceitos contra ateus, mas Margaret Downey, fundadora da Rede de Apoio Antidiscriminação (Anti-Discrimination Support Network — ADSN), mantém registros sistemáticos de casos como esse, através da Freethought Society of Greater Philadelphia.[24] Seu banco de dados de incidentes, divididos nas categorias comunidade, escola, local de trabalho, mídia, família e governo, inclui exemplos de perseguição, perda de emprego, rejeição familiar e até assassinato.[25] As provas documentadas por Downey do ódio e da incompreensão dirigidos aos ateus tornam mais fácil crer que, de fato, é virtualmente impossível para um ateu honesto ganhar uma eleição pública nos Estados Unidos. Há 435 membros na Câmara dos Deputados e cem no Senado. Presumindo que a maioria desses 535 indivíduos seja uma amostra culta da população, estatisticamente é quase inevitável que um número significativo deles seja de ateus. Eles devem ter mentido ou escondido sua verdadeira convicção para ser eleitos. Quem pode culpá-los, considerando o eleitorado que tiveram de convencer? É consenso universal que admitir o ateísmo seria um suicídio político instantâneo para qualquer presidenciável.

Esses fatos do clima político atual nos Estados Unidos, e tudo o que eles implicam, teriam horrorizado Jefferson, Washington, Madison, Adams e todos os seus amigos. Tenham sido eles ateus, agnósticos, deístas ou cristãos, teriam recuado alarmados diante dos teocratas da Washington do início do século XXI. Teriam se apoiado nos fundadores secularistas da Índia pós-colonial, especialmente o religioso Gandhi ("Sou hindu, sou muçulmano, sou judeu, sou cristão, sou budista!") e o ateu Nehru:

> O espetáculo daquilo que é chamado de religião, ou qualquer tipo de religião organizada, na Índia ou em qualquer outro lugar, enche-me de horror e já o condenei com frequência, no desejo de eliminá-lo. Quase sempre ele parece significar crença e reação cegas, dogma e intolerância, superstição, exploração e a preservação de direitos adquiridos.

A definição de Nehru para a Índia laica sonhada por Gandhi (se esse sonho tivesse sido realizado, em vez da partição do país em meio a uma canificina entre fés) poderia quase que ter sido escrita pelo próprio Jefferson:

> Falamos de uma Índia laica [...] Algumas pessoas acham que isso significa algo contrário à religião. Obviamente isso não está correto. O que isso significa é que é um Estado que honre todas as crenças igualmente e que lhes dê oportunidades iguais; a Índia tem um longo histórico de tolerância religiosa [...] Num país como a Índia, que tem muitas crenças e religiões, não é possível construir um nacionalismo real senão com base no secularismo.[26]

O Deus deísta com frequência associado aos Pais Fundadores com certeza já é bem melhorado se comparado ao monstro da Bíblia. Infelizmente, não é muito mais provável que ele exista, ou tenha existido. Em qualquer das formas de Deus, a Hipótese de que Deus Existe é dispensável.* A Hipótese de que Deus Existe também está muito próxima de ser descartada pelas leis da probabilidade. Tratarei disso no capítulo 4, depois de falar sobre as supostas provas da existência de Deus no capítulo 3. Enquanto isso, volto-me para o agnosticismo, e à ideia equivocada de que a existência ou a inexistência de Deus é uma dúvida intocável, para sempre fora do alcance da ciência.

## A POBREZA DO AGNOSTICISMO

O atleta de Cristo que nos dava sermões do altar da capela da minha escola admitiu ter um respeito secreto pelos ateus. Eles

* "Majestade, não preciso dessa hipótese", disse Laplace quando Napoleão questionou como o famoso matemático havia conseguido escrever seu livro sem mencionar Deus.

pelo menos tinham a coragem de declarar suas convicções equivocadas. O que ele não suportava eram os agnósticos: covardes em-cima-do-muro, sem-sal-e-sem-açúcar. Em parte ele tinha razão, mas pelo motivo totalmente errado. Na mesma linha, de acordo com Quentin de la Bédoyère, o historiador católico Hugh Ross Williamson "respeitava o crente religioso comprometido e também o ateu comprometido. Ele reservava seu desprezo para as mediocridades insossas que circulavam no meio".[27]

Não há nada de errado em ser agnóstico nos casos em que não há provas nem para um lado nem para o outro. É a posição mais razoável. Carl Sagan tinha orgulho de ser agnóstico quando lhe perguntavam se havia vida em outros lugares do universo. Quando ele se recusou a se comprometer, seu interlocutor o pressionou pedindo sua opinião "por instinto", e ele respondeu, de forma imortal: "Mas eu tento não pensar pelo instinto. Não há problema nenhum em guardar suas reservas até que surjam provas".[28] A questão da vida extraterrestre está em aberto. Podem-se apresentar bons argumentos para os dois lados, e não temos provas para nada mais que apenas esboçar as probabilidades de um ou outro lado. Esse tipo de agnosticismo é a posição apropriada para muitas dúvidas científicas, como sobre o que causou a extinção do fim do Permiano, a maior extinção em massa da história fóssil. Pode ter sido o impacto de um meteorito, como aquele que, mais provavelmente, de acordo com as evidências atuais, causou a extinção dos dinossauros mais tarde. Mas pode ter sido qualquer uma entre várias outras causas possíveis, ou uma combinação delas. O agnosticismo sobre as causas dessas duas extinções em massa é razoável. E quanto à dúvida sobre Deus? Deveríamos ser agnósticos também em relação a ele? Muitas pessoas já disseram que sim, definitivamente, com frequência com um ar de convicção que beira o excesso. Elas estão certas?

Vou começar distinguindo dois tipos de agnosticismo. O Agnosticismo Temporário na Prática, ou ATP, é o legítimo em-cima-do-muro, quando realmente existe uma resposta definitiva, para um lado ou para o outro, mas para a qual ainda não temos evidências (ou não compreendemos a evidência, ou não tivemos tempo de ler a evidência etc.). O ATP seria uma posição razoável em relação à extinção permiana. Há uma verdade lá fora, e um dia esperamos conhecê-la, embora no momento não a conheçamos.

Mas há também um tipo de em-cima-do-muro profundamente inescapável, que chamarei de APP (Agnosticismo Permanente por Princípio). O estilo APP de agnosticismo é adequado para dúvidas que jamais podem ser respondidas, não importa quantas provas coletemos, já que a própria ideia de prova não se aplica. A dúvida existe num plano diferente, ou numa dimensão diferente, além da zona que as provas podem alcançar. Um exemplo pode ser a velha charada filosófica: você vê o vermelho do mesmo jeito que eu? Quem sabe seu vermelho seja o meu verde, ou alguma coisa completamente diferente de qualquer cor que eu possa imaginar. Os filósofos citam essa como uma dúvida que jamais pode ser respondida, não importam quantas evidências possam um dia ficar disponíveis. E alguns cientistas e outros intelectuais estão convencidos — convencidos demais, na minha opinião — de que a existência de Deus pertence à categoria de APP para sempre inacessível. A partir daí, como veremos, eles muitas vezes fazem a dedução pouco lógica de que a hipótese da existência de Deus e a hipótese de sua inexistência têm exatamente a mesma probabilidade de estar certas. A opinião que defenderei é bem diferente: o agnosticismo sobre a existência de Deus pertence firmemente à categoria temporária, ou ATP. Ou ele existe ou não existe. É uma pergunta científica; um dia talvez conheçamos a resposta, e enquanto isso podemos dizer coisas bem categóricas sobre as probabilidades.

Na história das ideias, há exemplos de dúvidas que foram respondidas e que até então tinham sido consideradas para sempre fora do alcance da ciência. Em 1835, o consagrado filósofo francês Auguste Comte escreveu, sobre as estrelas: "Jamais poderemos estudar, por nenhum método, sua composição química ou sua estrutura mineralógica". Mas antes mesmo de Comte cunhar essa frase Fraunhofer tinha começado a usar seu espectroscópio para analisar a composição química do Sol. Hoje os espectroscopistas destroem diariamente o agnosticismo de Comte com suas análises a longa distância da composição química exata de estrelas distantes.[29] Fosse qual fosse o status exato do agnosticismo astronômico de Comte, essa história sugere, no mínimo, que devemos hesitar antes de proclamar alto demais a veracidade eterna do agnosticismo. Ainda assim, em se tratando de Deus, boa parte dos filósofos e cientistas faz isso sem pestanejar, a começar pelo próprio inventor da palavra, T. H. Huxley.[30]

Huxley explicou seu novo termo ao rebater um ataque pessoal provocado pela palavra. O diretor do King's College de Londres, o reverendo dr. Wace, havia despejado desdém sobre o "agnosticismo covarde" de Huxley:

> Ele pode preferir se autodenominar agnóstico; mas seu nome real é bem mais antigo — ele é um infiel; quer dizer, um descrente. A palavra infiel talvez carregue em si um significado desagradável. Talvez ela devesse mesmo. É, e deveria ser, uma coisa desagradável para um homem ter de dizer simplesmente que não acredita em Jesus Cristo.

Huxley não era um homem que deixasse passar esse tipo de provocação, e sua resposta, em 1889, foi tão afiada quanto poderíamos esperar (embora jamais se afastando do escrúpulo das boas maneiras: como o buldogue de Darwin, seus dentes foram afiados pela ironia polida vitoriana). Depois de ter dado ao dr. Wace sua merecida reprimenda e eliminado os vestígios, Huxley voltou à palavra "agnóstico" e explicou como chegou até ela. Os outros, afirmou ele,

> tinham bastante certeza de ter alcançado uma certa "gnose" — a de que haviam, de forma mais ou menos bem-sucedida, solucionado o problema da existência; enquanto eu tinha bastante certeza de não tê-la alcançado, e tinha uma convicção bem forte de que o problema era insolúvel. E, com Hume e Kant ao meu lado, não me considerei presunçoso por me apegar àquela opinião [...] Então pensei e inventei o que considerei o título apropriado de "agnóstico".

Mais adiante em seu discurso, Huxley explicou que os agnósticos não têm credo, nem um credo negativo.

> O agnosticismo, na verdade, não é um credo, mas um método, a essência do que está na aplicação rigorosa de um único princípio [...] De forma categórica, o princípio pode ser expresso assim: Em questões do intelecto, não finja que as conclusões estão corretas quando elas não foram demonstradas ou não são demonstráveis. É isso que assumo como a fé agnóstica, que, se for mantida inteira e impoluta por um homem, ele não terá vergonha de encarar o universo, independentemente do que o futuro possa lhe reservar.

Para um cientista essas são palavras nobres, e não se critica T. H. Huxley levianamente. Mas Huxley, em sua concentração na absoluta impossibilidade de comprovar ou contraprovar Deus, parece ter ignorado a nuance da *probabilidade*. O fato de que não se pode nem comprovar nem contraprovar a existência de alguma coisa não coloca a existência e a inexistência em pé de igualdade. Não acho que Huxley teria discordado, e suspeito que, quando ele parecia fazê-lo, estava recuando para fazer uma concessão em um ponto, na intenção de reforçar outro. Todos nós já fizemos isso alguma vez na vida.

Ao contrário de Huxley, sugerirei que a existência de Deus é uma hipótese científica como qualquer outra. Mesmo sendo difícil de por à prova na prática, ela pertence à mesma categoria de ATP, ou agnosticismo temporário, quanto as controvérsias sobre as extinções do Permiano e do Cretáceo. A existência ou inexistência de Deus é um fato científico sobre o universo, passível de ser descoberto por princípio, se não na prática. Se ele existisse e resolvesse revelar esse fato, o próprio Deus poderia argumentar, inequivocamente, a seu favor. E, mesmo que a existência de Deus jamais seja comprovada nem descartada com certeza, as evidências existentes e o raciocínio podem criar uma estimativa de probabilidade que se afaste dos 50%.

Levemos, então, a sério a ideia do espectro de probabilidades e coloquemos ao longo dele os juízos humanos sobre a existência de Deus, entre dois extremos de certezas opostas. O espectro é contínuo, mas pode ser representado por sete marcos:

1 Teísta convicto. Probabilidade de 100% de que Deus existe. Nas palavras de C. G. Jung, "Eu não acredito, eu *sei*".

2 Probabilidade muito alta, mas que não chega aos 100%. Teísta *de facto*. "Não tenho como saber com certeza, mas acredito fortemente em Deus e levo minha vida na pressuposição de que ele está lá."

3 Maior que 50%, mas não muito alta. Tecnicamente agnóstico, mas com uma tendência ao teísmo. "Tenho muitas incertezas, mas estou inclinado a acreditar em Deus."

4 Exatamente 50%. Agnóstico completamente imparcial. "A existência e a inexistência de Deus têm probabilidades exatamente iguais."

5 Inferior a 50%, mas não muito baixa. Tecnicamente agnóstico, mas com uma tendência ao ateísmo. "Não sei se Deus existe, mas estou inclinado a não acreditar."

6 Probabilidade muito baixa, mas que não chega a zero. Ateu *de facto*. "Não tenho como saber com certeza, mas acho que Deus é muito improvável e levo minha vida na pressuposição de que ele não está lá."

7 Ateu convicto. "Sei que Deus não existe, com a mesma convicção com que Jung 'sabe' que ele existe."

Eu ficaria surpreso de encontrar muita gente na categoria 7, mas a incluo em nome da simetria com a categoria 1, que é bastante populosa. É da natureza da fé que alguém seja capaz, como Jung, de ter uma crença sem nenhum motivo adequado para tal (Jung também acreditava que alguns livros específicos de sua estante explodiam com um grande estrondo). Os ateus não têm fé; e a razão, sozinha, não tem como levar alguém à convicção plena de que alguma coisa definitivamente não existe. Daí por que a categoria 7, na prática, é muito mais deserta que seu oposto, a categoria 1, que tem tantos habitantes devotados. Coloco-me na categoria 6, mas tendendo para a 7 — sou agnóstico na mesma proporção em que sou agnóstico a respeito de fadas escondidas no jardim.

O espectro de probabilidades funciona bem para o ATP. É superficialmente tentador encaixar o APP (Agnosticismo Permanente por Princípio) no meio do espectro, com uma probabilidade de 50% da existência de Deus, mas isso não é correto. Os agnósticos APP declaram que não se pode dizer nada, nem para um lado nem para o outro, em relação à dúvida sobre a existência de Deus. A questão, para os agnósticos APP, é irrespondível por princípio, e eles devem se recusar terminantemente a se encaixar em qualquer ponto do espectro das probabilidades. O fato de que não tenho como saber se seu vermelho é a mesma coisa que meu verde não faz com que a probabilidade seja de 50%. A proposição que se pode oferecer é sem sentido demais para ser agraciada com uma probabilidade. Mesmo assim, é um erro comum, que encontraremos novamente, assumir, a partir da premissa de que a dúvida sobre a existência de Deus é um princípio irrespondível, que sua existência ou inexistência têm probabilidades iguais.

Outra forma de expressar esse erro é em termos do ônus da prova, e nesse formato ele é demonstrado divertidamente pela parábola de Bertrand Russell sobre o bule celeste.[31]

> Muitos ortodoxos falam como se fosse obrigação dos céticos contraprovar dogmas consagrados, e não dos dogmáticos comprová-los. Isso é, claro, um equívoco. Se eu sugerisse que entre a Terra e Marte há um bule de chá chinês rodando em torno do Sol numa órbita elíptica, ninguém seria capaz de contraprovar minha afirmação, desde que eu tenha tido o cuidado de acrescentar que o bule é pequeno demais para ser revelado até pelos nossos telescópios mais potentes. Mas, se eu prosseguisse dizendo que, como minha afirmação não pode ser contraprovada, é uma presunção intolerável por parte da razão humana duvidar dela, imediatamente achariam que eu estava falando maluquices. Se, porém, a existência do bule tivesse sido declarada em livros antigos, ensinada como a verdade sagrada todos os domingos e instilada na cabeça das crianças na escola, a hesitação em acreditar em sua existência se tornaria um traço de excentricidade e garantiria ao questionador o atendimento por psiquiatras numa era esclarecida ou por um inquisidor em eras anteriores.

Não perderíamos tempo falando disso porque ninguém, que eu saiba, tem adoração por bules;* mas, sob pressão, não hesitaríamos em declarar nossa forte crença de que positivamente não existe um bule em órbita. Mesmo assim, em termos estritos, seríamos todos *agnósticos ao bule*: não podemos provar, com certeza, que não existe um bule celeste. Na prática, afastamo-nos do agnosticismo do bule na direção do *a-buleísmo*.

Um amigo, que foi educado como judeu e ainda observa o Shabat e outros costumes judaicos em nome da lealdade à sua herança histórica, descreve-se como um "agnóstico à fadinha do dente". Ele acha que Deus não é mais provável que a fadinha do dente. Não se pode contraprovar nenhuma das duas hipóteses, e ambas são igualmente prováveis. Ele é ateu exatamente na mesma enorme proporção que é um a-fadinheu. E agnóstico em relação aos dois, exatamente na mesma pequena proporção.

O bule de Russell representa, é claro, um número infinito de coisas cuja existência é concebível e não pode ser descartada com provas. O grande advogado americano Clarence Darrow disse: "Não acredito em Deus, pois não acredito na Mamãe Ganso".** O jornalista Andrew Mueller acha que se comprometer com qualquer religião específica "não é mais nem menos estranho que optar por acreditar que o mundo tem a forma de um losango e que é carregado pelo cosmos nas pinças de duas enormes lagostas verdes chamadas Esmerelda e Keith".[32] Um favorito dos filósofos

* Talvez eu tenha falado cedo demais. O *The Independent on Sunday* de 5 de junho de 2005 trouxe o seguinte item: "Autoridades malaias dizem que seita religiosa que construiu bule sagrado do tamanho de uma casa infringiu normas de planejamento". Veja também a BBC News em http://news.bbc.co.uk/2/hi/asia-pacific/4692039.stm.

** Mamãe Ganso (Mother Goose): referência à fictícia autora de uma série muito popular de contos infantis publicada em Londres no século XVIII. (N. T.)

é o unicórnio invisível, intangível e inaudível cuja existência as crianças tentam todo ano negar com provas no Camp Quest.* Uma divindade popular na internet hoje em dia — e tão impossível de ser contraprovada quanto Javé ou qualquer outra — é o Monstro de Espaguete Voador, que muitos afirmam tê-los tocado com seus apêndices de massa.[33] Adorei saber que o *Evangelho do Monstro de Espaguete Voador* foi publicado em livro,[34] tendo sido muito aclamado. Não o li, mas quem precisa ler um evangelho quando simplesmente se *sabe* que é verdade? Aliás, tinha que acontecer — um Grande Cisma já ocorreu, resultando na Igreja *Reformada* do Monstro de Espaguete Voador.[35]

O ponto principal desses exemplos extremos é que eles são todos impossíveis de ser contraprovados, embora ninguém ache que a hipótese da existência deles esteja no mesmo nível de probabilidade que a hipótese de sua inexistência. A tese de Russell é de que o ônus da prova recai sobre os crentes, não sobre os incrédulos. A minha é de que a probabilidade a favor do bule (monstro de espaguete, Esmerelda e Keith, unicórnio etc.) não é igual à probabilidade contra ele.

O fato de que bules em órbita e fadinhas do dente não podem ter sua inexistência comprovada não é considerado, por nenhuma pessoa racional, o tipo de fato que solucione um debate interessante. Ninguém se sente obrigado a comprovar a

* O Camp Quest eleva a instituição americana do acampamento de verão a uma nova e admirável dimensão. Diferentemente de outros acampamentos de verão que seguem estilo religioso ou do escotismo, o Camp Quest, fundado por Edwin e Helen Kagin em Kentucky, é administrado por humanistas laicos, e as crianças são incentivadas a pensar por si sós, com ceticismo, enquanto se divertem com todas as atividades ao ar livre tradicionais (www.camp-quest.org). Outros Camp Quests com um *ethos* semelhante surgiram no Tennessee, em Minnesota, em Michigan, em Ohio e no Canadá.

inexistência dos milhões de coisas fantásticas que uma imaginação fértil e brincalhona é capaz de sonhar. Eu me divirto com a estratégia, quando me perguntam se sou ateu, de lembrar que o autor da pergunta também é ateu no que diz respeito a Zeus, Apolo, Amon Rá, Mithra, Baal, Thor, Wotan, o Bezerro de Ouro e o Monstro de Espaguete Voador. Eu só fui um deus além.

Todos nós nos sentimos no direito de manifestar um ceticismo extremo, chegando ao ponto da descrença pura e simples — exceto pelo fato de que, no caso de unicórnios, fadinhas do dente e dos deuses da Grécia, de Roma, do Egito e dos vikings, não há necessidade (hoje em dia) de se preocupar com isso. No caso do Deus abraâmico, porém, há a necessidade de se preocupar, porque uma proporção significativa das pessoas com quem dividimos o planeta acredita mesmo, convictamente, em sua existência. O bule de Russell demonstra que a onipresença da crença em Deus, se comparada à crença em bules celestes, na teoria não inverte o ônus da prova, embora pareça invertê-lo em termos de política na prática. O fato de que não se pode provar a inexistência de Deus é aceito e trivial, nem que seja só no sentido de que nunca podemos provar plenamente a inexistência de nada. O que interessa não é se a inexistência de Deus pode ser comprovada (não pode), mas se sua existência é *possível*. Essa é outra história. Algumas coisas não comprováveis são julgadas, de modo sensato, bem menos possíveis que outras coisas não comprováveis. Não há motivo para achar que Deus está imune à análise ao longo do espectro das probabilidades. E certamente não há motivo para supor que, só porque Deus não pode ter sua existência comprovada ou descartada, a probabilidade de sua existência seja de 50%. Pelo contrário, como veremos.

Assim como Thomas Huxley recuou para defender da boca para fora o agnosticismo completamente imparcial, bem no meio do meu espectro de sete estágios, os teístas fazem a mesma coisa na outra direção, e por motivos equivalentes. O teólogo Alister McGrath faz dessa questão o ponto central de seu livro *Dawkins' God: Genes, memes and the origin of life* [*O Deus de Dawkins: Genes, memes e a origem da vida*]. Na verdade, depois de seu resumo admiravelmente justo de minhas obras científicas, este parece ser o único ponto de refutação que ele tem a oferecer: a alegação inegável, mas ignominiosamente fraca, de que não se pode descartar com provas a existência de Deus. Enquanto lia McGrath, uma página atrás da outra, me via anotando "bule" nas margens. Novamente invocando T. H. Huxley, McGrath diz: "Farto dos teístas e ateus que faziam declarações dogmáticas inúteis com base em evidências empíricas inadequadas, Huxley declarou que a questão sobre Deus não pode ser solucionada com base no método científico".

McGrath prossegue citando Stephen Jay Gould num tom parecido: "Dizer para todos os meus colegas e pela milionésima vez (de debates universitários até tratados complexos): a ciência simplesmente não é capaz (por seus meios legítimos) de adjudicar a questão da possível superintendência de Deus sobre a natureza. Nem a afirmamos nem a negamos; simplesmente não podemos comentá-la como cientistas". Apesar do tom confiante, quase agressivo, da declaração de Gould, qual é, na verdade, sua justificativa? Por que não devemos comentar sobre Deus como cientistas? E por que o bule de Russell, ou o Monstro de Espaguete Voador, não são igualmente imunes ao ceticismo científico? Como argumentarei daqui a pouco, um universo com um superintendente criativo seria bem diferente de um universo sem esse superintendente. Por que não é uma questão científica?

Gould executou a arte de recuar a distâncias incríveis em um de seus livros menos admirados, *Pilares do tempo*. Ali ele cunhou a sigla MNI* para o termo "magistérios não interferentes":

> A rede, ou magistério, da ciência abrange o âmbito empírico: do que o universo é feito (fato) e por que ele funciona desse modo (teoria). O magistério da religião estende-se para questões de significado definitivo e valor moral. Esses dois magistérios não se sobrepõem, nem englobam todas as dúvidas (considere, por exemplo, o magistério da arte e o significado de beleza). Para citar os velhos clichês, a ciência trata das rochas, e a religião da rocha eterna; a ciência estuda como funciona o céu, e a religião, como ir para o céu.

Parece ótimo — até que você pense um instante sobre o assunto. Quais são essas questões definitivas em cuja presença a religião é convidada de honra e a ciência deve respeitosamente se retirar?

Martin Rees, o respeitado astrônomo de Cambridge que já mencionei, começa seu livro *Our cosmic habitat* propondo duas candidatas a questões definitivas e dando uma resposta compatível com o MNI. "O mistério preeminente é por que afinal qualquer coisa existe. O que insufla a vida nas equações e as atualizou no cosmos real? Essas perguntas vão além da ciência, no entanto: elas são província de filósofos e teólogos." Eu preferiria dizer que, se elas de fato vão além da ciência, certamente também vão além da província dos teólogos (duvido que os filósofos agradeçam a Martin Rees por ter colocado os teólogos no mesmo saco que eles). Fico tentado a ir mais adiante e questionar em que sen-

* No original, NOMA: "non-overlapping magisteria". (N. T.)

tido os teólogos poderiam *ter* uma província. Ainda me divirto quando me lembro da observação de um ex-Warden (chefe) de minha faculdade, em Oxford. Um jovem teólogo tinha se inscrito para uma bolsa num programa júnior de pesquisa, e sua tese de doutorado sobre a teologia cristã fez o Warden dizer: "Tenho sérias dúvidas se isso chega a ser um *objeto de pesquisa*".

Que conhecimento os teólogos podem acrescentar a dúvidas cosmológicas profundas que os cientistas não possam? Em outro livro repeti as palavras de um astrônomo de Oxford, que, quando lhe fiz uma dessas perguntas, disse: "Ah, agora vamos para além da esfera da ciência. Neste ponto tenho de ceder a palavra a nosso bom amigo, o capelão". Não fui sagaz o suficiente para verbalizar a resposta que mais tarde escrevi: "Mas por que o capelão? Por que não o jardineiro ou o cozinheiro?". Por que os cientistas têm um respeito tão covarde pelas ambições dos teólogos, sobre perguntas que os teólogos certamente não são mais qualificados a responder que os próprios cientistas?

É um clichê chato (e, diferentemente de muitos clichês, não é nem verdade) dizer que a ciência se preocupa com perguntas sobre *como*, mas só a teologia está equipada para responder a perguntas sobre *por quê*. O que diabos *é* uma pergunta sobre por quê? Nem toda pergunta que começa com um "por que" é uma pergunta legítima. Por que os unicórnios são ocos? Algumas perguntas simplesmente não merecem resposta. Qual é a cor da abstração? Qual é o cheiro da esperança? O fato de que uma pergunta possa ser elaborada numa frase gramaticalmente correta não lhe dá sentido nem a faz merecedora de nossa atenção séria. Assim como, mesmo que a pergunta seja real, o fato de que a ciência não é capaz de respondê-la não implica que a religião o seja.

Talvez existam algumas perguntas genuinamente profundas e importantes que estarão para sempre fora do alcance da ciência. Quem sabe a teoria quântica já esteja às portas do insondável. Mas, se a ciência não pode responder a uma pergunta definitiva, o que faz alguém pensar que a religião possa? Suspeito que nem o astrônomo de Cambridge nem o de Oxford realmente acreditavam que os teólogos tenham um conhecimento especial que lhes permita responder a dúvidas profundas demais para a ciência. Suspeito que os dois astrônomos estavam, mais uma vez, recuando para ser polidos: os teólogos não têm nada de útil a dizer sobre mais nada; vamos jogar um bolinho para eles e deixá-los preocupados com uma ou duas perguntas a que ninguém consegue responder, e talvez jamais conseguirá. Ao contrário de meus amigos astrônomos, não acho nem que devamos jogar um bolinho para eles. Ainda não encontrei nenhum bom motivo para achar que a teologia (diferentemente da história bíblica, da literatura etc.) chegue a ser um objeto de pesquisa.

Da mesma maneira também podemos concordar que o direito da ciência de nos dar conselhos sobre valores morais é algo no mínimo problemático. Mas será que Gould realmente quer ceder à *religião* o direito de nos dizer o que é bom e o que é ruim? O fato de que ela não tem nada *mais* a contribuir para a sabedoria humana não é razão para dar à religião uma permissão total para nos dizer o que fazer. E qual religião? Aquela sob a qual por acaso fomos criados? A qual capítulo, então, de qual livro da Bíblia devemos recorrer? Pois eles estão longe de ser unânimes e alguns deles são horrendos, por qualquer padrão racional. Quantos literalistas leram o suficiente da Bíblia para saber que ela prescreve a pena de morte para o adultério, por recolher gravetos no dia de descanso e por ser insolente com os pais? Se rejeitarmos o Deuteronômio e o Levítico (como fazem todas as pessoas modernas e esclarecidas), por quais critérios devemos decidir quais valores morais da religião devemos *aceitar*? Ou devemos vasculhar todas as religiões do mundo até encontrar uma cujos ensinamentos morais nos sejam adequados? Se for assim, devemos perguntar novamente, por quais critérios vamos escolher? E, se tivermos critérios independentes para escolher entre as moralidades religiosas, por que não eliminar os intermediários e ir direto à escolha moral sem a religião? Retornarei a essas perguntas no capítulo 7.

Simplesmente não acredito que Gould possa ter querido dizer mesmo boa parte do que escreveu em *Pilares do tempo*. Como costumo dizer, todos nós já recuamos de nossas posições para ser gentis com um adversário pouco merecedor mas mais poderoso, e só posso imaginar que era isso que Gould estava fazendo. É concebível que ele tenha tido mesmo a intenção de fazer sua declaração inequivocamente contundente de que a ciência não tem nada a dizer sobre a dúvida a respeito da existência de Deus: "Nem a afirmamos nem a negamos; simplesmente não podemos comentá-la como cientistas". Isso soa como o agnosticismo do tipo permanente e irrevogável, o APP em sua plenitude. Implica que a ciência não pode nem fazer juízos de *probabilidade* sobre a questão. Essa falácia extraordinariamente disseminada — muitos a repetem como um mantra, mas suspeito que poucos pensaram bem sobre ela — personifica o que chamo de "a pobreza do agnosticismo". Gould, aliás, não era um agnóstico imparcial, mas tinha fortes inclinações para o ateísmo *de facto*. Com que fundamento ele fez esse juízo, se não há nada a ser dito sobre a existência ou inexistência de Deus?

A Hipótese de que Deus Existe sugere que a realidade em que vivemos também contém um agente sobrenatural que projetou o universo e — pelo menos em muitas versões da hipótese — o mantém, e até intervém nele com milagres, que são violações temporárias de suas leis grandiosas normalmente imutáveis. Richard Swinburne, um dos principais teólogos da Grã-Bretanha, é surpreendentemente claro sobre o assunto em seu livro *Is there a God?* [*Será que Deus existe?*]:

O que os teístas afirmam sobre Deus é que ele tem o poder de criar, conservar ou aniquilar qualquer coisa, seja grande ou pequena. E ele também pode fazer objetos se moverem ou fazerem qualquer outra coisa [...] Ele consegue fazer os planetas se moverem do modo como Kepler descobriu que eles se movem, ou fazer a pólvora explodir quando a acendemos com um fósforo; ou ele pode fazer os planetas se moverem de formas bem diferentes, e as substâncias químicas explodirem ou não explodirem sob condições bem diferentes daquelas que hoje governam seu comportamento. Deus não é limitado pelas leis da natureza; ele as faz e pode mudá-las ou suspendê-las — se quiser.

Fácil, não? O que quer que isso seja, está bem longe do MNI. E, por mais que eles digam outras coisas, os cientistas que se alistam na escola de pensamento dos "magistérios separados" deveriam admitir que um universo com um criador sobrenaturalmente inteligente é um universo muito diverso daquele sem esse criador. A diferença entre os dois universos hipotéticos dificilmente seria mais fundamental em princípio, apesar de não ser fácil testá-la na prática. E ela derruba o dito complacente e sedutor de que a ciência deve ficar totalmente quieta sobre a alegação central da religião sobre a existência. A presença ou ausência de uma superinteligência criativa é indiscutivelmente uma dúvida científica, embora na prática ela não seja — ou ainda não seja — uma dúvida resolvida. O mesmo vale para a veracidade ou para a falsidade de cada uma das histórias sobre milagres que as religiões usam para impressionar multidões de fiéis.

Jesus teve um pai humano, ou sua mãe era virgem na época de seu nascimento? Existam ou não provas suficientes para decidir, trata-se de uma pergunta estritamente científica com uma resposta definida por princípio: sim ou não. Jesus ressuscitou Lázaro de entre os mortos? Voltou ele mesmo à vida, três dias depois de ser crucificado? Há uma resposta para cada pergunta dessas, possamos ou não descobri-la na prática, e é uma resposta estritamente científica. Os métodos que deveríamos usar para solucionar a questão, na improvável hipótese de provas relevantes um dia se tornarem disponíveis, seriam métodos pura e inteiramente científicos. Para representar a tese, imagine que, por algum conjunto incrível de circunstâncias, peritos em arqueologia desencavassem evidências de DNA mostrando que Jesus realmente não teve um pai biológico. Você consegue imaginar os apologistas religiosos dando de ombros e dizendo qualquer coisa remotamente parecida com: "E daí? Provas científicas são completamente irrelevantes para as questões teológicas. Magistério errado! Só estamos preocupados com as perguntas definitivas e com os valores morais. Nem o DNA nem alguma outra prova científica pode ter qualquer peso na questão, seja para um lado, seja para o outro"?

A própria ideia é uma piada. Você pode apostar as calças que a prova científica, se aparecesse alguma, seria agarrada e trombeteada para o mundo inteiro. O MNI só tem popularidade porque não há prova a favor da Hipótese de que Deus Existe. No momento em que houver a mínima sugestão de qualquer prova a favor da crença religiosa, os apologistas da religião não perderão tempo em defenestrar o MNI. Tirando os teólogos sofisticados (e até eles adoram contar histórias sobre milagres aos não sofisticados para inflar congregações), suspeito que os supostos milagres são a razão mais forte que muitos crentes têm para sua fé; e milagres, por definição, violam os princípios da ciência.

A Igreja Católica Apostólica Romana, por um lado, às vezes parece aspirar ao MNI, mas por outro lado determina que a realização de milagres é uma exigência essencial para a elevação à santidade. O falecido rei dos belgas é candidato à santificação, por causa de sua posição sobre o aborto. Investigações sérias estão em andamento para descobrir se alguma cura milagrosa pode ser atribuída a preces destinadas a ele desde sua morte. Não estou brincando. É verdade, e isso é típico nas histórias dos santos. Fico imaginando como essa operação toda é embaraçosa para os círculos mais sofisticados da Igreja. O motivo de círculos que merecem o nome de sofisticados permanecerem dentro da Igreja é um mistério no mínimo tão profundo quanto os mais adorados pelos teólogos.

Se confrontado com histórias de milagres, Gould provavelmente replicaria na linha da explicação que se segue. O grande ponto do MNI é que ele é uma barganha de duas vias. No momento em que a religião pisa no terreno da ciência e começa a bagunçar o mundo real com milagres, ela deixa de ser religião no sentido que Gould defende, e sua *amicabilis concordia* é rompida. Perceba, porém, que a religião sem milagres defendida por Gould não seria reconhecida pela maioria dos teístas praticantes nos bancos de igreja ou nos tapetes de oração. Seria, na verdade, uma grande decepção para eles. Adaptando o comentário de Alice sobre o livro da irmã antes de cair no País das Maravilhas, para que serve um Deus que não faz milagres e que não ouve preces? Lembre-se da definição perspicaz de Ambrose Bierce para o verbo "rezar": "pedir que as leis do universo sejam anuladas em nome de um único requisitante, confessadamente desmerecedor". Existem atletas que acreditam que Deus os ajuda a ganhar — derrotando adversários que, à primeira vista, não seriam menos merecedores de tal favorecimento. Existem motoristas que acham que Deus guarda para eles uma vaga no estacionamento — supostamente privando, portanto, outra pessoa da vaga. Esse estilo de teísmo é vergonhosamente disseminado, e dificilmente será afetado por qualquer coisa tão (superficialmente) racional quanto o MNI.

Mesmo assim, sigamos Gould e reduzamos nossa religião a um mínimo não intervencionista: nada de milagres, nada de comunicação pessoal entre Deus e nós, em nenhuma direção, nada de brincadeiras com as leis da física, nada de invasões ao terreno científico. No máximo, um pequeno impulso deístico às condições iniciais do universo para que, na plenitude do tempo, as estrelas, os elementos, os compostos químicos e os planetas se desenvolvam, e a vida evolua. Com certeza é uma separação adequada, certo? O MNI conseguirá sobreviver a esse modelo mais modesto e humilde de religião, certo?

Bem, você pode achar que sim. Mas sugiro que mesmo um Deus não intervencionista, um Deus MNI, embora menos violento e desajeitado que um Deus abraâmico, ainda seja, quando se olha para ele com honestidade, uma hipótese científica. Retomo a questão: um universo em que estamos sozinhos, com exceção de outras inteligências de evolução lenta, é um universo muito diferente daquele com um agente orientador original cujo design inteligente seja responsável por sua existência. Admito que na prática pode não ser fácil distinguir um tipo de universo do outro. Mesmo assim, há algo de enormemente especial na hipótese do design definitivo, e igualmente especial na única alternativa conhecida: a evolução gradativa no sentido mais amplo. Elas são quase irreconciliavelmente diferentes. Como nada mais no mundo, a evolução realmente dá uma explicação para a existência de entidades cuja improbabilidade as descartaria, para todos os fins práticos. E a conclusão da discussão, como mostrarei no capítulo 4, é quase definitivamente fatal para a Hipótese de que Deus Existe.

## O GRANDE EXPERIMENTO DA PRECE

Um estudo de caso divertido, apesar de bastante patético, sobre os milagres é o Grande Experimento da Prece: rezar por pacientes os ajuda a se recuperar? Preces costumam ser oferecidas a pessoas doentes, tanto no ambiente privado como em locais formais de adoração. Francis Galton, primo de Darwin, foi o primeiro a avaliar cientificamente se rezar pelas pessoas é eficaz. Ele lembrou que todo domingo, em igrejas de toda a Grã-Bretanha, congregações inteiras rezavam publicamente pela saúde da família real. A família não deveria então, portanto, ser bem mais saudável se comparada ao resto de nós, que só recebemos preces dos nossos entes mais próximos e queridos?* Galton investigou e não encontrou nenhuma diferença estatística. Sua intenção, em todo o caso, pode ter sido fazer sátira, assim como quando rezou sobre lotes de terra aleatórios para ver se as plantas cresceriam mais rápido (não cresceram).

Mais recentemente, o físico Russell Stannard (um dos três cientistas religiosos mais conhecidos da Grã-Bretanha, como veremos) deu seu apoio a uma iniciativa, financiada — é claro — pela Fundação Templeton, para testar experimentalmente a proposição de que rezar por pacientes doentes contribui para sua saúde.[36]

Experimentos como esse, se feitos de forma adequada, têm de ser duplos-cegos, e esse padrão foi estritamente observado. Os pacientes foram divididos, de forma estritamente aleatória, em um grupo experimental (que recebeu preces) e um grupo controle (que não recebeu preces). Nem os pacientes, nem os médicos ou enfermeiros, nem os autores do experimento podiam saber quais pacientes estavam recebendo orações e quais eram do grupo controle. Aqueles que faziam as preces experimentais tinham de saber o nome dos indivíduos por quem estavam rezando — do contrário, como saber se estavam rezando por eles, e não por outras pessoas? Mas tomou-se o cuidado de contar aos que faziam

* Quando minha faculdade de Oxford elegeu o Warden que citei anteriormente, os pesquisadores beberam em público à sua saúde por três noites seguidas. No terceiro desses jantares, ele agradeceu em seu discurso de resposta ao brinde: "Já me sinto melhor".

as preces apenas o primeiro nome da pessoa e a primeira letra do sobrenome. Aparentemente, isso seria suficiente para fazer com que Deus escolhesse o leito certo no hospital.

A simples ideia de realizar tais experimentos está aberta a uma boa dose de ridículo, e o projeto a recebeu, como o previsto. Que eu saiba, Bob Newhart não fez um esquete cômico sobre o assunto, mas já posso ouvir sua voz:

> O que foi que disse, Senhor? Que não pode me curar porque faço parte do grupo controle?... Ah, sei, as orações da minha tia não são suficientes. Mas, Senhor, o senhor Evans ali do quarto ao lado... O que foi, Senhor?... O senhor Evans recebeu mil preces por dia? Mas, Senhor, o senhor Evans nem conhece mil pessoas... Ah, elas se referiram a ele só como John E. Mas, Senhor, como o senhor sabia que elas não estavam querendo dizer John Ellsworthy?... Ah, sei, o Senhor usou sua onisciência para descobrir a qual John E. eles queriam se referir. Mas, Senhor...

Ignorando com valentia todas as piadas, a equipe de pesquisadores foi em frente, gastando 2,4 milhões de dólares da Templeton sob a liderança do dr. Herbert Benson, cardiologista do Mind/Body Medical Institute, que fica perto de Boston. O dr. Benson havia sido citado antes, num material de divulgação da Templeton, como alguém que "acredita que estão se acumulando as evidências da eficácia das preces intercessórias no cenário médico". O que garantia, portanto, que a pesquisa estava em boas mãos e que não seria sabotada por vibrações céticas. O dr. Benson e sua equipe monitoraram 1802 pacientes em seis hospitais; todos haviam sido submetidos a cirurgias de ponte de safena e/ou mamária. Os pacientes foram divididos em três grupos. O grupo 1 recebeu preces, mas não sabia disso. O grupo 2 (o grupo controle) não recebeu preces e não sabia disso. O grupo 3 recebeu preces e sabia que estava recebendo. A comparação entre os grupos 1 e 2 testa a eficácia das preces intercessórias. O grupo 3 testa os possíveis efeitos psicossomáticos de saber que se está sendo alvo de preces.

As preces foram feitas pelas congregações de três igrejas, uma em Minnesota, uma em Massachusetts e uma no Missouri, todas distantes dos três hospitais. Os autores das preces, como já foi explicado, receberam apenas o primeiro nome e a primeira letra do sobrenome de cada paciente por quem deveriam rezar. Faz parte da boa prática experimental padronizar as coisas ao máximo, e a todos eles foi dito, portanto, que incluíssem em suas orações a frase "por uma cirurgia bem-sucedida com uma recuperação rápida, saudável e sem complicações".

Os resultados, publicados no *American Heart Journal* de abril de 2006, foram bem definidos. Não houve diferença entre os pacientes que foram alvo de preces e os que não foram. Que surpresa. Houve diferença entre aqueles que *sabiam* que estavam recebendo preces e aqueles que não sabiam se estavam ou não estavam; mas ela foi para a direção errada. Aqueles que sabiam ser beneficiários de preces sofreram um número significativamente maior de complicações do que aqueles que não sabiam. Estaria Deus contra-atacando, para mostrar sua desaprovação pela estranha empreitada? Parece mais provável que os pacientes que sabiam que estavam sendo alvo de preces tenham sofrido um estresse adicional em consequência disso: "ansiedade de desempenho", nas palavras dos autores da experiência. O dr. Charles Bethea, um dos pesquisadores, disse: "Isso pode tê-los deixado inseguros e se perguntando: Será que estou tão doente que eles tiveram de convocar a equipe de oração?". Na sociedade litigiosa de hoje, seria querer demais achar que aqueles pacientes que tiveram complicações cardíacas, em consequência do fato de saber que estavam recebendo preces experimentais, possam entrar na Justiça com uma ação coletiva contra a Fundação Templeton?

Não seria surpresa se esse estudo sofresse a oposição dos teólogos, talvez preocupados com sua capacidade de lançar a religião no ridículo. O teólogo Richard Swinburne, de Oxford, escrevendo depois do fracasso do estudo, fez objeções a ele afirmando que Deus só atende a preces feitas com bons motivos.[37] Rezar para uma pessoa, e não para outra, só por causa do que determinaram os dados do experimento duplo-cego não constitui um bom motivo. Deus perceberia. Era exatamente esse o alvo da minha sátira de Bob Newhart, e Swinburne tem razão em alegar a mesma coisa. Mas em outros trechos de seu trabalho o próprio Swinburne supera a sátira. Não pela primeira vez, ele tenta justificar o sofrimento num mundo governado por Deus:

> Meu sofrimento me dá a oportunidade de mostrar coragem e paciência. Ele lhe dá a oportunidade de mostrar solidariedade e de ajudar a aliviar o meu sofrimento. E oferece à sociedade a oportunidade de escolher se deve ou não investir grande quantia de dinheiro para encontrar uma cura para esse ou aquele tipo específico de sofrimento [...] Embora um bom Deus lamente nosso sofrimento, sua maior preocupação é certamente que cada um de nós mostre paciência, solidariedade e generosidade e, assim, forme um caráter sagrado. Algumas pessoas precisam muito ficar doentes para o seu próprio bem, e algumas pessoas precisam muito ficar doentes para proporcionar escolhas importantes para outras. Só assim algumas pessoas são encorajadas a fazer escolhas graves sobre o tipo de pessoa que serão. Para outros, a doença não é tão útil.

Esse exemplar grotesco de raciocínio, tão típico da mente teológica, faz-me lembrar de uma ocasião em que eu estava numa discussão pela televisão com Swinburne, e também com nosso colega de Oxford, o professor Peter Atkins. Swinburne, em determinado momento, tentou justificar o Holocausto afirmando que ele deu aos judeus a maravilhosa oportunidade de serem corajosos e nobres. Peter Atkins rosnou, esplêndido: "Que você apodreça no inferno".*

Outro exemplar típico do raciocínio teológico surge mais além no artigo de Swinburne. Com razão, ele sugere que se Deus quisesse demonstrar sua própria existência ele encontraria métodos melhores de fazê-lo do que não alterar ligeiramente as estatísticas da recuperação do grupo experimental *versus* o grupo controle de pacientes cardíacos. Se Deus existisse e quisesse nos convencer disso, ele poderia "encher o mundo de supermilagres". Mas então Swinburne solta sua pérola: "Já há muitas evidências, de qualquer maneira, da existência de Deus, e evidência demais pode não ser bom para nós". Evidência demais pode não ser bom para nós! Leia de novo. *Evidência demais pode não ser bom para nós.* Richard Swinburne é o detentor, recentemente aposentado, de um dos mais respeitados cargos de professor de teologia, e pertence à Academia Britânica. Se você quer um teólogo, eles não vêm com muito mais distinções que isso. Talvez você não queira um teólogo.

Swinburne não foi o único teólogo a desmerecer o estudo depois de seu fracasso. O reverendo Raymond J. Lawrence recebeu um espaço generoso da página de artigos do *The New York Times* para explicar por que líderes religiosos responsáveis "vão respirar aliviados" porque não foi encontrada nenhuma prova de que as preces intercessórias surtem algum efeito.[38] Teria ele adotado um tom diferente se o estudo de Benson tivesse sido bem-

* Essa conversa ficou de fora na edição da versão que foi ao ar. O fato de que a afirmação de Swinburne é típica de sua teologia é indicado por seu comentário bastante semelhante sobre Hiroshima em *The existence of God* (2004), p. 264: "Suponha que uma pessoa a menos tivesse sido queimada pela bomba atômica de Hiroshima. Então teria havido menos oportunidade para a coragem e a solidariedade [...]".

-sucedido e demonstrasse o poder da prece? Talvez não, mas você pode ter certeza de que muitos outros pastores e teólogos teriam. O artigo do reverendo Lawrence é memorável sobretudo pela seguinte revelação: "Recentemente, um colega me contou sobre uma mulher devotada e instruída que acusou um médico de má conduta no tratamento de seu marido. Nos dias em que o marido estava morrendo, ela denunciou, o médico não havia rezado por ele".

Outros teólogos uniram-se aos céticos inspirados no MNI defendendo que estudar a prece dessa forma era um desperdício de dinheiro, porque as influências sobrenaturais estão por definição fora do alcance da ciência. Mas, como reconheceu corretamente a Fundação Templeton quando financiou o estudo, o suposto poder de intercessão da oração está, pelo menos em princípio, dentro do alcance da ciência. Um experimento duplo-cego pode ser feito e foi feito. Ele poderia ter produzido um resultado positivo. E, se tivesse, você consegue imaginar que um único apologista da religião o teria desmerecido, alegando que a pesquisa científica não tem valor em questões religiosas? É claro que não.

Nem é preciso dizer que os resultados negativos do experimento não vão abalar os fiéis. Bob Barth, diretor espiritual do ministério de oração do Missouri que forneceu parte das preces experimentais, disse: "Uma pessoa de fé diria que esse estudo é interessante, mas rezamos há muito tempo e já vimos a prece funcionar, sabemos que ela funciona, e as pesquisas sobre a oração e a espiritualidade estão apenas começando". É isso aí: sabemos a partir de nossa *fé* que a oração funciona, então, se as evidências não conseguirem mostrar isso, vamos continuar trabalhando até que finalmente obtenhamos o resultado que queremos.

## A ESCOLA NEVILLE CHAMBERLAIN* DE EVOLUCIONISTAS

Um possível motivo oculto dos cientistas que insistem no MNI — a invulnerabilidade da Hipótese de que Deus Existe à ciência — é a peculiar agenda política americana, causada pela ameaça do criacionismo populista. Em certas regiões dos Estados Unidos, a ciência está sendo atacada por uma oposição organizada, com boas conexões políticas e acima de tudo bem financiada, e o ensino da evolução está entrincheirado na frente de batalha. Os cientistas podem ser perdoados por se sentir ameaçados, já que a maior parte do dinheiro para as pesquisas vem mesmo do governo, e os representantes eleitos têm de responder aos ignorantes e aos preconceituosos de seu eleitorado do mesmo modo que aos bem informados.

Em resposta a essas ameaças, surgiu um lobby para defender a evolução, representado de forma mais notável pelo Centro Nacional para a Educação em Ciência (National Center for Science Education — NCSE), comandado por Eugenie Scott, uma ativista incansável em defesa da ciência e que recentemente produziu seu próprio livro, *Evolution vs. creationism*. Um dos principais objetivos políticos do NCSE é cortejar e mobilizar opiniões religiosas "sensatas": integrantes moderados do clero e mulheres que não tenham nenhum problema com a evolução e possam considerá-la irrelevante para sua fé (ou, até de modo bem esquisito, uma contribuição a ela). É esse ramo moderado do clero, dos teólogos e dos fiéis não fundamentalistas, que se sentem desconfortáveis com o criacionismo porque ele agride a reputação de sua religião, que o lobby em defesa da evolução tenta atingir. E uma forma de

* Neville Chamberlain: primeiro-ministro da Grã-Bretanha nos anos que precederam a Segunda Guerra Mundial, cuja política de conciliação e concessões em relação à Alemanha nazista culminou com os acordos de Munique em 1938.

fazer isso é recuar na direção deles adotando o MNI — concordar que a ciência não representa uma ameaça, porque não tem nenhuma conexão com as alegações religiosas.

Outro luminar do que podemos chamar de escola Neville Chamberlain de evolucionistas é o filósofo Michael Ruse. Ruse tem sido um combatente eficaz contra o criacionismo,[39] tanto no papel quanto nos tribunais. Ele diz ser ateu, mas seu artigo publicado na *Playboy* assume a visão de que

> nós que amamos a ciência temos de nos dar conta de que o inimigo de nossos inimigos é nosso amigo. Os evolucionistas perdem tempo demais insultando possíveis aliados. Isso acontece especialmente com os evolucionistas laicos. Os ateus perdem mais tempo afugentando cristãos solidários que combatendo os criacionistas. Quando João Paulo II escreveu uma carta endossando o darwinismo, a resposta de Richard Dawkins foi simplesmente dizer que o papa era hipócrita, que ele não podia falar genuinamente sobre a ciência e que o próprio Dawkins preferiria um fundamentalista honesto.

Do ponto de vista puramente estratégico, consigo enxergar o apelo superficial da comparação de Ruse com a luta contra Hitler: "Winston Churchill e Franklin Roosevelt não gostavam de Stálin e do comunismo. Mas, quando combatiam Hitler, perceberam que tinham de trabalhar junto com a União Soviética. Os evolucionistas de todos os tipos devem, do mesmo jeito, trabalhar juntos para combater o criacionismo". Por fim, porém, posto-me ao lado de meu colega, o geneticista de Chicago Jerry Coyne, que escreveu que Ruse

> não capta a natureza verdadeira do conflito. Não se trata apenas da evolução contra o criacionismo. Para cientistas como Dawkins

> e Wilson [E. O. Wilson, o destacado biólogo de Harvard], a *verdadeira* guerra é entre o racionalismo e a superstição. A ciência não é nada mais que uma forma de racionalismo, enquanto a religião é a forma mais comum de superstição. O criacionismo é apenas um sintoma do que eles encaram como o inimigo maior: a religião. Embora a religião possa existir sem o criacionismo, o criacionismo não pode existir sem a religião.[40]

Tenho uma coisa em comum com os criacionistas. Assim como eu, mas diferentemente da "escola Chamberlain", eles não querem nem saber do MNI e seus magistérios independentes. Longe de respeitar a separação do terreno da ciência, os criacionistas gostam mesmo é de pisoteá-lo com suas botas sujas e com travas na sola. E eles também jogam sujo. Os advogados que defendem o criacionismo, em disputas judiciais nos confins dos Estados Unidos, apelam a evolucionistas que sejam abertamente ateus. Sei — para meu desgosto — que meu nome já foi usado assim. É uma tática eficiente, porque entre os jurados escolhidos aleatoriamente há mais chance de haver indivíduos criados para acreditar que os ateus são a encarnação do demônio, no mesmo nível dos pedófilos ou dos "terroristas" (o equivalente atual às bruxas de Salem e aos comunas de McCarthy). Qualquer advogado criacionista que conseguisse me colocar no tribunal conquistaria instantaneamente o júri só de me perguntar: "Seu conhecimento sobre a evolução influenciou-o para que se tornasse ateu?". Eu teria de responder que sim e, de um golpe, teria perdido o júri. Por outro lado, a resposta judicialmente correta do lado secularista seria: "Minhas crenças religiosas, ou a falta delas, são uma questão pessoal, que não interessa a este tribunal nem está ligada de forma alguma à minha ciência". Eu não poderia dizer isso com honestidade, por motivos que explico no capítulo 4.

A jornalista do *The Guardian* Madeleine Bunting escreveu um artigo intitulado "Por que o lobby do design inteligente agradece a Deus por Richard Dawkins".[41] Não há indicação de que ela tenha consultado mais ninguém além de Michael Ruse, e o artigo dela bem que poderia ter sido escrito na verdade pelo próprio Ruse.* Dan Dennett respondeu, citando bem Uncle Remus:**

> Acho engraçado que dois britânicos — Madeleine Bunting e Michael Ruse — tenham caído em uma versão de um dos golpes mais famosos do folclore americano ("Por que o lobby do design inteligente agradece a Deus por Richard Dawkins", 27 de março). Quando Mano Coelho é pego pela raposa, ele implora: "Por favor, por favor, Mana Raposa, faça qualquer coisa, só não me jogue naqueles horríveis espinhos!" — onde ele vai parar, são e salvo, depois de a raposa fazer exatamente isso. Quando o propagandista americano William Dembski escreve zombeteiramente para Richard Dawkins, dizendo que continue assim, para o bem do design inteligente, Bunting e Ruse caem! "Ai, meu Deus, Mana Raposa, sua afirmação declarada — de que a biologia evolutiva descarta a ideia de um Deus criador — põe em risco o ensino da biologia nas aulas de ciência, já que ensinar isso violaria a separação entre Igreja e Estado!" Está bem. Você também deveria tirar o pé da fisiologia, já que ela declara ser impossível virgens darem à luz [...][42]

Toda essa questão, incluindo outra invocação do Mano Coelho nos espinhos, é bem discutida pelo biólogo P. Z. Myers, cujo

* O mesmo pode ser dito do artigo "Quando as cosmologias colidem" ("When cosmologies collide"), no *The New York Times* de 22 de janeiro de 2006, da respeitada (e normalmente mais bem informada) jornalista Judith Shulevitz. A Primeira Regra de Guerra do general Montgomery era: "Não marche sobre Moscou". Talvez devesse existir uma Primeira Regra do Jornalismo Científico: "Entreviste pelo menos mais uma pessoa além de Michael Ruse".

** Uncle Remus (tio Remus): personagem do folclore americano. (N. T.)

blog Pharyngula pode sempre ser consultado quando se busca bom senso aguçado.[43]

Não estou sugerindo que meus colegas do lobby da conciliação sejam necessariamente desonestos. Eles podem acreditar sinceramente no MNI, embora eu não consiga deixar de me perguntar se eles realmente pensaram nele a fundo e como eles pacificam os conflitos internos na própria cabeça. Não há necessidade de explorar a questão por enquanto, mas qualquer pessoa que queira entender as declarações publicadas de cientistas a respeito de assuntos religiosos só terá a ganhar se não esquecer o contexto político: as guerras culturais surreais que estão dilacerando os Estados Unidos. A conciliação ao estilo do MNI vai ressurgir num capítulo posterior. Aqui, volto ao agnosticismo e à possibilidade de erodir nossa ignorância e reduzir sensivelmente nossa incerteza sobre a existência ou a inexistência de Deus.

## HOMENZINHOS VERDES

Suponha que a parábola de Russell não tivesse sido sobre um bule no espaço sideral, mas sobre a *vida* no espaço sideral — o objeto da memorável recusa de Sagan de usar os instintos. Aqui também não temos como descartá-lo, e a única posição estritamente racional é o agnosticismo. Mas a hipótese já não é absurda. Não farejamos imediatamente uma improbabilidade extrema. Podemos ter uma discussão interessante com base em evidências incompletas, e podemos determinar o tipo de evidência que reduziria nossa incerteza. Ficaríamos indignados se nosso governo investisse em telescópios caros com o propósito exclusivo de procurar bules em órbita. Mas podemos pensar em gastar dinheiro com a Busca por Inteligência Extraterrestre [Search for Extraterrestrial Intelligence — SETI], usando radiotelescópios para varrer os céus na esperança de detectar sinais de alienígenas inteligentes.

Elogiei Carl Sagan por rejeitar ideias instintivas sobre a vida alienígena. Mas é possível (e Sagan o fez) fazer uma avaliação sóbria sobre o que seria necessário saber para proceder a uma estimativa da probabilidade. Isso pode começar a partir de uma simples lista dos pontos que ignoramos, como na famosa Equação de Drake, que, nas palavras de Paul Davies, coleta probabilidades. Ela afirma que, para estimar o número de civilizações que se desenvolveram de forma independente no universo, é preciso multiplicar sete termos. Entre os sete estão o número de estrelas, o número de planetas semelhantes à Terra por estrela e a probabilidade disso, daquilo ou daquilo outro, que não preciso listar porque a única coisa que quero mostrar é que todas são desconhecidas, ou estimadas com margens de erro enormes. Quando tantos termos completa ou quase completamente desconhecidos são multiplicados, o produto — o número estimado de civilizações alienígenas — tem erros-padrão tão colossais que o agnosticismo parece uma posição muito razoável, se não a única com credibilidade.

Alguns dos termos da Equação de Drake já são menos desconhecidos hoje do que quando foram escritos, em 1961. Naquela época, nosso sistema solar de planetas orbitando em torno de uma estrela central era o único conhecido, junto com as analogias locais proporcionadas pelos sistemas de satélites de Júpiter e Saturno. Nossa melhor estimativa do número de sistemas orbitais no universo era baseada em modelos teóricos, associados ao "princípio da mediocridade", mais informal: a sensação (nascida de lições históricas desconfortáveis de Copérnico, Hubble e outros) de que não deve haver nada de especialmente incomum no lugar em que por acaso vivemos. Infelizmente, o princípio da mediocridade é, por sua vez, castrado pelo princípio "antrópico" (veja o capítulo 4): se nosso sistema solar realmente fosse o único do universo, é exatamente nele que nós, como seres que pensam sobre essas coisas, teríamos de estar vivendo. O simples fato de existirmos poderia determinar retrospectivamente que vivemos num lugar extremamente não medíocre.

Mas as estimativas atuais sobre a onipresença dos sistemas solares já não se baseiam no princípio da mediocridade; elas são informadas por evidências diretas. O espectroscópio, nêmese do positivismo de Comte, ataca novamente. Nossos telescópios não são potentes o suficiente para enxergar diretamente planetas em torno de outras estrelas. Mas a posição de uma estrela é perturbada pelo empuxo gravitacional de seus planetas conforme eles giram em torno dela, e os espectroscópios conseguem captar as alterações de Doppler no espectro da estrela, pelo menos nos casos em que o planeta perturbador é grande. Principalmente devido a esse método, no momento em que escrevo temos notícia de 170 planetas extrassolares orbitando 147 estrelas,[44] mas o número certamente terá aumentado quando você estiver lendo este livro. Por enquanto, eles são "Júpiteres" grandalhões, porque só Júpiteres são grandes o bastante para perturbar suas estrelas até a zona de detectabilidade dos espectroscópios atuais.

Melhoramos pelo menos em termos quantitativos nossa estimativa para um dos termos previamente ocultos da Equação de Drake. Isso permite uma amenização significativa, embora ainda moderada, de nosso agnosticismo em relação ao valor final produzido pela equação. Ainda temos de ser agnósticos sobre a vida em outros mundos — mas um pouco menos agnósticos, porque somos um pouquinho menos ignorantes. A ciência pode ir corroendo o agnosticismo, do jeito que Huxley recuou para negar no caso especial de Deus. Meu argumento é que, apesar da abstinência polida de Huxley, Gould e muitos outros, a pergunta sobre Deus não está, por princípio e para sempre, fora do âmbito da ciência. Assim como com a natureza das estrelas, *contra* Comte, e como com a probabilidade da vida em órbita em torno delas, a ciência pode pelo menos fazer incursões probabilísticas no território do agnosticismo.

Minha definição da Hipótese de que Deus Existe incluía as palavras "sobre-humano" e "sobrenatural". Para esclarecer a diferença, imagine que um radiotelescópio do programa SETI realmente tivesse detectado um sinal no espaço sideral que mostrasse, inequivocamente, que não estamos sós. É uma pergunta nada trivial, aliás, questionar que tipo de sinal nos convenceria de sua origem inteligente. Uma boa abordagem é inverter a pergunta. O que deveríamos fazer, de forma inteligente, para propagandear nossa presença a ouvintes extraterrestres? Pulsos rítmicos não servem. Jocelyn Bell Burnell, a radioastrônoma que descobriu o pulsar em 1967, foi, por causa da precisão de sua periodicidade de 1,33 segundo, impelida a batizá-lo, provocadoramente, de sinal LGM, de Little Green Men [Homenzinhos Verdes]. Mais tarde ela encontrou um segundo pulsar, em outro lugar do céu e com periodicidade diferente, que praticamente acabou com a hipótese LGM. Ritmos metronômicos podem ser gerados por muitos fenômenos não inteligentes, de galhos balançando a água pingando, de intervalos de tempo em sistemas autorreguláveis de realimentação ao movimento de orbitação e rotação dos corpos celestes. Mais de mil pulsares já foram detectados em nossa galáxia, e tem-se que cada um deles é uma estrela de nêutrons giratória que emite um feixe como um farol de navegação. É incrível pensar numa estrela que gire em questão de segundos (imagine se cada um de nossos dias durasse 1,33 segundo, em vez de 24 horas), mas praticamente tudo que sabemos sobre as estrelas de nêutrons é incrível. A questão é que o fenômeno dos pulsares é hoje entendido como resultado de simples física, não da inteligência.

Nada que fosse apenas rítmico, porém, anunciaria nossa presença inteligente para o universo à espera. Os números primos são frequentemente mencionados como opção ideal, já que é difícil imaginar um processo puramente físico que fosse capaz de gerá-los. Seja detectando números primos ou por algum outro meio, imagine que o SETI realmente forneça evidências indiscutíveis de inteligência extraterrestre, seguida, quem sabe, por uma transmissão maciça de conhecimento e sabedoria, na linha da série de TV *A for Andromeda*, de Fred Hoyle, ou do livro *Contato*, de Carl Sagan. Como deveríamos responder? Uma reação perdoável seria alguma coisa disposta à adoração, já que qualquer civilização capaz de transmitir um sinal a uma distância tão imensa provavelmente será muito superior à nossa. Mesmo que essa civilização não seja mais avançada que a nossa no momento da transmissão, a enorme distância entre nós permite calcular que eles devem estar um milênio na nossa frente quando a mensagem chegar até nós (a menos que eles tenham se extinguido, o que não é improvável).

Consigamos ou não saber sobre elas, é muito provável que existam civilizações alienígenas que sejam sobre-humanas, a ponto de serem tão parecidas com deuses que superem qualquer coisa que um teólogo possa imaginar. Suas conquistas tecnológicas nos pareceriam sobrenaturais, como as nossas pareceriam a um camponês da Idade Média que fosse transportado ao século XXI. Imagine a reação dele a um laptop, a um telefone celular, a uma bomba de hidrogênio ou a um Jumbo. Como disse Arthur C. Clarke, em sua Terceira Lei, "qualquer tecnologia suficientemente avançada é indistinguível da magia". Os milagres forjados por nossa tecnologia não teriam parecido aos homens da Antiguidade menos inacreditáveis que as histórias sobre Moisés dividindo as águas ou de Jesus andando sobre elas. Os alienígenas do nosso sinal do SETI seriam para nós como deuses, assim como os missionários foram tratados como deuses (e exploraram a honra indevida até não poder mais) quando apareceram em culturas da Idade da Pedra munidos de armas, telescópios, fósforos e almanaques que previam eclipses com precisão de segundos.

Em que sentido, então, os alienígenas mais avançados do SETI não *seriam* deuses? Em que sentido eles seriam sobre-humanos, mas não sobrenaturais? Num sentido muito importante, que toca no cerne deste livro. A diferença crucial entre deuses e extraterrestres parecidos com deuses não está em suas propriedades, e sim em sua proveniência. Entidades complexas o bastante para serem inteligentes são resultado de um processo evolutivo. Por mais semelhantes a deuses que possam parecer quando as encontrarmos, elas não começaram assim. Autores de ficção científica, como Daniel F. Galouye em *Counterfeit world* [*Mundo simulado*], chegaram até a sugerir (e não consigo pensar em como poderia descartar a hipótese) que vivemos numa simulação de computador, criada por alguma civilização muito superior. Mas os autores da simulação teriam de ter vindo de algum lugar. As leis da probabilidade vetam a ideia de que eles possam ter aparecido espontaneamente sem ter antecedentes mais simples. Eles provavelmente devem sua existência a uma versão (talvez pouco familiar) da evolução darwiniana: algum tipo de "guindaste" elevatório, e não um "guincho que vem do céu", para usar a terminologia de Daniel Dennett.[45] Guinchos celestes — incluindo todos os deuses — são feitiços. Eles não dão nenhuma explicação de *bona fide* e mais exigem do que fornecem explicações. Guindastes são dispositivos explanatórios que realmente fornecem explicações. A seleção natural é o maior guindaste de todos os tempos. Ela elevou a vida da simplicidade primeva a altitudes estonteantes de complexidade, beleza e aparente desígnio que hoje nos deslumbram. Esse será um tema dominante no capítulo 4, "Por que quase com certeza Deus não existe". Mas primeiro, antes de prosseguir dando minha principal razão para não acreditar na existência de Deus, tenho a responsabilidade de descartar os argumentos positivos para a crença, que foram sendo apresentados ao longo da história.

# 3. Argumentos para a existência de Deus

*Não deveria haver lugar em nossa instituição para uma cadeira de teologia.*

Thomas Jefferson

Argumentos pela existência de Deus vêm sendo codificados há séculos pelos teólogos, e suplementados por outras pessoas, entre elas fornecedores de um "senso comum" equivocado.

## AS "PROVAS" DE TOMÁS DE AQUINO

As cinco "provas" declaradas por Tomás de Aquino no século XIII não provam nada, e é fácil — embora eu hesite em dizê-lo, dada sua eminência — mostrar como são vazias. As três primeiras são apenas modos diferentes de dizer a mesma coisa, e podem ser analisadas juntas. Todas envolvem uma regressão infinita — a resposta a uma pergunta suscita uma pergunta anterior, e assim *ad infinitum*.

1. *O Motor que Não é Movido.* Nada se move sem um motor anterior. Isso nos leva a uma regressão, da qual a única escapatória é Deus. Alguma coisa teve de fazer a primeira se mover, e a essa alguma coisa chamamos Deus.
2. *A Causa sem Causa.* Nada é causado por si só. Todo efeito tem uma causa anterior, e novamente somos forçados à regressão. Ela só é concluída por uma causa primeira, a que chamamos Deus.
3. *O Argumento Cosmológico.* Deve ter havido uma época em que não existia nada de físico. Mas, como as coisas físicas existem hoje, tem de ter havido algo de não físico para provocar sua existência, e a esse algo chamamos Deus.

Esses três argumentos baseiam-se na ideia da regressão e invocam Deus para encerrá-la. Eles assumem, sem nenhuma justificativa, que Deus é imune à regressão. Mesmo que nos dermos ao duvidoso luxo de conjurar arbitrariamente uma terminação para a regressão infinita e lhe dermos um nome, não há absolutamente nenhum motivo para dar a essa terminação as propriedades normalmente atribuídas a Deus: onipotência, onisciência, bondade, criatividade de design, sem falar de atributos humanos como atender a preces, perdoar pecados e ler os pensamentos mais íntimos. Por falar nisso, aos especialistas em lógica não escapou que a onisciência e a onipotência são incompatíveis entre si. Se Deus é onisciente, ele já tem de saber que vai intervir para mudar o curso da história usando sua onipotência. Mas isso significa que ele não pode mudar de ideia sobre a intervenção, o que significa que ele não é onipotente. Karen Owens captou esse divertido paradoxo em um verso igualmente cativante:

*Pode Deus onisciente, que*
*Sabe o futuro, encontrar*

*A onipotência de*
*Mudar Sua ideia futura?**

Para retomar a regressão infinita e a ineficácia de invocar Deus para encerrá-la, seria mais parcimonioso conjurar, digamos, a "singularidade do big bang" ou algum outro conceito físico ainda desconhecido. Chamar isso de Deus é na melhor das hipóteses inútil e, na pior, perniciosamente enganador. A Receita Absurda para fazer Filés Esfarelosos,** de Edward Lear, convida-nos a "tomar algumas tiras de carne e, depois de cortá-las nos menores pedaços possíveis, prosseguir cortando-os ainda menores, oito ou quem sabe nove vezes".*** Algumas regressões chegam, sim, a uma terminação. Os cientistas costumavam ficar imaginando o que aconteceria se se pudesse dissecar, digamos, o ouro nas menores partículas possíveis. Por que não se poderia cortar uma dessas partículas pela metade e produzir um farelo ainda menor de ouro? A regressão nesse caso é encerrada de maneira decisiva pelo átomo. A menor partícula possível de ouro é um núcleo que consista de exatamente 79 prótons e um número ligeiramente maior de nêutrons, acompanhado de um enxame de 79 elétrons. Se se "cortar" o ouro além do nível de um único átomo, qualquer coisa que se obtiver já não será mais ouro. O átomo fornece uma terminação natural ao tipo de regressão dos Filés Esfarelosos. Não está de maneira nenhuma claro que Deus seja uma terminação natural para a regressão de Tomás de Aquino. Isso para dizer o menos, como veremos adiante. Avancemos na lista de Tomás de Aquino:

* "Can omniscient God, who/ Knows the future, find/ The omnipotence to/ Change His future mind?" (N. T.)
** Nonsense Recipe for Crumboblious Cutlets (N. T.)
*** "Procure some strips of beef, and having cut them into the smallest possible pieces, proceed to cut them still smaller, eight ou perhaps nine times." (N. T.)

4 *O Argumento de Grau*. Percebemos que as coisas do mundo diferem entre si. Há graus de, digamos, bondade ou perfeição. Mas só julgamos esses graus se em comparação a um máximo. Os seres humanos podem ser tanto bons quanto ruins, portanto o máximo da bondade não pode estar em nós. Tem de haver, portanto, algum outro máximo para estabelecer o padrão da perfeição, e a esse máximo chamamos Deus.

Isso é um argumento? Também seria possível dizer: as pessoas variam quanto ao fedor, mas só podemos fazer a comparação pela referência a um máximo perfeito de fedor concebível. Tem de haver, portanto, um fedorento inigualável, e a ele chamamos Deus. Ou substitua qualquer dimensão de comparação que quiser, derivando uma conclusão igualmente idiota.

5 *O Argumento Teleológico*, ou *O Argumento do Design*. As coisas do mundo, especialmente as coisas vivas, parecem ter sido projetadas. Nada que conhecemos parece ter sido projetado a menos que tenha sido projetado. Tem de haver, portanto, um projetista, e a ele chamamos Deus.* Tomás de Aquino usou a analogia de uma flecha avançando para o alvo, mas um míssil antiaéreo moderno guiado a calor teria se adequado melhor a seus propósitos.

O argumento do design é o único que ainda é regularmente usado hoje em dia, e ainda soa para muita gente como o argumento determinante do nocaute. O jovem Darwin ficou impressionado com ele quando, estudante de graduação em Cambridge,

* É impossível não lembrar do silogismo imortal que foi infiltrado numa prova euclidiana por um colega, quando estudávamos geometria juntos: "O triângulo ABC parece isósceles. Portanto...".

o leu na *Teologia natural* de William Paley. Infelizmente para Paley, o Darwin maduro virou a mesa. Provavelmente jamais houve uma derrubada tão devastadora de uma crença popular através de um raciocínio inteligente quanto a destruição do argumento do design perpetrada por Charles Darwin. Foi totalmente inesperado. Graças a Darwin, já não é verdade dizer que as coisas só podem parecer projetadas se tiverem sido projetadas. A evolução pela seleção natural produz um excelente simulacro de design, acumulando níveis incríveis de complexidade e elegância. E entre essas eminências do pseudodesign estão os sistemas nervosos que — entre seus feitos mais modestos — manifestam comportamentos de busca a um alvo que, mesmo num inseto minúsculo, se parecem ainda mais com um míssil sofisticado guiado a calor do que com uma simples flecha indo para o alvo. Retornarei ao argumento do design no capítulo 4.

## O ARGUMENTO ONTOLÓGICO E OUTROS ARGUMENTOS *a priori*

Os argumentos para a existência de Deus encaixam-se em duas categorias principais, os *a priori* e os *a posteriori*. Os cinco de Tomás de Aquino são argumentos *a posteriori*, baseando-se em inspeções do mundo. O mais famoso dos argumentos *a priori*, aqueles que se baseiam na pura racionalização teórica, é o *argumento ontológico*, proposto por santo Anselmo de Canterbury em 1078 e reeditado de formas diferentes por vários filósofos desde então. Um aspecto bizarro do argumento de Anselmo é que ele não se dirigia originalmente aos seres humanos, e sim ao próprio Deus, na forma de uma oração (e você que achava que uma entidade capaz de ouvir uma oração não precisaria ser convencida da sua própria existência).

É possível conceber, disse Anselmo, um ser sobre o qual nada de melhor possa ser concebido. Até mesmo um ateu consegue conceber um ser tão superlativo, embora negue sua existência no mundo real. Mas, prossegue o argumento, um ser que não existe no mundo real é, exatamente por esse fato, menos que perfeito. Portanto temos uma contradição e, *presto*, Deus existe!

Deixe-me traduzir esse argumento infantil para a linguagem apropriada, a linguagem do parquinho:

> "Aposto com você que consigo provar que Deus existe."
>
> "Aposto que não consegue."
>
> "Tudo bem, então. Imagine a coisa mais perfeita, perfeita, *perfeita* possível."
>
> "Tá bom, e agora?"
>
> "Agora, essa coisa perfeita, perfeita, *perfeita* é de verdade? Ela existe?"
>
> "Não, está só na minha cabeça."
>
> "Mas se ela fosse de verdade ela seria ainda mais perfeita, porque uma coisa perfeita perfeita de verdade teria que ser melhor que uma coisa imaginária boba. Então provei que Deus existe. Nanananañã-ã. Os ateus são uns insensatos."

Fiz meu sabichão infantil escolher a palavra "insensatos" de propósito. O próprio Anselmo citou o primeiro verso do Salmo 14, "Diz o insensato em seu coração: Deus não existe", e teve a ousadia de usar a palavra "insensato" (no latim *insipiens*) para seu ateu hipotético:

> Assim, até mesmo o insensato está convencido de que existe algo no entendimento, pelo menos, maior que o qual nada pode ser concebido. Pois, quando ouve isso, ele entende. E qualquer coisa que seja entendida existe no entendimento. E seguramente aquilo maior que o qual nada pode ser concebido não pode existir ape-

> nas no entendimento. Pois suponha que ele existe apenas no entendimento: então se pode conceber que ele exista na realidade; que é maior.

A simples ideia de que conclusões grandiloquentes possam ser derivadas de tamanhos truques de logomaquia já me é uma ofensa estética, portanto tenho de tomar cuidado para não sair brandindo palavras como "insensato". Bertrand Russell (nada insensato) disse: "É mais fácil sentir a convicção de que [o argumento ontológico] deve ser falacioso que localizar onde exatamente está a falácia". O próprio Russell, quando jovem, foi brevemente convencido por ele:

> Lembro o momento preciso, um dia em 1894, quando eu caminhava pela Trinity Lane e vi num clarão (ou achei ter visto) que o argumento ontológico é válido. Tinha saído para comprar uma lata de fumo; no caminho da volta, de repente a joguei para o alto e exclamei, ao pegá-la: "Uau, o argumento ontológico é real".

Por que, fico pensando, ele não disse alguma coisa como: "Uau, o argumento ontológico parece ser plausível. Mas não é bom demais para ser verdade que uma verdade grandiosa sobre o cosmos venha de um mero jogo de palavras? Melhor eu pôr mãos à obra para solucionar o que talvez seja um paradoxo como o de Zeno". Os gregos tiveram grandes dificuldades para engolir a "prova" de Zeno de que Aquiles jamais alcançaria a tartaruga.*

* O paradoxo de Zeno é conhecido demais para que seus detalhes sejam propagandeados por uma nota de rodapé. Aquiles corre dez vezes mais rápido que a tartaruga, portanto dá ao animal, digamos, uma vantagem de cem metros. Aquiles corre cem metros, e a tartaruga está agora dez metros à frente. Aquiles corre os dez metros e a tartaruga está agora um metro à frente. Aquiles corre um metro, e a tartaruga ainda está dez centímetros à frente... e assim por diante *ad infinitum*, de modo que Aquiles jamais alcança a tartaruga.

Mas eles tiveram o bom senso de não concluir que portanto Aquiles realmente não conseguiria alcançar a tartaruga. Em vez disso, chamaram aquilo de paradoxo e esperaram que gerações posteriores de matemáticos o explicassem. O próprio Russell, é claro, era tão qualificado como qualquer outra pessoa para saber por que não se devem jogar latas de fumo para cima comemorando o fato de Aquiles ser incapaz de alcançar a tartaruga. Por que ele não usou a mesma cautela com santo Anselmo? Suspeito que ele fosse um ateu exageradamente justo, disposto demais a ser desiludido se a lógica parecesse assim exigir.* Ou talvez a resposta esteja em uma coisa que o próprio Russell escreveu em 1946, muito tempo depois de ter descoberto o argumento ontológico:

> A pergunta verdadeira é: Existe alguma coisa sobre a qual possamos pensar e que, pelo simples fato de podermos pensar nela, tem sua existência demonstrada fora de nosso pensamento? Todo filósofo *gostaria* de dizer que sim, porque o trabalho do filósofo é descobrir coisas sobre o mundo pelo pensamento, mais que pela obser-

* Talvez estejamos observando algo semelhante hoje em dia nas trombeteadas tergiversações do filósofo Antony Flew, que anunciou, já idoso, ter sido convertido à crença em algum tipo de divindade (desencadeando um frenesi de repetições em toda a internet). Por outro lado, Russell era um grande filósofo. Russell ganhou o prêmio Nobel. Talvez a suposta conversão de Flew seja recompensada com o prêmio Templeton. Um primeiro passo nessa direção é sua decisão ignominiosa de aceitar, em 2006, o "prêmio Phillip E. Johnson para a Liberdade e a Verdade". O primeiro ganhador do prêmio Phillip E. Johnson foi Phillip E. Johnson, advogado a quem se atribui a fundação da "estratégia de disseminação" do design inteligente. Flew será o segundo ganhador. A universidade que entrega o prêmio é a BIOLA, o Instituto da Bíblia de Los Angeles. Não dá para não se perguntar se Flew não percebe que está sendo usado. Veja Victor Stenger, "Flew's flawed science", *Free Inquiry* 25, 2/2005, pp. 17-8; www.secularhumanism.org/index.php?section=library&page=stenger_25_2.

vação. Se a resposta certa é sim, há uma ponte entre o pensamento puro e as coisas. Se não, não.

Minha sensação, pelo contrário, teria sido uma desconfiança automática e profunda para com qualquer linha de raciocínio que chegasse a uma conclusão tão significativa sem utilizar um único dado proveniente do mundo real. Talvez isso só indique que sou mais cientista que filósofo. Os filósofos, no decorrer dos séculos, levaram mesmo o argumento teológico a sério, tanto contra ele como a favor. O filósofo ateu J. L. Mackie oferece uma discussão especialmente clara em *The miracle of theism*. Minha intenção é de elogio quando digo que quase dá para definir um filósofo como alguém que não aceita o senso comum como resposta.

As refutações mais definitivas do argumento ontológico costumam ser atribuídas aos filósofos David Hume (1711-76) e Immanuel Kant (1724-1804). Kant identificou a carta escondida na manga de Anselmo na frágil pressuposição de que a "existência" é mais "perfeita" que a inexistência. O filósofo americano Norman Malcolm explicou assim: "A doutrina de que a existência é a perfeição é incrivelmente excêntrica. Faz sentido e é verdade dizer que minha futura casa será melhor se tiver calefação do que se não tiver; mas o que poderia significar dizer que ela será uma casa melhor se existir, mais que se não existir?".[46] Outro filósofo, o australiano Douglas Gasking, demonstrou sua tese com a "prova" irônica de que Deus *não* existe (Gaunilo, contemporâneo de Anselmo, havia sugerido um *reductio* mais ou menos parecido).

1 A criação do mundo é a realização mais maravilhosa que se pode imaginar.

2 O mérito de uma realização é o produto de a) sua qualidade intrínseca e b) da capacidade de seu criador.

3 Quanto maior a incapacidade (ou desvantagem) do criador, mais impressionante é a realização.

4 A desvantagem mais formidável para um criador seria a inexistência.

5 Portanto, se supusermos que o universo é o produto de um criador existente, podemos conceber um ser maior — quer dizer, aquele que criou todas as coisas sendo inexistente.

6 Um Deus existente, portanto, não seria um ser maior que o qual não se pode conceber outro ser, porque um criador ainda mais formidável e incrível seria um Deus que não existisse.

Portanto:

7 Deus não existe.

É desnecessário dizer que Gasking não provou de verdade que Deus não existe. Com a mesma moeda, Anselmo também não provou que ele existe. A única diferença é que Gasking estava sendo engraçado de propósito. Ele tinha consciência de que a existência ou a inexistência de Deus é uma pergunta grande demais para ser decidida pela "prestidigitação dialética". E não acho que o uso frágil da existência como indicador de perfeição seja o maior problema do argumento. Esqueci os detalhes, mas uma vez causei revolta numa reunião de teólogos e filósofos por ter adaptado o argumento ontológico de forma que ele provasse que os porcos sabem voar. Eles se sentiram impelidos a recorrer à Lógica Modal para provar que eu estava errado.

O argumento ontológico, como todos os argumentos *a priori* para a existência de Deus, faz-me lembrar o velho que, em *Contraponto*, de Aldous Huxley, descobriu uma prova matemática da existência de Deus:

> Sabe a fórmula *m* sobre nada é igual ao infinito, sendo *m* qualquer número positivo? Bem, por que não reduzir a equação a uma forma mais simples, multiplicando os dois lados por nada? Nesse caso teremos *m* é igual a infinito vezes nada. Quer dizer, um número positivo é o produto de zero e infinito. Isso não demonstra a criação do universo por um poder infinito, a partir do nada? Não demonstra?

Infelizmente, a famosa história de Diderot, o grande enciclopedista do Iluminismo, e Euler, o matemático suíço, é duvidosa. De acordo com a lenda, Catarina, a Grande, promoveu um debate entre os dois, no qual o pio Euler lançou ao ateu Diderot o desafio: "Monsieur, $(a + b^n)/n = x$, portanto Deus existe. Rebata!".

O ponto essencial da lenda é que Diderot não era matemático e, portanto, teve de se retirar, intimidado. Contudo, como B. H. Brown salientou no *American Mathematical Monthly*, em 1942, Diderot era realmente um bom matemático, e teria sido improvável que sucumbisse ao que pode ser chamado de Argumento para Cegar Usando a Ciência (nesse caso, a matemática). David Mills, em *Atheist universe*, transcreve uma entrevista de rádio que concedeu a um representante religioso, que invocou a lei da conservação da massa-energia numa tentativa inútil e estranha de cegar usando a ciência: "Como somos todos compostos de matéria e energia, aquele princípio científico não empresta credibilidade à crença na vida eterna?". Mills respondeu com mais paciência e mais educação do que eu teria respondido, porque o que o entrevistador estava dizendo, traduzido, não passava de: "Quando morremos, nenhum dos átomos de nosso corpo (e nenhuma energia) se perde. Portanto, somos imortais".

Nem eu, em minha longa experiência, tinha encontrado um pensamento positivo tão bobo. Já cruzei, no entanto, com muitas das maravilhosas "provas" reunidas em http://www.godlessgeeks.

com/LINKS/GodProof.htm, uma lista engraçadíssima de "Mais de Trezentas Provas da Existência de Deus". Leia uma hilária meia dúzia, começando com a prova nº 36.

36 *Argumento da Devastação Incompleta*: Um avião caiu matando 143 passageiros e tripulantes. Mas uma criança sobreviveu só com queimaduras de terceiro grau. Portanto, Deus existe.

37 *Argumento dos Mundos Possíveis*: Se as coisas tivessem sido diferentes, as coisas seriam diferentes. Isso seria ruim. Portanto, Deus existe.

38 *Argumento do Puro Desejo*: Creio mesmo em Deus! Creio mesmo em Deus! Creio, creio, creio, creio. Creio mesmo em Deus! Portanto, Deus existe.

39 *Argumento da Descrença*: A maioria da população do mundo é de pessoas que não acreditam em Deus. Isso era exatamente o que Satã queria. Portanto, Deus existe.

40 *Argumento da Experiência Após a Morte*: A pessoa X morreu ateia. Hoje ela percebe seu erro. Portanto, Deus existe.

41 *Argumento da Chantagem Emocional*: Deus o ama. Como você pode ser tão insensível e não acreditar nele? Portanto, Deus existe.

## O ARGUMENTO DA BELEZA

Outra personagem do romance de Aldous Huxley mencionado há pouco provou a existência de Deus tocando o *Quarteto de cordas nº 15 em lá menor* de Beethoven ("*heiliger Dankgesang*") num gramofone. O argumento pode parecer pouco convincente, mas ele realmente representa uma vertente bem popular. Já desisti de contar o número de vezes que recebo o questionamento mais ou menos truculento: "Como então você explica Shakespeare?" (Troque a gosto por Schubert, Michelangelo etc.) O argumento é tão familiar que não preciso documentá-lo mais. Mas a lógica por trás dele nunca é esclarecida, e quanto mais se pensa sobre ele mais vazio se percebe que ele é. É óbvio que os últimos quartetos de Beethoven são sublimes. Assim como os sonetos de Shakespeare. São sublimes se Deus existe e são sublimes se não existe. Eles não provam a existência de Deus; eles provam a existência de Beethoven e Shakespeare. Atribui-se a um grande maestro a seguinte declaração: "Se você tem Mozart para ouvir, para que precisa de Deus?".

Uma vez fui o convidado da semana num programa de rádio britânico chamado *Desert Island Discs*. Você tem de escolher os oito discos que levaria se fosse para uma ilha deserta. Entre meus escolhidos estava "Mache dich, mein Herze, rein", da *Paixão segundo são Mateus*, de Bach. O entrevistador não conseguia entender como eu podia escolher música religiosa sem ser religioso. Também dá para perguntar: como você pode gostar de *O morro dos ventos uivantes* sabendo perfeitamente que Cathy e Heathcliff jamais existiram de verdade?

Mas há mais um ponto que eu deveria ter reforçado, e que precisa ser reforçado sempre que a religião recebe o crédito, digamos, pela Capela Sistina ou pela *Anunciação* de Rafael. Até mesmo grandes artistas têm de ganhar a vida, e eles aceitam encomendas onde há encomendas. Não tenho nenhum motivo para duvidar que Rafael e Michelangelo tenham sido cristãos — era basicamente a única opção no tempo deles —, mas esse fato é quase incidental. Sua enorme riqueza havia transformado a Igreja no patrono dominante das artes. Se a história tivesse sido diferente, e Michelangelo tivesse sido contratado para pintar o teto de um Museu de Ciência gigante, ele não poderia ter produzido uma coisa no mínimo tão inspiradora quanto a Capela Sistina? Como é triste o fato de que jamais ouviremos a *Sinfonia mesozoica*, de Beethoven, ou a ópera *O universo em expansão*, de Mozart. E que pena sermos privados do *Oratório da evolução*, de Haydn — mas isso não nos impede de apreciar sua *Criação*. Para abordar o argumento pelo outro lado, e se, como me sugere minha mulher, Shakespeare tivesse sido obrigado a trabalhar em encomendas da Igreja? Certamente teríamos perdido *Hamlet*, *Rei Lear* e *Macbeth*. E o que teríamos ganhado em troca? Os tecidos de que são feitos os sonhos? Vá sonhando.

Se existe um argumento lógico que ligue a existência de grandes obras de arte à existência de Deus, ele não é esclarecido por seus proponentes. Simplesmente se assume que ele é evidente por si só, coisa que certamente não é. Talvez ele deva ser encarado como mais uma versão para o argumento do design: o cérebro musical de Schubert é uma maravilha da improbabilidade, mais ainda que o olho dos vertebrados. Ou, para falar de modo mais desdenhoso, talvez seja uma espécie de inveja da genialidade. Como outro ser humano se atreve a fazer música/poesia/arte tão bela e eu não? Deve ter sido Deus quem fez.

## O ARGUMENTO DA "EXPERIÊNCIA" PESSOAL

Um dos meus colegas de faculdade mais maduros e mais inteligentes, que era profundamente religioso, foi acampar nas ilhas escocesas. No meio da noite ele e a namorada foram despertados em sua barraca pela voz do diabo — Satã em pessoa; não havia dúvida possível: a voz era diabólica em todos os sentidos. Meu amigo jamais esqueceria aquela experiência terrível, e ela foi um dos fatores que mais tarde o levaram a ser ordenado. Jovem, fiquei impressionado com sua história, e a contei numa reunião de zoólogos que descansavam no Rose and Crown Inn, em Oxford. Dois deles, por acaso, eram ornitólogos experientes, e caíram na gargalhada. "Pardela-sombria!", gritaram em coro, rindo. Um deles acrescentou que os gritos e cacarejos da espécie garantiram a ela, em várias partes do mundo e em várias línguas, o apelido local de "pássaro do diabo".

Muita gente acredita em Deus porque acredita ter tido uma visão dele — ou de um anjo ou de uma virgem de azul — com seus próprios olhos. Ou que ele fala com eles dentro de sua cabeça. Esse argumento da experiência pessoal é o mais convincente para aqueles que afirmam ter passado por uma. Mas é o menos convincente para todo o resto, e para qualquer pessoa que conheça psicologia.

Você diz que sentiu Deus diretamente? Bem, tem gente que sentiu um elefante cor-de-rosa, mas isso provavelmente não vai impressioná-lo. Peter Sutcliffe, o Estripador de Yorkshire, ouvia distintamente a voz de Jesus dizendo-lhe para matar mulheres, e foi condenado à prisão perpétua. George W. Bush afirma que Deus disse a ele que invadisse o Iraque (é uma pena que Deus não tenha lhe concedido a revelação de que não havia armas de destruição em massa). Pacientes de sanatórios acham que são Napoleão ou Charlie Chaplin, ou que o mundo inteiro conspira contra eles, ou que podem transmitir seus pensamentos para a cabeça de outras pessoas. Divertimo-nos com elas, mas não levamos a sério suas crenças internamente reveladas, principalmente porque pouca gente tem as mesmas crenças. As experiências religiosas só são diferentes no fato de que as pessoas que alegam tê-las tido são muito numerosas. Sam Harris não estava sendo cínico em excesso quando escreveu, em *The end of faith* [Fim da fé]:

> Temos nomes para as pessoas que têm muitas crenças para as quais não há justificativa racional. Quando suas crenças são extrema-

mente comuns, nós as chamamos de "religiosas"; nos outros casos, elas provavelmente serão chamadas de "loucas", "psicóticas" ou "delirantes" [...] Claramente, a sanidade está nos números. E, mesmo assim, é apenas um acidente da história o fato de ser considerado normal em nossa sociedade acreditar que o Criador do universo é capaz de ouvir nossos pensamentos, enquanto é uma demonstração de doença mental acreditar que ele está se comunicando com você fazendo a chuva bater em código Morse na janela de seu quarto. Assim, se as pessoas religiosas não são generalizadamente loucas, suas principais crenças absolutamente o são.

Retornarei ao assunto das alucinações no capítulo 10.

O cérebro humano executa um avançadíssimo software de simulação. Nossos olhos não apresentam ao cérebro uma fotografia fiel do que há por aí, ou um filme preciso do que está acontecendo ao longo do tempo. Nosso cérebro constrói um modelo que é constantemente atualizado: atualizado por pulsos codificados que circulam pelo nervo óptico, mas de toda forma construído. As ilusões de óptica são um forte lembrete desse fato.[47] Uma importante classe de ilusões, das quais o Cubo de Necker é um exemplo, ocorre porque os dados sensoriais recebidos pelo cérebro são compatíveis com dois modelos alternativos de realidade. A figura para a qual olhamos parece, quase literalmente, virar uma outra coisa.

O programa de simulação do cérebro é especialmente habilitado para construir rostos e vozes. Tenho no peitoril da janela uma máscara de plástico de Einstein. Quando vista de frente, ela parece um rosto sólido, o que não é de surpreender. O surpreendente é que, quando vista de trás — do lado oco —, ela também parece um rosto sólido, e a percepção que temos dela é mesmo muito estranha. Conforme o observador se move em torno dele, o rosto parece segui-lo — e não no sentido frágil e pouco convincente daquela história de que os olhos da Mona Lisa seguem o observador. A máscara oca parece mesmo, *mesmo*, estar se mexendo. Quem nunca viu a ilusão perde o fôlego, impressionado. O mais estranho é que, se a máscara for colocada sobre uma mesa giratória que rode devagar, ela parece virar na direção correta quando se olha para o lado sólido, mas na direção *oposta* quando o lado oco aparece. O resultado é que, quando se olha para a transição de um lado para o outro, o lado que está chegando parece "comer" o lado que está indo embora. É uma ilusão incrível, vale a pena se meter em encrencas só para vê-la. Às vezes dá para chegar surpreendentemente perto do rosto oco sem ver que ele é "mesmo" oco. Quando você consegue enxergar, novamente há uma virada rápida, que pode ser reversível.

Por que isso acontece? Não há truque na construção da máscara. Qualquer máscara oca fará a mesma coisa. O truque está todo no cérebro do observador. O programa de simulação interno recebe dados que indicam a presença de um rosto, talvez nada mais que um par de olhos, um nariz e uma boca nos lugares mais ou menos certos. Depois de receber essas indicações básicas, o cérebro faz o resto. O programa de simulação de rostos entra em ação e constrói um modelo plenamente sólido de rosto, apesar de a realidade apresentada aos olhos ser uma máscara oca. A ilusão da rotação para a direção errada acontece porque (é bem difícil, mas se você pensar bastante sobre isso vai confirmá-lo) a rotação reversa é o único modo de interpretar os dados ópticos quando uma máscara oca está rodando, se ela é percebida como uma máscara sólida.[48] É como a ilusão de uma imagem rotativa de radar, daquelas que às vezes se veem em aeroportos. Até que o cérebro mude para o modelo correto de radar, um modelo incorreto é enxergado rodando na direção errada, mas de um jeito estranhamente torto.

Digo tudo isso só para demonstrar o poder formidável do programa de simulação do cérebro. Ele é bem capaz de construir "visões" e "visitas" com enorme poder de veracidade. Simular um fantasma ou um anjo ou a Virgem Maria seria brincadeira de criança para um software tão sofisticado. E a mesma coisa acontece com a audição. Quando ouvimos um som, ele não é fielmente transportado pelo nervo auditivo e entregue ao cérebro como se por um Bang & Olufsen de alta-fidelidade. Assim como na visão, o cérebro constrói um modelo de som, baseado nos dados continuamente atualizados do nervo auditivo. É por isso que ouvimos o trompete como uma única nota, e não como a composição da harmonia de tons puros que lhe dá seu som metalizado. Um clarinete que toque a mesma nota soa "amadeirado", e um oboé soa mais "caniçado", por causa dos equilíbrios diferentes na harmonia. Se você manipular com cuidado um sintetizador de som para mostrar as harmonias independentes uma a uma, o cérebro as ouvirá como uma combinação de tons puros por um breve período, até que seu programa de simulação "capte" a coisa, e a partir de então ouve-se apenas uma única nota de puro trompete, ou oboé, ou o que quer que seja. As vogais e as consoantes do discurso são construídas no cérebro da mesma maneira, assim como, num nível superior, os fonemas e as palavras.

Uma vez, quando era criança, ouvi um fantasma: uma voz masculina murmurando, como se recitando ou rezando. Quase conseguia distinguir as palavras, mas não chegava a isso, e elas pareciam ter um timbre sério e solene. Tinham me contado histórias sobre os esconderijos de padres nas casas antigas, e eu estava um pouco assustado. Conforme me aproximei, o som ficou mais alto, e então, de repente, ele "virou" dentro da minha cabeça. Eu já estava perto o suficiente para discernir do que realmente se tratava. O vento, soprando pelo buraco da fechadura, estava criando sons que o programa de simulação do meu cérebro havia usado para construir um modelo de discurso masculino, de tom solene. Se eu fosse uma criança mais impressionável, é possível que tivesse "ouvido" não apenas um discurso ininteligível, mas palavras específicas e até frases. E, se eu fosse ao mesmo tempo impressionável e de formação religiosa, imagino que palavras o vento poderia ter dito.

Em outra ocasião, quando eu tinha mais ou menos a mesma idade, vi um rosto gigantesco e redondo me encarando, com uma malevolência indescritível, em uma janela de uma casa como qualquer outra de uma cidadezinha litorânea. Trêmulo, aproximei-me até estar perto o suficiente para ver o que o rosto era de verdade: apenas um padrão que lembrava vagamente um rosto, criado pela posição das cortinas. O rosto em si, e seu ar malévolo, tinha sido construído em meu cérebro apavorado. No dia 11 de setembro de 2001, pessoas crédulas acreditaram ter visto o rosto de Satã na fumaça que saía das torres gêmeas: uma superstição alimentada por uma fotografia que foi publicada na internet, com grande circulação.

O cérebro humano é muito bom em construir modelos. Quando estamos dormindo, isso se chama sonhar; quando estamos acordados, chamamos de imaginação, ou, quando é real demais, de alucinação. Como mostrará o capítulo 10, crianças que têm "amigos imaginários" muitas vezes os veem claramente, exatamente como se eles fossem reais. Se somos crédulos, não reconhecemos a alucinação ou o sonhar acordado e alegamos ter visto ou ouvido um fantasma; ou um anjo; ou Deus; ou — especialmente se formos jovens, mulheres e católicas — a Virgem Maria. Visões e manifestações como essas de certo não compõem bases sólidas para acreditar que fantasmas ou anjos, deuses ou virgens realmente estão ali.

Pelo jeito, as visões em massa, como os registros de que 70 mil peregrinos em Fátima, Portugal, em 1917 viram o sol "desprender-se dos céus e despencar sobre a multidão",[49] são bem mais difíceis de minimizar. Não é fácil explicar como 70 mil pessoas podem ter a mesma alucinação. Mas é ainda mais difícil aceitar que aquilo tenha realmente acontecido sem que o resto do mundo, fora de Fátima, tenha visto — e não só tenha visto, mas não tenha achado que se tratava da destruição catastrófica do sistema solar, incluindo forças de aceleração suficientes para lançar todo mundo no espaço. É impossível não lembrar o eficaz teste de David Hume para um milagre: "Nenhum depoimento é suficiente para estabelecer um milagre, a menos que o depoimento seja de tal natureza que sua falsidade seria mais milagrosa que o fato que ele pretende estabelecer".

Pode parecer improvável que 70 mil pessoas possam ter o mesmo delírio simultaneamente, ou que tenham conspirado simultaneamente para uma mentira em massa. Ou que a história esteja errada por registrar que 70 mil pessoas alegaram ter visto o sol dançar. Ou que todas elas tenham visto simultaneamente uma miragem (elas haviam sido convencidas a olhar para o sol, coisa que não pode ter feito muito bem para sua visão). Mas qualquer uma dessas aparentes improbabilidades é bem mais provável que a alternativa: a de que a Terra de repente tenha sido tirada de sua órbita, e o sistema solar destruído, sem que ninguém fora de Fátima tenha percebido. Afinal, Portugal não é tão isolado assim.*

Isso é tudo que precisa ser dito sobre as "experiências" pessoais de deuses e outros fenômenos religiosos. Se você teve uma experiência dessas, pode ser que acredite firmemente que ela foi real. Mas não espere que o resto de nós acredite, especialmente

* Embora seja verdade que os meus sogros uma vez ficaram hospedados num hotel de Paris chamado Hôtel de l'Univers et du Portugal.

se tivermos uma familiaridade mínima com o cérebro e seus feitos incríveis.

## O ARGUMENTO DAS ESCRITURAS

Ainda tem gente que é convencida a acreditar em Deus pelas evidências das Escrituras. Um argumento comum, atribuído, entre outros, a C. S. Lewis (que bem devia ter sabido), afirma que, como Jesus alegava ser o Filho de Deus, ou ele estava certo ou então era louco ou mentiroso: "Louco, Mau ou Deus". Ou "Lunático, Mentiroso ou Senhor".* As evidências históricas de que Jesus tenha reclamado para si qualquer tipo de status divino são mínimas. Mas, mesmo que as evidências fossem sólidas, o trilema em questão seria de uma inadequação ridícula. Uma quarta possibilidade, quase óbvia demais para ser mencionada, é a de que Jesus estivesse honestamente enganado. Muita gente se engana. De qualquer modo, como já disse, não há boas evidências históricas de que ele tenha achado que era divino.

O fato de as coisas estarem por escrito é persuasivo para pessoas que não estão acostumadas a fazer perguntas como: "Quem escreveu, e quando?"; "Como eles sabiam o que escrever?"; "Será que eles, naquela época, realmente queriam dizer o que nós, em nossa época, entendemos que eles estão dizendo?"; "Eram eles observadores imparciais, ou tinham uma agenda que influenciava seus escritos?". Desde o século XIX, teólogos acadêmicos vêm defendendo que os evangelhos não são relatos confiáveis sobre o que aconteceu na história do mundo real. Todos eles foram escritos muito tempo depois da morte de Jesus, e também das

* O autor ressalta a "aliteração primária" da expressão em inglês: "Lunatic, Liar or Lord". (N. T.)

epístolas de Paulo, que não mencionam quase nenhum dos supostos fatos da vida de Jesus. Todos eles foram copiados e recopiados, ao longo de muitas "gerações de telefones sem fio" (veja o capítulo 5), por escribas sujeitos a falhas e que, por sinal, tinham suas próprias agendas religiosas.

Um bom exemplo da cor acrescentada pelas agendas religiosas é a tocante lenda do nascimento de Jesus, em Belém, seguida do massacre dos inocentes por Herodes. Quando os evangelhos foram escritos, muitos anos depois da morte de Jesus, ninguém sabia onde ele tinha nascido. Mas uma profecia do Antigo Testamento (Miqueias 5, 2) tinha levado os judeus à expectativa de que o esperado Messias nasceria em Belém. À luz dessa profecia, o Evangelho de João afirma textualmente que seus seguidores ficaram surpresos com o fato de ele *não* ter nascido em Belém: "Outros diziam: Ele é o Cristo; outros, porém, perguntavam: Porventura, o Cristo virá da Galileia? Não diz a Escritura que o Cristo vem da descendência de Davi e da aldeia de Belém, donde era Davi?".

Mateus e Lucas lidaram com o problema de outra forma, concluindo que Jesus *devia* ter nascido em Belém, no fim das contas. Mas eles chegaram a essa conclusão por caminhos diferentes. Mateus coloca Maria e José em Belém desde sempre, tendo mudado para Nazaré só muito tempo depois do nascimento de Jesus, na volta do Egito, para onde tinham fugido do rei Herodes e do massacre dos inocentes. Lucas, por outro lado, admite que Maria e José moravam em Nazaré antes de Jesus nascer. Como então levá-los a Belém no momento crucial, para cumprir a profecia? Lucas diz que, na época em que Quirino era governador da Síria, César Augusto ordenou a realização de um censo, com fins tributários, e todo mundo tinha que ir "para a sua cidade". José era "da casa e da linhagem de Davi" e portanto tinha de ir para a "cidade de Davi, que é chamada de Belém". Deve ter parecido uma boa solução. Tirando o fato de que, do ponto de vista histórico, ela é completamente absurda, como apontaram A. N. Wilson, em *Jesus: O maior homem do mundo*, e Robin Lane Fox, em *Bíblia: Verdade e ficção* (entre outros). Davi, se existiu, viveu quase mil anos antes de Maria e José. Por que diabos os romanos teriam exigido que José voltasse para a cidade onde um ancestral remoto havia vivido um milênio antes? É como se eu fosse obrigado a especificar, digamos, Ashby-de-la-Zouch como minha cidade no formulário do censo, se por acaso eu conseguisse rastrear minha ascendência até o Seigneur de Dakeyne, que chegou junto com Guilherme, o Conquistador, e ali se estabeleceu.

Além do mais, Lucas confunde as datas mencionando impensadamente eventos que os historiadores são capazes de verificar com independência. Houve mesmo um censo sob o domínio do governador Quirino — um censo localizado, não um que tivesse sido decretado por César Augusto para o Império inteiro —, mas ele aconteceu tarde demais: em 6 d. C., bem depois da morte de Herodes. Lane Fox conclui que "a história de Lucas é historicamente impossível e internamente incoerente", mas solidariza-se com o empenho e o desejo de Lucas de fazer cumprir a profecia de Miqueias.

Na edição de dezembro de 2004 da *Free Inquiry*, Tom Flynn, o editor dessa excelente revista, reuniu uma coleção de artigos documentando as contradições e os buracos da adorada história do Natal. O próprio Flynn lista as muitas contradições entre Mateus e Lucas, os dois únicos evangelistas que chegam a falar do nascimento de Jesus.[50] Robert Gillooly mostra como todas as características mais essenciais da lenda de Jesus, incluindo a estrela de Belém, a virgindade da mãe, a veneração do bebê por reis, os milagres, a execução, a ressurreição e a ascensão são empréstimos — cada uma delas — de outras religiões que já existiam na região do Mediterrâneo e do Oriente próximo. Flynn sugere que o desejo de Mateus de fazer cumprir as profecias messiânicas (descendência de Davi, nascimento em Belém), pelo bem dos leitores judaicos, entrou em rota de colisão com o desejo de Lucas de adaptar o cristianismo aos gentios, e portanto de utilizar pontos conhecidos e populares das regiões pagãs helênicas (virgindade da mãe, adoração por reis etc.). As contradições resultantes são evidentes, mas sempre minimizadas pelos fiéis.

Cristãos sofisticados não precisam de Ira Gershwin para convencê-los de que "As coisas que você/ Pode ler na Bíblia/ Não são necessariamente assim".* Mas há muitos cristãos pouco sofisticados por aí que acham, sim, que elas são necessariamente assim — que levam a Bíblia bem a sério, como um registro literal e preciso da história, e portanto como evidência que sustenta suas crenças religiosas. Será que essas pessoas chegam a abrir o livro que acreditam ser a verdade literal? Por que não percebem essas contradições tão evidentes? Um literalista não devia se preocupar com o fato de Mateus rastrear a descendência de José do rei Davi por 28 gerações intermediárias, enquanto Lucas fala em 41 gerações? O pior é que quase não há coincidências nos nomes das duas listas! De qualquer jeito, se Jesus nasceu mesmo de uma virgem, os ancestrais de José são irrelevantes e não podem ser usados para fazer cumprir, a favor de Jesus, a profecia do Antigo Testamento de que o Messias deveria ser descendente de Davi.

O acadêmico bíblico americano Bart Ehrman, num livro cujo subtítulo é *Quem mudou a Bíblia e por quê*, revela as imensas incertezas que obscurecem os textos do Novo Testamento.**

* "The things that you're li'ble/ To read in the Bible/ It ain't necessarily so." (N. T.)
** Dei o subtítulo porque é só dele que tenho certeza. O título principal do meu exemplar do livro, publicado pela Continuum de Londres, é *Whose word is it?* [*De quem é a palavra?*]. Não consigo achar nada nessa edição que diga se é ou não o mesmo livro que a publicação da Harper San Francisco, que não vi, e cujo título principal é *Misquoting Jesus* [*Citando Jesus incorretamente*]. Presu-

Na introdução do livro, o professor Ehrman traça de forma emocionante sua jornada educacional pessoal de crente fundamentalista na Bíblia a cético ponderado, uma jornada impulsionada pela esclarecedora constatação da enorme falibilidade das Escrituras. De modo significativo, conforme ele foi subindo na hierarquia das universidades americanas, desde o fundo do poço, no "Instituto Bíblico Moody", passando pelo Wheaton College (um pouco mais elevado na escala, mas ainda a *alma mater* de Billy Graham) e o Seminário Teológico em Princeton, a cada passo que dava ia sendo advertido de que teria problemas para manter seu cristianismo fundamentalista diante do perigoso progressismo. Isso se comprovou; e nós, seus leitores, somos os maiores beneficiados. Outros livros de uma iconoclastia revigorante são *Bíblia: Verdade e ficção*, já mencionado, de Robin Lane Fox, e *The secular Bible: Why nonbelievers must take religion seriously*, de Jacques Berlinerblau.

Os quatro evangelhos que chegaram ao cânone oficial foram escolhidos, mais ou menos de forma arbitrária, dentre uma amostra maior de pelo menos uma dúzia, incluindo os evangelhos de Tomás, Pedro, Nicodemo, Felipe, Bartolomeu e Maria Madalena.[51] Era a esses outros evangelhos que Thomas Jefferson se referia na carta ao sobrinho:

> Esqueci de observar, quando falei do Novo Testamento, que deves ler todas as histórias de Cristo, também as daqueles que um conselho de eclesiásticos decidiu por nós serem Pseudoevangelistas, lê-los tanto quanto os chamados Evangelistas. Porque esses Pseudoevangelistas pretendiam a inspiração, tanto quanto os outros,

---

mo que os dois sejam o mesmo livro, mas por que os editores fazem esse tipo de coisa? [No Brasil, o livro correspondente ao subtítulo foi traduzido como *O que Jesus disse? O que Jesus não disse? — Quem mudou a Bíblia e por quê*. (N. T.)

e tu é que deves julgar as pretensões deles por tuas próprias razões, e não pelas razões daqueles eclesiásticos.

Os evangelhos que não entraram no cânone foram omitidos por aqueles eclesiásticos provavelmente porque incluíam histórias que eram ainda mais embaraçosamente implausíveis que aquelas dos quatro canônicos. O infantil Evangelho de Tomás, por exemplo, contém várias passagens sobre o menino Jesus abusando de seus poderes mágicos como uma fada travessa, transformando descaradamente seus coleguinhas em bodes, ou transformando a lama em pardais, ou dando uma mão ao pai na carpintaria, estendendo milagrosamente uma peça de madeira.* Alguém dirá que ninguém acredita mesmo em histórias de milagres brutos como as do Evangelho de Tomás. Mas não há nem mais nem menos motivos para acreditar nos quatro evangelhos canônicos. Todos têm o status de lenda, tão duvidosos em termos factuais quanto as histórias do rei Artur e seus Cavaleiros da Távola Redonda.

* A. N. Wilson, em sua biografia de Jesus, chega a lançar dúvidas sobre a história de que José era carpinteiro. A palavra *tekton*, do grego, realmente significa carpinteiro, mas ela foi traduzida do aramaico *naggar*, que podia significar artesão ou homem culto. Esse é um entre os vários erros de tradução constitutivos que habitam a Bíblia, sendo o mais famoso deles a tradução errada do hebraico para moça (*almah*), em Isaías, transformada na palavra grega para virgem (*parthenos*). Um equívoco fácil de cometer (pense nas palavras em inglês *maid* [moça, criada] e *maiden* [donzela, moça solteira, virgem] para ver como isso pode ter acontecido), um deslize de um tradutor, seria loucamente inflacionado para dar origem à absurda lenda de que a mãe de Jesus era uma virgem! O único concorrente ao título de o maior erro de tradução constitutivo de todos os tempos também tem a ver com virgens. Ibn Warraq vem alegando, de modo hilariante, que, na famosa promessa de 72 virgens para cada mártir muçulmano, "virgens" é uma tradução errada de "passas brancas claras como cristal". Puxa vida, se isso tivesse sido mais divulgado, quantas vítimas de missões suicidas poderiam ter sido salvas? (Ibn Warraq, "Virgins? What Virgins?", *Free Inquiry* 26:1, 2006, pp. 45-6.)

A maior parte do que há em comum nos quatro evangelhos canônicos vem da mesma fonte, seja o Evangelho de Marcos ou uma obra perdida da qual Marcos é o primeiro descendente remanescente. Ninguém sabe quem foram os quatro evangelistas, mas eles quase certamente jamais conheceram Jesus pessoalmente. Boa parte do que escreveram não representava de maneira nenhuma uma tentativa honesta de registrar a história, mas uma simples reciclagem do Antigo Testamento, porque os autores dos evangelhos estavam devotadamente convencidos de que a vida de Jesus tinha de cumprir as profecias do Antigo Testamento. É até possível montar uma argumentação histórica séria, embora ela não conte com apoio total, para defender que Jesus nem chegou a existir, como já fez, entre outras pessoas, o professor G. A. Wells, da Universidade de Londres, em vários livros, como *Did Jesus exist?*

Embora Jesus provavelmente tenha existido, acadêmicos bíblicos respeitados em geral não acreditam que o Novo Testamento (e, obviamente, tampouco o Antigo Testamento) seja um registro confiável do que realmente aconteceu na história, e já não considerarei mais a Bíblia evidência da existência de qualquer tipo de divindade. Nas palavras sagazes de Thomas Jefferson, que escrevia para seu antecessor, John Adams, "Chegará o dia em que a geração mística de Jesus, pelo Ser Supremo como pai, no ventre de uma virgem, será categorizada junto com a fábula da geração de Minerva no cérebro de Júpiter".

O romance *O código Da Vinci*, de Dan Brown, e o filme feito a partir dele estão suscitando enormes controvérsias em círculos da Igreja. Os cristãos são incentivados a boicotar o filme e fazer piquetes nas salas que o exibem. É realmente uma fabricação do começo ao fim: ficção inventada, faz de conta. Nesse aspecto, é exatamente como os evangelhos. A única diferença entre *O código Da Vinci* e os evangelhos é que os evangelhos são ficção antiga, enquanto *O código Da Vinci* é ficção moderna.

## O ARGUMENTO DOS CIENTISTAS ADMIRADOS E RELIGIOSOS

*A imensa maioria dos homens intelectualmente eminentes não acredita na religião cristã, mas esconde esse fato do público, porque tem medo de perder sua renda.*

Bertrand Russell

"Newton era religioso. Quem é você para se achar superior a Newton, Galileu, Kepler etc. etc. etc.? Se Deus era bom o suficiente para gente como eles, quem você pensa que é?" Não que isso faça muita diferença num argumento que já é tão ruim, mas alguns apologistas acrescentam até o nome de Darwin, sobre quem os boatos persistentes, mas comprovadamente falsos, de uma conversão no leito de morte sempre voltam a aparecer, como um cheiro ruim,* desde que foram iniciados deliberadamente por uma certa "Lady Hope", que desfiou uma balela tocante sobre como Darwin, recostado nos travesseiros, à luz noturna, folheou o Novo Testamento e confessou que a evolução estava errada. Neste trecho concentro-me principalmente nos cientistas, porque — por motivos que talvez não sejam muito difíceis de imaginar — aqueles que propagandeiam os nomes de indivíduos admirados que seriam exemplares religiosos com frequência escolhem cientistas.

* Até eu já fui honrado com profecias de conversão no leito de morte. Elas reaparecem com uma regularidade monótona (veja, por exemplo, Steer 2003), em cada repetição com novas nuvens da ilusão de veracidade e de novidade. Eu devia tomar a precaução de instalar um gravador para proteger minha reputação póstuma. Lalla Ward acrescenta: "Para que leitos de morte? Se você vai se vender, faça isso na hora certa, a tempo de ganhar o prêmio Templeton, e depois ponha a culpa na senilidade".

Newton realmente afirmava ser religioso. Assim como quase todo mundo até — de modo significativo, na minha opinião — o século XIX, quando havia menos pressão social e judicial que nos séculos anteriores para se professar a religião, e mais apoio científico para abandoná-la. Houve exceções, é evidente, em ambas as direções. Mesmo antes de Darwin, nem todo mundo era crente, como mostra James Haught em seu *2000 years of disbelief: Famous people with the courage to doubt* [*2000 anos de descrença: Pessoas famosas com coragem de duvidar*]. E alguns cientistas renomados continuaram acreditando depois de Darwin. Não temos motivos para duvidar da sinceridade cristã de Michael Faraday, mesmo depois da época em que ele deve ter tomado conhecimento da obra de Darwin. Ele era integrante da seita sandemaniana, que acreditava (no pretérito, porque hoje eles estão virtualmente extintos) numa interpretação literal da Bíblia, lavava os pés dos novos membros, num ritual, e fazia sorteios para determinar a vontade de Deus. Faraday tornou-se presbítero em 1860, o ano seguinte à publicação de *A origem das espécies*, e morreu, sandemaniano, em 1867. A contrapartida teórica do experimentalista Faraday, James Clerk Maxwell, era um cristão igualmente devoto. Assim como outro pilar da física britânica do século XIX, William Thomson, o lorde Kelvin, que tentou demonstrar que a evolução estava descartada por falta de tempo hábil. As datações equivocadas do grande termodinamicista pressupunham que o Sol era uma espécie de incêndio, que consumia um combustível que teria que ter se esgotado em dezenas de milhões de anos, não em bilhões de anos. Obviamente não se podia esperar que Kelvin conhecesse a energia nuclear. O divertido é que, na reunião de 1903 da Associação Britânica, coube a sir George Darwin, segundo filho de Charles, vingar seu pai, que não tinha título de cavaleiro, ao invocar a descoberta do rádio pelos Curie, pondo em dúvida a estimativa prévia de lorde Kelvin, que ainda estava vivo.

Fica cada vez mais difícil encontrar grandes cientistas que professem sua religião ao longo do século XX, mas eles não são especialmente raros. Desconfio que a maioria dos mais recentes é religiosa apenas no sentido einsteiniano, o que, como argumentei no capítulo 1, é um uso equivocado da palavra. Mesmo assim, existem alguns espécimes genuínos de bons cientistas que são sinceramente religiosos, no sentido pleno e tradicional. Entre os cientistas britânicos contemporâneos, os mesmos três nomes aparecem com a familiaridade agradável do nome dos sócios de uma firma dickensiana de advocacia: Peacocke, Stannard e Polkinghorne. Os três ou ganharam o prêmio Templeton ou fazem parte do conselho consultor da Templeton. Depois de discussões amistosas com todos eles, tanto em público como na esfera privada, continuo perplexo, não tanto por sua crença em uma espécie de legislador cósmico, mas por sua crença nos detalhes da religião cristã: a ressurreição, o perdão dos pecados e tudo o mais.

Há alguns exemplos correspondentes nos Estados Unidos, como por exemplo Francis Collins, diretor administrativo do braço americano do Projeto Genoma Humano oficial.* Mas, assim como na Grã-Bretanha, eles se destacam por sua raridade e são objeto de uma perplexidade divertida por parte de seus pares da comunidade acadêmica. Em 1996, nos jardins de sua antiga faculdade, em Cambridge, o Clare College, entrevistei meu amigo Jim Watson, gênio fundador do Projeto Genoma Humano, para um documentário da BBC que estava fazendo sobre Gregor Mendel, gênio fundador da própria genética. Mendel, evidentemente, era religioso, um monge agostiniano; mas aquilo foi no século XIX, quando se tornar um monge foi o meio mais fácil para o jovem Mendel explorar seus estudos científicos. Para ele, era o equi-

* Não confundir com o projeto genoma humano extraoficial, liderado por aquele "bucaneiro" brilhante (e não religioso) da ciência, Craig Venter.

valente a uma bolsa de pesquisa. Perguntei a Watson se ele conhecia muitos cientistas religiosos hoje em dia. Ele respondeu: "Virtualmente nenhum. Às vezes os encontro, e fico meio sem jeito [risos] porque, sabe, não consigo acreditar em ninguém que aceite a verdade pela revelação".

Francis Crick, cofundador junto com Watson de toda a revolução da genética molecular, abriu mão de sua associação ao Churchill College, de Cambridge, por causa da decisão da faculdade de construir uma capela (a pedido de um benfeitor). Na entrevista com Watson em Clare College, eu lhe disse, de propósito, que, diferentemente dele e de Crick, algumas pessoas não veem conflito entre a ciência e a religião, porque alegam que a ciência trata de como as coisas funcionam, e a religião trata de para que as coisas servem. Watson replicou: "Bom, não acho que existamos *para* nada. Somos só produtos da evolução. Você poderá dizer: 'Credo, sua vida deve ser bem sem graça, se você não acha que existe um propósito'. Mas estou esperando ansiosamente um gostoso almoço". E realmente tivemos um gostoso almoço.

O empenho dos apologistas para encontrar cientistas modernos destacados que sejam religiosos tem um certo ar de desespero, produzindo o som inconfundível de raspar o fundo da panela. A única página da internet que consegui achar com uma suposta lista de "Cristãos Vencedores de Prêmios Nobel Científicos" apresentou seis nomes, do total de várias centenas de Nobel científicos. Desses seis, quatro na verdade não eram nem vencedores do Nobel; e pelo menos um, que eu saiba, é um descrente que vai à igreja por motivos puramente sociais. Um estudo mais sistemático de Benjamin Beit-Hallahmi "descobriu que entre os laureados pelo prêmio Nobel nas áreas científicas, assim como na literatura, houve um grau notável de irreligiosidade, se comparado com as populações das quais eles são oriundos".[52]

Um estudo na importante revista *Nature*, de Larson e Witham, em 1998, mostrou que dentre os cientistas americanos considerados eminentes o bastante para serem eleitos para a Academia Nacional de Ciências (o equivalente a pertencer à Royal Society na Grã-Bretanha) apenas cerca de 7% acreditam num Deus pessoal.[53] Essa enorme preponderância de ateus é quase que o exato oposto do perfil da população americana em geral, da qual mais de 90% são formados por pessoas que acreditam em algum tipo de ser sobrenatural. O número entre cientistas menos eminentes, não eleitos para a Academia Nacional, é intermediário. Assim como na amostra mais destacada, os que acreditam na religião são minoria, mas uma minoria menos drástica, de cerca de 40%. O fato de os cientistas americanos serem menos religiosos que o povo americano em geral é exatamente como eu teria imaginado, assim como o de os cientistas mais destacados serem os menos religiosos. O que é notável é a oposição completa entre a religiosidade do povo americano em geral e o ateísmo da elite intelectual.[54]

Chega a ser divertido o fato de o principal site criacionista, Answers in Genesis, citar o estudo de Larson e Witham não como evidência de que pode haver alguma coisa errada com a religião, mas como uma arma em sua batalha interna contra os apologistas rivais que defendem que a evolução é compatível com a religião. Sob o título "Academia Nacional de Ciências é ateia até o fundo da alma",[55] o Answers in Genesis cita, satisfeito, o parágrafo que conclui a carta ao editor escrita por Larson e Witham à *Nature*:

> Quando compilávamos nossas conclusões, a ANC [Academia Nacional de Ciências] divulgou um livreto incentivando o ensino da evolução nas escolas públicas, uma fonte de atrito permanente entre a comunidade científica e alguns cristãos conservadores nos

> Estados Unidos. O livreto garante aos leitores: "A existência ou a inexistência de Deus é uma questão sobre a qual a ciência é neutra". O presidente da ANC, Bruce Alberts, disse: "Há muitos integrantes importantíssimos desta academia que são pessoas muito religiosas, pessoas que acreditam na evolução, muitas delas biólogos". Nossa pesquisa sugere uma realidade diferente.

Alberts, ao que parece, adotou o MNI pelos motivos que discuti em "A escola Neville Chamberlain de evolucionistas" (veja o capítulo 2). O Answers in Genesis tem uma agenda bem diferente.

O equivalente à Academia Nacional de Ciências americana na Grã-Bretanha (e do Commonwealth, incluindo Canadá, Austrália, Nova Zelândia, Índia, Paquistão, a África anglófona etc.) é a Royal Society. Quando este livro foi impresso, meus colegas R. Elisabeth Cornwell e Michael Stirrat escreviam o relato de sua pesquisa comparável àquela, mas mais profunda, sobre as opiniões religiosas dos integrantes da Royal Society. As conclusões dos autores serão publicadas mais tarde em sua totalidade, mas eles gentilmente me permitiram citar os resultados preliminares aqui. Utilizaram uma técnica-padrão para medir opiniões, a escala Likert, de sete pontos. Todos os 1074 integrantes da Royal Society que possuem endereço eletrônico (a grande maioria) foram consultados, e cerca de 23% responderam (um bom número para esse tipo de estudo). Foram oferecidas a eles várias afirmações, como por exemplo: "Acredito em um Deus pessoal, que tem interesse pelas pessoas, que ouve preces e as atende, que está preocupado com o pecado e com transgressões e que faz juízos". Para cada afirmação como essa, eles foram convidados a escolher um número de 1 (forte discordância) a 7 (forte concordância). É meio difícil comparar os resultados diretamente com os do estudo de Larson e Witham, porque estes ofereceram aos acadêmicos uma escala de apenas três pontos, e não de sete, mas a tendência geral é a mesma. A imensa maioria dos integrantes da Royal Society, assim como a imensa maioria dos acadêmicos dos EUA, é de ateus. Apenas 3,3% dos membros da Royal Society concordaram fortemente com a declaração de que existe um deus pessoal (isto é, escolheram 7 na escala), enquanto 78,8% discordaram fortemente (isto é, escolheram 1 na escala). Se definirmos como "crentes" os que escolheram 6 ou 7, e se definirmos como "descrentes" os que escolheram 1 ou 2, houve um número maciço de descrentes, 213, contra parcos doze crentes. Assim como Larson e Witham, e como também foi observado por Beit-Hallahmi e Argyle, Cornwell e Stirrat encontraram uma tendência pequena, mas significativa, de os cientistas da área da biologia serem ainda mais ateus que os cientistas da área da física. Para os detalhes, e para o restante de suas interessantíssimas conclusões, por favor confira o trabalho deles quando ele for publicado.[56]

Deixando para lá os cientistas de elite da Academia Nacional e da Royal Society, há alguma evidência de que, na população em geral, é mais provável encontrar ateus entre os mais instruídos e mais inteligentes? Várias pesquisas já foram publicadas a respeito da relação estatística entre religiosidade e nível de instrução, ou religiosidade e QI. Michael Shermer, em *How we believe: The search for God in an age of science* [Como acreditamos: a busca por Deus na era da ciência], descreve uma grande sondagem com americanos escolhidos aleatoriamente, realizada por ele e seu colega Frank Sulloway. Entre os muitos resultados interessantes estava a descoberta de que a religiosidade realmente mantém uma correlação negativa com o nível de instrução (as pessoas mais instruídas têm uma tendência menor a ser religiosas). A religiosidade também mantém correlação negativa com o interesse na ciência e (de forma contundente) com o liberalismo político.

Nada disso é de surpreender, nem o fato de que há uma correlação positiva entre a religiosidade da pessoa e a dos pais. Sociólogos que estudaram crianças britânicas observaram que apenas uma entre cada doze rompe com as crenças religiosas dos pais.

Como era de esperar, pesquisadores diferentes mensuram as coisas de formas diferentes, por isso é difícil comparar estudos diferentes. A metanálise é uma técnica em que um pesquisador analisa todos os trabalhos publicados sobre determinado tópico e compara o número de estudos que concluíram uma coisa com o número dos que concluíram outra coisa. A respeito de religião e QI, a única metanálise que conheço foi publicada por Paul Bell na *Mensa Magazine* em 2002 (a Mensa é a sociedade de indivíduos de QI elevado, e sua revista, nada surpreendentemente, inclui artigos sobre aquilo que os reúne).[57] Bell concluiu: "Dos 43 estudos realizados desde 1927 sobre a relação entre crença religiosa e a inteligência e/ou o nível de instrução da pessoa, todos, com exceção de quatro, observaram uma conexão inversa. Isto é, quanto maior a inteligência ou o nível de instrução da pessoa, menor é a probabilidade de ela ser religiosa ou ter qualquer tipo de 'crença'".

Uma metanálise é sempre fadada a ser menos específica que qualquer um dos estudos que contribuíram para ela. Seria bom haver mais estudos nessa linha, e mais estudos com integrantes de grupos de elite, de outras academias nacionais e com vencedores de prêmios e medalhas importantes como o Nobel, o Crafoord, o Field, o Kyoto, o Cosmos e outros. Espero que as edições futuras deste livro incluam esse tipo de dado. Uma conclusão razoável, a partir dos estudos existentes, é que os apologistas religiosos seriam mais sábios se ficassem mais calados do que normalmente são sobre as pessoas que querem usar como exemplos, pelo menos no que diz respeito aos cientistas.

## A APOSTA DE PASCAL

O grande matemático francês Blaise Pascal achava que, por mais improvável que fosse a existência de Deus, há uma assimetria ainda maior na punição por errar no palpite. É melhor acreditar em Deus, porque se você estiver certo poderá ganhar o júbilo eterno, e se estiver errado não vai fazer a menor diferença. Por outro lado, se você não acreditar em Deus e estiver errado, será amaldiçoado para todo o sempre, e se estiver certo não vai fazer diferença. Pensando assim, a decisão é óbvia. Acredite em Deus.

Há, porém, alguma coisa claramente esquisita no argumento. Acreditar não é uma coisa que se possa decidir, como se fosse uma questão política. Não é pelo menos uma coisa que eu consiga decidir por vontade própria. Posso decidir ir à igreja e posso decidir recitar a novena, e posso decidir jurar sobre uma pilha de Bíblias que acredito em cada palavra escrita nelas. Mas nada disso pode realmente me fazer acreditar se eu não acreditar. A aposta de Pascal só poderia servir de argumento para uma crença *fingida* em Deus. E é melhor que o Deus em que você alega acreditar não seja do tipo onisciente, senão ele vai saber da enganação. A ideia absurda de que acreditar é uma coisa que se pode *decidir* fazer é deliciosamente ridicularizada por Douglas Adams em *Dirk Gently's Holistic Detective Agency*, em que somos apresentados ao Monge Elétrico, um dispositivo muito prático que se compra para "acreditar por você". O modelo *de luxe* é anunciado como "capaz de acreditar em coisas que ninguém de Salt Lake City acreditaria".

Mas por que, então, estamos tão dispostos a aceitar a ideia de que o que é imprescindível fazer, se se quiser agradar a Deus, é *acreditar* nele? O que há de tão especial em acreditar? Não é igualmente provável que Deus recompense a bondade, ou a generosidade, ou a humildade? Ou a sinceridade? E se Deus for um cientista que considera a busca honesta pela verdade a virtude suprema? Aliás, o projetista do universo não *teria* de ser um cientista? Perguntaram a Bertrand Russell o que ele diria se morresse e se visse confrontado por Deus, exigindo saber por que Russell não acreditava nele. "Não havia provas suficientes, Deus, não havia provas suficientes", foi a resposta (eu quase diria imortal) de Russell. Deus não respeitaria Russell por seu ceticismo corajoso (sem contar pelo pacifismo corajoso que o colocou na prisão durante a Primeira Guerra Mundial), bem mais do que respeitaria Pascal por sua aposta cautelosa e covarde? E, embora não tenhamos como saber de que lado Deus ficaria, não precisamos *saber* para refutar a aposta de Pascal. Estamos falando de uma aposta, lembre-se, e Pascal não estava defendendo que a dele tivesse qualquer coisa além de uma probabilidade muito remota. Você *apostaria* que Deus valorizaria mais uma crença fingida e desonesta (ou mesmo uma crença honesta) que o ceticismo honesto?

Suponha que o deus que o confrontar quando você morrer seja Baal, e suponha que Baal seja tão invejoso quanto disseram que era seu velho rival Javé. Não seria melhor que Pascal não tivesse apostado em deus nenhum, em vez de apostar no deus errado? O próprio número de deuses e deusas em potencial em que se poderia apostar não corrompe toda a lógica de Pascal? Pascal estava provavelmente brincando quando promoveu sua aposta, assim como estou brincando para descartá-la. Mas já encontrei gente, por exemplo na sessão de perguntas depois de uma palestra, que apresentou seriamente a aposta de Pascal como um argumento a favor da crença em Deus, por isso tive motivos para dar a ela um breve espaço aqui.

Será possível, por fim, argumentar em busca de uma espécie de antiaposta de Pascal? Imagine que assumamos que realmente haja uma pequena chance de Deus existir. Mesmo assim, seria possível dizer que você terá uma vida melhor, mais plena, se apostar na sua inexistência, e não na sua existência, para não desperdiçar seu tempo precioso adorando-o, sacrificando-se em nome dele, lutando e morrendo por ele etc. Não responderei à pergunta aqui, mas os leitores poderão mantê-la em mente quando chegarmos aos capítulos posteriores, sobre as consequências malévolas que podem se originar da crença e da observância religiosa.

## ARGUMENTOS BAYESIANOS

Acho que a tentativa mais estranha de tese sobre a existência de Deus que já vi é o argumento bayesiano, apresentado recentemente por Stephen Unwin em *The probability of God*. Hesitei em incluir esse argumento, que é mais fraco e menos incensado pela antiguidade que os outros. O livro de Unwin, no entanto, recebeu uma atenção jornalística considerável quando foi publicado, em 2003, e proporciona a oportunidade de juntar algumas linhas explanatórias. Tenho alguma solidariedade pelos objetivos dele porque, como argumentei no capítulo 2, acredito que a existência de Deus, como hipótese científica, seja, pelo menos em princípio, investigável. Além disso, a tentativa quixotesca de Unwin de dar um valor numérico à probabilidade é bem divertida.

O subtítulo do livro, *A simple calculation that proves the ultimate truth* [*Um cálculo simples que comprova a verdade definitiva*], tem toda a cara de ter sido um acréscimo posterior da editora, porque não há, no texto de Unwin, convicção tão pretensiosa. É melhor encarar o livro como um manual, uma espécie de *Teorema de Bayes para leigos*, usando a existência de Deus como um estudo de caso semi-irônico. Unwin podia muito bem ter usado um assassinato hipotético como caso-prova para demonstrar o Teorema de Bayes. O detetive organiza as evidências. As impressões digitais no revólver apontam para dona Violeta. Quantifique essa suspeita jogando sobre ela uma probabilidade numérica. O professor Black, porém, teve um motivo para acusá-la. Reduza a suspeita sobre dona Violeta com um valor numérico correspondente. As evidências médico-legais sugerem uma probabilidade de 70% de o revólver ter sido disparado com precisão a longa distância, o que dá motivos para pensar num culpado com treinamento militar. Quantifique nossa suspeita mais elevada sobre o coronel Mostarda. O sr. Marinho* tem o motivo mais plausível para o assassinato.** Aumente nossa avaliação numérica da probabilidade dele. Mas o longo fio de cabelo loiro no blazer da vítima só pode pertencer à srta. Rosa... e assim por diante. Uma mistura de probabilidades decididas com uma dose maior ou menor de subjetividade bagunça a cabeça do detetive, atraindo-o para várias direções. A ideia é que o Teorema de Bayes o ajude a chegar a uma conclusão. Trata-se de um mecanismo matemático para combinar muitas estimativas de probabilidades e chegar a um veredicto final, que possui sua própria estimativa de probabilidade. Mas é óbvio que essa estimativa final não pode ser melhor que os números originais que foram fatorados. Esses números normalmente são resultado de um juízo subjetivo, com todas as dúvidas inevitáveis. O princípio GIGO (Garbage In, Garbage Out — Entra Lixo, Sai Lixo) é aplicável aqui — e, no caso do exemplo de Deus usado por Unwin, aplicável é um termo leve demais.

Unwin é um consultor de risco apaixonado pela inferência bayesiana e que milita contra métodos estatísticos rivais. Ele ilus-

* No original: reverendo Green. Na versão brasileira do jogo *Detetive* o personagem transformou-se em sr. Marinho. (N. T.)

** Reverendo Green é o nome do personagem nas versões do *Cluedo* vendidas na Grã-Bretanha (onde o jogo surgiu), na Austrália, na Nova Zelândia, na Índia e em todas as outras áreas de língua inglesa, com exceção dos Estados Unidos, onde ele de repente vira sr. Green. Como assim?

tra o Teorema de Bayes não usando um assassinato, mas a maior prova de todas, a existência de Deus. A ideia é começar com uma incerteza total, que ele quantifica determinando para a existência e para a inexistência de Deus uma probabilidade inicial de 50% cada. Em seguida ele lista seis fatos que podem influenciar a questão, dá um valor numérico a cada um deles, fatora os seis números dentro do mecanismo do Teorema de Bayes e vê que número aparece. O problema é que (repetindo) os seis pesos não são quantidades mensuradas, mas simplesmente os juízos particulares de Stephen Unwin, transformados em números só para se encaixar no exercício. Os seis fatos são:

1 Temos um senso de bondade.
2 As pessoas fazem maldades (Hitler, Stálin, Saddam Hussein).
3 A natureza faz maldades (terremotos, tsunamis, furacões).
4 Pode haver milagres de pequena dimensão (perdi minhas chaves e as reencontrei).
5 Pode haver milagres de grandes dimensões (Jesus pode ter ressuscitado de entre os mortos).
6 As pessoas têm experiências religiosas.

Se é que isso vale alguma coisa (não vale, na minha opinião), no final da corrida maluca bayesiana, na qual Deus larga bem na frente, depois fica muito para trás, e depois consegue voltar à marca dos 50%, de onde partiu, ele por fim acaba, na estimativa de Unwin, com uma probabilidade de 67% de existir. Unwin decide então que seu veredicto bayesiano de 67% não é alto o suficiente e toma a bizarra decisão de aumentá-lo para 95% com uma injeção emergencial de "fé". Parece piada, mas é assim mesmo que ele procede. Eu gostaria de justificar como ele faz isso, mas não há nada a dizer. Já encontrei esse tipo de absurdo em outros lugares, quando desafiei cientistas religiosos, mas inteligentes, a justificar sua crença, levando em conta que eles admitiam que não há evidências: "Admito que não há evidência. Há um *motivo* para que isso seja chamado de fé" (essa última frase é dita com uma convição quase truculenta, sem sinal de nenhum tom de justificativa ou defesa).

De maneira surpreendente, a lista das seis afirmações de Unwin não inclui o argumento do design, nem alguma das cinco "provas" de Tomás de Aquino, nem algum dos vários argumentos ontológicos. Ele não quer nem saber deles: eles não contribuem nem um pouquinho para sua estimativa numérica da probabilidade da existência de Deus. Ele os discute e, como bom estatístico, descarta-os, classificando-os como vazios. Acho que ele deve levar o crédito por isso, embora seu motivo para descartar o argumento do design seja diferente do meu. Mas os argumentos que ele admite em seu portal bayesiano são, parece-me, tão fracos quanto. Sem contar que os valores de probabilidade que eu determinaria para eles seriam diferentes, e, aliás, *quem é que está interessado* em juízos subjetivos? Ele acha que o fato de termos um senso de certo e errado pesa bastante a favor de Deus, enquanto eu não acho que isso devesse afetar a expectativa inicial. Os capítulos 6 e 7 mostrarão que não dá para defender a tese de que o fato de possuirmos um senso de certo e errado tenha alguma ligação clara com a existência de uma divindade supernatural. Como no caso de nossa capacidade de apreciar um quarteto de Beethoven, nosso senso de bondade (embora não necessariamente a persuasão para segui-lo) seria como é existindo ou não existindo Deus.

Por outro lado, Unwin acha que a existência do mal, especialmente catástrofes naturais como terremotos e tsunamis, pesa muito *contra* a probabilidade de que Deus exista. Aqui, o juízo de

Unwin é oposto ao meu, mas está em linha com muitos teólogos desconfortáveis. A "teodiceia" (a justificativa da providência divina diante da existência do mal) tira o sono dos teólogos. O respeitado *Dicionário Oxford de filosofia* diz que o problema do mal é a "mais poderosa objeção ao teísmo tradicional". Mas esse é um argumento que só vai contra a existência de um Deus bom. A bondade não faz parte da *definição* da Hipótese de que Deus Existe, ela não passa de um acessório desejável.

As pessoas com tendências teológicas são sabidamente e com frequência cronicamente incapazes de distinguir a verdade daquilo que gostariam que fosse verdade. Mas, para um crédulo em algum tipo de inteligência sobrenatural que seja mais sofisticado, é ridiculamente fácil superar o problema do mal. Basta postular um deus malvado — como aquele que recheia cada página do Antigo Testamento. Ou, se não gostar dessa hipótese, invente um outro deus malvado, dê a ele o nome de Satã e ponha na batalha cósmica dele contra o deus bom a culpa por todo o mal que há no mundo. Ou — uma solução mais sofisticada — postule um deus com tarefas mais grandiosas a fazer que se preocupar com o sofrimento humano. Ou um deus que não seja indiferente ao sofrimento, mas que o considere o preço justo a pagar pelo livre-arbítrio num cosmos ordenado. Podem-se encontrar teólogos comprando todas essas racionalizações.

Por essas razões, se eu fosse refazer o exercício bayesiano de Unwin, nem o problema do mal nem considerações morais em geral me afastariam muito, nem para um lado nem para o outro, da hipótese nula (os 50% de Unwin). Mas não quero discutir sobre isso porque, de qualquer maneira, não posso ficar inflamado demais com opiniões pessoais, seja as de Unwin, seja as minhas.

Há um argumento muito mais poderoso, que não depende de juízos subjetivos, que é o argumento da improbabilidade. Ele realmente nos afasta drasticamente do agnosticismo dos 50%, para bem mais perto do extremo do teísmo, na visão de muitos teístas, e para bem mais perto do extremo do ateísmo, na minha opinião. Já o mencionei várias vezes. O argumento gira em torno da conhecida pergunta: "Quem criou Deus?", que a maioria das pessoas pensantes descobre por si só. Um Deus projetista não pode ser usado para explicar a complexidade organizada porque qualquer Deus capaz de projetar qualquer coisa teria que ser complexo o suficiente para exigir o mesmo tipo de explicação para si mesmo. A existência de Deus nos coloca diante de uma regressão infinita da qual ele não consegue nos ajudar a fugir. Esse argumento, como mostrarei no próximo capítulo, demonstra que a existência de Deus, embora não seja tecnicamente descartável, é muito, mas muito improvável mesmo.

# 4. Por que quase com certeza Deus não existe

*Os padres de várias seitas religiosas* [...] *temem o avanço da ciência como as bruxas temem a chegada da luz do sol, e franzem o cenho para o arauto fatal anunciando as subdivisões dos ludíbrios que defendem.*

Thomas Jefferson

## O BOEING 747 DEFINITIVO

O argumento da improbabilidade é o grande argumento. Em sua forma tradicional, o argumento do design é certamente o mais popular da atualidade a favor da existência de Deus e é encarado, por um número incrivelmente grande de teístas, como completa e absolutamente convincente. Ele é realmente um argumento fortíssimo e desconfio que irrespondível — mas exatamente na direção contrária da intenção dos teístas. O argumento da improbabilidade, empregado de forma adequada, chega perto de provar que Deus *não* existe. O nome que dei à demonstração estatística de que Deus quase com certeza não existe é a tática do Boeing 747 Definitivo.

O nome vem da interessante imagem do Boeing 747 e do ferro-velho, de Fred Hoyle. Não estou certo de que Hoyle a tenha colocado no papel, mas ela foi atribuída a ele por sua colega Chandra Wickramasinghe e presume-se que seja autêntica.[58] Hoyle disse que a probabilidade de a vida ter surgido na Terra não é maior que a chance de um furacão, ao passar por um ferro-velho, ter a sorte de construir um Boeing 747. Outras pessoas tomaram a metáfora emprestada para se referir à evolução dos seres mais complexos, onde ela tem uma plausibilidade espúria. A chance de se montar um cavalo, um besouro ou um avestruz plenamente funcionais misturando aleatoriamente suas partes pertence ao mesmo terreno do 747. Esse, em termos muito resumidos, é o argumento favorito dos criacionistas — um argumento que só poderia ter sido pensado por uma pessoa que não entende o essencial da seleção natural: alguém que acha que a seleção natural é uma teoria do acaso, quando — no sentido relevante de acaso — se trata do contrário.

A apropriação equivocada do argumento da improbabilidade pelos criacionistas sempre assume o mesmo formato básico, e não faz nenhuma diferença se o criacionista prefere disfarçá-lo na vestimenta politicamente mais atraente de "design inteligente".* Algum fenômeno — com frequência uma criatura viva ou um de seus órgãos mais complexos, mas pode ser qualquer coisa desde uma molécula até o próprio universo — é corretamente enaltecido como estatisticamente improvável. Às vezes é usada a terminologia da teoria da informação: o darwiniano é desafiado a explicar a fonte de toda a informação da matéria viva, no sentido

* O design inteligente já foi descrito, com bastante deselegância, como o criacionismo num smoking vagabundo.

técnico de conteúdo de informação como medida de improbabilidade ou "valor surpresa". Ou o argumento pode invocar o lema banal dos economistas: não existe almoço grátis — e o darwinismo é acusado de tentar tirar alguma coisa do nada. Na realidade, como mostrarei neste capítulo, a seleção natural darwiniana é a única solução conhecida para o enigma insolúvel sobre a origem da informação. É a Hipótese de que Deus Existe que tenta tirar alguma coisa do nada. Deus tenta comer seu almoço grátis e também ser o almoço. Por mais estatisticamente improvável que for a entidade que se queira explicar através da invocação de um designer, o próprio designer tem de ser no mínimo tão improvável quanto ela. Deus é o Boeing 747 Definitivo.

O argumento da improbabilidade afirma que coisas complexas não podem ter surgido por acaso. Mas muitas pessoas *definem* "surgir por acaso" como sinônimo de "surgir na ausência de um design deliberado". Não surpreende, portanto, que elas achem que a improbabilidade seja uma evidência do design. A seleção natural darwiniana mostra quanto isso está errado a respeito da improbabilidade biológica. E, embora o darwinismo possa não ser diretamente relevante para o mundo inanimado — a cosmologia, por exemplo —, ele nos conscientiza a pensar sobre áreas externas ao território original da biologia.

O entendimento profundo do darwinismo nos ensina a desconfiar da afirmação fácil de que o design é a única alternativa para o acaso, e nos ensina a buscar rampas gradativas de uma complexidade que aumente lentamente. Antes de Darwin, filósofos como Hume compreenderam que a improbabilidade da vida não significa que ela necessariamente tenha sido projetada, mas não conseguiram imaginar qual seria a alternativa. Depois de Darwin, todos nós deveríamos desconfiar, no fundo dos ossos, da simples ideia do design. A ilusão do design é uma armadilha que já nos pegou no passado, e Darwin devia nos ter imunizado, conscientizando-nos. Quem dera ele tivesse sido bem-sucedido com todos nós.

## A SELEÇÃO NATURAL COMO CONSCIENTIZADORA

Numa nave espacial da ficção científica, os astronautas estavam nostálgicos: "Só imagine que lá na Terra é primavera!". Você pode não enxergar imediatamente o que há de errado, tão impregnado é o chauvinismo inconsciente do hemisfério norte naqueles que moram lá, e até em algumas pessoas que não moram. "Inconsciente" é precisamente correto. E aí que entra a conscientização. Há um motivo mais profundo que apenas um artifício engraçadinho para o fato de que na Austrália e na Nova Zelândia é possível comprar mapas do mundo com o polo Sul no alto. Que conscientizadores esplêndidos seriam esses mapas, pendurados nas paredes de nossas salas de aula do hemisfério norte! A cada dia, as crianças seriam lembradas de que o "norte" é uma polaridade arbitrária que não detém o monopólio do "alto". O mapa as intrigaria e as conscientizaria. Elas iriam para casa e contariam para os pais — e, aliás, entregar às crianças algo com que elas possam surpreender os pais é um dos maiores presentes que um professor pode dar.

Foram as feministas que me conscientizaram para o poder da conscientização. O termo "herstory" é obviamente ridículo, no mínimo porque o *his* de "*history*" não tem nenhuma ligação etimológica com o pronome masculino *his* ["dele" — N. T.]. É tão etimologicamente bobo quanto a deposição, em 1999, de uma autoridade de Washington, cujo emprego da palavra *niggardly* ["de forma mesquinha" — N. T.] foi considerado ofensa racial. Mas até mesmo exemplos idiotas como "niggardly" e "herstory" conseguiram promover a conscientização. Quando passa nosso calafrio filológico e paramos de dar risada, "herstory" nos mostra a história a partir de um ponto de vista diferente. Os pronomes de gênero estão notoriamente na linha de frente desse tipo de conscientização. Ele ou ela deve perguntar a si mesmo ou a si mesma se o senso de estilo dele ou dela vai um dia permitir que ele ou ela escrevam desse jeito. Mas, se conseguirmos deixar de lado a infelicidade imposta à língua, isso nos conscientiza para os sentimentos de metade da raça humana. Homem, humanidade [*mankind*], os Direitos do Homem, todos os homens foram criados iguais, um homem, um voto — o inglês parece excluir as mulheres com frequência demais.* Quando jovem, nunca me ocorreu que as mulheres pudessem se sentir desprezadas por um termo como "o futuro do homem". Nas décadas que se seguiram, todos nós fomos conscientizados. Mesmo aqueles que ainda usam "homem" em vez de "ser humano" o fazem com um ar de desculpa consciente — ou de truculência, em defesa da linguagem tradicional, até de forma deliberada para irritar as feministas. Todos os participantes do *Zeitgeist* foram conscientizados, até aqueles que preferiram responder negativamente firmando posição e redobrando a ofensa.

O feminismo mostra-nos o poder da conscientização, e quero tomar a técnica emprestada para a seleção natural. A seleção natural não só explica a vida toda; ela também nos conscientiza para o poder que a ciência tem para explicar como a complexidade organizada pode surgir de princípios simplórios, sem nenhuma orientação deliberada. A plena compreensão da seleção natural incentiva-nos a avançar corajosamente por outras áreas.

* O latim e o grego clássicos eram mais bem equipados. *Homo*, do latim (*anthropo-* em grego), significa humano, enquanto vir (*andro-*) significa homem e femina (*gyne-*) significa mulher. Assim a antropologia pertence a toda a humanidade, enquanto a andrologia e a ginecologia são ramos da medicina sexualmente excludentes.

Ela suscita nossa desconfiança, nessas outras áreas, na espécie de alternativas falsas que um dia, no tempo pré-darwiniano, iludiu a biologia. Quem, antes de Darwin, poderia ter imaginado que algo tão aparentemente *projetado* quanto a asa de uma libélula ou o olho de uma águia é na verdade o resultado de uma longa sequência de causas não aleatórias, mas puramente naturais?

O relato emocionante e engraçado de Douglas Adams sobre sua conversão ao ateísmo radical — ele insistiu no "radical" para que ninguém o confundisse com um agnóstico — é um testemunho do poder de conscientização do darwinismo. Espero ser perdoado pela autoindulgência que vai ficar evidente na citação a seguir. Minha desculpa é que a conversão de Douglas por meus livros anteriores — que não saíram para converter ninguém — inspirou-me a dedicar à sua memória este livro — que saiu, sim, para converter! Numa entrevista, reimpressa postumamente em *The salmon of doubt* [O salmão da dúvida], um jornalista perguntou-lhe como ele virou ateu. Ele começou a resposta explicando como virara agnóstico, e continuou:

> E pensei, pensei, pensei. Mas simplesmente não tinha com o que continuar, então não cheguei a uma resolução. Tinha dúvidas enormes quanto à ideia de um deus, mas não sabia o bastante sobre nada para ter um bom modelo de qualquer outra explicação, para, bem, a vida, o universo, e tudo o mais que pudesse colocar em seu lugar. Mas insisti, e continuei lendo e continuei pensando. Em algum ponto por volta dos trinta e poucos anos, tropecei na biologia evolutiva, especialmente na forma dos livros *O gene egoísta* e depois *O relojoeiro cego*, de Richard Dawkins, e de repente (acho que na segunda leitura de *O gene egoísta*) tudo se encaixou. Era um conceito de uma simplicidade impressionante, mas ele fez surgir, naturalmente, toda a infinita e desconcertante complexidade da vida. O maravilhamento que ele me inspirou fez o mara-

vilhamento da experiência religiosa, de que as pessoas tanto falam, parecer francamente tolo. Não hesitaria um segundo em trocar o maravilhamento da ignorância pelo maravilhamento da compreensão.[59]

O conceito de impressionante simplicidade de que ele estava falando não tinha, é claro, nada a ver comigo. Era a teoria da evolução pela seleção natural de Darwin — a conscientizadora definitiva. Que saudade, Douglas. Você é meu convertido mais inteligente, mais engraçado, mais cabeça aberta, mais sagaz, mais alto e talvez o único. Minha esperança é que este livro seja do tipo capaz de fazer você rir — embora não tanto quanto você me fez.

O filósofo Daniel Dennett, dono de sabedoria científica, afirmou que a evolução contraria uma das nossas ideias mais antigas: "a ideia de que é necessária uma coisa superinteligente para fazer uma coisa menor. Chamaria isso de teoria gota a gota da criação. Você nunca vai ver uma lança fazendo um fabricador de lança. Nunca verá uma ferradura fazendo um ferreiro. Nunca verá um vaso fazendo um ceramista".[60] A descoberta, por Darwin, de um processo viável que faz uma coisa tão contrária à nossa intuição é o que torna sua contribuição ao pensamento humano tão revolucionária, e tão armada com o poder de conscientizar.

É surpreendente quão necessário é esse tipo de conscientização, mesmo na mente de cientistas excelentes em outras áreas que não a biologia. Fred Hoyle foi um físico e cosmólogo brilhante, mas sua compreensão equivocada na teoria do Boeing 747 e outros erros biológicos como sua tentativa de chamar de farsa o fóssil *Archaeopteryx* sugere que ele precisava ter sido conscientizado por uma boa dose de exposição ao mundo da seleção natural. No nível intelectual, suponho que ele compreendesse a seleção natural. Mas talvez seja necessário ser impregnado de seleção natural, imerso nela, nadar nela, para que se possa realmente apreciar seu poder.

Outros cientistas nos conscientizam de formas diferentes. A própria ciência da astronomia de Fred Hoyle nos coloca em nosso devido lugar, metafórica e literalmente falando, encolhendo nossa vaidade para que ela caiba no minúsculo palco onde representamos nossa vida — nosso pedacinho de detrito de explosão cósmica. A geologia nos faz lembrar da brevidade de nossa existência, tanto como indivíduos quanto como espécie. Ela conscientizou John Ruskin e provocou seu memorável clamor em 1851: "Se pelo menos os geólogos me deixassem em paz, eu ficaria muito bem, mas aqueles terríveis martelos! Ouço o martelar deles ao fim de cada cadência dos versos da Bíblia". A evolução faz a mesma coisa com nosso senso temporal — coisa nada surpreendente, já que ela funciona com base na escala temporal geológica. Mas a evolução darwiniana, especificamente a seleção natural, faz mais que isso. Ela destrói a ilusão do design dentro do domínio da biologia, e nos incita a desconfiar de qualquer hipótese de design também na física e na cosmologia. Acho que o físico Leonard Susskind tinha isso em mente quando escreveu: "Não sou historiador, mas vou me arriscar a dar uma opinião: a cosmologia moderna começou de verdade com Darwin e Wallace. Como ninguém antes, eles deram explicações para nossa existência que rejeitaram completamente os agentes sobrenaturais [...] Darwin e Wallace estabeleceram um padrão não apenas para as ciências da vida, mas também para a cosmologia".[61] Outros cientistas da área da física que estão bem longe de precisar de tal conscientização são Victor Stenger, cujo livro *Has science found God?* [A ciência encontrou Deus?] (a resposta é não) recomendo vivamente,* e Peter Atkins, cujo *Creation revisited* é minha obra favorita de poesia científica em prosa.

* Veja também seu livro *God, the failed hypothesis: How science shows that God does not exist* [Deus, a hipótese falsa: como a ciência mostra que Deus não existe], de 2007.

Fico permanentemente espantado com aqueles teístas que, longe de ser conscientizados do modo como proponho, parecem louvar a seleção natural como "a maneira como Deus realizou a criação". Eles dizem que a evolução pela seleção natural seria um modo facílimo e divertido de obter um mundo cheio de vida. Deus não precisaria nem fazer nada! Peter Atkins, no livro que acabei de mencionar, leva essa linha de pensamento a uma conclusão sensatamente ateia quando postula um Deus hipoteticamente preguiçoso que tenta fazer o menos possível para criar um universo que contenha a vida. O Deus preguiçoso de Atkins é ainda mais preguiçoso que o Deus deísta do Iluminismo do século XVIII: *deus otiosus* — literalmente Deus ocioso, desocupado, desempregado, supérfluo, inútil. Passo a passo, Atkins consegue reduzir a quantidade de trabalho que o Deus preguiçoso tem de fazer, até que ele finalmente fica sem nada: ele pode nem se dar ao trabalho de existir. Minha memória chega a ouvir o resmungo sagaz de Woody Allen: "Se descobrirmos que Deus existe, não acho que ele seja mau. Mas a pior coisa que se pode dizer dele é que, basicamente, ele é um desperdício de potencial".

## COMPLEXIDADE IRREDUTÍVEL

É impossível exagerar a magnitude do problema que Darwin e Wallace solucionaram. Eu poderia mencionar a anatomia, a estrutura celular, a bioquímica e o comportamento de literalmente todo organismo vivo como exemplo. Mas os feitos mais impressionantes de evidente design são aqueles escolhidos a dedo — por motivos óbvios — pelos autores criacionistas, e é com uma ironia sutil que extraio meu exemplo de um livro criacionista. *Life — How did it get here?* [Vida: como chegou aqui], sem autor definido, mas publicado pela Watchtower Bible and

Tract Society* em dezesseis idiomas e com 11 milhões de exemplares, é obviamente um dos grandes favoritos, porque nada menos que seis dos 11 milhões de exemplares me foram enviados na forma de presentes não solicitados por simpatizantes do mundo inteiro.

Abrindo uma página aleatória dessa obra anônima e tão difundida, encontramos a esponja conhecida como cesto-de-vênus (*Euplectella*), acompanhada por uma citação de ninguém menos que sir David Attenborough: "Quando se observa um esqueleto complexo de uma esponja como o feito de espículas de sílica conhecido como cesto-de-vênus, a imaginação fica desnorteada. Como podem células microscópicas quase independentes colaborar entre si para secretar 1 milhão de agulhas de vidro e construir uma estrutura tão bela e intricada? Não sabemos". Os autores da Torre da Vigia não perderam tempo e acrescentaram: "Mas de uma coisa nós sabemos: o acaso não deve ter sido o autor". Não mesmo, o acaso não deve ter sido o autor. Isso é algo com que todos concordamos. A improbabilidade estatística de fenômenos como o esqueleto da *Euplectella* é o problema central que qualquer teoria da vida tem de solucionar. Quanto maior a improbabilidade estatística, menos plausível é o acaso como solução: é isso que improvável significa. Mas as soluções-candidatas para o enigma da improbabilidade não são, como se implica erroneamente, o design e o acaso. Elas são o design e a seleção natural. O acaso não é uma solução, considerando os níveis elevadíssimos de improbabilidade que encontramos nos organismos vivos, e nenhum biólogo são jamais sugeriu que ele fosse. O design também não é uma solução real, como veremos mais tarde; mas por enquanto quero continuar demonstrando o problema que

* Sociedade da Torre da Vigia, das Testemunhas de Jeová. A tradução do livro citado não consta da lista de publicações disponíveis no Brasil. (N. T.)

qualquer teoria da vida tem de solucionar: o problema de como escapar do acaso.

Virando a página da publicação da Torre da Vigia, encontramos a maravilhosa planta conhecida como angelicó (*Aristolochia trilobata*), com todas aquelas partes que parecem ter sido elegantemente projetadas para capturar insetos, cobri-los de pólen e enviá-los para outro angelicó. A intricada elegância da flor faz a Torre da Vigia perguntar: "Tudo isso aconteceu por acaso? Ou aconteceu pelo design inteligente?". Outra vez, *é claro* que não aconteceu por acaso. Outra vez, o design inteligente não é a alternativa adequada para o acaso. A seleção natural não é apenas uma solução parcimoniosa, plausível e elegante; é a única alternativa viável ao acaso a ter sido sugerida. O design inteligente padece exatamente das mesmas objeções que o acaso. Simplesmente não é uma solução plausível para o enigma da improbabilidade estatística. E, quanto maior a improbabilidade, mais implausível fica o design inteligente. Para o observador atento, o design inteligente revela-se uma duplicação do problema. Mais uma vez, isso acontece porque o/a próprio/a designer já suscita imediatamente o problema maior de sua própria origem. Qualquer entidade capaz de projetar de forma inteligente uma coisa tão improvável quanto o angelicó (ou o universo) teria de ser ainda mais improvável que um angelicó. Longe de pôr fim à regressão viciosa, Deus a exacerba furiosamente.

Vire outra página da Torre da Vigia para um relato eloquente sobre a sequoia-gigante (*Sequoiadendron giganteum*), uma árvore pela qual tenho uma afeição especial porque tenho uma em meu quintal — um mero bebezinho, com pouco mais de um século, mas ainda assim a árvore mais alta da vizinhança. "Um homem diminuto de pé na base da sequoia só pode olhar para cima num silencioso assombro com sua grandiosidade. Faz sentido acreditar que a definição da forma desse gigante majestoso e da minúscula semente que a contém não tenha ocorrido pelo design?" Ainda outra vez, se você acha que a única alternativa ao design é o acaso, então não, não faz sentido. Mas novamente os autores omitem qualquer menção à alternativa real, a seleção natural, seja porque genuinamente não a entendem ou porque não querem entendê-la.

O processo através do qual as plantas, seja primulazinhas minúsculas ou sequoias gigantescas, obtêm energia para crescer é a fotossíntese. De novo a Torre da Vigia: "'Existem cerca de setenta reações químicas diferentes envolvidas na fotossíntese', disse um biólogo. 'É um fato realmente milagroso.' As plantas verdes já foram chamadas de as 'fábricas' da natureza — belas, silenciosas, não poluentes, produzindo oxigênio, reciclando a água e alimentando o mundo. Elas simplesmente apareceram por acaso? Pode-se acreditar mesmo nisso?". Não, não se pode; mas a repetição de um exemplo atrás do outro não nos leva a lugar nenhum. A "lógica" criacionista é sempre a mesma. O design é a única alternativa que os autores conseguem imaginar para o acaso. Portanto um projetista deve ser o autor. E a resposta da ciência para essa lógica defeituosa também é sempre a mesma. O design não é a única alternativa ao acaso. A seleção natural é uma alternativa melhor. Na verdade, o design não é nem mesmo uma alternativa de verdade, porque suscita um problema maior do que o que solucionou: quem projetou o projetista? Tanto o acaso como o design fracassam como soluções para o problema da improbabilidade estatística, porque um deles é o problema, e o outro retorna a ele. A seleção natural é a solução verdadeira. É a única solução viável já sugerida. E não é apenas uma solução viável, é uma solução de incrível poder e elegância.

O que é que faz a seleção natural ser bem-sucedida como solução para o problema da improbabilidade, para o qual o acaso e o design fracassam já de saída? A resposta é que a seleção natural é um processo cumulativo, que divide o problema da improbabilidade em partículas pequenas. Cada uma das partículas é ligeiramente improvável, mas não definitivamente. Quando grandes números desses fatos ligeiramente improváveis são reunidos em série, o resultado final do acúmulo é mesmo improbabilíssimo, improvável o bastante para estar muito além do alcance do acaso. São esses produtos finais que dão forma aos objetos do argumento cansativamente reciclado pelos criacionistas. O criacionista não enxerga o cerne da questão, porque ele (pelo menos uma vez, as mulheres não deviam se importar por serem excluídas pelo pronome) insiste em tratar a gênese da improbabilidade estatística como um evento único e isolado. Ele não entende o poder do *acúmulo*.

Em *A escalada do monte Improvável*, manifestei essa questão na forma de uma parábola. Um lado da montanha é um despenhadeiro, impossível de escalar, mas o outro lado é uma encosta de subida amena até o topo. No topo está um dispositivo complexo, como um olho ou um flagelo bacteriano. A ideia absurda de que tamanha complexidade possa se montar sozinha, espontaneamente, é simbolizada por um pulo só, do pé do penhasco até o cume. A evolução, pelo contrário, vai por trás da montanha e pega a subida amena até o topo: fácil! O princípio da comparação entre escalar a encosta amena e pular pelo lado do precipício é tão simples que ficamos tentados a nos espantarmos com o fato de ter demorado tanto para um Darwin aparecer e descobri-lo. Quando ele fez isso, quase dois séculos haviam se passado desde o *annus mirabilis* de Newton, embora sua realização pareça, pensando bem, ter sido mais difícil que a de Darwin.

Outra metáfora popular para a improbabilidade extrema é o segredo de um cofre de banco. Teoricamente, um ladrão de banco pode ter sorte e conseguir acertar a combinação dos números por acaso. Na prática, o segredo do cofre é projetado com um tanto de improbabilidade suficiente para aproximar essa hipótese do impossível — quase tão improvável quanto o Boeing 747 de Fred Hoyle. Mas imagine uma tranca de segredo mal projetada, que fosse dando pequenas dicas de forma progressiva — o equivalente ao "está quente" da brincadeira das crianças. Imagine que, quando cada um dos discos se aproximasse da posição correta, a porta do cofre abrisse um pouquinho, e deixasse sair um pouco de dinheiro. O ladrão ia pegar a bolada rapidinho.

Os criacionistas que tentam usar o argumento da improbabilidade a seu favor sempre assumem que a adaptação biológica é uma questão de tudo — acertar na loteria — ou nada. Outro nome para essa falácia é "complexidade irredutível". O olho vê ou não vê. A asa voa ou não voa. Assume-se que não existem intermediários úteis. Mas isso está simplesmente errado. Intermediários assim abundam na prática — exatamente o que deveríamos esperar na teoria. O segredo do cofre da vida é um mecanismo de "está quente, está frio". A vida real busca as encostas de subida amena por trás do monte Improvável, enquanto os criacionistas enxergam apenas o assustador precipício da frente.

Darwin dedicou um capítulo inteiro de *A origem das espécies* às "Objeções apresentadas contra a teoria da descendência com modificações", e é razoável dizer que esse curto capítulo previu e descartou cada uma das supostas objeções propostas desde então até os dias atuais. As objeções mais formidáveis são os "órgãos de extrema perfeição e complexidade" de Darwin, que às vezes são erroneamente descritos como "de complexidade irredutível". Darwin destacou o olho como um problema especialmente desafiador: "Supor que o olho, com todos os seus inimitáveis artifícios para ajustar o foco a várias distâncias, para admitir várias quantidades de luz e para corrigir aberrações esféricas e cromáticas, tenha sido formado pela seleção natural parece, confesso abertamente, o grau mais elevado de absurdo". Os criacionistas citam essa frase alegremente, sem parar. Nem é necessário dizer que eles nunca citam sua sequência. A confissão exageradamente aberta de Darwin revela-se um artifício de retórica. Ele estava atraindo seus oponentes para que o golpe, quando viesse, os atingisse em cheio. O golpe, é claro, é a explicação simples de Darwin sobre como de fato o olho evoluiu gradativamente. Darwin pode não ter usado o termo "complexidade irredutível", ou a "gradação suave para subir o monte Improvável", mas de certo compreendia o princípio de ambos.

"Para que serve meio olho?" e "Para que serve meia asa?" são exemplos do argumento da "complexidade irredutível". Diz-se que uma unidade é irredutivelmente complexa se a remoção de uma de suas partes provocar a interrupção do funcionamento do todo. Assumiu-se que se trata de uma verdade óbvia tanto para olhos quanto para asas. Mas, assim que pensamos um pouco nessas suposições, enxergamos imediatamente a falácia. Um paciente de catarata que tenha tido o cristalino removido cirurgicamente não consegue ver imagens claras sem óculos, mas vê o suficiente para não trombar com uma árvore ou cair num precipício. Meia asa de fato não é tão eficiente quanto uma asa inteira, mas certamente é melhor que asa nenhuma. Meia asa pode salvar sua vida amenizando a queda de cima de uma árvore de determinada altura. E 51% de uma asa pode salvá-lo se você cair de uma árvore um pouquinho mais alta. Seja qual for a fração de asa que você tiver, há uma queda da qual ela o salvaria, e uma asa menor não salvaria. O experimento mental das árvores de diferentes alturas, da qual alguém pode cair, é apenas um modo de enxergar, na teoria, que é preciso haver uma gradação suave de vantagem desde o 1% de asa até o 100%. As florestas estão cheias de animais que planam ou fazem paraquedismo, ilustrando, na prática, cada passo da subida daquele lado do monte Improvável.

Por analogia com as árvores de diferentes alturas, é fácil imaginar situações em que metade de um olho salvaria a vida de um animal, e 49% de um olho não salvaria. Os múltiplos gradientes são proporcionados por variações nas condições de iluminação, variações na distância da qual se consegue avistar sua presa — ou seus predadores. E, assim como as asas e as superfícies de voo, intermediários plausíveis não são só fáceis de imaginar: eles abundam em todo o reino animal. Um platelminto tem um olho que, por qualquer medida racional, é menos de metade de um olho humano. O *Nautilus* (e talvez seus primos extintos, os amonites, que dominaram os mares no Paleozoico e no Mesozoico) tem um olho que é intemediário em qualidade entre o do platelminto e o do ser humano. Diferentemente do olho do platelminto, que é capaz de detectar luz e sombra, mas não vê imagens, o olho de "câmera escura" do *Nautilus* cria uma imagem real; mas é uma imagem borrada e indistinta se comparada com a nossa. Seria de uma precisão espúria dar números aos avanços, mas ninguém pode negar conscientemente que esses olhos de invertebrados, e muitos outros, são bem melhores do que não ter olho nenhum, e todos estão numa subida amena e contínua no monte Improvável, como nossos olhos perto de um pico — não o pico mais elevado, mas um pico elevado. Em *A escalada do monte Improvável*, dediquei um capítulo inteiro ao olho e outro à asa, demonstrando como foi fácil para eles evoluir através de gradações lentas (ou até, talvez, não tão lentas assim), e vou encerrar o assunto aqui.

Vimos portanto que olhos e asas certamente não são irredutivelmente complexos; mas mais interessantes que esses exemplos específicos é a lição genérica que podemos tirar deles. O fato de que tanta gente esteja tão redondamente enganada a respeito desses casos tão óbvios devia servir para nos alertar para outros exemplos menos óbvios, como as teses celulares e bioquímicas que vêm sendo defendidas por criacionistas que se abrigam sob o eufemismo político de "teóricos do design inteligente".

É uma história que deve servir de exemplo, e ela nos diz o seguinte: não declare que as coisas são irredutivelmente complexas; é bem provável que você não tenha observado os detalhes com o cuidado necessário, ou pensado com o cuidado necessário sobre eles. Por outro lado, nós, do lado da ciência, não devemos ser confiantes e dogmáticos demais. Talvez haja alguma coisa na natureza que realmente objete, por uma complexidade irredutível *genuína*, o gradiente ameno do monte Improvável. Os criacionistas têm razão em dizer que, se a complexidade irredutível puder ser adequadamente demonstrada, isso arruinará a teoria de Darwin. O próprio Darwin disse isso: "Se fosse demonstrado que qualquer órgão complexo existisse e que ele não pudesse ter sido formado por numerosas, sucessivas e pequenas modificações, minha teoria absolutamente ruiria. Mas não consigo encontrar nenhum caso assim". Darwin não conseguiu encontrar nenhum caso assim, nem ninguém desde os tempos de Darwin, apesar dos esforços extenuantes, desesperados mesmo. Muitos candidatos a esse santo graal do criacionismo já foram sugeridos. Nenhum resistiu à análise.

De qualquer maneira, embora a complexidade irredutível arruinasse a teoria de Darwin se um dia fosse encontrada, por que ela não arruinaria também a teoria do design inteligente? Na verdade, ela *já* arruinou a teoria do design inteligente, pois, como continuo repetindo e repetirei de novo, embora saibamos pouquíssimo sobre Deus, a única coisa de que podemos ter certeza é que ele teria de ser complexíssimo, e de complexidade supostamente irredutível!

## A ADORAÇÃO DAS LACUNAS

Procurar exemplos específicos de complexidade irredutível é um procedimento fundamentalmente acientífico: um caso especial de argumentação a partir da ignorância atual. É um apelo à mesma lógica defeituosa da estratégia do "Deus das Lacunas", condenada pelo teólogo Dietrich Bonhoeffer. Os criacionistas procuram avidamente uma lacuna no conhecimento ou na compreensão atuais. Se uma aparente lacuna é encontrada, *assume-se* que Deus, por padrão, deve preenchê-la. O que preocupa teólogos conscientes como Bonhoeffer é que as lacunas diminuem conforme a ciência avança, e Deus fica ameaçado de acabar sem nada para fazer, e sem ter onde se esconder. O que preocupa os cientistas é outra coisa. É uma parte essencial do empreendimento científico admitir a ignorância, até mesmo exultar na ignorância, já que ela é um desafio para conquistas futuras. Como escreveu meu amigo Matt Ridley, "a maioria dos cientistas fica entediada com o que já descobriu. É a ignorância que os impele". Os místicos exultam com o mistério e querem que ele continue misterioso. Os cientistas exultam com o mistério por um motivo diferente: ele lhes dá o que fazer. Em termos mais gerais, como repetirei no capítulo 8, um dos efeitos verdadeiramente negativos da religião é que ela nos ensina que é uma virtude satisfazer-se com o não entendimento.

Admissões de ignorância e a mistificação temporária são vitais para a boa ciência. É portanto infeliz, para dizer o mínimo, o fato de a principal estratégia dos propagandistas da criação ser a tática negativa de procurar lacunas no conhecimento científico e querer preenchê-las automaticamente com o "design inteligente". O exemplo a seguir é hipotético, mas totalmente típico. Um criacionista diz: "A articulação do cotovelo do sapo-doninha malhado é irredutivelmente complexa. Nenhuma parte dele servia para nada enquanto o conjunto não estivesse montado. Aposto que você não consegue pensar num modo de o cotovelo do sapo-doninha ter evoluído por gradações lentas". Se o cientista não der uma resposta imediata e compreensível, o criacionista tira a conclusão *default*: "Então, a teoria alternativa, o 'design inteligente', ganha por eliminação". Repare na lógica tendenciosa: se a teoria A falha em algum particular, a teoria B tem de estar certa. Não é preciso nem dizer que o argumento não funciona no sentido inverso. Somos estimulados a pular para a teoria-padrão sem nem mesmo prestar atenção para ver se ela não falha exatamente no mesmo ponto que a teoria que ela substitui. O design inteligente ganha um passe livre incondicional, uma imunidade encantada às exigências rigorosas feitas à evolução.

Mas o ponto que defendo agora é que a trama criacionista questiona o regozijo natural do cientista — necessário mesmo — com a incerteza (temporária). Por motivos puramente políticos, o cientista de hoje em dia pode hesitar antes de dizer: "Hum, interessante essa tese. Fico imaginando como aconteceu *realmente* a evolução da articulação do cotovelo nos ancestrais do sapo-doninha. Não sou especialista em sapos-doninha, terei de ir até a biblioteca da universidade para dar uma olhada. Talvez dê um projeto interessante para um aluno de pós-graduação". No minuto em que um cientista disser alguma coisa parecida com isso — e muito antes que o aluno comece a trabalhar no projeto —, a conclusão-padrão virará manchete de um panfleto criacionista: "Sapo-doninha só pode ter sido projetado por Deus".

Existe, portanto, uma ligação infeliz entre a necessidade metodológica da ciência de buscar áreas de ignorância para definir seus alvos de pesquisas e a necessidade do design inteligente de buscar áreas de ignorância para reivindicar a vitória por eliminação. É exatamente o fato de o design inteligente não dispor de provas de si mesmo, mas florescer nas lacunas deixadas pelo conhecimento científico, que cria o desconforto na necessidade da ciência de identificar e declarar as mesmíssimas lacunas como prelúdio para pesquisá-las. Nesse aspecto, a ciência alia-se a teólogos sofisticados como Bonhoeffer, unidos contra os inimigos da teologia ingênua e populista e da teologia das lacunas, do design inteligente.

O caso de amor dos criacionistas com as "lacunas" dos registros fósseis simboliza toda a teologia das lacunas. Uma vez abri um capítulo sobre a chamada explosão cambriana com a frase: "É como se os fósseis tivessem sido plantados lá sem nenhum histórico evolutivo". Mais uma vez, tratava-se de uma abertura retórica, com a intenção de estimular o apetite do leitor para a explicação completa que vinha em seguida. Retrospectivamente, constato com tristeza como era previsível que minha explicação paciente seria removida e minha abertura seria alegremente citada fora de contexto. Os criacionistas adoram as "lacunas" dos registros fósseis, do mesmo modo como adoram lacunas em geral.

Muitas transições evolutivas estão elegantemente documentadas por séries mais ou menos contínuas de fósseis intermediários com alterações gradativas. Algumas não estão, e são essas as famosas "lacunas". Michael Shermer apontou com perspicácia que, se uma nova descoberta de fóssil aparece para ocupar o meio de uma "lacuna", os criacionistas declaram que agora há o dobro de lacunas! De qualquer maneira, perceba de novo o uso do automatismo. Se não há fósseis para documentar uma transição evolutiva postulada, a conclusão automática é que não há transição evolutiva, portanto Deus tem de ter intervindo.

É totalmente ilógico exigir documentação completa de cada passo de qualquer narrativa, seja na evolução, seja em qualquer outra ciência. É como exigir, antes de condenar alguém por assassinato, um registro cinematográfico completo de cada passo do assassino até o crime, sem nenhum quadro faltando. Só uma fração minúscula dos corpos fossiliza-se, e temos sorte de ter tantos fósseis intermediários. Seria bastante provável não termos fóssil nenhum, e ainda assim as evidências da evolução provenientes de outras fontes, como a genética molecular e a distribuição geográfica, seriam incrivelmente contundentes. Por outro lado, a evolução professa que, se um *único* fóssil aparecesse no estrato geológico *errado*, a teoria cairia por terra. Quando desafiado por um popperiano zeloso a dizer como a evolução poderia ser desmentida, J. B. S. Haldane retrucou: "Fósseis de coelho no Pré-cambriano". Nenhum fóssil anacrônico como esse jamais foi encontrado, apesar das lendas desacreditadas de criacionistas sobre crânios humanos do Carbonífero e pegadas humanas entremeadas com as de dinossauros.

As lacunas, pelo padrão da cabeça dos criacionistas, são preenchidas por Deus. A mesma coisa se aplica a todos os precipícios aparentes do maciço do monte Improvável, onde a subida gradual não está imediatamente óbvia ou então é ignorada. As áreas onde há escassez de dados, ou de entendimento, são automaticamente atribuídas a Deus. O recurso apressado à declaração dramática da "complexidade irredutível" demonstra um fracasso imaginativo. Algum órgão biológico, quando não um olho, o flagelo bacteriano ou uma via bioquímica, é *decretado*, sem mais, irredutivelmente complexo. Nenhuma tentativa se faz para *demonstrar* a complexidade irredutível. Apesar das explicações sobre o olho, a asa e muitas outras coisas, cada novo candidato ao duvidoso título é considerado de uma complexidade irredutível transparente e óbvia, e seu status é declarado por decreto. Mas pense nisso. Como a complexidade irredutível está sendo usada como argumento para o design, ela não devia ser afirmada por decreto, como é o próprio design. É como simplesmente afirmar que o sapo-doninha (besouro-bombardeiro etc.) demonstra o design, sem nenhum outro argumento ou justificativa. Não é assim que se faz ciência.

A lógica revela-se tão convincente quanto a seguinte afirmação: "Eu [insira o nome] não consigo, pessoalmente, pensar em nenhuma maneira pela qual [insira o fenômeno biológico] possa ter sido construído passo a passo. Portanto ele é irredutivelmente complexo. Isso significa que ele foi projetado". Basta dizer isso para ver que o argumento é vulnerável à possibilidade de algum cientista aparecer e encontrar um intermediário; ou pelo menos imaginar um intermediário plausível. Mesmo que nenhum cientista dê uma explicação, é simplesmente uma lógica de má qualidade assumir que o "design" se sairia melhor. O raciocínio que sustenta a teoria do "design inteligente" é preguiçoso e derrotista — o clássico raciocínio do "Deus das Lacunas". Já o apelidei, no passado, de Argumento da Incredulidade Pessoal.

Imagine que você esteja assistindo a um truque de mágica excelente. O celebrado duo de ilusionistas Penn e Teller tem um número em que eles parecem atirar um no outro, com pistolas, simultaneamente, e cada um deles parece ter pegado a bala com os dentes. São tomadas precauções elaboradas para fazer marcas de identificação nas balas antes de elas serem colocadas nas armas, o procedimento inteiro é testemunhado de perto pelo público, experiente em armas de fogo, e aparentemente todas as possibilidades de truque são eliminadas. A bala marcada de Teller acaba aparecendo na boca de Penn, e a bala marcada de Penn acaba aparecendo na de Teller. Eu [Richard Dawkins] não consigo absolutamente pensar em nenhuma maneira pela qual isso possa ser um truque. O Argumento da Incredulidade Pessoal berra das profundezas dos meus centros cerebrais pré-científicos e quase me compele a dizer: "Tem de ser um milagre. Não há explicação científica. Tem de ser sobrenatural". Mas a vozinha da educação científica diz outra coisa. Penn e Teller são ilusionistas famosos no mundo todo. Há uma explicação totalmente cabível. Mas sou ingênuo demais, ou pouco observador e pouco criativo demais para pensar nela. Essa é a resposta normal para um truque. Também é a resposta certa para um fenômeno biológico que pareça ser irredutivelmente complexo. As pessoas que partem da estupefação pessoal com um fenômeno natural direto para a invocação apressada do sobrenatural não são melhores que os tolos que veem um ilusionista dobrando uma colher e assumem que se trata de um "paranormal".

Em seu livro *Seven clues to the origin of life* [Sete pistas para a origem da vida], o químico escocês A. G. Cairns-Smith dá outra explicação, usando a analogia de um arco. Um arco de pedras soltas, sem argamassa, mas que fica de pé, pode ser uma estrutura estável, mas é irredutivelmente complexo: ele desaba se qualquer pedra for retirada. Como, então, ele foi construído? Uma maneira é juntar uma pilha sólida de pedras e depois retirar com cuidado as rochas, uma a uma. Em termos mais gerais, há muitas estruturas que são irredutíveis no sentido de que não conseguem sobreviver à subtração de qualquer uma de suas partes, mas que foram construídas com a ajuda de andaimes que depois foram subtraídos e que já não são visíveis. Uma vez que a estrutura tenha sido concluída, o andaime pode ser retirado com segurança e a estrutura permanece de pé. Na evolução, também, o órgão ou estrutura que se observa pode ter tido um andaime num ancestral, que depois foi removido.

A "complexidade irredutível" não é uma ideia nova, mas o termo em si foi inventado pelo criacionista Michael Behe em 1996.[62] Pertence a ele o crédito (se é que crédito é a palavra) pela transferência do criacionismo para uma nova área da biologia: a bioquímica e a biologia celular, que ele achou que talvez fossem um terreno mais profícuo para lacunas que olhos ou asas. Sua melhor abordagem para um bom exemplo (que ainda é ruim) foi o motor do flagelo bacteriano.

O flagelo bacteriano é um prodígio da natureza. Ele é o único exemplo conhecido, externo à tecnologia humana, de um eixo de rotação livre. Rodas para animais de grande porte seriam, suspeito eu, exemplos genuínos de complexidade irredutível, e é provavelmente por isso que elas não existem. Como os nervos e vasos sanguíneos passariam pela biela?* O flagelo é um propulsor bem fino, com o qual a bactéria escava seu caminho através da água. Digo "escava" e não "nada" porque, na escala bacteriana de existência, um líquido como a água não seria percebido como nós percebemos um líquido. Seria mais parecido com um melado, uma gelatina, ou até mesmo areia, e a bactéria pareceria cavar ou rodar como um parafuso pela água, em vez de nadar. Diferentemente dos chamados flagelos de organismos maiores como os protozoários, o flagelo bacteriano não se mexe só como um chicote, ou como um remo. Ele possui um eixo verdadeiro e rotativo, que gira continuamente dentro de uma biela, impulsionado por um motor molecular incrivelmente pequeno. No nível molecular, o motor usa basicamente o mesmo princípio que um músculo, mas em rotação livre, em vez de em contração intermitente.** Ele vem sendo fagueiramente descrito como um minúsculo mo-

* Há um exemplo na ficção. O autor de livros infantis Philip Pullman, em *His dark materials* [Os utensílios obscuros dele], imagina uma espécie de animal, a "mulefa", que coexiste com árvores que produzem frutos perfeitamente redondos com um buraco no meio. Esses frutos a mulefa adota como rodas. As rodas, como não são parte do corpo, não têm nervos nem vasos sanguíneos que fiquem enrolados em torno do "eixo" (um pedaço sólido de chifre ou osso). Pullman ressalta, de forma perspicaz, um outro ponto: o sistema só funciona porque o planeta é recoberto de faixas de basalto, que servem de "estradas". Rodas não adiantam muito em terrenos acidentados.

** De maneira fascinante, o princípio do músculo é empregado ainda de uma terceira forma em alguns insetos como as moscas, as abelhas e os besouros, em que o músculo do voo é intrinsecamente oscilante, como um motor alternativo. Enquanto outros insetos, como os gafanhotos, enviam instruções nervosas para cada batida de asa (como faz o pássaro), as abelhas enviam uma instrução para ligar (ou desligar) o motor oscilante. As bactérias possuem um mecanismo que não é nem um contrator simples (como o músculo do voo de um pássaro) nem um alternador (como o músculo de voo da abelha), mas um verdadeiro rotor: nesse sentido, ele é como um motor elétrico, ou um motor Wankel.

tor externo (embora pelos padrões da engenharia — e de modo incomum para um mecanismo biológico — seja um motor de uma ineficiência espetacular).

Sem nenhuma palavra de justificativa, explicação ou amplificação, Behe simplesmente *proclama* o motor flagelar bacteriano como irredutivelmente complexo. Como ele não oferece nenhum argumento a favor de sua declaração, podemos começar desconfiando de uma falha imaginativa. Ele alega que a literatura biológica especializada ignorou o problema. A falsidade dessa alegação foi maciça e embaraçosamente (para Behe) documentada no tribunal do juiz John E. Jones, na Pensilvânia, em 2005, onde Behe depôs como testemunha especialista a favor de um grupo de criacionistas que tinha tentado impor o "design inteligente" ao currículo de ciências de uma escola pública local — uma medida de "estupidez de tirar o fôlego", para citar o juiz Jones (frase e homem certamente destinados à fama duradoura). Essa não foi a única vergonha a que Behe foi submetido na audiência, como veremos.

O essencial para comprovar a complexidade irredutível é demonstrar que nenhuma das partes poderia ter sido útil de forma isolada. Todas elas precisariam estar no lugar para que qualquer uma delas tivesse alguma utilidade (a analogia favorita de Behe é uma ratoeira). Na verdade, os biólogos moleculares não têm dificuldade de encontrar partes que funcionem fora do todo, tanto para o flagelo bacteriano como para outros exemplos de Behe de suposta complexidade irredutível. Esse ponto é bem explicado por Kenneth Miller, da Universidade Brown, para mim a nêmese mais convincente do "design inteligente", principalmente pelo fato de ele ser um cristão devoto. Recomendo com frequência o livro de Miller, *Finding Darwin's God* [Encontrando o Deus de Darwin], a pessoas religiosas que me escrevem depois de terem sido iludidas por Behe.

No caso do rotor bacteriano, Miller chama a nossa atenção para um mecanismo chamado Sistema de Secreção Tipo Três (SSTT).[63] O SSTT não é usado para o movimento rotativo. É um dos vários sistemas usados por bactérias parasitas para emitir substâncias tóxicas através de suas paredes celulares para envenenar o organismo hospedeiro. Em nossa escala humana, podemos pensar em um líquido sendo derramado ou espirrado por um buraco; mas, mais uma vez, na escala bacteriana as coisas têm um aspecto diferente. Cada molécula de substância secretada é uma proteína grande com uma estrutura definida e tridimensional, da mesma escala da própria estrutura do SSTT: mais como uma escultura sólida que como um líquido. Cada molécula é lançada individualmente através de um mecanismo meticulosamente moldado, como uma máquina de venda automática que liberasse, por exemplo, brinquedos e garrafas, e não apenas um simples buraco pelo qual a substância "fluiria". A máquina em si é feita de um número bem pequeno de moléculas de proteína, cada qual comparável, no tamanho e na complexidade, às moléculas que estão sendo secretadas por ela. O interessante é que essas máquinas de venda automática são muitas vezes semelhantes em bactérias que não têm relações próximas entre si. É provável que o genes para produzi-la tenham sido "copiados e colados" de outras bactérias: uma coisa que as bactérias fazem incrivelmente bem, e que é um tópico fascinante por si só, mas preciso seguir em frente.

As moléculas de proteína que formam a estrutura do SSTT são muito semelhantes aos componentes do rotor flagelado. Para um evolucionista, fica claro que componentes do SSTT foram convocados para uma nova — embora não totalmente independente — função quando o motor bacteriano evoluiu. Como o SSTT movimenta moléculas através de si mesmo, não surpreende que ele use uma versão rudimentar do princípio usado pelo motor bacteriano, que movimenta as moléculas do eixo para fazê-las rodar. É evidente que componentes cruciais do motor do flagelo bacteriano já estavam no lugar e funcionando antes de o motor do flagelo ter evoluído. A convocação de mecanismos existentes é um caminho óbvio pelo qual uma peça de aparente complexidade irredutível pode escalar o monte Improvável.

Ainda há muito trabalho a fazer, é claro, e tenho certeza de que ele será feito. Esse trabalho jamais seria feito se os cientistas ficassem satisfeitos com um padrão preguiçoso como o estimulado pela "teoria do design inteligente". Esta é a mensagem que um "teórico" imaginário do design inteligente poderia transmitir aos cientistas: "Se vocês não entendem como uma coisa funciona, não tem problema: simplesmente desistam e digam que Deus a criou. Vocês não sabem como o impulso nervoso funciona? Tudo bem! Não entendem como as lembranças são depositadas no cérebro? Excelente! A fotossíntese é um processo desconcertantemente complexo? Maravilha! Por favor não saiam trabalhando em cima do problema, apenas desistam e apelem a Deus. Caro cientista, não *estude* seus mistérios. Traga seus mistérios a nós, pois podemos usá-los. Não desperdice a ignorância preciosa pesquisando por aí. Precisamos dessas gloriosas lacunas para o último refúgio de Deus". Santo Agostinho disse de forma bem clara: "Existe outra forma de tentação, ainda mais cheia de perigo. É a doença da curiosidade. É ela que nos leva a tentar descobrir os segredos da natureza, segredos que estão além de nossa compreensão, que nada nos podem dar e que nenhum homem deveria querer descobrir" (citado em Freeman, 2002).

Outro dos exemplos favoritos de Behe de suposta "complexidade irredutível" é o sistema imunológico. Que o próprio juiz Jones assuma a palavra:

> De fato, ao ser interrogado pelo outro lado, o professor Behe foi questionado sobre sua alegação, feita em 1996, de que a ciência ja-

mais encontraria uma explicação evolutiva para o sistema imune. Ele foi colocado diante de 58 publicações avaliadas por pares acadêmicos, nove livros e vários capítulos sobre imunologia de livros didáticos a respeito da evolução do sistema imunológico; no entanto ele simplesmente insistiu que isso ainda não era evidência suficiente da evolução, e que não era "bom o bastante".

Behe, ao ser interrogado por Eric Rothschild, advogado--chefe dos querelantes, foi obrigado a admitir que não tinha lido a maioria daqueles 58 trabalhos acadêmicos. O que não surpreende, já que a imunologia é difícil. Menos perdoável é o fato de Behe ter desqualificado essas pesquisas, chamando-as de "estéreis". Elas certamente são estéreis se seu objetivo é fazer propaganda para leigos ingênuos e políticos, em vez de descobrir verdades importantes sobre o mundo real. Depois de ouvir Behe, Rothschild resumiu de modo eloquente aquilo que qualquer pessoa honesta deve ter sentido naquele tribunal:

> Por sorte existem cientistas que pesquisam em busca de respostas para a pergunta sobre a origem do sistema imunológico [...] Ele é nossa defesa contra doenças debilitantes e fatais. Os cientistas que escreveram esses livros e artigos trabalham no escuro, sem direitos autorais nem palestras remuneradas. Seu empenho nos ajuda a combater e curar condições médicas graves. O professor Behe e todo o movimento do design inteligente, pelo contrário, não estão fazendo nada para obter avanços no conhecimento científico ou médico, e estão dizendo às gerações futuras de cientistas: não liguem para isso.[64]

Como disse o geneticista americano Jerry Coyne na resenha do livro de Behe, "se a história da ciência nos mostra alguma coisa, é que não chegamos a lugar nenhum ao chamar nossa ignorância de 'Deus'". Ou, nas palavras de um blogger eloquente, que comentava um artigo sobre design inteligente escrito por Coyne e por mim e publicado no *The Guardian*,

> Por que Deus é considerado explicação para tudo? Ele não é — é a não explicação, o dar de ombros, um "sei lá" enfeitado de espiritualidade e rituais. Se alguém atribui alguma coisa a Deus, geralmente isso quer dizer que ele não faz a menor ideia, por isso está atribuindo a coisa a uma fada celeste inalcançável e incognoscível. Peça uma explicação sobre de onde veio aquele cara, e são grandes as chances de você receber uma resposta vaga e pseudofilosófica dizendo que ele sempre existiu, ou que não pertence à natureza. O que, é claro, não explica nada.[65]

O darwinismo nos conscientiza de outras maneiras. Órgãos evoluídos, quase sempre tão elegantes e eficientes, também demonstram falhas reveladoras — exatamente como seria de esperar se eles tivessem um histórico evolutivo, e exatamente como não seria de esperar se eles tivessem sido projetados. Já discuti exemplos em outros livros: o recorrente nervo laríngeo, que denuncia seu histórico evolutivo com um enorme e inútil desvio até seu destino. Muitos de nossos males humanos, da dor lombar às hérnias, de prolapsos de útero à nossa suscetibilidade a infecções respiratórias, resultam diretamente do fato de que hoje caminhamos eretos, com um corpo que foi moldado ao longo de centenas de milhões de anos para caminhar sobre quatro patas. Também somos conscientizados pela crueldade e pelo desperdício da seleção natural. Os predadores parecem ter sido lindamente "projetados" para capturar suas presas, enquanto as presas parecem tão lindamente "projetadas" quanto para escapar deles. De que lado Deus está?[66]

## O PRINCÍPIO ANTRÓPICO: VERSÃO PLANETÁRIA

Os teólogos lacunares que desistem de olhos e asas, flagelos bacterianos e sistemas imunológicos frequentemente depositam suas últimas esperanças na origem da vida. A raiz da evolução na química não biológica parece, de alguma forma, representar uma lacuna maior que qualquer outra transição específica durante a evolução subsequente. E, de certa maneira, realmente é uma lacuna maior. Essa maneira é bastante específica, e não oferece nenhum consolo aos apologistas da religião. A origem da vida só teve que acontecer uma vez. Portanto podemos permitir que ela tenha sido um evento altamente improvável, muitas ordens de magnitude mais improvável que a maioria das pessoas imagina, como mostrarei. Os passos evolutivos subsequentes foram duplicados, de formas mais ou menos semelhantes, por milhões e milhões de espécies de modo independente, contínua e repetidamente ao longo do tempo geológico. Para explicar a evolução da vida complexa, portanto, não podemos recorrer ao mesmo tipo de raciocínio estatístico que podemos aplicar na origem da vida. Os eventos que constituem a evolução ordinária, distintos de sua origem singular (e talvez alguns casos especiais), não podem ter sido muito improváveis.

Essa distinção pode parecer confusa, e preciso explicá-la melhor, usando o chamado princípio antrópico. O princípio antrópico foi batizado assim pelo matemático Brandon Carter em 1974 e ampliado pelos físicos John Barrow e Frank Tipler em seu livro sobre o assunto.[67] O argumento antrópico costuma ser aplicado ao cosmos, e vou chegar a tal. Mas vou apresentar a ideia numa escala menor, planetária. Existimos aqui, na Terra. Portanto a Terra tem de ser o tipo de planeta que é capaz de nos gerar e nos sustentar, não importa quão incomum seja esse tipo de planeta. Por exemplo, nosso tipo de vida não consegue sobreviver sem a água em estado líquido. Os exobiólogos que procuram evidências da vida extraterrestre estão vasculhando os céus, na prática, em busca de sinais de água. Em torno de uma estrela típica como nosso Sol, existe uma zona chamada de "Cachinhos Dourados"* — nem quente demais nem fria demais, na temperatura certa — para os planetas com água no estado líquido. Uma estreita faixa de órbitas fica entre aquelas que ficam longe demais da estrela, onde a água congela, e as que ficam perto demais, onde ela ferve.

Supõe-se, também, que uma órbita adequada à vida tenha de ser próxima de circular. Uma órbita elíptica em excesso, como a do recém-descoberto planeta-anão conhecido informalmente como Xena, permitiria no máximo uma passagem-relâmpago pela zona Cachinhos Dourados uma vez por década ou por século (da Terra). Xena na verdade nem entra na zona Cachinhos Dourados, mesmo no ponto mais próximo ao Sol de sua órbita, que ele atinge uma vez a cada 560 anos da Terra. A temperatura do cometa Halley varia entre cerca de 47 °C no periélio e 270 °C negativos no afélio. A órbita da Terra, assim como a de todos os planetas, é tecnicamente uma elipse (está mais perto do Sol em janeiro e mais distante em julho);** mas um círculo é um caso especial de elipse, e a órbita da Terra é tão próxima de ser circular que ela nunca se afasta da zona Cachinhos Dourados. A situação da Terra no sistema solar é propícia também de outras formas que a destacaram para a evolução da vida. O enorme aspirador gravitacional que é Júpiter está no lugar certo para interceptar asteroides que poderiam nos ameaçar com uma colisão letal. A Lua única e relativamente grande da Terra serve para estabilizar

* "Goldilocks". (N. T.)

** Se você fica surpreso com isso, pode estar sofrendo da síndrome do chauvinismo do hemisfério norte, como descrito na página 157.

nosso eixo de rotação,[68] e ajuda a estimular a vida de várias outras maneiras. Nosso Sol é incomum por não ser binário, preso numa órbita mútua com outra estrela. É possível estrelas binárias terem planetas, mas suas órbitas tendem a ser caóticas e variáveis demais para incentivar a evolução da vida.

Duas explicações principais foram sugeridas para a amistosidade peculiar de nosso planeta à vida. A teoria do design diz que Deus criou o mundo, colocou-o na zona Cachinhos Dourados e estabeleceu deliberadamente todos os detalhes em nosso benefício. A abordagem antrópica é bem diferente, e tem um leve ar darwiniano. A grande maioria dos planetas do universo não está nas zonas Cachinhos Dourados de suas respectivas estrelas, e não é adequada à vida. Em nenhum planeta dessa maioria há vida. Por menor que seja a minoria de planetas com as condições certas para a vida, necessariamente temos de estar em um que pertença a essa minoria, porque estamos aqui pensando no problema.

É um fato estranho, aliás, o de que os apologistas da religião adorem o princípio antrópico. Por algum motivo que não faz absolutamente nenhum sentido, eles acham que isso sustenta a tese deles. A verdade é exatamente o contrário. O princípio antrópico, assim como a seleção natural, é uma *alternativa* à hipótese do design. Ele provê uma explicação racional, sem nada de design, para o fato de nos encontrarmos numa situação propícia à nossa existência. Acho que a confusão aparece na cabeça dos religiosos porque o princípio antrópico só é mencionado dentro do contexto do problema que ele soluciona, isto é, o fato de que vivemos em um lugar adequado à vida. O que a cabeça religiosa não percebe é que há duas candidatas a solução para o problema. Deus é uma. O princípio antrópico é a outra. Elas são *alternativas* entre si.

A água em estado líquido é uma condição necessária para a vida da forma como a conhecemos, mas está longe de ser suficiente. A vida ainda tem de se originar na água, e a origem da vida pode ter sido uma acontecimento altamente improvável. A evolução darwiniana prossegue faceiramente depois que a vida se origina. Mas como a vida começou? A origem da vida foi o evento químico, ou a série de eventos, através dos quais as condições vitais para a seleção natural surgiram pela primeira vez. O principal ingrediente foi a hereditariedade, seja o DNA ou (mais provavelmente) alguma coisa que faz cópias como o DNA, mas com menos precisão, talvez seu primo, o RNA. Uma vez que o ingrediente vital — algum tipo de molécula genética — está no lugar certo, a seleção natural darwiniana pode acontecer, e a vida complexa emerge como consequência. Mas o surgimento espontâneo, por acaso, da primeira molécula hereditária é considerado improvável por muita gente. Talvez seja improbabilíssimo, e tratarei disso, pois é um ponto central para esta parte do livro.

A origem da vida é um objeto de pesquisa pródigo, embora especulativo. A especialidade necessária para tal é a química, que não é a minha. Acompanho-a à distância com curiosidade, e não ficarei surpreso se, daqui a poucos anos, os químicos anunciarem que conseguiram parir uma nova origem da vida em laboratório. Mas isso ainda não aconteceu, e ainda é possível sustentar que a probabilidade de que isso aconteça seja, como sempre foi, baixíssima — embora tenha mesmo acontecido uma vez!

Assim como fizemos com as órbitas Cachinhos Dourados, podemos afirmar que, por mais improvável que seja a origem da vida, sabemos que ela aconteceu na Terra porque estamos aqui. Assim como com a temperatura, há duas hipóteses para explicar o que aconteceu — a hipótese do design e a hipótese científica ou "antrópica". A abordagem que defende o design postula um Deus que produziu um milagre deliberado, lançando o fogo divino sobre o caldo prebiótico e lançando o DNA, ou alguma coisa equivalente, em sua grandiosa carreira.

Novamente, assim como com Cachinhos Dourados, a alternativa antrópica à hipótese do design é estatística. Os cientistas invocam a mágica dos números enormes. Já se estimou que haja entre 1 bilhão e 30 bilhões de planetas em nossa galáxia, e cerca de 100 bilhões de galáxias no universo. Eliminando alguns zeros por mera prudência, 1 bilhão de bilhões é uma estimativa conservadora do número de planetas disponíveis no universo. Suponha que a origem da vida, o surgimento espontâneo de alguma coisa equivalente ao DNA, realmente seja um evento incrivelmente improvável. Suponha que seja tão improvável que aconteça em apenas um entre 1 bilhão de planetas. Uma instituição de financiamento de pesquisas riria na cara de qualquer químico que admitisse que a chance de sua pesquisa ser bem-sucedida fosse de uma em cem. Mas cá estamos nós, falando de probabilidades de uma em 1 bilhão. Mesmo assim... mesmo com probabilidades tão absurdamente escassas, a vida ainda teria surgido em 1 bilhão de planetas — entre os quais está, é claro, a Terra.[69]

A conclusão é tão surpreendente que vou repeti-la. Se a probabilidade de a vida surgir espontaneamente num planeta fosse de uma em 1 bilhão, mesmo assim esse evento embasbacadoramente improvável teria acontecido em 1 bilhão de planetas. A chance de encontrar qualquer um entre esse 1 bilhão de planetas remete ao provérbio da agulha no palheiro. Mas não temos de sair por aí procurando uma agulha porque (de volta ao princípio antrópico) qualquer ser capaz de procurar precisa estar exatamente dentro de uma dessas prodigiosas agulhas, mesmo antes de dar início à busca.

Qualquer afirmação de probabilidade é feita dentro do contexto de um determinado nível de ignorância. Se não soubermos nada sobre um planeta, podemos postular as chances de a vida surgir como, digamos, de uma em 1 bilhão. Mas se importarmos algumas hipóteses novas para nossa estimativa, as coisas mudam.

Um planeta em particular pode ter algumas propriedades peculiares, talvez um perfil especial de abundância de elementos em suas rochas, que alterem as chances em favor do surgimento da vida. Alguns planetas, em outras palavras, são mais "terrestres" que outros. A própria Terra, é claro, é especialmente "terrestre"! Isso deveria animar nossos químicos que tentam recriar o evento no laboratório, pois reduziria as probabilidades adversas a seu sucesso. Mas meu cálculo inicial demonstrou que até mesmo um modelo químico com chances de sucesso tão baixas como de uma em 1 bilhão *ainda assim* prevê que a vida surgiria em 1 bilhão de planetas no universo. E a beleza do princípio antrópico é que ele nos diz, contrariando nossa intuição, que um modelo químico só precisa prever que a vida vá surgir em *um* planeta entre 1 bilhão de bilhões para nos dar uma boa e totalmente satisfatória explicação para a presença da vida aqui. Nem por um momento acredito que a origem da vida tenha sido tão improvável assim na prática. Acho que definitivamente vale a pena gastar dinheiro tentando reproduzir o evento em laboratório e — na mesma moeda — no programa SETI, porque acho provável que exista vida inteligente em outro lugar.

Mesmo aceitando a estimativa mais pessimista para a probabilidade de que a vida possa surgir espontaneamente, esse argumento estatístico demole completamente qualquer sugestão de que devamos postular o design para preencher a lacuna. De todas as lacunas visíveis na história evolutiva, a lacuna da origem da vida pode parecer intransponível para cérebros calibrados para avaliar probabilidade e risco na escala das coisas do dia a dia: a escala que as instituições fomentadoras de pesquisa usam para avaliar os projetos submetidos pelos químicos. Mesmo assim, até uma lacuna tão grande como essa é facilmente preenchida pela ciência informada em termos de estatística, enquanto as mesmíssimas regras estatísticas da ciência descartam um criador divino no sentido do 747 Definitivo, que conhecemos previamente.

Mas voltemos agora à interessante questão que iniciou esta parte do livro. Suponha que alguém tente explicar o fenômeno genérico da adaptação biológica ao longo das mesmas linhas que acabamos de aplicar à origem da vida: apelando a um número imenso de planetas disponíveis. O fato observado é que toda espécie, assim como todo órgão que já tenha sido visto dentro de cada espécie, é boa no que faz. As asas de pássaros, abelhas e morcegos voam bem. Os olhos enxergam bem. As folhas fazem fotossíntese bem. Vivemos num planeta cercados por talvez 10 milhões de espécies, cada uma com uma ilusão poderosa de um aparente design. Cada espécie encaixa-se bem em seu estilo específico de vida. Não poderíamos nos safar com o argumento dos "números imensos de planetas" para explicar todas essas ilusões diferentes de design? Não, não poderíamos, repito, *não*. Nem pense nisso. Isso é importante, pois toca no cerne de um dos equívocos mais graves na compreensão do darwinismo.

Independentemente de com quantos planetas estejamos lidando, o acaso jamais seria suficiente para explicar a luxuriante diversidade de organismos complexos na Terra do mesmo modo que o utilizamos para explicar a existência da vida aqui. A evolução da vida é um caso completamente diferente do da origem da vida, porque, repetindo, a origem da vida foi (ou pode ter sido) um evento singular, que teve que acontecer apenas uma vez. A adaptação das espécies a seus diversos ambientes, por outro lado, ocorreu milhões de vezes, e continua ocorrendo.

Está claro que aqui na Terra estamos lidando com um *processo* generalizado para a otimização das espécies biológicas, um processo que funciona em todo o planeta, em todos os continentes e ilhas, e em todos os momentos históricos. Podemos prever com segurança que, se esperarmos mais 10 milhões de anos, um conjunto totalmente novo de espécies estará tão bem adaptado a seu estilo de vida quanto as espécies atuais são adaptadas ao estilo delas. É um fenômeno recorrente, previsível e múltiplo, não um caso de sorte estatística reconhecido retrospectivamente. E, graças a Darwin, sabemos como ele aconteceu: pela seleção natural.

O princípio antrópico é impotente para explicar os detalhes tão variados das criaturas vivas. Precisamos mesmo do poderoso guindaste de Darwin para dar conta da diversidade da vida na Terra, e especialmente a ilusão persuasiva de design. A origem da vida, pelo contrário, fica fora do alcance do guindaste, porque a seleção natural não pode ocorrer sem ela. Nesse ponto o princípio antrópico dá o máximo de si. Conseguimos tratar da origem singular da vida postulando um número muito grande de oportunidades planetárias. Uma vez que aquele golpe inicial da sorte tenha sido assegurado — e o princípio antrópico decisivamente o assegura para nós —, a seleção natural assume: e a seleção natural não é — e o não é enfático — uma questão de sorte.

De qualquer maneira, é possível que a origem da vida não seja a única grande lacuna da história evolutiva a ser superada pela pura sorte, antropicamente justificada. Por exemplo, meu colega Mark Ridley, em *Mendel's demon* (reintitulado *The cooperative gene*, de forma gratuita e que causa confusão, pela editora americana), sugeriu que a origem da célula eucarionte (nosso tipo de célula, com um núcleo e vários outros dispositivos complicados como as mitocôndrias, que não estão presentes nas bactérias) foi um passo ainda mais rápido, difícil e estatisticamente improvável que a origem da vida. Eventos únicos como esse podem ser explicados pelo princípio antrópico, ao longo da seguinte linha: existem bilhões de planetas que desenvolveram a vida no nível das bactérias, mas apenas uma pequena proporção dessas formas de vida conseguiu chegar a algo parecido com uma célula eucarionte. E, entre esses, uma proporção ainda menor conseguiu cruzar o Rubicão até a consciência. Se esses dois eventos forem únicos, não estamos lidando com um *processo* onipresente e disseminado, como fazemos ao tratar da adaptação biológica ordinária e tradicional. O princípio antrópico afirma que, como estamos vivos e somos eucariontes e conscientes, nosso planeta tem de ser um dos raríssimos planetas que superaram todas as três lacunas.

A seleção natural funciona porque ela é uma avenida de mão única, cumulativa, para o aperfeiçoamento. Ela precisa de alguma sorte para ser iniciada, e o princípio antrópico dos "bilhões de planetas" nos assegura tal sorte. Talvez algumas lacunas posteriores na história evolutiva também precisem de grandes doses de sorte, com a justificativa antrópica. Mas, não importa o que mais possamos dizer, o *design* certamente não funciona como explicação para a vida, porque o design não é cumulativo e portanto suscita mais perguntas do que responde — ele nos leva diretamente para a regressão infinita na linha do 747 Definitivo.

Vivemos num planeta que é amistoso para nosso tipo de vida, e já vimos duas razões para isso. Uma é que a vida evoluiu de modo a florescer nas condições proporcionadas pelo planeta. Isso se deve à seleção natural. A outra razão é a antrópica. Existem bilhões de planetas no universo, e, por menor que seja a minoria dos planetas propícios à evolução, nosso planeta necessariamente tem de fazer parte dela. Chegou agora o momento de levar o princípio antrópico de volta para um estágio anterior, da biologia para a cosmologia.

## O PRINCÍPIO ANTRÓPICO: VERSÃO COSMOLÓGICA

Vivemos não apenas num planeta amistoso, mas também num universo amistoso. Isso provém do fato inerente à nossa existência de que as leis da física têm de ser amistosas o suficiente para permitir que a vida surja. Não é por acaso que, quando olhamos à noite para o céu, vemos estrelas, pois estrelas são um pré-requisito necessário para a existência da maioria dos elementos químicos, e sem química não haveria vida. Os físicos calcularam que, se as leis e constantes da física fossem ligeiramente diferentes, o universo teria se desenvolvido de tal forma que a vida seria impossível. Físicos diferentes disseram isso de formas diferentes, mas a conclusão é quase sempre a mesma. Martin Rees, em *Apenas seis números*, lista seis constantes fundamentais, as quais se acredita que se mantenham em todo o universo. Cada um desses seis números é sintonizado no sentido de que, se fosse um pouquinho diferente, o universo seria muito diferente e presumivelmente nada propício à vida.*

Um exemplo dos seis números de Rees é a magnitude da chamada "força forte", a força que liga os componentes do núcleo do átomo: a força nuclear que tem de ser superada quando se "divide" o átomo. Ela é medida como E, a proporção da massa de um núcleo de hidrogênio que é convertida em energia quando o hidrogênio se funde para formar o hélio. O valor desse número em nosso universo é 0,007, e aparentemente era preciso que ele fosse muito próximo a esse valor para que pudesse existir qualquer química (que é um pré-requisito para a vida). A química, do modo como a conhecemos, consiste na combinação e

* Digo "presumivelmente" em parte porque não sabemos como podem ser as várias formas de vida alienígena, e em parte porque é possível que estejamos enganados ao levar em conta apenas as consequências de mudar uma constante por vez. Não poderia haver outra *combinação* de valores dos seis números que resultasse propícia à vida, de maneiras que não conseguimos descobrir se consideramos apenas um por vez? De qualquer maneira, procederei, em nome da simplicidade, como se realmente tivéssemos um grande problema a ser explicado na aparente sintonia fina das constantes fundamentais.

na recombinação de mais ou menos noventa elementos de ocorrência natural da tabela periódica. O hidrogênio é o mais simples e o mais comum dos elementos. Todos os outros elementos do universo são feitos, em última instância, de hidrogênio, pela fusão nuclear. A fusão nuclear é um processo complicado que ocorre nas condições extremamente quentes do interior das estrelas (e nas bombas de hidrogênio). Estrelas relativamente pequenas, como nosso Sol, são capazes de produzir apenas elementos leves como o hélio, o segundo mais leve da tabela periódica, depois do hidrogênio. São necessárias estrelas maiores e mais quentes para gerar as altas temperaturas necessárias para forjar a maioria dos elementos mais pesados, numa cascata de processos de fusão nuclear cujos detalhes foram descritos por Fred Hoyle e dois colegas (uma realização pela qual, misteriosamente, Hoyle não teve direito à parcela do prêmio Nobel recebido pelos outros). Essas grandes estrelas podem explodir na forma de supernovas, espalhando seus materiais, inclusive os elementos da tabela periódica, em nuvens de poeira. As nuvens de poeira acabam se condensando e formando novas estrelas e planetas, como o nosso. É por isso que a Terra é rica em elementos que vão além do onipresente hidrogênio: elementos sem os quais a química — e a vida — seria impossível.

O ponto relevante aqui é que o valor da força forte determina de forma crucial quão longe na tabela periódica vai a cascata de fusão nuclear. Se a força fosse pequena demais, de 0,006 em vez de 0,007, por exemplo, o universo não teria nada além de hidrogênio, e daí nenhuma química interessante poderia resultar. Se ela fosse grande demais, de 0,008, por exemplo, todo o hidrogênio teria se fundido e criado elementos mais pesados. Uma química sem hidrogênio não teria sido capaz de gerar a vida como a conhecemos. Em primeiro lugar, não haveria água. O valor Cachinhos Dourados — 0,007 — é o ideal para produzir a riqueza de elementos de que precisamos para que haja uma química interessante e capaz de sustentar a vida.

Não vou examinar o restante dos seis números de Rees. O ponto principal de cada um deles é o mesmo. O número real fica numa faixa Cachinhos Dourados de valores fora da qual a vida não teria sido possível. Como deveríamos responder a isso? Mais uma vez, temos a resposta teísta de um lado e a resposta antrópica do outro. A teísta diz que Deus, quando criou o universo, sintonizou as constantes fundamentais do universo para que cada uma delas ficasse em sua zona Cachinhos Dourados para a produção da vida. É como se Deus tivesse seis botões que pudesse ajustar, e tivesse girado cuidadosamente cada um deles até o seu valor Cachinhos Dourados. Como sempre, a resposta teísta é profundamente insatisfatória, porque deixa inexplicada a existência de Deus. Um Deus capaz de calcular os valores Cachinhos Dourados para os seis números teria de ser no mínimo tão improvável quanto a própria combinação afinada dos números, e isso é mesmo muito improvável — esta, na verdade, é a premissa de toda a discussão que estamos mantendo. Assim, a resposta teísta não consegue obter nenhum avanço para solucionar o problema de que estamos tratando. Não vejo alternativa senão desqualificá-la, estupefato ao mesmo tempo com o número de pessoas que não conseguem enxergar o problema e parecem genuinamente satisfeitas com o argumento do "Ajustador de Botões Divino".

Talvez a razão psicológica para essa incrível cegueira tenha a ver com o fato de muita gente não ter sido conscientizada, como os biólogos, pela seleção natural e seu poder de domar a improbabilidade. J. Anderson Thomson, de sua perspectiva de psiquiatra evolucionário, aponta uma outra razão, a tendência psicológica que todos nós temos para personificar objetos inanimados e enxergá-los como agentes. Como diz Thomson, somos mais inclinados a confundir uma sombra com um ladrão que um ladrão com uma sombra. Um falso positivo pode ser uma perda de tempo. Um falso negativo pode ser fatal. Numa carta para mim, ele sugeriu que, em nosso passado ancestral, nosso maior desafio em nosso ambiente eram os outros. "O legado disso é a suposição automática, muitas vezes com medo, da intenção humana. Temos grande dificuldade de enxergar outra coisa que não a causação *humana.*" Naturalmente generalizamos isso para a intenção divina. Retornarei à sedução dos "agentes" no capítulo 5.

Os biólogos, conscientizados para o poder da seleção natural como explicação das coisas improváveis, dificilmente ficarão satisfeitos com qualquer teoria que fuja do problema da improbabilidade. E a resposta teísta para o problema da improbabilidade é uma fuga de proporções estupendas. É mais que a reformulação do mesmo problema, é uma amplificação grotesca dele. Voltemo-nos, então, para a alternativa antrópica. A resposta antrópica, em sua forma mais genérica, é que só poderíamos estar discutindo a questão num universo que fosse capaz de nos produzir. Nossa existência, portanto, determina que as constantes fundamentais da física tinham de estar em suas respectivas zonas Cachinhos Dourados. Físicos diferentes adotam tipos diferentes de solução antrópica para o problema de nossa existência.

Físicos pragmáticos dizem que os seis ajustes na verdade nunca tiveram a liberdade de variar. Quando finalmente chegarmos à almejada Teoria de Tudo, veremos que os seis números-chave dependem uns dos outros, ou de alguma coisa que ainda não se sabe qual é, de maneira que hoje não conseguimos imaginar. É possível que os seis números se revelem impedidos de variar, assim como a proporção da circunferência de um círculo para seu diâmetro. Ficará evidente que só há um modo como o universo pode existir. Longe de um Deus que precise girar seis botões de ajuste, não há botões a serem ajustados.

Outros físicos (o próprio Martin Rees é um exemplo) consideram essa explicação pouco satisfatória, e acho que concordo com eles. É perfeitamente plausível que só haja uma maneira como o universo possa existir. Mas por que ela teve de ser tão adequada à nossa evolução? Por que ela teve de ser o tipo de universo que quase parece que, nas palavras do físico teórico Freeman Dyson, "sabia que estávamos chegando"? O filósofo John Leslie usa a analogia de um homem condenado à morte pelo pelotão de fuzilamento. Há uma possibilidade mínima de que todos os dez homens do pelotão de fuzilamento errem o alvo. Em retrospecto, o sobrevivente que se veja na posição de refletir a respeito de sua sorte pode dizer, contente: "Bem, obviamente todos erraram, ou eu não estaria aqui pensando nisso". Mas ele ainda poderia, compreensivelmente, especular por que todos erraram, e flertar com a hipótese de que eles tenham sido subornados, ou então estivessem bêbados.

Essa objeção pode ser respondida pela sugestão, sustentada pelo próprio Martin Rees, de que existem muitos universos, coexistindo como bolhas de espuma, num "multiverso" (ou "megaverso", como Leonard Susskind prefere chamá-lo).* As leis e constantes de qualquer universo, como nosso universo observável, são leis locais. O multiverso como um todo tem uma pletora de conjuntos alternativos de leis locais. O princípio antrópico aparece para explicar que temos de estar em um desses universos (presumivelmente uma minoria) cujas leis locais por acaso foram propícias à nossa evolução, e daí passar à contemplação do problema.

Uma versão intrigante da teoria do multiverso provém das considerações sobre o destino final de nosso universo. Depen-

* Susskind (2006) faz uma defesa esplêndida do princípio antrópico no megaverso. Ele diz que a ideia é abominada pela maioria dos físicos. Não entendo por quê. Acho que ela é linda — talvez por eu ter sido conscientizado por Darwin.

dendo dos valores de números como as seis constantes de Martin Rees, nosso universo pode estar destinado a se expandir indefinidamente, ou pode se estabilizar num equilíbio, ou a expansão pode se reverter e virar contração, culminando no chamado "big crunch". Alguns modelos de big crunch preveem que o universo voltaria a se expandir, e assim por diante, num ciclo de, digamos, 20 bilhões de anos. O modelo-padrão para o nosso universo diz que o tempo começou no big bang, junto com o espaço, cerca de 13 bilhões de anos atrás. O modelo da série de big crunchs corrigiria essa declaração: nosso tempo e espaço realmente começaram no nosso big bang, mas foi apenas o mais recente numa longa série de big bangs, cada um iniciado pelo big crunch que encerrou o universo anterior da série. Ninguém entende o que acontece em singularidades como o big bang, portanto é concebível que as leis e as constantes sejam zeradas e tenham novos valores a cada vez. Se os ciclos de bang-expansão-contração-crunch vêm acontecendo desde sempre, como num acordeão cósmico, temos uma versão seriada, e não paralela, de multiverso. Mais uma vez, o princípio antrópico exerce seu papel explanatório. De todos os universos da série, apenas uma minoria tem o "dial" acertado para condições biogênicas. E, é claro, o universo atual tem de estar nessa minoria, porque estamos nele. Essa versão seriada de multiverso precisa ser hoje considerada menos provável do que no passado, porque evidências recentes estão começando a nos afastar do modelo do big crunch. Parece, agora, que nosso universo está destinado a se expandir para sempre.

Outro físico teórico, Lee Smolin, desenvolveu uma variante darwiniana tentadora para a teoria do multiverso, incluindo elementos seriados e paralelos. A ideia de Smolin, exposta em *A vida do cosmos*, sustenta-se na teoria de que universos-filhos nascem de universos-pais, não num big crunch completo, mas de modo mais local, em buracos negros. Smolin acrescenta uma forma de hereditariedade: as constantes fundamentais de um universo-filho são versões ligeiramente "mutadas" das constantes de seu progenitor. A hereditariedade é o ingrediente essencial da seleção natural darwiniana, e o restante da teoria de Smolin vem naturalmente. Os universos que têm o necessário para "sobreviver" e "reproduzir-se" acabam predominando no multiverso. O "necessário" inclui durar tempo suficiente para se "reproduzir". Como o ato da reprodução acontece nos buracos negros, os universos bem-sucedidos precisam ter o necessário para criar buracos negros. Essa capacidade exige várias outras propriedades. Por exemplo, a tendência da matéria de se condensar em nuvens e depois em estrelas é um pré-requisito para produzir buracos negros. As estrelas, como já vimos, também são precursoras do desenvolvimento de uma química interessante, e portanto da vida. Assim, sugere Smolin, houve uma seleção natural darwiniana de universos no multiverso, favorecendo diretamente a evolução da fecundidade nos buracos negros e indiretamente a produção da vida. Nem todos os físicos ficaram entusiasmados com a ideia de Smolin, embora o físico e prêmio Nobel Murray Gell-Mann tenha dito, segundo uma citação: "Smolin? Não é aquele jovem com aquelas ideias malucas? Ele pode não estar enganado".[70] Um biólogo sarcástico poderia se perguntar se alguns outros físicos não estão precisando de um pouco de conscientização darwiniana.

É tentador pensar (e muitos sucumbiram) que postular uma pletora de universos é um luxo exagerado que não deveria ser permitido. Se é para nos permitir a extravagância de um multiverso, afirma o argumento, também poderíamos chutar o balde logo de uma vez e permitir a existência de um Deus. Não se trata de duas hipóteses igualmente excessivas ad hoc, e igualmente insatisfatórias? As pessoas que pensam assim não foram conscientizadas pela seleção natural. A diferença principal entre a hipótese da existência de Deus genuinamente extravagante e a hipótese aparentemente extravagante do multiverso é de improbabilidade estatística. O multiverso, com toda a sua extravagância, é simples. Deus, ou qualquer agente inteligente, capaz de tomar decisões e de fazer cálculos, teria de ser altamente improvável, no mesmíssimo sentido estatístico das entidades que se supõe que ele explique. O multiverso pode parecer extravagante no mero *número* de universos. Mas, se cada um desses universos for simples em suas leis fundamentais, não estamos postulando nada de muito improvável. É preciso dizer exatamente o contrário sobre qualquer tipo de inteligência.

Alguns físicos são conhecidos por sua religiosidade (Russell Stannard e o reverendo John Polkinghorne são os dois exemplos britânicos que já mencionei). Como era de imaginar, eles aproveitam a improbabilidade da sintonia das constantes físicas em suas razoavelmente estreitas zonas Cachinhos Dourados para sugerir que deve haver uma inteligência cósmica que fez a sintonia deliberadamente. Já desqualifiquei todas essas sugestões porque elas suscitam problemas maiores que os que solucionam. Mas que tentativas os teístas fizeram de responder? Como eles lidam com o argumento de que qualquer Deus capaz de projetar um universo, cuidadosa e sagazmente sintonizado para levar à nossa evolução, precisa ser uma entidade de suprema complexidade e improbabilidade, que exige uma explicação maior que aquela que ele supostamente dá?

O teólogo Richard Swinburne, como já aprendemos a esperar, acha que tem uma resposta para esse problema, e ele a expõe em seu livro *Is there a God?*. Ele começa mostrando que tem o coração no lugar certo, demonstrando de modo convincente por que devemos sempre preferir a hipótese mais simples a se encaixar nos fatos. A ciência explica coisas complexas em termos da interação de coisas mais simples, até o extremo da interação das partículas fundamentais. Eu (e ouso dizer você) acho uma ideia de uma simplicidade encantadora a de que todas as coisas são feitas de partículas fundamentais que, embora numerosíssimas, provêm de um grupo pequeno e limitado de *tipos* de partícula. Se somos céticos, é provável que seja porque achemos a ideia simples demais. Mas para Swinburne ela não é nada simples, pelo contrário.

Como o número de partículas de qualquer um dos tipos, elétrons, por exemplo, é grande, Swinburne acha coincidência demais que tantas tenham as mesmas propriedades. Um elétron ele engoliria. Mas bilhões e bilhões de elétrons, *todos com as mesmas propriedades*, isso é o que realmente instiga sua incredulidade. Para ele seria mais simples, mais natural, menos carecedor de explicação, se todos os elétrons fossem diferentes entre si. Pior, nenhum elétron deveria manter naturalmente suas propriedades por mais que um instante por vez; cada um deles deveria mudar, caprichosa, aleatória e fugazmente a cada momento. Essa é a visão de Swinburne para o estado simples, nativo das coisas. Qualquer coisa mais uniforme (o que eu ou você chamaríamos de mais simples) exige uma explicação especial. "É só porque os elétrons e pedacinhos de cobre e todos os outros objetos materiais têm os mesmos poderes no século XX do que tinham no século XIX que as coisas são como são agora."

Entra Deus. Deus vem ao resgate mantendo deliberada e continuamente as propriedades de todos esses bilhões de elétrons e pedacinhos de cobre, e neutralizando sua inclinação inata para a flutuação errática e tresloucada. É por isso que, quando você vê um elétron, já viu todos; é por isso que pedacinhos de cobre agem todos como pedacinhos de cobre, e é por isso que cada elétron e cada pedacinho de cobre permanecem iguais a cada microssegundo e a cada século. É porque Deus mantém permanentemente o dedo em cada uma das partículas, contendo seus excessos e organizando-as junto com suas companheiras, fazendo com que elas fiquem sempre iguais.

Mas como Swinburne pode sustentar que sua hipótese, a de que Deus mantém 1 zilhão de dedos ao mesmo tempo em elétrons rebeldes, é uma hipótese *simples*? Ela é, claro, exatamente o contrário da simplicidade. Swinborne se sai com uma peça de *chutzpah* intelectual de tirar o fôlego. Ele afirma, sem justificar, que Deus é uma substância *única*. Que incrível economia de causas explicativas, comparada com todos aqueles zilhões de elétrons independentes que só por acaso são iguais!

> O teísmo alega que todos os objetos que existem têm uma causa para existir e são mantidos na existência por apenas uma substância, Deus. E alega que todas as propriedades que cada substância tem devem-se ao fato de Deus tê-la causado ou ter permitido sua existência. A marca registrada das explicações simples é postular poucas causas. Não poderia haver, nesse sentido, explicação mais simples que aquela que postula apenas uma causa. O teísmo é mais simples que o politeísmo. E o teísmo postula para sua causa única uma pessoa [com] poder infinito (Deus pode fazer tudo que seja logicamente possível), conhecimento infinito (Deus sabe tudo que seja logicamente possível saber) e liberdade infinita.

Swinburne admite generosamente que Deus não é capaz de realizar feitos que sejam *logicamente* impossíveis, e pode-se ficar grato por tal contenção. Dito isso, não há limite para os fins explanatórios para os quais o poder infinito de Deus é empregado. A ciência está tendo um pouco de dificuldade para explicar X? Tudo bem. Deixe X para lá. O poder infinito de Deus é convocado sem problemas para explicar X (junto com tudo o mais), e é sempre uma explicação de uma *simplicidade* suprema, porque, afinal de contas, só existe um Deus. O que poderia ser mais simples que isso?

Bem, na verdade, quase tudo. Um Deus capaz de monitorar e controlar permanentemente o status individual de cada partícula do universo *não pode* ser simples. Só sua existência já exigirá uma explicação do tamanho de um mamute. Pior que isso (do ponto de vista da simplicidade), outros cantos da consciência gigantesca de Deus estão ao mesmo tempo preocupados com os atos e as emoções e as orações de cada ser humano — e de quaisquer alienígenas inteligentes que possam existir nos outros planetas nesta e nos 100 bilhões de outras galáxias. Ele até, segundo Swinburne, tem de decidir constantemente *não* intervir milagrosamente para nos salvar quando ficamos com câncer. Isso jamais poderia acontecer, porque, "se Deus atendesse à maioria das orações para que um parente se recuperasse do câncer, o câncer não seria mais um problema a ser solucionado pelos seres humanos". E *aí* o que íamos fazer com todo o nosso tempo livre?

Nem todos os teólogos vão tão longe quanto Swinburne. Mesmo assim, a notável sugestão de que a Hipótese de que Deus Existe é *simples* pode ser encontrada em outros escritos teológicos modernos. Keith Ward, então professor régio de divindade em Oxford, foi muito claro a respeito da questão em seu livro *God, chance and necessity*, de 1996:

> Na realidade, o teísta alega que Deus é uma explicação bastante elegante, econômica e pródiga para a existência do universo. É econômica porque atribui a existência e a natureza de absolutamente tudo no universo a apenas um ser, a causa definitiva responsável pela razão da existência de tudo, inclusive de si mesmo. É elegante porque a partir de uma ideia central — a ideia do mais perfeito ser possível — é possível explicar de forma inteligível toda a natureza de Deus e a existência do universo.

Assim como Swinburne, Ward equivoca-se quanto ao que significa explicar alguma coisa, e também parece não entender o que significa dizer que alguma coisa é simples. Não tenho certeza se Ward realmente acha que Deus é simples ou se o trecho anterior foi apenas um exercício temporário "pelo bem do argumento". Sir John Polkinghorne, em *Science and Christian belief* [Ciência e fé cristã], cita as críticas prévias de Ward ao pensamento de Tomás de Aquino: "Seu erro básico é supor que Deus é simples em termos lógicos — simples não apenas no sentido de ser indivisível, mas no sentido bem mais contundente de que o que vale para qualquer parte de Deus vale para o todo. É bastante coerente, porém, supor que Deus, embora indivisível, seja internamente complexo". Ward capta bem a questão aqui. O biólogo Julian Huxley, em 1912, definiu complexidade como "heterogeneidade de partes", termo que implicava uma espécie particular de indivisibilidade.[71]

De resto, Ward dá evidências da dificuldade que a mente teológica tem em perceber de onde vem a complexidade da vida. Ele cita outro cientista-teólogo, o bioquímico Arthur Peacocke (o terceiro integrante do meu trio de cientistas religiosos britânicos), afirmando que ele postula a existência, na matéria viva, de uma "propensão à complexidade cada vez maior". Ward caracteriza isso como "uma tendência inerente da mudança evolucionária que favorece a complexidade". Ele prossegue sugerindo que tal tendência "deve ter algum peso no processo mutacional, para garantir que mutações mais complexas ocorram". Ward é cético quanto a isso, como devia ser. O impulso evolutivo na direção da complexidade não vem, nas linhagens em que ele aparece, de nenhuma propensão inerente à complexidade, nem de mutações tendenciosas. Ele vem da seleção natural: o processo que, até onde sabemos, é o único capaz de gerar complexidade a partir da simplicidade. A teoria da seleção natural é genuinamente simples. Assim como a origem de onde ela parte. Aquilo que ela explica, por outro lado, é tão complexo que quase não dá para explicar: mais complexo que qualquer coisa que possamos imaginar, tirando um Deus capaz de projetá-la.

## UM INTERLÚDIO EM CAMBRIDGE

Numa conferência recente em Cambridge sobre ciência e religião, onde apresentei o argumento que aqui estou chamando de argumento do 747 Definitivo, encontrei o que, para dizer o mínimo, foi um fracasso cordial da realização de uma reunião de cabeças pensantes em torno da questão da simplicidade de Deus. A experiência foi reveladora, e gostaria de compartilhá-la.

Primeiro devo confessar (essa é provavelmente a palavra certa) que a conferência foi patrocinada pela Fundação Templeton. O público era um pequeno número de jornalistas científicos escolhidos a dedo, da Grã-Bretanha e dos Estados Unidos. Eu era o pobre ateu em meio aos dezoito palestrantes convidados. Um dos jornalistas, John Horgan, afirmou que cada um deles recebeu a bela quantia de 15 mil dólares para participar da conferência, além de todas as despesas pagas. Isso me surpreendeu. Minha longa experiência em conferências acadêmicas não inclui nenhum caso em que a audiência (e não os conferencistas) tenha sido paga para participar. Se eu tivesse sabido, minhas suspeitas teriam imediatamente sido atiçadas. Estava a Templeton usando seu dinheiro para subornar jornalistas da área da ciência e subverter sua integridade científica? John Horgan depois questionou a mesma coisa e escreveu um artigo sobre a experiência.[72] Nele, ele revelou, para meu desgosto, que a propaganda sobre o meu envolvimento como conferencista tinha contribuído para que ele e outras pessoas superassem suas dúvidas:

> O biólogo britânico Richard Dawkins, cuja participação no encontro ajudou a me convencer e a outros companheiros de sua le-

gitimidade, foi o único conferencista que denunciou que as crenças religiosas são incompatíveis com a ciência, irracionais e prejudiciais. Os outros conferencistas — três agnósticos, um judeu, um deísta e doze cristãos (um filósofo muçulmano cancelou sua participação em cima da hora) — ofereceram uma perspectiva claramente distorcida a favor da religião e do cristianismo.

O artigo de Horgan é, ele mesmo, de uma ambivalência cativante. Apesar de suas reservas, houve aspectos da experiência que ele claramente valorizou (assim como eu, como ficará claro a seguir). Horgan escreveu:

> Minhas conversas com os fiéis aprofundaram minha avaliação dos motivos que levam pessoas inteligentes e cultas a abraçar a religião. Um repórter discutiu a experiência do dom de línguas, e outro descreveu o relacionamento íntimo que mantém com Jesus. Minhas convicções não mudaram, mas as de outros sim. Pelo menos um companheiro disse que sua fé estava balançada em consequência da dissecação da religião feita por Dawkins. E, se a Fundação Templeton pode ajudar a proporcionar um passo minúsculo na direção do meu ideal de um mundo sem religião, que mal poderia fazer?

O artigo de Horgan foi republicado pelo agente literário John Brockman em seu site Edge (muitas vezes descrito como um *salon* científico on-line), onde provocou respostas variadas, incluindo a do físico teórico Freeman Dyson. Respondi a Dyson, citando o discurso que ele proferiu ao receber o prêmio Templeton. Tenha gostado ou não, quando aceitou o prêmio Templeton Dyson enviou um sinal poderoso para o mundo. Ele seria tomado como o endosso da religião por um dos físicos mais destacados do mundo.

Estou satisfeito em fazer parte da multidão de cristãos que não ligam muito para a doutrina da Trindade ou para a verdade histórica dos evangelhos.

Mas isso não é exatamente o que qualquer cientista ateu *diria*, se quisesse soar cristão? Fiz mais citações do discurso de Dyson, entremeando-as de forma satírica com perguntas imaginárias (em itálico) para um integrante da Templeton:

*Ah, você quer também alguma coisa um pouco mais profunda? Que tal:*

"Não faço nenhuma distinção clara entre a mente e Deus. Deus é o que a mente se torna quando ultrapassa a escala de nossa compreensão".

*Já disse o suficiente? Posso voltar à física agora? Ah, ainda não? O.k., então, que tal isso:*

"Até mesmo na temerária história do século XX, vejo evidências de progresso na religião. Os dois indivíduos que tipificaram os demônios de nosso século, Adolf Hitler e Josef Stálin, eram ambos ateus".*

*Posso ir agora?*

Dyson poderia facilmente refutar a implicação dessas citações de seu discurso de aceitação do prêmio Templeton se explicasse claramente quais são as evidências que encontra para acreditar em Deus, num sentido maior que o sentido einsteniano que, como expliquei no capítulo 1, todos nós podemos adotar sem ressalvas. Se eu entendo a tese de Horgan, ela é que o dinhei-

* Essa calúnia será discutida no capítulo 7.

ro da Templeton corrompe a ciência. Tenho certeza de que Freeman Dyson está muito acima de ser corrompido. Mas seu discurso de aceitação ainda assim é infeliz, se parece estabelecer um exemplo para outras pessoas. O prêmio Templeton é duas ordens de magnitude maior que os incentivos oferecidos aos jornalistas em Cambridge, e foi explicitamente estabelecido para ser maior que o prêmio Nobel. Numa veia fáustica, meu amigo, o filósofo Daniel Dennett, uma vez brincou comigo: "Richard, se algum dia você cair em tempos difíceis...".

Para o bem ou para o mal, participei de dois dias da conferência em Cambridge, proferindo uma palestra e tomando parte na discussão em várias outras. Desafiei os teólogos a responder ao problema de que um Deus capaz de projetar um universo, ou qualquer outra coisa, teria de ser complexo e estatisticamente improvável. A resposta mais contundente que ouvi foi que eu estava forçando brutalmente uma epistemologia científica goela abaixo de uma teologia relutante.* Os teólogos sempre definiram Deus como algo simples. Quem era eu, um cientista, para dizer aos teólogos que o Deus deles tinha de ser complexo? Argumentos científicos, como os que eu estava acostumado a empregar em minha área, eram inadequados, já que os teólogos sempre sustentaram que Deus está fora do âmbito da ciência.

Não fiquei com a impressão de que os teólogos que montaram essa defesa evasiva estivessem sendo desonestos de propósito. Acho que estavam sendo sinceros. Mesmo assim, não consegui deixar de me lembrar do comentário de Peter Medawar sobre *O fenômeno humano*, do padre Teilhard de Chardin, ao longo daquela que provavelmente seja a resenha mais negativa que um livro já recebeu em todos os tempos: "Seu autor só pode ser eximido de desonestidade porque, antes de enganar os outros, fez de tudo

* Essa acusação remete ao MNI, cujas alegações exageradas discuti no capítulo 2.

para enganar a si mesmo".[73] Os teólogos de meu encontro em Cambridge estavam se *autodefinindo* numa Zona de Segurança epistemológica onde ficavam imunes aos argumentos racionais, porque haviam *decretado* que assim era. Quem era eu para dizer que o argumento racional era o único tipo admissível de argumento? Existem outros meios de conhecimento além do científico, e é um desses outros meios de conhecimento que precisa ser empregado para conhecer a Deus.

O mais importante entre esses outros meios de conhecimento revelou-se a experiência pessoal e subjetiva de Deus. Vários debatedores em Cambridge alegaram que Deus havia falado com eles, dentro da cabeça deles, de modo tão real e tão pessoal como qualquer outro ser humano teria falado. Já tratei da ilusão e da alucinação no capítulo 3 ("O argumento da experiência pessoal"), mas na conferência de Cambridge acrescentei mais dois pontos. Em primeiro lugar, se Deus realmente se comunicasse com seres humanos, esse fato não estaria, de jeito nenhum, fora do âmbito da ciência. Deus aparece vindo de onde quer que fiquem seus domínios sobrenaturais e aterrissa no nosso mundo, onde suas mensagens podem ser interceptadas por cérebros humanos — e esse fenômeno não tem nada a ver com a ciência? Em segundo lugar, um Deus que é capaz de enviar sinais inteligíveis a milhões de pessoas simultaneamente, e de receber mensagens de todas elas simultaneamente, não pode ser, de jeito nenhum, simples. Isso é que é banda larga! Deus pode não ter um cérebro feito de neurônios, ou uma CPU feita de silício, mas se possui os poderes que lhe são atribuídos deve ter alguma coisa de construção bem mais elaborada — e nada aleatória — que o maior cérebro ou o maior computador que conhecemos.

Continuamente meus amigos teólogos voltavam à questão de que tinha de haver um motivo para alguma coisa existir, em vez de existir o nada. É preciso haver uma causa inicial para tudo, e a ela podemos chamar Deus. Sim, eu disse, mas ela precisa ter sido simples e portanto, seja qual for o modo como a chamemos, Deus não é um nome adequado (a menos que neguemos de modo explícito toda a bagagem que a palavra "Deus" carrega na cabeça dos crentes mais religiosos). A causa primordial que buscamos tem de ter sido a base simples para um guindaste autossuficiente que acabou elevando o mundo, como nós o conhecemos, a sua existência complexa atual. Sugerir que esse motor primário e original era complicado o suficiente para se dar ao luxo de fazer o design inteligente, sem falar do fato de ler os pensamentos de milhões de seres humanos ao mesmo tempo, é o equivalente a dar a você mesmo uma mão perfeita no bridge. Dê uma olhada em volta para o mundo cheio de vida, para a floresta amazônica com seu rico entrelaçamento de lianas, bromélias, raízes e arcos; seus exércitos de formigas e suas onças, suas antas e seus porcos-do-mato, suas pererecas e seus papagaios. Você está olhando para o equivalente estatístico a uma mão perfeita de baralho (pense em todos os outros modos como você poderia trocar as partes, sendo que nenhuma funcionaria) — exceto pelo fato de que sabemos como ela surgiu: pelo guindaste gradual da seleção natural. Não são só os cientistas que se revoltam com a aceitação muda de que tamanha improbabilidade tenha surgido espontaneamente; o bom senso também empaca. Sugerir que a causa primeira, o grande desconhecido que é responsável por alguma coisa existir, é um ser capaz de projetar o universo e de falar com 1 milhão de pessoas simultaneamente é a abdicação completa da responsabilidade de encontrar uma explicação. É uma manifestação temerosa de um "guinchismo celeste" indulgente e cego.

Não estou defendendo uma espécie de pensamento estritamente científico. Mas o mínimo dos mínimos que qualquer investigação honesta da verdade deve ter, ao tentar explicar tamanhas monstruosidades de improbabilidade como uma floresta tropical, um recife de corais ou um universo, é um guindaste, e não um guincho celeste. Esse guindaste não precisa ser a seleção natural. É verdade que ninguém nunca pensou em alternativa melhor. Mas pode haver outras ainda a ser descobertas. Talvez a "inflação" que os físicos postulam ter ocupado uma fração do primeiro setilionésimo de segundo da existência do universo revele-se, quando for entendida melhor, um guindaste cosmológico que faça par com o biológico de Darwin. Ou talvez o guindaste elusivo que os cosmólogos buscam seja uma versão da própria ideia de Darwin: ou o modelo de Smolin ou alguma coisa parecida. Ou talvez seja o multiverso mais o princípio antrópico encampado por Martin Rees e outros pesquisadores. Pode até ser um designer sobre-humano — mas, se for esse o caso, certamente *não* será um designer que simplesmente apareceu e começou a existir, ou que sempre existiu. Se (coisa em que não acredito nem por um instante) nosso universo foi projetado, e *a fortiori* se o projetista ler nossos pensamentos e nossas ações com conselhos, perdão e redenção oniscientes, esse projetista tem de ser o produto final de algum tipo de escada cumulativa ou guindaste, quem sabe uma versão do darwinismo em outro universo.

O último recurso da defesa daqueles que me criticavam em Cambridge foi o ataque. Toda a minha visão de mundo foi condenada, considerada "oitocentista". É um argumento tão ruim que quase o deixei de fora. Mas infelizmente eu o encontro com bastante frequência. Nem é preciso dizer que chamar um argumento de oitocentista não é a mesma coisa que explicar o que há de errado com ele. Algumas ideias oitocentistas eram muito boas, como a própria e perigosa ideia de Darwin. De todo modo, essa forma específica de xingamento pareceu um tanto forte vindo, como veio, de um indivíduo (um geólogo destacado de Cambridge, certamente já com um bom caminho andado na faustiana rota para um futuro prêmio Templeton) que justificou sua própria crença cristã invocando o que ele chamou de a historicidade do Novo Testamento. Foi exatamente no século XIX que teólogos, especialmente na Alemanha, colocaram em séria dúvida essa suposta historicidade, usando métodos baseados em evidências do estudo de história para fazê-lo. Isso foi, aliás, mencionado apressadamente pelos teólogos na conferência de Cambridge.

De qualquer maneira, já conheço o sarcasmo "oitocentista" faz tempo. Ele vem junto com o ataque do "ateu provinciano". Vem junto com o "ao contrário do que você parece achar, ha-ha-ha, não acreditamos mais num velhinho de barbas brancas e compridas, ha-ha-ha". Todas as três piadas são a senha para outra coisa, assim como, quando morei nos Estados Unidos, no fim dos anos 1960, "lei e ordem" era a senha para o preconceito contra os negros.* Qual, então, é o significado oculto de "Você é tão oitocentista" no contexto de uma discussão sobre religião? É a senha para: "Você é tão bruto, tão pouco sutil, como pode ser tão insensível e mal-educado a ponto de me fazer uma pergunta direta, à queima-roupa, como 'Você acredita em milagres?' ou 'Você acredita que Jesus nasceu de uma virgem?'. Você não sabe que entre pessoas educadas não se faz esse tipo de pergunta? Esse tipo de pergunta acabou no século XIX". Mas reflita por que é indelicado fazer perguntas tão diretas e factuais para as pessoas religiosas hoje em dia. É porque dá vergonha! Só que é a resposta que dá vergonha, se ela for sim.

A conexão com o século XIX agora está clara. O século XIX foi o último momento em que foi possível para uma pessoa culta admitir acreditar em milagres como a gravidez da virgem sem

* Na Grã-Bretanha, "centro velho" das cidades [*inner cities*] tinha o mesmo significado codificado, o que fez Auberon Waugh mencionar, hilariamente, os "centros velhos de ambos os sexos".

sentir vergonha. Quando pressionados, muitos cristãos cultos hoje em dia são leais demais para negar a virgindade de Maria e a ressurreição. Mas isso os faz sentir vergonha porque sua mente racional sabe que é absurdo, portanto eles preferem não ser questionados sobre o assunto. Assim, se alguém como eu insiste na pergunta, eu é que sou acusado de ser "oitocentista". É na verdade uma coisa bem engraçada, se pensarmos bem.

Deixei a conferência animado e revigorado, e com minha convicção reforçada de que o argumento da improbabilidade — a tática do 747 Definitivo — é um argumento muito sério contra a existência de Deus, e para o qual ainda não vi nenhum teólogo dar uma resposta convincente, apesar das várias oportunidades e convites para fazê-lo. Dan Dennett descreve bem isso como "uma refutação irrefutável, tão devastadora hoje como quando Filo a usou para derrotar Cleantes nos Diálogos de Hume, dois séculos antes. Um guincho celeste no máximo adiaria a solução para o problema, mas Hume não conseguiu pensar em nenhum guindaste, por isso desabou".[74] Darwin, é claro, forneceu o guindaste vital. Como Hume o teria adorado!

Este capítulo abordou o argumento central do meu livro e, portanto, com o risco de soar repetitivo, vou resumi-lo numa série de pontos numerados:

1 Um dos grandes desafios para o intelecto humano, ao longo dos séculos, vem sendo explicar de onde vem a aparência complexa e improvável de design no universo.

2 A tentação natural é atribuir a aparência de design a um design verdadeiro. No caso de um artefato de fabricação humana, como um relógio, o projetista realmente era um engenheiro inteligente. É tentador aplicar a mesma lógica a um olho ou a uma asa, a uma aranha ou a uma pessoa.

3 A tentação é falsa, porque a hipótese de que haja um projetista suscita imediatamente o problema maior sobre quem projetou o projetista. O problema que tínhamos em nossas mãos quando começamos era o da improbabilidade estatística. Obviamente não é solução postular uma coisa ainda mais improvável. Precisamos de um "guindaste", não de um "guincho celeste", pois apenas um guindaste é capaz de avançar de forma gradativa e plausível da simplicidade para a complexidade, que de outra maneira seria improvável.

4 O guindaste mais engenhoso e poderoso descoberto até agora é a evolução darwiniana, pela seleção natural. Darwin e seus sucessores mostraram como as criaturas vivas, com sua improbabilidade estatística espetacular e enorme aparência de ter sido projetadas, evoluíram através de degraus gradativos, a partir de um início simples. Podemos dizer hoje com segurança que a ilusão do design nas criaturas vivas não passa disso — uma ilusão.

5 Não temos ainda um guindaste equivalente para a física. Alguma teoria do tipo da do multiverso pode em princípio fazer pela física o mesmo trabalho explanatório que o darwinismo fez pela biologia. Esse tipo de explicação é, na superfície, menos satisfatório que a versão biológica do darwinismo, porque faz exigências maiores à sorte. Mas o princípio antrópico nos dá o direito de postular uma dose de sorte bem maior que aquela com a qual nossa intuição humana limitada consegue se sentir confortável.

6 Não devemos perder a esperança de que surja um guindaste melhor na física, algo tão poderoso quanto o darwinismo é para a biologia. Mas, mesmo na ausência de um guindaste altamente satisfatório equivalente ao biológico, os guindastes relativamente fracos que temos hoje são, com a ajuda do princípio antrópico, obviamente melhores que a hipótese contraproducente de um guincho celeste, o projetista inteligente.

Se o argumento deste capítulo for aceito, a premissa factual da religião — a Hipótese de que Deus Existe — fica indefensável. Deus, quase com certeza, não existe. Essa é a principal conclusão do livro até agora. Várias perguntas vêm a seguir. Mesmo que aceitemos que Deus não existe, a religião não serve para muita coisa ainda assim? Ela não é reconfortante? Não incentiva as pessoas a fazer o bem? Se não fosse pela religião, como saberíamos o que é o bem? Por que, de qualquer maneira, ser tão hostil? Por que, se ela é falsa, todas as culturas do mundo têm religião? Verdadeira ou falsa, a religião é onipresente, então qual é a sua origem? É para esta última pergunta que nos voltaremos agora.

# 5. As raízes da religião

*Para um psicólogo evolucionista, a extravagância universal dos rituais religiosos, com seus custos em termos de tempo, recursos, dor e privação, deveria sugerir com a mesma veemência que o bumbum de um mandril que a religião pode ser uma adaptação.*

Marek Kohn

## O IMPERATIVO DARWINISTA

Todo mundo tem uma teoria preferida para a origem da religião e para explicar por que todas as culturas humanas a possuem. Ela oferece consolo e reconforto. Ela estimula o sentimento de união. Ela satisfaz nosso desejo de entender por que existimos. Chegarei a esse tipo de explicação em um minuto, mas quero começar com uma pergunta anterior, que tem precedência pelos motivos que veremos: o questionamento do darwiniano sobre a seleção natural.

Sabendo que somos produtos da evolução darwiniana, devemos perguntar que pressão ou pressões exercidas pela seleção natural favoreceram o impulso à religião. A pergunta ganha urgência com as considerações darwinianas sobre a economia. A religião é tão dispendiosa, tão extravagante; e a seleção darwiniana normalmente visa e elimina o desperdício. A natureza é um contador avarento, apegada aos trocados, de olho no relógio, que pune a mínima extravagância. Incansável e incessantemente, como Darwin explicou, "a seleção natural está examinando a cada dia e a cada hora, no mundo todo, cada variação, mesmo a menor delas; rejeitando as ruins, preservando e acumulando tudo que é bom; trabalhando silenciosa e insensível, sempre que tem oportunidade, no aperfeiçoamento de cada ser orgânico". Se um animal selvagem realiza habitualmente uma atividade inútil, a seleção natural favorecerá os indivíduos rivais que dedicam tempo e energia à sobrevivência e à reprodução. A natureza não pode se dar ao luxo da frivolidade de *jeux d'esprit*. O utilitarismo impiedoso vigora, mesmo quando parece que não.

À primeira vista, a cauda do pavão é um *jeu d'esprit par excellence*. Ela certamente não ajuda em nada na sobrevivência de seu dono. Mas beneficia, sim, os genes que o distinguem de outros rivais menos espetaculares. A cauda é uma propaganda, que garante seu lugar na economia da natureza atraindo as fêmeas. A mesma coisa vale para o trabalho e o tempo que um pássaro caramancheiro* macho dedica a seu caramanchão: uma espécie de cauda exterior, feita de grama, gravetos, frutos coloridos, flores e, quando disponíveis, contas, quinquilharias e tampas de garrafa. Ou, para escolher um exemplo que não envolva a autopropaganda, existe a "formicação": o antigo hábito de pássaros, como as gralhas, de "tomar banho" num formigueiro ou de esfregar formigas nas penas. Ninguém tem certeza de qual é o benefício da formicação — talvez algum tipo de higiene, tirando os parasitas

* "Bower bird". (N. T.)

das penas; há várias outras hipóteses, mas nenhuma delas é sustentada por evidências. A incerteza a respeito dos detalhes, porém, não impede os darwinistas de presumir, com grande convicção, que a formicação deve "servir" para alguma coisa. Nesse caso o senso comum pode concordar, mas a lógica dos darwinistas tem uma razão especial para achar que, se os pássaros não fizessem isso, suas perspectivas estatísticas de sucesso genético seriam prejudicadas, mesmo sem saber ainda qual o caminho exato desse prejuízo. A conclusão provém das premissas gêmeas de que a seleção natural pune o desperdício de tempo e de energia, e de que os pássaros são observados consistentemente dedicando tempo e energia à formicação. Se existe um manifesto desse princípio "adaptacionista" resumido em uma frase, ele foi feito — certamente em termos exagerados e um tanto extremados — pelo destacado geneticista de Harvard Richard Lewontin: "Esse é o ponto com o qual acho que todos os evolucionistas concordam, que é virtualmente impossível fazer um trabalho melhor que o que um organismo faz em seu próprio ambiente".[75] Se a formicação não fosse útil para a sobrevivência e a reprodução, a seleção natural teria há muito tempo favorecido os indivíduos que não a praticam. Um darwinista pode ficar tentado a dizer a mesma coisa sobre a religião; daí a necessidade desta discussão.

Para um evolucionista, os rituais religiosos "destacam-se como pavões numa clareira ensolarada" (palavras de Dan Dennett). O comportamento religioso é uma excrescência que é o equivalente humano da formicação ou da construção de caramanchões. Demanda tempo, demanda energia e frequentemente tem ornamentos tão extravagantes quanto a plumagem da ave-do-paraíso. A religião pode colocar em risco a vida do indivíduo devoto, assim como a de outras pessoas. Milhares de pessoas já foram torturadas por sua lealdade a uma religião, perseguidas por fanáticos por causa de uma fé alternativa que em muitos casos é quase indistinguível. A religião devora recursos, às vezes em escala maciça. Uma catedral medieval era capaz de consumir cem centúrias de homens em sua construção, e jamais foi usada como habitação, ou para qualquer propósito declaradamente útil. Não era uma espécie de cauda de pavão arquitetônica? Se sim, quem era o alvo da propaganda? A música sacra e os quadros religiosos monopolizaram em grande parte o talento medieval e renascentista. Gente devota morreu por seus deuses e matou por eles; chicoteou as costas até sangrar, jurou o celibato de vida inteira ou o silêncio solitário, tudo a serviço da religião. Para que tudo isso? Qual é o benefício da religião?

Por "benefício", o darwinista normalmente quer dizer alguma vantagem para a sobrevivência dos genes do indivíduo. O que está faltando nisso tudo é a importante informação de que o benefício darwiniano não se restringe aos genes de um organismo específico. Há três alvos possíveis e excludentes de benefício. Um vem da teoria da seleção de grupo, e chegarei a ela. O segundo vem da teoria que defendi em *The extended phenotype*: o indivíduo que você observa pode estar agindo sob a influência manipuladora de outro indivíduo, talvez um parasita. Dan Dennett nos lembra que o resfriado comum existe em todos os povos humanos quase da mesma maneira que a religião, mas ninguém ia querer sugerir que o resfriado possa nos ser benéfico. Conhecem-se muitos exemplos de animais que são manipulados para se comportar de uma forma que beneficie a transmissão de um parasita para seu próximo hospedeiro. Resumi essa questão em meu "teorema central do fenótipo estendido": "O comportamento de um animal tende a maximizar a sobrevivência dos genes 'para' aquele comportamento, estejam ou não esses genes no corpo do animal específico que o executa".

Em terceiro lugar, o "teorema central" pode substituir "genes" pelo termo mais genérico "replicadores". O fato de a religião ser onipresente provavelmente significa que ela funcionou em benefício de alguma coisa, que pode não ser nós mesmos ou nossos genes. Pode ter sido em benefício apenas das próprias ideias religiosas, já que elas agem de uma maneira meio que parecida com os genes, como replicadoras. Lidarei com isso adiante, sob o título "Pisa devagar, pois pisas nos meus memes". Enquanto isso, prosseguirei com interpretações mais tradicionais do darwinismo, nas quais se assume que o "benefício" é à sobrevivência individual e à reprodução.

Povos caçadores-coletores como as tribos aborígines australianas vivem mais ou menos como nossos ancestrais. Kim Sterelny, filósofo da ciência neozelandês-australiano, destaca um contraste dramático na vida deles. Por um lado, os aborígines são excelentes sobreviventes sob condições que levem suas habilidades práticas ao limite. Mas, continua Sterelny, embora nossa espécie seja inteligente, temos uma inteligência *perversa*. Os mesmos povos que são tão sábios em relação ao mundo natural e a como sobreviver nele ao mesmo tempo enchem a cabeça de crenças que são evidentemente falsas e para as quais a palavra "inúteis" é generosa demais. Sterelny conhece bem os povos aborígines de Papua Nova Guiné. Eles sobrevivem sob condições árduas, em que é difícil obter comida, à base de um "entendimento de precisão lendária a respeito de seu ambiente biológico. Mas eles combinam esse entendimento com obsessões destrutivas sobre o período menstrual feminino e sobre bruxarias. Muitas das culturas locais são atormentadas pelo medo da bruxaria e da magia, e pela violência que acompanha esses medos". Sterelny desafia-nos a explicar "como podemos ser ao mesmo tempo tão espertos e tão burros".[76]

Embora os detalhes variem pelo mundo, nenhuma cultura conhecida deixa de ter alguma versão dos rituais dispendiosos e trabalhosos, das fantasias antifactuais e contraproducentes da religião. Alguns indivíduos cultos podem ter abandonado a religião, mas todos foram criados dentro de uma cultura religiosa e tiveram de tomar a decisão consciente de romper com ela. A velha piada da Irlanda do Norte — "Tudo bem, mas você é ateu protestante ou ateu católico?" — é temperada por uma verdade amarga. O comportamento religioso pode ser chamado de comportamento universal, do mesmo modo como o comportamento heterossexual. As duas generalizações permitem exceções individuais, mas todas essas exceções compreendem, até bem demais, a norma com a qual tiveram de romper. Características universais de uma espécie exigem uma explicação darwinista.

Obviamente não há nenhuma dificuldade para explicar a vantagem darwinista do comportamento sexual. Trata-se de fazer bebês, mesmo naquelas ocasiões em que a contracepção ou a homossexualidade parecem negá-la. Mas e o comportamento religioso? Por que os seres humanos jejuam, ajoelham-se, fazem genuflexões, autoflagelam-se, inclinam-se maniacamente para um muro, participam de cruzadas ou tomam parte em práticas dispendiosas que podem consumir a vida e, em casos extremos, eliminá-la?

## VANTAGENS DIRETAS DA RELIGIÃO

Há algumas poucas evidências de que a crença religiosa protege as pessoas de doenças relacionadas ao estresse. As evidências não são fortes, mas não seria de surpreender se elas fossem verdadeiras, pelo mesmo motivo que as curas movidas pela fé podem funcionar em alguns casos. Quem dera não fosse necessário acrescentar que tais efeitos benéficos de maneira nenhuma reforçam o valor de verdade das alegações da religião. Nas palavras de George Bernard Shaw, "o fato de um crente ser mais feliz que um cético não quer dizer muito mais que o fato de um homem bêbado ser mais feliz que um sóbrio".

Parte do que um médico pode dar ao paciente é consolo e conforto. Isso não deve ser considerado uma aberração. Meu médico não pratica a cura pela fé postando as mãos sobre mim. Mas muitas vezes me vi instantaneamente "curado" de algum mal menor por uma voz reconfortante, vinda de um rosto inteligente em cima de um estetoscópio. O efeito placebo está bem documentado e nem é tão misterioso assim. Pílulas sem efeito, sem nenhuma ação farmacológica, comprovadamente beneficiam a saúde. É por isso que os ensaios clínicos duplos-cegos de remédios precisam usar placebos como controle. É por isso que os remédios homeopáticos parecem funcionar, mesmo que sejam tão diluídos a ponto de ter a mesma quantidade de ingrediente ativo que o placebo controle — zero molécula. Aliás, um subproduto infeliz da invasão do território dos médicos por advogados é que os médicos hoje têm medo de prescrever placebos na prática normal. Ou a burocracia pode obrigá-los a identificar o placebo em anotações por escrito às quais o paciente tem acesso, o que evidentemente frustra o objetivo. Os homeopatas podem estar conseguindo um sucesso relativo porque, ao contrário dos médicos ortodoxos, ainda têm permissão para administrar placebos — sob outro nome. Eles também têm mais tempo para se dedicar a conversar e simplesmente ser carinhosos com o paciente. No início de sua longa história, além disso, a reputação da homeopatia foi reforçada inadvertidamente pelo fato de que seus remédios não faziam nada — ao contrário das práticas médicas ortodoxas, como as sangrias, que faziam era mal.

Será a religião um placebo que prolonga a vida reduzindo o estresse? É provável, embora a teoria tenha de enfrentar um batalhão de céticos, que chamam a atenção para as muitas circunstâncias em que a religião mais causa que alivia o estresse. É difícil acreditar, por exemplo, que a saúde saia ganhando com o estado semipermanente de culpa mórbida de que sofre um católico dotado da dose normal de fragilidade humana e de uma dose de inteligência abaixo da normal. Talvez seja injusto falar só dos católicos. A comediante americana Cathy Ladman observa que "todas as religiões são a mesma coisa: a religião é basicamente culpa, com feriados diferentes". Em todo caso, acho que a teoria do placebo não é suficiente para justificar o fenômeno de penetração tão global que é a religião. Não acredito que o motivo de termos religião seja o fato de ela ter reduzido os níveis de estresse de nossos ancestrais. Não é uma teoria boa o suficiente para dar conta do serviço, embora possa ter tido um papel subsidiário. A religião é um fenômeno de grandes dimensões e precisa de uma teoria de grandes dimensões para explicá-la.

Outras teorias nem tocam na questão das explicações darwinianas. Estou falando de sugestões como "a religião satisfaz nossa curiosidade sobre o universo e sobre nosso lugar nele", ou "a religião oferece consolo". Pode haver alguma verdade psicológica nisso, como veremos no capítulo 10, mas nenhuma delas é uma explicação darwiniana. Steven Pinker falou bem sobre a teoria do consolo, em *Como a mente funciona*: "Ela só provoca a pergunta sobre *por que* uma mente evoluiria para encontrar conforto em crenças que ela sabe claramente ser falsas. Uma pessoa que está com frio não encontra nenhum consolo em acreditar que está no quente; uma pessoa que está cara a cara com o leão não se tranquiliza com a convicção de que se trata de um coelho". No mínimo, a teoria do consolo precisa ser traduzida para termos darwinianos, e isso é mais difícil do que você pode imaginar. Explicações psicológicas para o fenômeno de que as pessoas acham algumas crenças gratificantes ou não gratificantes são explicações aproximadas, e não finais.

Os darwinistas usam muito essa distinção entre aproximado e final. A explicação aproximada para a explosão no cilindro de um motor de combustão interna remete à vela de ignição. A explicação final diz respeito ao propósito para o qual a explosão foi projetada: para impelir um pistão do cilindro, girando assim o virabrequim. A causa aproximada da religião pode ser a hiperatividade de determinada área do cérebro. Não explorarei a ideia neurológica de que haja um "centro divino" no cérebro porque não estou preocupado aqui com questões aproximadas. Isso não significa depreciá-las. Recomendo o livro *How we believe: The search for God in an age of science* para uma discussão sucinta, que inclui a sugestão, feita por Michael Persinger, entre outros, de que experiências religiosas visuais estão ligadas à epilepsia do lobo temporal.

Mas minha preocupação neste capítulo é com as explicações darwinianas *finais*. Se os neurocientistas encontrarem um "centro divino" no cérebro, cientistas darwinianos como eu ainda vão querer entender a pressão da seleção natural que favoreceu sua evolução. Por que nossos ancestrais que tinham uma tendência genética para desenvolver um centro divino sobreviveram e tiveram mais netos que seus rivais que não tinham essa tendência? A pergunta darwiniana final não é uma pergunta melhor, nem uma pergunta mais profunda, nem uma pergunta mais científica que a questão neurológica aproximada. Mas é dela que estou falando aqui.

Os darwinianos também não se satisfazem com explicações políticas, como "a religião é um instrumento utilizado pela classe dominante para subjugar as classes inferiores". É verdade que os escravos negros da América eram consolados com promessas sobre outra vida, o que aliviava sua insatisfação com a atual e portanto beneficiava seus proprietários. A questão sobre se as religiões são deliberadamente projetadas por sacerdotes ou dominantes cínicos é interessante, e os historiadores devem abordá-la. Mas ela não é, em si, uma questão darwiniana. O darwinista ainda quer saber por que as pessoas são *vulneráveis* aos encantos da religião e portanto abertas à exploração por parte de padres, políticos e reis.

Um manipulador cínico pode usar o desejo sexual como instrumento de poder político, mas ainda precisamos da explicação darwiniana de como isso funciona. No caso do desejo sexual, a resposta é simples: nosso cérebro está programado para gostar de sexo porque o sexo, no estado natural, produz bebês. Ou um manipulador político pode usar a tortura para obter seus fins. Mais uma vez, o darwinista precisa fornecer a explicação para o motivo de a tortura ser eficiente; por que nós faremos quase qualquer coisa para evitar a dor intensa. Novamente parece óbvio, a ponto de chegar à banalidade, mas o darwiniano ainda precisa dizer com todas as letras: a seleção natural estabeleceu a percepção da dor como senha para danos corporais que representem risco à vida, e nos programou para evitá-la. Os raros indivíduos que não conseguem sentir dor, ou que não ligam para ela, normalmente morrem jovens, devido a lesões que o restante de nós teria tomado medidas para evitar. Seja ele cinicamente explorado ou se manifeste espontaneamente, qual é a explicação final para o anseio por deuses?

## SELEÇÃO DE GRUPO

Algumas supostas explicações finais se revelam — ou são confessadamente — teorias de "seleção de grupo". A seleção de grupo é a controvertida ideia de que a seleção darwiniana escolhe entre espécies ou outros *grupos* de indivíduos. O arqueólogo Colin Renfrew, de Cambridge, sugere que o cristianismo sobreviveu devido a uma forma de seleção de grupo, porque alimentava a ideia de lealdade e de amor dentro do grupo, e isso ajudou os grupos religiosos a sobreviver em detrimento de grupos menos religiosos. O apóstolo americano da seleção de grupo D. S. Wilson desenvolveu, de forma independente, uma sugestão semelhante, mais meticulosa, em *Darwin's cathedral*.

Veja um exemplo inventado, para mostrar como seria a teoria da seleção de grupo para a religião. Uma tribo com um "deus das batalhas" muito beligerante ganha guerras contra tribos rivais cujos deuses pregam a paz e a harmonia, ou tribos sem deus nenhum. Combatentes que acreditam piamente que a morte como mártir os mandará direto para o paraíso lutam com bravura, e abrem mão de sua vida de bom grado. Por isso as tribos desse tipo de religião têm mais probabilidade de sobreviver a guerras intertribais, roubar o gado da tribo conquistada e tomar suas mulheres como concubinas. Tribos bem-sucedidas como essas dão origem a tribos-filhas, que por sua vez propagam mais tribos-filhas, todas adorando o mesmo deus tribal. A ideia de que um grupo dê origem a grupos-filhos, como uma colmeia que gera enxames, não é implausível, aliás. O antropólogo Napoleon Chagnon mapeou exatamente esse tipo de fissão de vilarejos em seu celebrado estudo sobre o "Povo Feroz", os ianomâmis da floresta sul-americana.[77]

Chagnon não é um defensor da seleção de grupo, nem eu. Existem objeções formidáveis a ela. Partidário na controvérsia, preciso tomar cuidado para não me empolgar demais e acabar me desviando do rumo deste livro. Alguns biólogos traem uma confusão entre a verdadeira seleção de grupo, como no meu exemplo hipotético do deus das batalhas, e uma outra coisa que eles *chamam* de seleção de grupo mas que, numa inspeção mais cuidadosa, se revela ou seleção de parentes ou altruísmo recíproco (veja o capítulo 6).

Aqueles que como nós desqualificam a seleção de grupo admitem que em princípio ela pode acontecer. A questão é se ela chega a representar uma força significativa na evolução. Contraposta à seleção em níveis inferiores — como quando a seleção de grupo é apresentada como explicação para o autossacrifício do indivíduo —, a seleção de nível inferior tende a ser mais forte. Em nossa tribo hipotética, imagine um único guerreiro egoísta em meio a um exército dominado por aspirantes a mártir ansiosos por morrer pela tribo e conquistar uma recompensa nos céus. Ele terá uma probabilidade apenas um pouco menor de estar do lado vencedor, em consequência da hesitação na batalha para salvar sua própria pele. O martírio de seus companheiros o beneficiará mais que beneficia qualquer um deles na média, porque eles estarão mortos. Ele tem mais chance de se reproduzir que eles, e seus genes, por se recusar a ser martirizados, têm mais chance de ser reproduzidos na geração seguinte. Portanto a tendência para o martírio diminuirá nas gerações futuras.

Esse é um exemplo simplista, mas ilustra um problema perene da seleção de grupo. As teorias de seleção de grupo sobre o autossacrifício individual são sempre vulneráveis a subversões internas. Mortes individuais e reproduções acontecem numa escala de tempo mais rápida e com maior frequência que extinções e fissões de grupos. É possível projetar modelos matemáticos que mostrem condições especiais sob as quais a seleção de grupo possa ter poder evolutivo. Essas condições especiais costumam ter um caráter pouco realista, mas pode-se argumentar que as religiões, em agrupamentos tribais humanos, alimentam condições especiais que são justamente pouco realistas. Trata-se de uma linha teórica interessante, mas não a explorarei aqui, exceto por admitir que o próprio Darwin, embora fosse normalmente um feroz defensor da seleção no nível do organismo individual, chegou bem perto do selecionismo de grupo em sua discussão sobre tribos humanas:

> Se duas tribos de homens primitivos, vivendo no mesmo local, entrassem em competição, se uma tribo incluísse (com as outras

> circunstâncias sendo equivalentes) um número maior de membros corajosos, fiéis e solidários, sempre dispostos a alertar uns aos outros do perigo, a ajudar e defender uns aos outros, essa tribo sem dúvida seria mais bem-sucedida e conquistaria a outra [...] Pessoas egoístas e contenciosas não se unem, e sem coerência não se realiza nada. Uma tribo que possuísse as qualidades acima em grau elevado se disseminaria e seria vitoriosa em relação a outras tribos; mas, ao longo do tempo, ela seria, a julgar por toda a história, por sua vez superada por alguma outra tribo, ainda mais qualificada.[78]

Para satisfazer qualquer biólogo especializado que possa estar lendo isto, devo acrescentar que a ideia de Darwin não era estritamente a seleção de grupo, no sentido de grupos bem-sucedidos reproduzindo-se em grupos-filhos cuja frequência pudesse ser contabilizada numa metapopulação de grupos. Darwin visualizou tribos com membros altruisticamente colaborativos espalhando-se e tornando-se mais numerosos, em termos de número de indivíduos. O modelo de Darwin parece-se mais com a disseminação do esquilo cinzento na Grã-Bretanha, em detrimento do vermelho: substituição ecológica, e não verdadeira seleção de grupo.

## RELIGIÃO COMO SUBPRODUTO DE OUTRA COISA

De qualquer maneira, quero deixar de lado agora a seleção de grupo e me voltar para minha própria visão do valor da religião como sobrevivência darwiniana. Faço parte do número cada vez maior de biólogos que enxergam a religião como *subproduto* de outra coisa. Mais genericamente, acredito que nós, que especulamos sobre o valor darwiniano de sobrevivência, precisamos "pensar em termos de subproduto". Quando perguntamos o valor de sobrevivência de alguma coisa, podemos estar fazendo a pergunta errada. Talvez a característica em que estamos interessados (a religião, nesse caso) não tenha um valor direto de sobrevivência por si só, mas seja um subproduto de outra coisa que tenha. Gosto de apresentar a ideia do subproduto com uma analogia de minha área, a do comportamento animal.

As mariposas voam para dentro da chama da vela, e a coisa não parece acidental. Elas fazem de tudo para se entregar ao fogo como numa oferenda. Poderíamos rotular o comportamento como "autoimolação" e, sob esse nome provocativo, questionar como pode ser possível que a seleção natural possa tê-lo favorecido. Minha tese é que precisamos reelaborar a pergunta antes que possamos tentar obter uma resposta inteligente. Não se trata de suicídio. A aparência de suicídio é um efeito colateral inadvertido de outra coisa. Um subproduto de... quê? Bem, vai aqui uma possibilidade, que servirá como explicação.

A luz artificial é uma inovação recente no mundo noturno. Até recentemente, as únicas luzes noturnas à vista eram a Lua e as estrelas. Elas estão no infinito óptico, portanto os raios que vêm delas são paralelos. Isso as torna adequadas ao uso como bússolas. Sabe-se que os insetos usam os objetos celestes como o Sol e a Lua para navegar com precisão em linha reta, e podem usar a mesma bússola, com o sinal invertido, para voltar para casa depois de uma excursão. O sistema nervoso do inseto é especialista em estabelecer uma regra geral temporária do tipo: "Navegue num curso tal que os raios de luz atinjam seu olho ao ângulo de trinta graus". Como os insetos têm olhos compostos (com tubos retos ou guias de luz irradiando-se do centro do olho, como os espinhos de um porco-espinho), isso pode equivaler na prática a uma coisa tão simples quanto manter a luz em um tubo ou omatídio.

Mas a bússola de luz depende fundamentalmente de o objeto celeste estar no infinito óptico. Se não estiver, os raios não são paralelos, e sim divergem, como os raios de uma roda. Um sistema nervoso que aplicar a regra geral dos trinta graus (ou qualquer ângulo agudo) a uma vela próxima, como se ela fosse a lua no infinito óptico, vai levar a mariposa, numa trajetória em espiral, para dentro da chama. Desenhe você mesmo, usando qualquer ângulo agudo como o de trinta graus, e você produzirá uma elegante espiral logarítmica para dentro da chama.

Embora fatal nessa circunstância específica, a regra geral da mariposa ainda é, na média, boa porque, para uma mariposa, a visão de velas é mais rara que a da lua. Não prestamos atenção nas centenas de mariposas que navegam silenciosas, com eficácia, orientadas pela lua ou por uma estrela reluzente, ou mesmo pelo brilho de uma cidade distante. Só vemos as mariposas voando para a nossa vela, e fazemos a pergunta errada: por que todas essas mariposas estão cometendo suicídio? Deveríamos, em vez disso, perguntar por que elas têm sistemas nervosos que se orientam mantendo um ângulo fixo em relação aos raios de luz, uma tática que só notamos quando dá errado. Quando a pergunta é reformulada, o mistério evapora. Jamais foi correto chamar aquilo de suicídio. Trata-se de um subproduto indesejado de uma bússola normalmente útil.

Aplique agora a lição do subproduto ao comportamento religioso dos seres humanos. Observamos grandes números de pessoas — em muitas áreas correspondendo a 100% — que possuem crenças que contradizem diretamente os fatos científicos demonstráveis e também religiões rivais seguidas por outras tantas pessoas. As pessoas não apenas possuem uma certeza apaixonada dessas crenças mas também dedicam tempo e recursos para atividades dispendiosas decorrentes delas. Morrem por elas, ou matam por elas. Assombramo-nos com isso, exatamente do mesmo modo como nos assombramos com o "comportamento de autoimolação" das mariposas. Estupefatos, perguntamos por quê. Mas minha tese é que podemos estar fazendo a pergunta errada. O comportamento religioso pode ser um subproduto indesejado e infeliz de uma propensão psicológica subliminar que, em outras circunstâncias, é, ou foi um dia, útil. Por essa visão, a propensão que foi alvo da seleção natural em nossos ancestrais não foi a religião *per se*; teve algum outro benefício, e só de forma incidental é que se manifesta como comportamento religioso. Só entenderemos o comportamento religioso quando o tivermos rebatizado.

Se, então, a religião é subproduto de uma outra coisa, o que é essa outra coisa? Qual é o equivalente ao hábito da mariposa de navegar por bússolas orientadas pela luz celeste? Qual é o traço vantajoso primitivo que algumas vezes atinge o alvo errado e gera a religião? Oferecerei uma sugestão a título de ilustração, mas devo ressaltar que se trata somente de um exemplo do *tipo* de coisa que quero dizer, e abordarei sugestões paralelas feitas por outras pessoas. Tenho muito mais entusiasmo pelo princípio geral de que a pergunta deve ser feita do jeito certo, e se necessário reformulada, que por qualquer resposta específica.

Minha hipótese específica é sobre crianças. Mais que qualquer outra espécie, sobrevivemos pela experiência acumulada pelas gerações anteriores, e essa experiência precisa ser transferida às crianças em nome de sua proteção e seu bem-estar. Teoricamente, as crianças podem aprender pela experiência pessoal a não chegar perto da beira de um precipício, a não comer frutinhas vermelhas desconhecidas, a não nadar em águas infestadas de crocodilos. Mas, para dizer o mínimo, haverá uma vantagem seletiva para cérebros de crianças dotados da seguinte regra geral: acredite, sem questionamentos, no que seus adultos lhe dizem. Obedeça a seus pais; obedeça aos anciãos da tribo, especialmente quando eles adotam um tom solene e ameaçador. Confie nos anciãos sem questionamentos. Essa é uma regra normalmente valiosa para uma criança. Mas, assim como com as mariposas, ela pode dar errado.

Nunca esqueci um sermão apavorante, proferido na capela da minha escola quando eu era pequeno. Apavorante em retrospecto, quero dizer: naquela época, meu cérebro de criança o aceitou dentro do espírito que o orador pretendia. Ele nos contou uma história sobre um pelotão de soldados, treinando ao lado de uma linha de trem. Num momento crucial, o sargento que comandava o treinamento se distraiu e não deu a ordem para que eles parassem. Os soldados estavam tão treinados a obedecer a ordens sem questionar que continuaram marchando, bem na direção do trem que vinha vindo. Hoje, é claro, não acredito na história, e espero que o orador também não acreditasse. Mas acreditei quando tinha nove anos, porque a ouvi de um adulto que tinha autoridade sobre mim. E, acreditasse ou não, o orador ordenou que nós, crianças, admirássemos e nos espelhássemos na obediência escrava e sem questionamentos dos soldados a uma ordem, por mais absurda, dada por uma figura de autoridade. Tomando a mim mesmo por base, acredito que *realmente* admiramos a atitude. Como adulto, acho quase impossível crer que, criança, eu tenha me questionado se teria a coragem de cumprir o dever marchando para debaixo do trem. Mas o que interessa é que é assim que me lembro das minhas sensações. O sermão obviamente me deixou profundas impressões, pois me lembrei dele e o repeti aqui.

Para ser justo, não acho que o orador tenha achado que estava transmitindo uma mensagem religiosa. Era provavelmente mais militar que religiosa, no espírito do poema "Carga da Brigada Ligeira", de Tennyson, que ele pode perfeitamente ter citado:

*"Avante a Brigada Ligeira!"*
*Havia um homem com medo?*
*Não, embora os soldados soubessem*
*Que alguém tinha feito besteira:*
*Não lhes competia responder,*
*Não lhes competia perguntar por quê,*
*Só lhes competia agir e morrer:*
*Para dentro do vale da Morte*
*Cavalgaram os seiscentos**

(Uma das primeiras e mais inaudíveis gravações da voz humanas feitas na história foi a do próprio lorde Tennyson lendo esse poema, e a impressão da declamação oca dentro de um longo e escuro túnel das profundezas do passado é assustadoramente apropriada.) Do ponto de vista do alto-comando, seria loucura deixar ao discernimento de cada soldado se ele deve ou não obedecer a ordens. Nações cujos soldados de infantaria agem por iniciativa própria, em vez de seguir ordens, tendem a perder guerras. Do ponto de vista da nação, essa continua sendo uma boa regra geral, mesmo que às vezes leve a desastres isolados. Soldados são treinados para parecer o máximo possível com autômatos, ou computadores.

Computadores fazem o que lhes mandam fazer. Obedecem como escravos a qualquer instrução que seja dada em sua linguagem de programação. É assim que eles fazem coisas úteis como processar textos e calcular planilhas. Mas, como subproduto inevitável, eles são igualmente robóticos para obedecer a instruções

* "'Forward the Light Brigade!'/ Was there a man dismayed?/ Not though the soldiers knew/ Some one had blundered:/ Theirs not to make reply,/ Theirs not to reason why,/ Theirs but to do and die:/ Into the valley of Death / Rode the six hundred." (N. T.)

ruins. Não têm como saber se uma instrução terá um efeito positivo ou negativo. Simplesmente obedecem, como os soldados devem fazer. É sua obediência sem questionamentos que torna os computadores úteis, e exatamente a mesma coisa os torna inescapavelmente vulneráveis à infecção por vírus e vermes de programação. Um programa projetado malevolamente para dizer "Copie-me e envie-me para cada endereço que encontrar neste disco rígido" será simplesmente obedecido, e depois obedecido de novo por outros computadores ao longo da linha em que for enviado, numa expansão exponencial. É difícil, talvez impossível, projetar um computador que tenha a utilidade de ser obediente e ao mesmo tempo imune à infecção.

Se fiz bem meu trabalho de amaciamento, você já terá concluído meu argumento sobre os cérebros infantis e a religião. A seleção natural constrói o cérebro das crianças com a tendência de acreditar em tudo que seus pais ou líderes tribais lhes disserem. Tais confiança e obediência são valiosas para a sobrevivência: o análogo a navegar orientando-se pela lua, no caso da mariposa. Mas o lado ruim da obediência insuspeita é a credulidade escrava. O subproduto inevitável é a vulnerabilidade à infecção por vírus mentais. Por ótimos motivos ligados à sobrevivência darwiniana, o cérebro das crianças precisa confiar nos pais, e nos sábios em quem os pais as orientam a confiar. Uma consequência automática é que aquele que confia não tem como distinguir os bons conselhos dos maus. A criança não tem como saber que "Não nade no Limpopo infestado de crocodilos" é um bom conselho, mas que "Você deve sacrificar um cabrito na época da lua cheia, senão as chuvas não virão" é no mínimo um desperdício de tempo e de cabritos. As duas advertências soam igualmente confiáveis. As duas vêm de uma fonte respeitável e são feitas com uma honestidade solene que pede respeito e exige obediência. O mesmo acontece com proposições sobre o mundo, sobre o cosmos, sobre moralidade e sobre a natureza humana. E, muito provavelmente, quando a criança crescer e tiver seus próprios filhos, ela vai naturalmente transmitir boa parte para os filhos — absurdos ou não absurdos — usando a mesma gravidade contagiosa.

Nesse modelo devemos esperar que, em regiões geográficas diferentes, crenças arbitrárias diferentes, nenhuma com fundamento factual, seriam transmitidas, para que se acredite nelas com a mesma convicção com que se acredita em exemplos úteis da sabedoria tradicional, como a crença de que o esterco faz bem para as plantações. Deveríamos também esperar que as superstições e outras crenças não factuais evoluíssem localmente — mudassem de geração para geração — por movimentos aleatórios ou por alguma espécie de análogo da seleção darwiniana, apresentando, no final, um padrão de divergência significativa em relação a ancestrais comuns. As línguas separam-se de uma progenitora comum se houver tempo suficiente de separação geográfica (já retornarei a este ponto). O mesmo parece acontecer com crenças e injunções arbitrárias e sem fundamento transmitidas às gerações — crenças que talvez tenham ganhado impulso graças à útil programabilidade do cérebro infantil.

Líderes religiosos conhecem bem a vulnerabilidade do cérebro infantil e a importância de começar cedo com o doutrinamento. O lema jesuíta "Dê-me uma criança pelos seus primeiros sete anos de vida e eu devolverei um homem" não é menos preciso (ou sinistro) por ser batido. Mais recentemente, James Dobson, fundador do infame movimento "Foco na Família",* é igualmente íntimo do princípio: "Aqueles que controlam o que se ensina aos

* Achei divertido quando vi um adesivo de carro no Colorado dizendo "Vá se focar na sua maldita família", mas agora ele me parece menos engraçado. Talvez algumas crianças tenham de ser protegidas do doutrinamento de seus próprios pais (veja o capítulo 9).

jovens e o que eles vivem — o que veem, ouvem, pensam e acreditam — determinarão o curso futuro da nação".[79]

Lembre-se, porém, de que minha sugestão específica sobre a útil credulidade da mente infantil é apenas um exemplo do *tipo* de coisa que pode ser análogo à navegação das mariposas pela lua ou pelas estrelas. O etólogo Robert Hinde, em *Why gods persist*, e os antropólogos Pascal Boyer, em *Religion explained*, e Scott Atran, em *In gods we trust*, promoveram de forma independente entre si a ideia geral de que a religião é um subproduto de disposições psicológicas normais — muitos subprodutos, devo dizer, pois os antropólogos estão preocupados especialmente em ressaltar a diversidade das religiões do mundo, além do que elas têm em comum. As conclusões de antropólogos só nos soam estranhas porque não nos são familiares. Todas as crenças religiosas soam estranhas para as pessoas que não foram criadas dentro delas. Boyer pesquisou o povo fang, de Camarões, que acredita

> que as bruxas têm um órgão interno extra, parecido com um animal, que sai voando à noite e arruína as plantações das pessoas ou envenena seu sangue. Também se diz que essas bruxas às vezes se reúnem para enormes banquetes, em que devoram suas vítimas e planejam ataques futuros. Muitos vão lhe dizer que um amigo de um amigo viu mesmo bruxas voando sobre o vilarejo à noite, montadas numa folha de bananeira e lançando raios mágicos contra vítimas inocentes.

Boyer prossegue contando uma anedota pessoal:

> Estava mencionando essa e outras coisas exóticas num jantar numa faculdade de Cambridge quando um de nossos convidados, um teólogo proeminente de Cambridge, virou-se para mim e disse: "É isso que torna a antropologia tão fascinante e também tão difícil. Você tem de explicar *como as pessoas podem acreditar em*

*tamanhos absurdos*". Fiquei pasmo. A conversa já tinha mudado quando encontrei uma resposta pertinente — tinha a ver com chaleiras e bules.

Pressupondo que o teólogo de Cambridge fosse um cristão normal, ele provavelmente acreditava numa combinação das seguintes coisas:

- No tempo dos ancestrais, um homem nasceu de uma mãe virgem, sem nenhum pai biológico envolvido.
- O mesmo homem sem pai clamou a um amigo chamado Lázaro, que estava morto havia tempo bastante para cheirar mal, e Lázaro imediatamente voltou à vida.
- O próprio homem sem pai voltou à vida depois de ficar três dias morto e enterrado.
- Quarenta dias depois, o homem sem pai subiu ao topo de uma montanha e depois desapareceu no céu.
- Se você murmurar coisas dentro da sua cabeça, o homem sem pai, e seu "pai" (que também é ele mesmo), ouvirá seus pensamentos e pode tomar providências em relação a elas. Ele é capaz de ouvir simultaneamente os pensamentos de todas as pessoas do mundo.
- Se você faz alguma coisa ruim, ou alguma coisa boa, o mesmo homem sem pai tudo vê, mesmo que ninguém mais veja. Você pode ser recompensado ou punido, inclusive depois de sua morte.
- A mãe virgem do homem sem pai nunca morreu, mas "foi transportada" corporeamente para o céu.
- Pão e vinho, se abençoados por um padre (que precisa ter testículos), "transformam-se" no corpo e no sangue do homem sem pai.

O que um antropólogo objetivo que desse de cara com esse conjunto de crenças numa excursão de pesquisa em Cambridge pensaria delas?

## PREPARADOS PSICOLOGICAMENTE PARA A RELIGIÃO

A ideia sobre os subprodutos psicológicos floresce naturalmente no importante e crescente campo da psicologia evolutiva.[80] Os psicólogos evolucionistas sugerem que, assim como o olho é um órgão que evoluiu para a visão, e a asa um órgão que evoluiu para voar, o cérebro é uma coleção de órgãos (ou "módulos") para lidar com um conjunto de necessidades especializadas de processamento de dados. Há um módulo para lidar com as relações familiares, um módulo para lidar com trocas recíprocas, um módulo para lidar com a empatia, e assim por diante. A religião pode ser encarada como um subproduto do "erro" de vários desses módulos, por exemplo os módulos para a formação de teorias sobre outras mentes, para a formação de coalizões e para a discriminação a favor de indivíduos de dentro do grupo, em detrimento de estranhos. Qualquer um desses poderia funcionar como o equivalente humano para a navegação celeste das mariposas, vulneráveis ao "erro" do mesmo modo que sugeri para a credulidade infantil. O psicólogo Paul Bloom, outro defensor da visão da "religião como subproduto", ressalta que as crianças têm uma tendência natural para uma teoria *dualista* da mente. A religião, para ele, é um subproduto desse dualismo instintivo. Nós, seres humanos, sugere ele, especialmente as crianças, somos dualistas por natureza.

Um dualista reconhece a distinção fundamental entre matéria e mente. Um monista, ao contrário, acredita que a mente é a manifestação da matéria — o material do cérebro ou talvez de um computador — e não pode existir sem ela. Um dualista acredita que a mente é algum tipo de espírito fluido que *habita* o corpo e portanto poderia, teoricamente, deixar o corpo e existir em algum outro lugar. Os dualistas prontamente interpretam as doenças mentais como "possessão por demônios", sendo que esses demônios são espíritos cuja residência no corpo é temporária, de modo que eles podem ser "expulsos". Os dualistas personificam objetos físicos inanimados na primeira oportunidade, enxergando espíritos e demônios até em cachoeiras e nuvens.

O romance *Vice versa*, de F. Anstey, de 1882, faz sentido para um dualista, mas deve ser estritamente incompreensível para um monista retinto como eu. O sr. Bultitude e seu filho descobrem misteriosamente que trocaram de corpo. O pai, para diversão do filho, é obrigado a ir à escola no corpo do filho; e o filho, no corpo do pai, quase arruína os negócios paternos com suas decisões imaturas. Uma trama semelhante foi usada por P. G. Wodehouse em *Laughing gas* [Gás hilariante], em que o conde de Havershot e uma estrela de filmes infantis são submetidos ao anestésico no mesmo momento, em cadeiras de dentista vizinhas, e acordam um no corpo do outro. Mais uma vez, a trama só faz sentido para um dualista. Tem de existir alguma coisa que corresponda ao lorde Havershot e que não faça parte do corpo dele, porque, do contrário, como ele poderia acordar no corpo de um ator mirim?

Assim como a maioria dos cientistas, não sou dualista, mas sou plenamente capaz de gostar de *Vice versa* e *Laughing gas*. Paul Bloom diria que isso acontece porque, embora eu tenha aprendido a ser um monista intelectual, sou um animal humano, e portanto evoluí como um dualista por instinto. A ideia de que existe um *eu* escondido atrás de meus olhos e capaz, pelo menos na ficção, de migrar para a cabeça de outra pessoa está profundamente enraizada em mim e em todos os outros seres humanos, sejam quais forem nossas pretensões intelectuais ao monismo. Bloom sustenta sua afirmação com evidências experimentais de que as crianças têm uma tendência ainda maior que os adultos a ser dualistas, especialmente crianças bem pequenas. Isso sugere que a tendência ao dualismo está dentro do cérebro e, segundo Bloom, produz uma predisposição natural para a adoção de ideias religiosas.

Bloom também sugere que temos uma predisposição inata para ser criacionistas. A seleção natural "não faz sentido intuitivamente". As crianças são especialmente propensas a dar um propósito a tudo, como afirma a psicóloga Deborah Keleman em seu artigo "São as crianças 'teístas intuitivas'?".[81] Nuvens servem "para chover". Pedras pontudas servem "para os animais poderem se coçar nelas". A designação de um propósito para tudo é denominada teleologia. As crianças são teleológicas por natureza, e muitas nunca abandonam a característica.

O dualismo inato e a teologia inata nos predispõem, sob as condições certas, à religião, assim como a reação à bússola de luz de minhas mariposas as predispunha ao "suicídio" inadvertido. Nosso dualismo inato nos prepara para acreditar numa "alma" que habita o corpo, em vez de ser parte integrante do corpo. É fácil imaginar um espírito imaterial assim indo para algum outro lugar depois da morte do corpo. Também é fácil imaginar a existência de uma divindade que seja puro espírito, não uma propriedade que emerge da matéria complexa, mas que existe independentemente da matéria. Mais óbvio ainda, a teleologia infantil nos deixa prontos para a religião. Se tudo tem um propósito, qual é esse propósito? O de Deus, é claro.

Mas qual é o equivalente da *utilidade* da bússola de luz das mariposas? Por que a seleção natural pode ter favorecido o dualismo e a teleologia no cérebro de nossos ancestrais e de seus filhos? Por enquanto, meu relato sobre a teoria dos "dualistas inatos" propôs simplesmente que os seres humanos são dualistas e teleólogos por natureza. Mas qual seria a vantagem darwiniana? Prever o comportamento de entidades de nosso mundo é importante para nossa sobrevivência, e seria de esperar que a seleção natural tivesse moldado nosso cérebro para fazê-lo com eficácia e rapidez. Será que o dualismo e a teleologia nos são úteis para essa capacidade? Talvez compreendamos melhor essa hipótese à luz daquilo que Daniel Dennett chamou de postura intencional.

Dennett oferece uma classificação tripla útil para as "posturas" que adotamos quando tentamos entender e portanto prever o comportamento de entidades como animais, máquinas ou uns aos outros.[82] São elas a postura física, a postura de projeto e a postura intencional. A *postura física* sempre funciona em tese, porque tudo acaba obedecendo às leis da física. Mas compreender as coisas usando a postura física pode demorar demais. Até que tenhamos nos sentado e calculado todas as interações das partes móveis de um objeto complicado, nossa previsão sobre seu comportamento provavelmente vai estar atrasada. Para um objeto que realmente tenha sido projetado, como uma máquina de lavar roupa ou um arco para lançar flechas, a *postura de projeto* é um atalho econômico. Podemos adivinhar como o objeto vai se comportar passando por cima da física e apelando diretamente ao design. Dennett diz:

> Quase todo mundo é capaz de prever quando o alarme de um relógio vai tocar, com base na mais simples inspeção de seu exterior. Ninguém sabe nem quer saber se ele é movido a corda, a bateria, a energia solar, feito com roldanas de metal e mancal de pedra preciosa ou de chips de silício — simplesmente se assume que ele foi projetado para que o alarme toque quando está marcado para tocar.

Os seres vivos não foram projetados, mas a seleção natural darwiniana nos permite adotar uma versão da postura de design para eles. Obtemos um atalho para entender o coração se assumimos que ele foi "projetado" para bombear o sangue. Karl von Frisch foi levado a investigar a visão colorida das abelhas (diante da opinião ortodoxa de que elas não distinguiam cores) porque assumiu que as cores vivas das flores foram "projetadas" para atraí-las. As aspas foram projetadas para espantar criacionistas desonestos que senão poderiam reclamar o grande zoólogo austríaco para o seu time. Nem é preciso dizer que ele foi perfeitamente capaz de traduzir a postura de projeto para os termos darwinianos adequados.

A *postura intencional* é outro atalho, e dá um passo além da postura de projeto. Assume-se que uma entidade não só foi projetada para um fim mas que também é, ou contém, um *agente* com intenções que orientam suas ações. Quando você vê um tigre, é melhor não demorar muito para prever o provável comportamento dele. Deixe para lá a física de suas moléculas, deixe para lá o design de membros, garras e dentes. Aquele felino quer comê-lo, e vai empregar seus membros, patas e dentes de formas flexíveis e habilidosas para concretizar sua intenção. O meio mais rápido de adivinhar o comportamento dele é esquecer a física e a fisiologia e passar à busca pela intenção. Note que, assim como a postura de projeto funciona mesmo para coisas que não foram realmente projetadas, assim como para as que foram, a postura intencional funciona para coisas que não têm intenções conscientes deliberadas, assim como para coisas que têm.

Parece-me inteiramente plausível que a postura intencional tenha valor de sobrevivência como mecanismo cerebral que acelera a tomada de decisões em circunstâncias perigosas e em situações sociais cruciais. Não fica tão imediatamente claro que o dualismo é um concomitante necessário da postura intencional. Não explorarei a questão aqui, mas acredito ser possível desenvolver a tese de que algum tipo de teoria de outras mentes, passível de ser descrita como dualista, tende a ser subjacente à postura intencional — especialmente em situações sociais complicadas, e ainda mais especialmente onde a intencionalidade de *ordem mais elevada* está em jogo.

Dennett fala da *intencionalidade de terceira ordem* (o homem achou que a mulher sabia que ele gostava dela), *de quarta ordem* (a mulher percebeu que o homem achava que ela sabia que ele gostava dela) e até de *quinta ordem* (o xamã adivinhou que a mulher percebeu que o homem achava que ela sabia que ele gostava dela). Ordens muito elevadas de intencionalidade são reservadas provavelmente à ficção, como satirizou o hilariante romance de Michael Frayn *The tin men* [Homens de lata]: "Observando Nunopoulos, Rick soube que ele tinha quase certeza de que Anna sentia um fervoroso desprezo pelo fato de Fiddlingchild não ter percebido o que ela sentia por Fiddlingchild, e ela sabia também que Nina sabia que ela sabia que Nunopoulos sabia [...]". Mas o fato de que somos capazes de rir com tamanho contorcionismo ficcional da inferência em outras mentes provavelmente nos revela algo de importante sobre a forma como nossa cabeça foi naturalmente selecionada para funcionar no mundo real.

Em suas ordens menos elevadas, pelo menos, a postura intencional, assim como a postura de projeto, economiza um tempo que pode ser vital à sobrevivência. Em consequência, a seleção natural moldou os cérebros a empregar a postura intencional como atalho. Somos biologicamente programados para imputar intenções a entidades cujo comportamento nos interessa. Mais uma vez, Paul Bloom cita evidências experimentais de que as crianças são especialmente propensas a adotar a postura intencional. Quando bebês veem um objeto que aparentemente segue um outro objeto (por exemplo numa tela de computador), eles assumem que estão testemunhando uma caçada ativa por parte de um agente intencional, e demonstram esse fato manifestando surpresa quando o suposto agente abandona a perseguição.

A postura de projeto e a postura intencional são mecanismos cerebrais úteis, importantes para acelerar a previsão de comportamentos de entidades que influenciam na sobrevivência, como predadores ou parceiros em potencial. Mas, assim como outros mecanismos cerebrais, essas posturas podem dar errado. As crianças, e os povos primitivos, imputam intenções ao clima, a ondas e correntes, a pedras que caem. Todos nós tendemos a fazer a mesma coisa com máquinas, especialmente quando elas nos deixam na mão. Muitos vão se lembrar com carinho do dia em que o carro de Basil Fawlty* quebrou no meio de sua missão vital para salvar a Noite Gourmet do desastre. Ele foi justo e avisou, contando até três, e então saiu do carro, pegou um galho e atacou o carro sem dó nem piedade. A maioria de nós já sentiu isso, pelo menos por um instante, se não por um carro, por um computador. Justin Barrett cunhou a sigla HADD, para dispositivo hiperativo de detecção de agente.** Detectamos de forma hiperativa agentes onde eles não existem, e isso faz com que suspeitemos de maldade ou bondade quando na verdade só há indiferença na natureza. Eu me pego alimentando um ressentimento feroz contra coisas inanimadas e inocentes como a corrente da minha bicicleta. Uma notícia recente deu conta de que um homem tropeçou num cadarço desamarrado no Museu Fitzwilliam, em Cambridge, caiu e quebrou três vasos da dinastia Qing de valor incalculável: "Ele caiu no meio dos vasos e eles se quebraram em milhões de pedacinhos. Ele ainda estava lá, sentado e assustado, quando os funcionários apareceram. Todo mundo ficou em silêncio, como que em choque. O homem ficava apontando para o cadarço, dizendo: 'Aí está ele; esse é o culpado'".[83]

* Personagem interpretado por John Cleese no popular seriado inglês *Fawlty Towers*.

** HADD: hyperactive agent detection device. (N. T.)

Outras explicações da religião como subproduto foram propostas por Hinde, Shermer, Boyer, Atran, Bloom, Dennett, Keleman, entre outros. Uma possibilidade especialmente intrigante mencionada por Dennett é que a irracionalidade da religião é um subproduto de um mecanismo interno específico de irracionalidade do cérebro: nossa tendência, que presumivelmente tem vantagens genéticas, a nos apaixonarmos.

A antropóloga Helen Fisher, em *Por que amamos*, exprimiu lindamente a insanidade do amor romântico, e quão exagerado ele é se comparado ao que seria estritamente necessário. Observe comigo. Do ponto de vista de um homem, por exemplo, é improvável que qualquer mulher que ele conheça seja cem vezes mais desejável que suas concorrentes, mas é assim que ele a descreverá quando "apaixonado". Mais que a devoção monógama fanática a que somos suscetíveis, uma espécie de "poliamor" seria mais racional. (O poliamor é a crença de que é possível amar vários integrantes do sexo oposto simultaneamente, assim como se pode amar mais de um vinho, um compositor, um livro ou um esporte.) Aceitamos sem problemas que somos capazes de amar mais de um filho, mais de um progenitor, mais de um irmão, mais de um professor, mais de um amigo ou mais de um animal de estimação. Pensando assim, a exclusividade total que esperamos do amor conjugal não é esquisita? Mas *é* o que esperamos, e é o que tentamos obter. Deve haver um motivo.

Helen Fisher e outros especialistas mostraram que estar apaixonado vem acompanhado de estados singulares do cérebro, incluindo a presença de compostos químicos ativos no sistema nervoso (na prática drogas naturais) que são altamente específicos e característicos do estado. Psicólogos evolucionistas concordam com ela que o *coup de foudre* irracional pode ser um mecanismo para garantir a lealdade a um coprogenitor, que dure o tempo suficiente para criar o filho juntos. Do ponto de vista darwiniano, é sem dúvida importante escolher um bom parceiro, por vários motivos. Mas, uma vez feita a escolha — mesmo que seja ruim — e concebida a criança, é mais importante manter-se fiel à escolha haja o que houver, pelo menos até que a criança seja desmamada.

Poderia a religião ser um subproduto dos mecanismos de irracionalidade que foram originalmente colocados no cérebro pela seleção para o ato da paixão? A fé religiosa certamente possui em parte o mesmo caráter da paixão (e ambas têm muitos dos atributos de estar sob o efeito de uma droga viciante).* O neuropsiquiatra John Smythies adverte que existem diferenças significativas entre as áreas do cérebro ativadas pelos dois tipos de mania. Mesmo assim, ele também observa algumas semelhanças:

> Uma faceta dos muitos rostos da religião é o amor intenso focado em uma persona sobrenatural, isto é, Deus, além da reverência a ícones dessa persona. A vida humana é guiada em grande parte por nossos genes egoístas e por processos de reforço. A religião proporciona muito reforço positivo: sentimentos ternos e reconfortantes de ser amado e protegido num mundo perigoso, a perda do medo da morte, ajuda das alturas em resposta à oração em momentos difíceis etc. Da mesma forma, o amor romântico por outra pessoa real (normalmente do sexo oposto) exibe a mesma intensa concentração no outro e reforços positivos relacionados. Esses sentimentos podem ser deflagrados por ícones do outro, como cartas, fotos e até, como nos tempos vitorianos, mechas de cabelo. O estado apaixonado tem muitos acompanhamentos fisiológicos, como suspirar como uma fornalha.[84]

* Veja minha exposição sobre o perigoso narcótico óleo de Gerin: R. Dawkins, "Gerin Oil", *Free Inquiry* 24:1, 2003, pp. 9-11.

Fiz a comparação entre a paixão e a religião em 1993, quando observei que os sintomas de um indivíduo infectado pela religião "podem remeter surpreendentemente àqueles mais frequentemente associados ao amor sexual. Trata-se de uma força extremamente poderosa no cérebro, e não é de surpreender que alguns vírus tenham evoluído para explorá-la" ("vírus" aqui é uma metáfora para as religiões: meu artigo chamava-se "Vírus da mente").* A famosa visão orgásmica de santa Teresa de Ávila é notória demais para precisar de mais uma citação. De maneira mais séria, e num plano de sensualidade menos crua, o filósofo Anthony Kenny dá um depoimento tocante sobre o puro deleite que aguarda aqueles que conseguem acreditar no mistério da transubstanciação. Depois de descrever sua ordenação como padre católico, com o poder, pela imposição das mãos, de celebrar missas, ele afirma que lembra perfeitamente

> a exaltação dos primeiros meses nos quais tive o poder de dizer a missa. Eu, que normalmente era preguiçoso e demorava para me levantar, pulava cedinho da cama, totalmente acordado e cheio de animação pelo ato importante que tinha o privilégio de realizar [...] Tocar o corpo de Cristo, a proximidade do padre com Jesus, era o que mais me encantava. Eu encarava a hóstia, depois das palavras da consagração, como um amante olhando nos olhos de sua amada [...] Aqueles primeiros dias como padre continuam marcados em minha memória como dias de realização e de felicidade trêmula; algo de precioso, e frágil demais para durar, como um caso de amor abreviado pela realidade de um casamento incompatível.

O equivalente da reação ao compasso de luz da mariposa é o hábito aparentemente irracional mas útil de se apaixonar por

* "Viruses of the mind". (N. T.)

um, e apenas um, integrante do sexo oposto. O subproduto do erro — equivalente a voar para a chama da vela — é se apaixonar por Javé (ou pela Virgem Maria, ou por um pão ázimo, ou por Alá) e realizar atos irracionais motivados por esse amor.

O biólogo Lewis Wolpert, em *Six impossible things before breakfast* [Seis coisas impossíveis antes do café da manhã], dá uma sugestão que pode ser vista como uma generalização da irracionalidade construtiva. A tese dele é que a forte convicção da irracionalidade é uma proteção contra a inconstância da mente: "se crenças que salvam vidas não fossem mantidas com veemência, isso seria desvantajoso na evolução humana primitiva. Seria uma grave desvantagem, por exemplo, quando se caçava ou se criavam ferramentas, ficar mudando de ideia a toda hora". A implicação do argumento de Wolpert é que, pelo menos sob algumas circunstâncias, é melhor persistir numa crença irracional que vacilar, mesmo que novas evidências ou raciocínios favoreçam uma mudança. É fácil encarar o argumento da "paixão" como um caso especial, e é igualmente fácil encarar a "persistência irracional" de Wolpert como mais uma predisposição psicológica útil que pode explicar aspectos importantes do comportamento religioso irracional: mais um subproduto.

Em seu livro *Social evolution*, Robert Trivers ampliou sua teoria evolutiva do autoengano de 1976. O autoengano é

> esconder a verdade da mente consciente para escondê-la dos outros. Em nossa própria espécie reconhecemos que olhares evasivos, mãos suadas e voz rouca podem indicar o estresse que acompanha o conhecimento consciente de uma tentativa de enganação. Ao se tornar inconsciente de sua enganação, o enganador esconde esses sinais do observador. Ele ou ela pode mentir sem o nervosismo que acompanha a mentira.

O antropólogo Lionel Tiger diz algo semelhante em *Optimism: The biology of hope* [Otimismo: a biologia da esperança]. A conexão com o tipo de irracionalidade construtiva que vimos discutindo aparece no parágrafo de Trivers sobre a "defesa perceptiva":

> Há uma tendência dos seres humanos de ver conscientemente o que gostariam de ver. Eles literalmente têm dificuldade em ver coisas com conotações negativas, enquanto enxergam com cada vez mais facilidade itens que sejam positivos. Por exemplo, palavras que evocam ansiedade, seja devido ao histórico pessoal de um indivíduo ou devido à manipulação experimental, exigem maior iluminação para ser percebidas.

A relevância disso para o modo de pensar religioso nem precisa de explicação.

A teoria geral da religião como subproduto acidental — um efeito colateral de uma coisa útil — é a que pretendo defender. Os detalhes são variados, complicados e questionáveis. Em nome da ilustração, continuarei usando minha teoria da "criança crédula" como representante das teorias do "subproduto" em geral. Essa teoria — de que o cérebro da criança é, com bons motivos, vulnerável à infecção por "vírus" mentais — vai soar incompleta para alguns leitores. A mente pode ser vulnerável, mas por que ela deveria ser infectada por *esse* vírus e não por outro? Seriam alguns vírus especialmente aptos a infectar mentes vulneráveis? Por que a "infecção" se manifesta como religião e não como... sei lá o quê? Em parte o que quero dizer é que não importa que estilo específico de absurdo infecte o cérebro da criança. Uma vez infectada, a criança crescerá e infectará a geração seguinte com o mesmo absurdo, aconteça o que acontecer.

Uma pesquisa antropológica como o *Ramo de ouro* de Frazer nos impressiona com a diversidade das crenças irracionais humanas. Uma vez entrincheiradas numa cultura, elas persistem, evoluem e divergem entre si, de uma maneira que remete à evolução biológica. Frazer identifica, porém, determinados princípios gerais, como por exemplo a "magia homeopática", pela qual feitiços e encantamentos emprestam algum aspecto simbólico do objeto real que pretendem influenciar. Um exemplo de consequências trágicas é a crença de que o pó do chifre do rinoceronte tem propriedades afrodisíacas. Por mais estúpida que seja, a lenda vem da suposta semelhança entre o chifre e um pênis viril. O fato de a "magia homeopática" ser tão disseminada sugere que os absurdos que infectam cérebros vulneráveis não sejam absurdos totalmente aleatórios e arbitrários.

É tentador explorar a analogia biológica até o ponto de questionar se não há em ação alguma coisa correspondente à seleção natural. Algumas ideias são mais dissemináveis que outras, por causa de seu apelo ou mérito intrínseco, ou pela compatibilidade com disposições psicológicas preexistentes, e poderia isso responder pela natureza e pelas propriedades das religiões como as conhecemos, de um jeito parecido com o modo como usamos a seleção natural para responder pelos organismos vivos? É importante entender que "mérito" aqui significa apenas a capacidade de sobreviver e de se espalhar. Não significa um juízo de valor positivo — coisa de que podemos nos orgulhar.

Mesmo num modelo evolucionário, não é preciso haver seleção natural. Os biólogos reconhecem que um gene pode se espalhar por uma população não por ser um gene bom, mas simplesmente por ser um gene sortudo. Chamamos isso de deriva genética. Sua importância em comparação à da seleção natural é controversa. Mas hoje ela é amplamente aceita, na forma da chamada teoria neutra da genética molecular. Se um gene sofre mutação e se transforma numa versão diferente de si mesmo que tem um efeito idêntico, a diferença é neutra, e a seleção não pode favorecer um ou outro. Mesmo assim, pelo que os estatísticos chamam de erro de amostragem ao longo de gerações, a nova forma mutante pode acabar substituindo a forma original no universo de genes. Trata-se de uma mudança evolutiva real no nível molecular (mesmo que nenhuma mudança seja observada no mundo dos organismos completos). É uma mudança evolutiva neutra que não deve nada à vantagem seletiva.

O equivalente cultural da deriva genética é uma opção convincente, que não podemos ignorar quando pensamos na evolução da religião. A linguagem evolui de forma quase biológica, e a direção que a evolução toma não parece ter sido predefinida, de um modo bem parecido com a deriva aleatória. Ela é transmitida por um análogo cultural da genética, mudando lentamente através dos séculos, até que no final várias linhas tenham divergido, chegando ao ponto da ininteligibilidade mútua. É possível que parte da evolução da língua seja guiada por uma espécie de seleção natural, mas esse argumento não parece muito convincente. Explicarei em seguida que já se propôs uma ideia como essa para movimentos importantes nas línguas, como a Grande Mutação Vocálica, que aconteceu no inglês entre os séculos XV e XVIII. Mas não é necessária uma hipótese assim para explicar a maior parte do que observamos. Parece provável que a linguagem evolua normalmente pelo equivalente cultural da deriva genética aleatória. Em partes diferentes da Europa, o latim derivou e transformou-se em espanhol, português, italiano, francês, romeno e nos vários dialetos desses idiomas. Não é, para dizer o mínimo, óbvio que essas mudanças evolutivas refletiram vantagens locais ou "pressões seletivas".

Acredito que as religiões, assim como as línguas, evoluem com a dose certa de aleatoriedade, a partir de um início arbitrário o bastante para gerar a incrível — e às vezes perigosa — riqueza na diversidade que observamos. Ao mesmo tempo, é possível que uma forma de seleção natural, associada à uniformidade fundamental da psicologia humana, garanta que religiões diversas tenham características significativas em comum. Muitas religiões, por exemplo, ensinam a doutrina objetivamente implausível mas subjetivamente atraente de que nossa personalidade sobrevive à morte do corpo. A ideia da imortalidade em si sobrevive e dissemina-se porque se alimenta do desejo. E o desejo conta, porque a psicologia humana tem uma tendência quase universal a permitir que a crença seja marcada pelas aspirações ("Teu desejo era pai, Harry, de tua ideia", como disse Henrique IV, parte II, a seu filho).*

Aparentemente não há dúvida de que muitos dos atributos da religião são bem adequados a colaborar para a sobrevivência dela, e para a sobrevivência desses atributos, no caldo da cultura humana. Surge agora a dúvida sobre se essa adequação é obtida pelo "design inteligente" ou por seleção natural. As duas respostas provavelmente estão certas. Pelo lado do design, os líderes religiosos são plenamente capazes de verbalizar os truques que colaboram para a sobrevivência da religião. Martinho Lutero sabia bem que a razão é a arqui-inimiga da religião, e frequentemente advertia sobre seus perigos: "A razão é o maior inimigo que a fé possui; ela nunca aparece para contribuir com as coisas espirituais, mas com frequência entra em confronto com a Palavra divina, tratando com desdém tudo o que emana de Deus".[85] De novo: "Quem quiser ser cristão deve arrancar os olhos da razão". E de novo: "A razão deve ser destruída em todos os cristãos". Lutero não teria tido dificuldade em projetar inteligentemente aspectos não inteligentes de uma religião para ajudá-la a sobre-

* Não é brincadeira minha: *1066 and all that*.

viver. Mas isso não significa necessariamente que ele, ou qualquer outra pessoa, realmente os tenha projetado. Eles podem ter evoluído por uma forma (não genética) de seleção natural, e Lutero não seria o designer, mas um observador sagaz de sua eficácia.

Embora a seleção darwiniana convencional de genes possa ter favorecido predisposições psicológicas que produzam a religião como subproduto, é improvável que ela tenha forjado os detalhes. Já indiquei que, se pretendemos aplicar alguma forma de teoria seletiva a esses detalhes, temos de olhar não para genes, mas para seus equivalentes culturais. São as religiões feitas da mesma matéria que os memes?

## PISA DEVAGAR, POIS PISAS NOS MEUS MEMES

> *A verdade, em se tratando de religião, é simplesmente a opinião que sobreviveu.*
>
> Oscar Wilde

Este capítulo começou com a observação de que, como a seleção natural darwiniana abomina o desperdício, toda característica onipresente de uma espécie — como a religião — tem de ter conferido alguma vantagem, ou não teria sobrevivido. Mas indiquei que a vantagem não precisa redundar na sobrevivência ou no sucesso reprodutivo do indivíduo. Como vimos, a vantagem para os genes do vírus do resfriado é explicação suficiente para a onipresença dessa queixa tão desagradável entre nossa espécie.*

* Especialmente meu país, segundo a lenda de estereotipação nacional: "*Voici l'anglais avec son sang froid habituel*" ("Aqui está o inglês com seu maldito resfriado de sempre" ["Here is the Englishman with his habitual bloody cold"]). A frase vem de *Fractured French*, de F. S. Pearson, junto com outras pérolas como "*coup de grâce*" (cortador de grama [lawnmower]).

E nem é necessário haver genes que sejam beneficiados. Qualquer *replicador* já serve. Os genes são só os exemplos mais óbvios de replicadores. Outros candidatos são vírus de computador e memes — unidades de herança cultural e o tema deste trecho. Se quisermos entender os memes, primeiro temos que analisar de forma um pouco mais detida exatamente como a seleção natural funciona.

Em sua forma mais geral, a seleção natural precisa escolher entre replicadores alternativos entre si. Um replicador é uma informação codificada que faz cópias exatas de si mesma, junto com cópias inexatas ocasionais, ou "mutações". A pergunta importante aqui é a darwiniana. As variedades de replicadores que calham de ser eficientes em se autocopiar tornam-se mais numerosas em detrimento de replicadores alternativos que não se copiam tão bem. Isso é, em sua forma mais rudimentar, a seleção natural. O replicador arquetípico é o gene, um pedaço de DNA que é duplicado, quase sempre com extrema precisão, ao longo de um número indefinido de gerações. A pergunta central para a teoria dos memes é se existem unidades de imitação cultural que funcionem como replicadores verdadeiros, como os genes. Não estou dizendo que os memes necessariamente *são* análogos próximos dos genes, mas que quanto mais parecidos com genes eles forem, melhor a teoria dos memes funcionará; e o objetivo deste trecho é *perguntar* se a teoria dos memes funcionaria no caso específico da religião.

No mundo dos genes, as falhas ocasionais na replicação (mutações) fazem com que o universo genético contenha variantes alternativas para qualquer gene — "alelos" —, que podem portanto ser encaradas como concorrentes entre si. Concorrendo pelo quê? Pelo encaixe cromossômico, ou "locus", que pertence àquele conjunto de alelos. E como eles competem? Não pelo combate direto de molécula para molécula, mas através de representantes. Seus representantes são seus "traços fenotípicos" — coisas como o comprimento da perna ou a cor do pelo: manifestações de genes encarnadas na forma de anatomia, fisiologia, bioquímica ou comportamento. O destino de um gene costuma estar associado aos corpos em que ele se encaixa de forma bem-sucedida. Como ele influencia esses corpos, isso afeta suas chances de sobrevivência no universo de genes. Conforme as gerações avançam, os genes aumentam ou diminuem em frequência no universo genético de acordo com o desempenho de seus representantes fenotípicos.

Poderia o mesmo acontecer com os memes? Um aspecto no qual eles não são como genes é que não são nada que corresponda de maneira óbvia a cromossomos, ou loci, ou alelos ou recombinação sexual. O universo de memes é menos estruturado e menos organizado que o universo de genes. Mesmo assim, não é uma tolice completa falar de um universo de memes, em que memes específicos possam ter uma "frequência" que pode mudar em consequência de interações competitivas com memes alternativos.

Houve quem fizesse objeções às explicações meméticas, com base em vários argumentos que normalmente se originam no fato de que os memes não são totalmente como os genes. A natureza física exata de um gene é conhecida hoje (é uma sequência de DNA), enquanto a dos memes não é, e memeticistas diferentes se confundem uns aos outros passando de um meio físico para outro. Os memes existem apenas nos cérebros? Ou cada cópia em papel ou eletrônica de, digamos, um versinho popular também tem o direito de ser chamada de meme? Além disso, os genes replicam-se com uma fidelidade muito alta, e, se é que os memes se replicam, eles não o fazem com menor precisão?

Esses supostos problemas dos memes são exagerados. A objeção mais importante é a alegação de que os memes são copiados com fidelidade insuficiente para funcionar como replicadores darwinianos. A suspeita é que, se a "taxa de mutação" em cada geração for elevada, o meme vai sofrer mutações até deixar de existir, antes que a seleção darwiniana possa ter um impacto em sua frequência no universo de memes. Mas o problema é ilusório. Pense num mestre carpinteiro, ou num artesão pré-histórico de instrumentos de pedra, demonstrando uma habilidade específica para um jovem aprendiz. Se o aprendiz reproduzisse fielmente cada movimento da mão do mestre, seria realmente de esperar que o meme mutasse até se tornar irreconhecível em apenas algumas "gerações" de transmissão mestre-aprendiz. Mas é claro que o aprendiz não reproduz fielmente cada movimento da mão. Seria ridículo se fosse assim. Em vez disso, ele observa o objetivo que o mestre está tentando alcançar e o imita. Insira o prego até que a cabeça esteja plana, não importam quantas marteladas sejam necessárias, e elas podem ser de número diferente do usado pelo mestre. É esse tipo de regra que pode passar imutada por um número indefinido de "gerações" de imitação, independentemente do fato de que os detalhes de sua execução variem de indivíduo para indivíduo e de caso para caso. Pontos no tricô, nós em cordas ou redes de pescar, dobraduras de origami, truques úteis na carpintaria ou na cerâmica: tudo isso pode ser reduzido a elementos distintos que realmente têm a oportunidade de ser transmitidos por um número indefinido de gerações de imitação, sem alteração. Os detalhes podem flutuar de forma idiossincrática, mas a essência é transmitida imutada, e é só isso o necessário para que a analogia dos memes com os genes funcione.

Em meu prefácio a *The meme machine*, de Susan Blackmore, desenvolvi o exemplo de um procedimento de origami para fazer uma miniatura de um barco chinês. É uma receita bastante complicada, envolvendo 32 dobraduras ou operações semelhantes. O resultado final (o barco chinês em si) é um objeto agradável, assim como três estágios intermediários na "embriologia", o "catamarã", a "caixa de duas tampas" e o "porta-retratos". A performance até me faz lembrar das dobras e invaginações por que passam as membranas de um embrião conforme ele passa de blástula para gástrula e para nêurula. Aprendi a fazer o barco chinês quando era pequeno com meu pai, que, mais ou menos na mesma idade, tinha adquirido a habilidade em seu internato. Uma febre de dobraduras de barco chinês, iniciada pela supervisora, havia se espalhado pela escola no tempo dele como uma epidemia de sarampo, e depois se esvaneceu, também como uma epidemia de sarampo. Vinte e seis anos depois, quando aquela supervisora já não trabalhava mais lá havia muito tempo, fui à mesma escola. Reintroduzi a febre e ela novamente se espalhou, como outra epidemia de sarampo, e novamente se esvaneceu. O fato de que uma habilidade tão ensinável possa se espalhar como uma epidemia diz-nos algo importante sobre a alta fidelidade das transmissões meméticas. Podemos estar certos de que os barcos feitos pela geração de alunos da geração de meu pai, nos anos 1920, não eram em seus aspectos gerais diferentes dos feitos pela minha geração, nos anos 1950.

Podemos investigar o fenômeno de forma mais sistemática no seguinte experimento: uma variante da brincadeira infantil do telefone sem fio. Pegue duzentas pessoas que nunca fizeram um barco chinês e as organize em vinte equipes de dez pessoas cada uma. Reúna os líderes das vinte equipes em volta de uma mesa e ensine-os, pela demonstração, a fazer um barco chinês. Peça a cada um que ensine a uma segunda pessoa em sua equipe, sozinha, de novo por demonstração, a fazer o barco chinês. Cada pessoa da segunda "geração" ensina então a terceira pessoa de sua própria equipe, e assim por diante, até que o décimo membro de cada equipe tenha sido alcançado. Guarde todos os barcos feitos no processo e os etiquete por equipe e número de geração para subsequente inspeção.

Ainda não fiz o experimento (gostaria de fazer), mas tenho uma previsão bastante convicta do resultado. Minha previsão é que nem todas as vinte equipes conseguirão transmitir a habilidade intacta ao longo da linha de seus dez integrantes, mas que um número significativo delas conseguirá. Em algumas equipes haverá erros: talvez um elo mais fraco da cadeia esqueça algum passo vital da operação, e todo mundo dali para baixo receba o erro e obviamente fracasse. Talvez a equipe 4 chegue até o "catamarã", mas não consiga seguir adiante. Talvez o oitavo integrante da equipe 13 produza um "mutante" em algum ponto entre a "caixa de duas tampas" e o "porta-retratos", e o nono e o décimo integrantes de sua equipe copiem então a versão mutada.

Sobre as equipes em que a habilidade é transferida de forma bem-sucedida para a décima geração, faço mais uma previsão. Se você classificar os barcos em ordem de "geração", não observará uma deterioração sistemática de qualidade com o número de gerações. Se, por outro lado, você realizasse um experimento idêntico em todos os aspectos, exceto pelo fato de que a habilidade a ser transferida não fosse um origami, e sim copiar um *desenho* de um barco, haveria definitivamente uma deterioração sistemática na precisão com que o desenho da geração 1 "sobreviveu" até a geração 10.

Na versão desenho do experimento, todos os desenhos da décima geração teriam alguma leve semelhança com o desenho da primeira geração. E, dentro de cada equipe, a semelhança se deterioraria de forma mais ou menos constante conforme se avançasse de geração para geração. Na versão origami do experimento, pelo contrário, os erros seriam de "tudo ou nada": seriam mutações "digitais". Ou a equipe não cometeria erros e o barco da décima geração não seria nem pior nem melhor, na média, que o produzido pela quinta ou pela primeira geração; ou haveria uma "mutação" em alguma geração específica e todos os esforços dali por diante seriam fracassos completos, muitas vezes reproduzindo fielmente a mutação.

Qual é a diferença crucial entre as duas habilidades? É que a habilidade do origami consiste numa série de ações separadas, sendo que nenhuma delas é difícil de realizar por si só. A maioria das operações é de coisas como "Dobre os dois lados até o meio". Um integrante particular de uma equipe pode executar o passo errado, mas ficará claro para o próximo membro da equipe o que ele estava *tentando* fazer. Os passos do origami são "autonormalizantes". É isso que os faz "digitais". É como meu mestre carpinteiro, cuja intenção de deixar a cabeça do prego plana em relação à madeira é óbvia para seu aprendiz, independentemente do detalhe das marteladas. O passo da receita do origami é realizado do jeito certo ou do jeito errado. Já a habilidade do desenho é uma habilidade de analogia. Todo mundo pode tentar, mas algumas pessoas copiam um desenho com mais precisão que outras, e ninguém o copia perfeitamente. A precisão da cópia depende também da quantidade de tempo e cuidado dedicada a ela, e essas quantidades variam constantemente. Alguns integrantes das equipes, além disso, vão enfeitar ou "melhorar", em vez de copiar estritamente, o modelo anterior.

As palavras — pelo menos quando são entendidas — também são autonormalizantes, no mesmo sentido das operações de origami. Na brincadeira do telefone sem fio, a primeira criança ouve uma história, ou uma frase, e tem de transmiti-la para a próxima criança, e assim por diante. Se a frase tiver menos de sete palavras, na língua nativa de todas as crianças, há uma boa chance de que ela sobreviva, imutada, por dez gerações. Se for numa língua estrangeira desconhecida, de forma que as crianças sejam obrigadas mais a imitar foneticamente que dizer palavra por palavra, a mensagem não sobrevive. O padrão de declínio através das gerações é o mesmo que para um desenho, e ela ficará distorcida. Quando a mensagem faz sentido na língua da criança, e não contém palavras pouco familiares como "fenótipo" ou "alelo", ela sobrevive. Em vez de imitar os sons foneticamente, cada criança reconhece cada palavra como integrante de um vocabulário finito e seleciona a mesma palavra, embora muito provavelmente pronunciada com um sotaque diferente, quando a transmite para a próxima criança. A língua escrita também é autonormalizante porque os rabiscos no papel, não importa quanto difiram nos detalhes, são todos tirados de um alfabeto finito de (por exemplo) 26 letras.

O fato de os memes poderem às vezes apresentar uma fidelidade muito alta, devido a processos autonormalizantes como esses, basta para responder a algumas das objeções mais comuns levantadas para a analogia meme/gene. De qualquer maneira, o principal propósito da teoria dos memes, neste estágio tão inicial de seu desenvolvimento, não é fornecer uma teoria abrangente da cultura, equivalente à genética de Watson-Crick. Meu propósito original ao pregar os memes foi, na verdade, combater a impressão de que o gene é o único jogo darwiniano em ação — uma impressão que *O gene egoísta* corria o risco de transmitir. Peter Richerson e Robert Boyd enfatizam essa questão no título de seu importante e cuidadoso livro *Not by genes alone* [Nem só com genes], embora eles apresentem razões para não adotar a palavra "meme", preferindo "variantes culturais". *Genes, memes and human history*, de Stephen Shennan, inspirou-se parcialmente num excelente livro anterior de Boyd e Richerson, *Culture and the evolutionary process*. Entre outros livros que tratam dos memes estão *The electric meme*, de Robert Aunger, *The selfish meme*, de Kate Distin, e *Virus of the mind: The new science of the meme*, de Richard Brodie.

Mas foi Susan Blackmore, em *The meme machine*, que levou a teoria memética mais longe. Ela visualiza um mundo cheio de cérebros (ou outros receptáculos ou condutores, como computadores ou frequências de rádio) e memes lutando para ocupá-los. Assim como genes num universo de genes, os memes que prevalecem são aqueles que conseguem se copiar bem. Isso pode acontecer porque eles exercem uma atração direta, devido à imortalidade que o meme tem para algumas pessoas. Ou pode ser porque eles florescem na presença de outros memes que já se tornaram numerosos no universo de memes. Isso cria complexos de memes, ou "memeplexos". Como costuma acontecer com os memes, entenderemos melhor se voltarmos à origem genética da analogia.

Para fins didáticos, tratei os genes como se eles fossem unidades isoladas, agindo de maneira independente. Mas é claro que eles não são independentes entre si, e esse fato se torna evidente de duas maneiras. Em primeiro lugar, os genes estão linearmente arranjados ao longo de cromossomos, e portanto tendem a viajar através de gerações na companhia de outros genes específicos que ocupam loci cromossômicos vizinhos. Nós, especialistas, chamamos esse tipo de ligação de *ligação*, e não falarei mais sobre isso porque os memes não têm cromossomos, alelos ou recombinação sexual. O outro aspecto pelo qual os genes não são independentes é bem diferente da ligação genética, e aqui há, sim, uma boa analogia memética. Ele diz respeito à embriologia, que — o fato costuma ser alvo de mal-entendidos — é completamente diferente da genética. Os corpos não são unidos como quebra-cabeças de peças fenotípicas, cada uma oferecida por um gene diferente. Não existe um mapeamento de um para um entre os genes e unidades de anatomia ou de comportamento. Os genes "colaboram" com centenas de outros genes na programação dos *processos* de desenvolvimento que culminam num corpo, da mesma maneira que as palavras de uma receita colaboram no processo de preparação que culmina num prato. Cada palavra da receita não corresponde a um determinado pedacinho do prato.

Os genes, portanto, cooperam em cartéis para construir corpos, e esse é um dos princípios importantes da embriologia. É tentador dizer que a seleção natural favorece cartéis de genes numa espécie de seleção natural de grupo entre cartéis alternativos. Trata-se de uma confusão. O que realmente acontece é que os outros genes do universo de genes constituem uma parte importante do *ambiente* em que cada gene é selecionado, em detrimento de seus alelos. Como cada gene é selecionado para ser bem-sucedido na presença dos outros — que também estão sendo selecionados da mesma forma —, *surgem* os cartéis de genes colaborativos. Temos aqui uma coisa mais parecida com um livre mercado que com uma economia planejada. Há um açougueiro e um padeiro, mas talvez haja uma lacuna no mercado para um fabricante de velas. A mão invisível da seleção natural preenche a lacuna. Isso é diferente de se ter um planejador central que favoreça a troica açougueiro + padeiro + fabricante de velas. A ideia sobre os cartéis colaborativos criados pela mão invisível vai se revelar central para nossa compreensão dos memes religiosos e de como eles funcionam.

Tipos diferentes de cartéis de genes surgem em universos genéticos diferentes. Universos genéticos de carnívoros têm genes que programam a detecção de presas nos órgãos dos sentidos, garras para capturar presas, dentes para dilacerar carne, enzimas para digerir carne, tudo sintonizado para cooperar entre si. Ao mesmo tempo, em universos genéticos de herbívoros, conjuntos diferentes de genes mutuamente compatíveis são favorecidos por sua cooperação uns com os outros. Já conhecemos a ideia de que um gene é favorecido pela compatibilidade de seu fenótipo com o ambiente externo da espécie: deserto, floresta ou qualquer que seja ele. O ponto que estou defendendo é que ele também é favorecido por sua compatibilidade com os outros genes de seu universo genético específico. Um gene de carnívro não sobreviveria num universo genético de herbívoros, e vice-versa. Do ponto de vista do gene, o universo genético da espécie — o conjunto de genes misturados e remisturados pela reprodução sexual — constitui o ambiente genético em que cada gene é selecionado por sua capacidade de cooperar. Embora os universos de memes sejam menos regimentados e estruturados que os universos de genes, ainda podemos falar do universo memético como parte importante do "ambiente" de cada meme no memeplexo.

Um memeplexo é um conjunto de memes que, embora não sejam necessariamente bons sobreviventes isoladamente, são bons sobreviventes na presença dos outros membros do memeplexo. Na seção anterior, duvidei que os detalhes da evolução das línguas sejam favorecidos por qualquer tipo de seleção natural. Deduzi que a evolução das línguas é, em vez disso, governada pela deriva aleatória. É concebível que determinadas vogais ou consoantes sejam transmitidas melhor que outras em terrenos montanhosos, e portanto possam se tornar características, digamos, de dialetos suíços, tibetanos ou andinos, enquanto outros sons sejam adequados ao sussurro das densas florestas e sejam portanto característicos de línguas pigmeias ou amazônicas. Mas o exemplo que citei para a seleção natural da língua — a teoria de que a Grande Mutação Vocálica possa ter uma explicação racional — não pertence a esse tipo. Ele tem mais a ver com memes que se encaixem em memeplexos mutuamente compatíveis. Uma vogal mudou primeiro, por razões desconhecidas — talvez uma moda de imitar um indivíduo admirado e poderoso, como a suposta origem do ceceio do espanhol. Não interessa como começou a Grande Mutação Vocálica: de acordo com essa teoria, uma vez que a primeira vogal tenha mudado, outras vogais tiveram de mudar seguindo sua trilha, para reduzir a ambiguidade, e assim por diante, numa cascata. Nesse segundo estágio do processo, os memes eram selecionados em relação ao contexto de universos meméticos já existentes, construindo um novo memeplexo de memes mutuamente compatíveis.

Estamos finalmente equipados para passar para a teoria memética da religião. Algumas ideias religiosas, assim como alguns genes, podem sobreviver devido ao mérito absoluto. Esses memes sobreviveriam em qualquer universo memético, independentemente dos outros memes que os cercassem. (Devo repetir o ponto vitalmente importante de que "mérito" nesse sentido significa apenas "capacidade de sobreviver no universo". Não carrega nenhum outro juízo de valor.) Algumas ideias religiosas sobrevivem porque são compatíveis com outros memes que já são numerosos no universo de memes — como parte de um memeplexo. Leia a seguir uma lista parcial de memes religiosos que podem ter valor de sobrevivência no universo memético, seja devido a um "mérito" absoluto, seja devido à compatibilidade com um memeplexo preexistente:

- Você sobreviverá à sua própria morte.
- Se você morrer como mártir, vai para uma parte do paraíso especialmente maravilhosa, onde se regalará com 72 virgens (reserve um pouco de pena para as pobres virgens).
- Hereges, blasfemos e apóstatas devem ser mortos (ou punidos, por exemplo pelo ostracismo em relação a suas famílias).
- A crença em Deus é uma virtude suprema. Se você perceber que sua crença está vacilando, trabalhe duro para restaurá-la, e implore a Deus para ajudá-lo a combater a descrença. (Em minha discussão sobre a aposta de Pascal mencionei a estranha pressuposição de que a única coisa que Deus realmente quer de nós é a fé. Naquele momento tratei o fato como uma anomalia. Agora temos uma explicação para ele.)
- A fé (crença sem evidência) é uma virtude. Quanto mais suas crenças desafiarem as evidências, mais virtuoso você será. Fiéis virtuosos que conseguem acreditar em alguma coisa muito estranha, insustentável, em franca oposição às evidências e à razão, são especialmente recompensados.

- Todo mundo, mesmo quem não possui crenças religiosas, deve respeitá-las com um respeito mais automático e mais sem questionamentos que o aceitável para qualquer outro tipo de crença (falamos disso no capítulo 1).
- Existem coisas estranhas (como a Trindade, a transubstanciação, a encarnação) que não nos *cabe* compreender. Nem *tente* entendê-las, porque a tentativa pode destruí-las. Aprenda a se satisfazer chamando-as de *mistérios*. Lembre-se das virulentas condenações da razão feitas por Martinho Lutero, citadas na página 251, e pense em quão protetoras da sobrevivência dos memes elas seriam.
- A música, a arte e as Escrituras são marcas autorreplicantes de ideias religiosas.*

Alguns dos pontos da lista acima provavelmente possuem um valor de sobrevivência absoluto e floresceriam em qualquer memeplexo. Mas, assim como os genes, alguns memes só sobrevivem no contexto certo de outros memes, o que leva à construção de memeplexos alternativos entre si. Duas religiões diferentes podem ser encaradas como dois memeplexos alternativos. Talvez o islã seja análogo a um complexo genético de carnívoros, e o budismo, a um de herbívoros. As ideias de uma religião não são "melhores" que as da outra em nenhum sentido absoluto, assim co-

* Escolas e gêneros de arte diferentes podem ser analisados como memeplexos alternativos, já que os artistas copiam ideias e motivos de artistas anteriores, e os novos motivos só sobrevivem mesclados a outros. Na verdade, a própria disciplina acadêmica da história da arte, com seu rastreamento sofisticado de iconografias e simbolismos, pode ser encarada como um estudo elaborado sobre a memeplexidade. Os detalhes terão sido favorecidos ou desfavorecidos pela presença de integrantes preexistentes do universo de memes, e entre eles frequentemente haverá memes religiosos.

mo os genes de carnívoros não são "melhores" que os de herbívoros. Os memes religiosos desse tipo não têm necessariamente nenhuma aptidão especial para sobreviver; mesmo assim, são bons no sentido de que florescem na presença de memes de outra religião. Por esse modelo, o catolicismo romano e o islã, digamos, não foram necessariamente projetados por pessoas isoladas, mas evoluíram separadamente como coleções excludentes de memes que florescem na presença de outros membros do mesmo memeplexo.

Religiões organizadas são organizadas por pessoas: por padres e bispos, rabinos, imãs e aiatolás. Mas, para reiterar o ponto que defendi sobre Martinho Lutero, isso não significa que elas tenham sido concebidas e projetadas por pessoas. Mesmo nos casos em que religiões vêm sendo exploradas e manipuladas em benefício de indivíduos poderosos, ainda subsiste a forte possibilidade de que o formato detalhado de cada religião tenha sido moldado em grande parte pela evolução inconsciente. Não pela seleção natural genética, que é lenta demais para responder pela rápida evolução e divergência das religiões. O papel da seleção natural genética nessa história é fornecer o cérebro, com suas predileções e suas tendenciosidades — a plataforma de hardware e o programa simples que compõem o cenário da seleção memética. Devido a esse cenário, para mim algum tipo de seleção natural memética parece oferecer uma explicação plausível para a evolução detalhada de religiões específicas. Nos estágios iniciais da evolução de uma religião, antes que ela se torne organizada, memes simples sobrevivem devido a seu apelo universal à psicologia humana. É aí que a teoria memética da religião e a teoria do subproduto psicológico se sobrepõem. Os estágios mais tardios, quando a religião se torna organizada, elaborada e arbitrariamente diferente de outras religiões, são muito bem abordados pela teoria dos memeplexos — cartéis de memes mutuamente compatíveis.

Isso não elimina o papel adicional da manipulação deliberada por padres e outros indivíduos. As religiões provavelmente são, pelo menos em parte, produto de um design inteligente, assim como escolas, modas e a arte.

Uma religião que é quase em sua totalidade produto de design inteligente é a cientologia, mas suspeito que se trate de um caso excepcional. Outra candidata a religião puramente projetada é o mormonismo. Joseph Smith, seu ousado e enganador inventor, chegou ao cúmulo de escrever um livro sagrado totalmente novo, o Livro de Mórmon, inventando a partir do zero uma nova e fictícia história americana, escrita num inglês fictício do século XVII. O mormonismo, no entanto, evoluiu desde que foi criado no século XIX e hoje se transformou numa das religiões respeitáveis dos Estados Unidos — que, aliás, alega ser a que mais cresce, e já fala em apresentar um candidato à presidência.

A maioria das religiões evolui. Qualquer que seja a teoria da evolução religiosa que adotemos, ela tem de ser capaz de explicar a incrível velocidade com que o processo da evolução religiosa, sob as condições certas, é capaz de levantar voo. Veja a seguir um estudo de caso.

## CULTOS À CARGA

Em *A vida de Brian*, uma das muitas coisas que a equipe do Monty Python captou bem foi a extrema rapidez com que um novo culto religioso pode ter início. Ele pode surgir quase que da noite para o dia e a partir daí se incorporar numa cultura, onde assume um papel inquietadoramente dominante. Os "cultos à carga" da Melanésia e da Nova Guiné são os exemplos mais famosos na vida real. A história inteira de alguns desses cultos, do começo ao fim, está envolta em memória viva. Diferentemente do culto a Jesus, cujas origens não são atestadas de forma confiável, conseguimos ter o curso completo dos eventos diante dos olhos (e mesmo aí, como veremos, alguns detalhes se perderam). É fascinante imaginar que o culto ao cristianismo quase certamente começou de forma muito parecida, e espalhou-se inicialmente com a mesma alta velocidade.

Minha principal autoridade para os cultos à carga é *Quest in paradise* [Jornada no paraíso], de David Attenborough, que me foi gentilmente oferecido por ele. O padrão é o mesmo para todos eles, dos cultos mais antigos, no século XIX, aos mais famosos, que se desenvolveram depois da Segunda Guerra Mundial. Aparentemente, em todos os casos, os habitantes das ilhas ficaram impressionados com as fantásticas coisas que os imigrantes brancos possuíam, incluindo administradores, soldados e missionários. Eles foram talvez vítimas da Terceira Lei de (Arthur C.) Clarke, que citei no capítulo 2: "Qualquer tecnologia avançada o bastante é indistinguível da magia".

Os ilhéus perceberam que os brancos que usavam aquelas maravilhas nunca as fabricavam eles mesmos. Quando artigos precisavam de conserto, eram enviados para algum lugar, e artigos novos continuavam chegando na forma de "carga" em navios ou, mais tarde, aviões. Jamais se viu um homem branco consertando qualquer coisa, e eles não faziam nada que pudesse ser reconhecido como trabalho útil (sentar atrás de uma mesa manuseando papéis era obviamente algum tipo de devoção religiosa). Evidentemente, portanto, a "carga" tinha de ter origem sobrenatural. Como que para corroborar a pressuposição, os brancos faziam certas coisas que só podiam ser cerimônias ritualísticas:

> Eles construíam mastros altos com fios ligados a eles; ficavam sentados ouvindo pequenas caixas que brilhavam e emitiam barulhos curiosos e vozes abafadas; convenciam o povo local a usar roupas

idênticas e o faziam marchar para lá e para cá — e seria quase impossível imaginar uma ocupação mais inútil que essa. E então o indígena percebe que a resposta para o mistério está na sua cara. Essas ações incompreensíveis são os rituais utilizados pelos brancos para convencer os deuses a enviar a carga. Se o indígena quiser a carga, também ele tem de fazer aquelas coisas.

Impressiona o fato de que cultos à carga semelhantes tenham nascido de forma independente em ilhas que são enormemente distantes, tanto em termos geográficos como culturais. David Attenborough nos diz que

> antropólogos perceberam dois focos distintos na Nova Caledônia, quatro nas Salomão, quatro em Fiji, sete nas Novas Hébridas e mais de cinquenta em Nova Guiné, a maioria delas bastante independente e sem ligação entre si. A maioria dessas religiões afirma que um messias específico trará a carga quando o dia do apocalipse chegar.

O florescimento independente de tantos cultos independentes mas semelhantes sugere algumas características unificadoras da psicologia humana em geral.

Um culto famoso da ilha de Tanna, nas Novas Hébridas (conhecidas como Vanuatu desde 1980), ainda existe. Ele é centrado numa figura messiânica chamada John Frum. As referências a John Frum nos registros oficiais do governo remontam a no máximo 1940, mas, mesmo num mito tão recente, não se sabe ao certo se ele existiu realmente na forma de um homem de verdade. Uma lenda o descreveu como um homenzinho com voz esganiçada e cabelo descolorido, que usava um casaco com botões brilhantes. Ele fez estranhas profecias, e fez tudo o que podia para colocar as pessoas contra os missionários. No final ele acabou voltando para os ancestrais, depois de prometer um retorno triunfal, trazendo carga abundante. Sua visão apocalíptica incluía um "grande cataclismo; as montanhas desmoronariam e ficariam planas e os vales seriam preenchidos;* os velhos reconquistariam a juventude e a doença desapareceria; os brancos seriam expulsos da ilha para nunca mais voltar; e a carga chegaria em grande quantidade, para que todo mundo tivesse tudo o que quisesse".

De forma mais preocupante para o governo, John Frum também profetizou que, em sua segunda vinda, traria uma nova moeda, estampada com a imagem de um coco. As pessoas deveriam, portanto, se livrar de todo o seu dinheiro na moeda dos brancos. Em 1941, isso provocou uma onda de consumo furioso; as pessoas pararam de trabalhar e a economia da ilha sofreu graves prejuízos. Os administradores coloniais prenderam os líderes, mas não havia nada que pudessem fazer para exterminar o culto, e as igrejas das missões e as escolas ficaram desertas.

Um pouco depois, surgiu uma nova doutrina que afirmava que John Frum era o rei da América. Providencialmente, soldados americanos chegaram às Novas Hébridas mais ou menos nessa época e, maravilha das maravilhas, havia entre eles negros que não eram pobres como os ilhéus, mas

> tão ricamente dotados de carga quanto os soldados brancos. Uma louca empolgação tomou conta de Tanna. O dia do apocalipse era iminente. Parecia que todo mundo estava se preparando para a chegada de John Frum. Um dos líderes disse que John Frum chegaria

* Compare com Isaías 40, 4: "Todo vale será aterrado, e nivelados todos os montes e outeiros". Essa semelhança não indica necessariamente uma característica fundamental da psique humana, ou o "inconsciente coletivo" de Jung. As ilhas estavam havia muito infestadas de missionários.

dos Estados Unidos de avião, e centenas de homens começaram a abrir uma clareira no centro da ilha para que o avião tivesse uma pista onde pousar.

A pista tinha uma torre de controle de bambu com "controladores de tráfego aéreo" que usavam fones de ouvido de mentira, feitos de madeira. Havia aviões de mentira na pista para servir de isca, projetados para atrair o avião de John Frum.

Nos anos 1950, o jovem David Attenborough chegou de barco a Tanna, com um cinegrafista, Geoffrey Mulligan, para investigar o culto a John Frum. Eles encontraram muitas evidências da religião e acabaram sendo apresentados a seu sacerdote mais importante, um homem chamado Nambas. Nambas referia-se a seu messias com intimidade, como John, e afirmava conversar regularmente com ele, por "rádio". Isso ("John do rádio") consistia numa velha com um fio elétrico em volta da cintura e que entrava em transe, falando coisas ininteligíveis, que Nambas interpretava como as palavras de John Frum. Nambas alegava ter sabido com antecedência que Attenborough estava vindo para falar com ele, porque John Frum havia lhe contado pelo "rádio". Attenborough pediu para ver o "rádio", mas teve (compreensivelmente) o pedido recusado. Ele mudou de assunto e perguntou se Nambas havia visto John Frum:

> Nambas fez que sim vigorosamente. "Mim viu muitas vezes."
> "Como ele é?"
> Nambas apontou o dedo para mim.
> "Parece com você. Tem cara branca. É alto. Mora lá para a América do Sul."

Esse detalhe contradiz a lenda citada anteriormente, de que John Frum era um homenzinho baixo. É o que acontece com as lendas em evolução.

Acredita-se que John Frum vá voltar no dia 15 de fevereiro, mas o ano é desconhecido. Todo ano, no dia 15 de fevereiro, seus seguidores se reúnem para uma cerimônia religiosa para recebê--lo. Por enquanto ele não voltou, mas eles não estão decepcionados. David Attenborough disse a um devoto do culto, chamado Sam:

> "Mas, Sam, faz dezenove anos que John diz que a carga vai chegar. Ele promete e promete, mas a carga não vem. Dezenove anos não é tempo demais para esperar?"
>
> Sam parou de olhar para o chão e me fitou. "Se você pode esperar 2 mil anos pela chegada de Jesus Cristo e ele não vem, então posso esperar mais dezenove anos por John."

O livro de Robert Buckman *Can we be good without God?* [Podemos ser bons sem Deus?] cita a mesma réplica admirável de um discípulo de John Frum, dessa vez para um jornalista canadense uns quarenta anos depois do encontro de David Attenborough.

A rainha e o príncipe Philip visitaram a área em 1974, e o príncipe foi subsequentemente endeusado numa reprise do culto a John Frum (mais uma vez, perceba quão rapidamente os detalhes podem mudar na evolução da religião). O príncipe é um belo homem que teria impressionado em seu uniforme branco da Marinha e seu capacete emplumado, e talvez não seja de surpreender que ele, e não a rainha, tenha sido o escolhido, sem contar o fato de que a cultura dos ilhéus tornava difícil para eles aceitar uma divindade feminina.

Não quero supervalorizar os cultos à carga do Pacífico Sul. Mas eles realmente oferecem um modelo contemporâneo fascinante do modo como as religiões nascem praticamente do nada. Em especial, eles sugerem quatro lições sobre as origens das religiões em geral, e vou descrevê-las brevemente aqui. A primeira é a impressionante velocidade com que um culto pode florescer. A segunda é a velocidade com que o processo de origem apaga seus rastros. John Frum, se existiu, existiu numa época de memória viva. Mesmo assim, com uma possibilidade tão recente, não se sabe ao certo se ele existiu mesmo. A terceira lição vem da emergência independente de cultos semelhantes em ilhas diferentes. O estudo sistemático dessas semelhanças pode nos dizer alguma coisa sobre a psicologia humana e sua suscetibilidade à religião. A quarta é que os cultos à carga são parecidos não só entre si, mas com religiões mais antigas. O cristianismo e outras religiões antigas que se disseminaram pelo mundo todo presumivelmente começaram como cultos locais como o a John Frum. Acadêmicos como Geza Vermes, professor de estudos judaicos da Universidade de Oxford, já sugeriram que Jesus foi uma entre muitas outras figuras carismáticas que surgiram na Palestina mais ou menos em sua época, cercadas de lendas semelhantes. A maioria dos cultos morreu. O único que sobreviveu, por essa visão, é o que encontramos hoje. E, com o passar dos séculos, ele foi sendo moldado pela evolução (seleção memética, se você gostar desse jeito de dizer; mas só se gostar) e transformado no sistema sofisticado — ou melhor, em conjuntos divergentes de sistemas descendentes — que domina grandes partes do mundo hoje em dia. A morte de figuras carismáticas modernas como Hailé Selassié, Elvis Presley e a princesa Diana proporciona oportunidades para estudar o rápido surgimento de cultos e sua evolução memética subsequente.

Isso é tudo o que quero dizer sobre as raízes da religião, tirando uma curta reprise no capítulo 10, quando discuto o fenômeno infantil do "amigo imaginário" ao tratar das "necessidades" psicológicas que a religião satisfaz.

Frequentemente se acredita que a moralidade tenha suas origens na religião, e no próximo capítulo quero questionar essa ideia. Argumentarei que a origem da moralidade pode ela mesma ser objeto de um questionamento darwiniano. Assim como perguntamos: Qual é o valor de sobrevivência darwiniano da religião?, podemos fazer a mesma pergunta a respeito da moralidade. A moralidade, na verdade, provavelmente precedeu a religião. Assim como fizemos com a religião, retomando a pergunta e reformulando-a, com a moralidade descobriremos que ela se encaixa melhor como *subproduto* de uma outra coisa.

# 6. As raízes da moralidade: por que somos bons?

*Estranha é nossa situação aqui na Terra. Cada um de nós vem para uma curta passagem, sem saber por quê, ainda que algumas vezes tentando adivinhar um propósito. Do ponto de vista da vida cotidiana, porém, de uma coisa sabemos: o homem está aqui pelo bem de outros homens — acima de tudo daqueles de cujos sorrisos e bem-estar nossa própria felicidade depende.*

Albert Einstein

Muitas pessoas religiosas acham difícil imaginar como, sem a religião, é possível ser bom, ou mesmo querer ser bom. Discutirei esse tipo de questionamento neste capítulo. Mas as dúvidas vão mais longe, e levam algumas pessoas religiosas a paroxismos de ódio contra aqueles que não compartilham de sua fé. Trata-se de uma coisa importante, porque considerações morais se escondem por trás de atitudes religiosas em relação a outros tópicos que não têm ligação real com a moralidade. Boa parte da oposição ao ensinamento da evolução não tem nenhuma conexão com a evolução em si, ou com qualquer coisa de científico, mas é incitada por uma revolta moral. Isso vai desde o ingênuo "Se você ensinar às crianças que elas evoluíram dos macacos, elas vão agir como macacos" até a motivação subjacente mais sofisticada para toda a estratégia do "design inteligente", como impiedosamente desnudada por Barbara Forrest e Paul Gross em *Creationism's Trojan horse: The wedge of intelligent design* [Cavalo de Troia do criacionismo: a consolidação do design inteligente].

Recebo grandes quantidades de cartas de leitores de meus livros,* a maioria delas agradável e entusiasmada, algumas com críticas úteis, e umas poucas horríveis e até cruéis. E as mais horríveis de todas, lamento dizer, são quase invariavelmente motivadas pela religião. Tal abuso tão anticristão costuma ser sentido por aqueles que são considerados inimigos do cristianismo. Aqui, por exemplo, está uma carta, publicada na internet e endereçada a Brian Flemming, autor e diretor de *The god who wasn't there* [O Deus que não estava lá],[86] um filme sincero e emocionante que prega o ateísmo. Intitulada "Queime enquanto damos risada" e datada de 21 de dezembro de 2005, a carta a Flemming diz o seguinte:

> Vocês têm mesmo muita cara de pau. Queria pegar uma faca, destripar vocês, seus idiotas, e gritar de alegria quando suas tripas saírem para fora bem na sua frente. Vocês estão tentando deflagrar uma guerra santa em que algum dia eu, e outros como eu, posso ter o prazer de tomar medidas como a mencionada acima.

O autor, nesse ponto, parece admitir com um certo atraso que seus termos não são muito cristãos, pois prossegue, mais caridoso:

* Mais do que posso responder de forma adequada, fato pelo qual peço desculpas.

> No entanto, DEUS nos ensina a não buscar a vingança, mas a rezar por aqueles como vocês.

Sua caridade, porém, dura pouco:

> Vou me conformar em saber que a punição que DEUS infligirá a vocês será mil vezes pior que qualquer coisa que eu possa causar. A melhor parte é que vocês SOFRERÃO por toda a eternidade por esses pecados que ignoram totalmente. A Ira de DEUS não terá misericórdia. Pelo seu próprio bem, espero que a verdade seja revelada a vocês antes que a faca se conecte a sua carne. Feliz NATAL!!!
>
> P. S. Vocês não fazem mesmo a menor ideia do que os aguarda... Agradeço a DEUS por não ser vocês.

Acho genuinamente intrigante que uma mera diferença de opiniões teológicas possa gerar tamanha virulência. Segue uma amostra das cartas ao editor da revista *Freethought Today*, publicada pela Fundação pela Liberdade da Religião (Freedom From Religion Foundation — FFRF), que faz campanhas pacifistas contra a erosão da separação constitucional entre a Igreja e o Estado:

> Olá, comedores de queijo asquerosos. Tem muito mais de nós, cristãos, que de vocês, seus otários. NÃO tem separação de Igreja e Estado e vocês, pagãos, vão se dar mal...

Qual é a do queijo? Amigos americanos sugeriram uma ligação com o estado de Wisconsin, famoso por ser liberal — sede da FFRF e centro da indústria do laticínio —, mas certamente é mais que isso. E aqueles "macacos rendidos comedores de queijo" franceses? Qual é a iconografia semiótica do queijo? Continuando:

Escória adoradora de Satã [...] Por favor morram e vão para o inferno [...] Espero que vocês peguem uma doença doída como câncer retal e morram uma morte lenta e dolorosa, para que vocês possam encontrar o seu Deus, SATÃ [...] Ei, cara, essa coisa de liberdade da religião é uma droga [...] Então, bichas e sapatonas, vão com calma e olhem por onde andam que quando menos esperarem deus vai pegar vocês [...] Se vocês não gostam deste país e aquilo sobre o que e para que ele foi fundado, vão embora, porra, e vão direto para o inferno [...]

P. S. Fodam-se, vagabundas comunistas [...] Tirem suas bundas pretas dos EUA [...] Vocês não têm desculpa. A criação é prova mais que suficiente do poder onipotente do SENHOR JESUS CRISTO.

Por que não do poder onipotente de Alá? Ou do Senhor Brahma? Ou até de Javé?

Vocês não sairão impunes. Se no futuro isso exigir violência, lembrem-se de que foram vocês que provocaram. Meu fuzil está carregado.

Por que — não consigo deixar de questionar — se acha que Deus precisa de uma defesa tão feroz? Era de esperar que ele fosse amplamente capaz de tomar conta de si mesmo. Saiba, enquanto isso, que o editor que estava sendo agredido e ameaçado de forma tão cruel é uma moça educada e encantadora.

Talvez porque não moro nos Estados Unidos, a maioria da correspondência agressiva que recebo não pertence bem a esse time, mas também não exibe muito mais daquela caridade pela qual o fundador do cristianismo ficou famoso. A seguinte carta, datada de maio de 2005, de um médico britânico com doutorado, embora seja certamente agressiva, soa-me mais perturbada que odiosa, e revela como a questão da moralidade é um poço profundo de hostilidade contra o ateísmo. Depois de alguns parágrafos preliminares atacando a evolução (e perguntando sarcasticamente se um "Negro" "ainda está evoluindo"), insultando Darwin pessoalmente, fazendo citações enganosas de Huxley, dizendo que ele era antievolucionista, e incentivando-me a ler um livro (eu o li) que argumenta que o mundo só tem 8 mil anos de idade (como ele pode ter obtido um doutorado?), ele conclui:

> Seus livros, seu prestígio em Oxford, tudo o que você ama na vida e já conseguiu conquistar, são um exercício de inutilidade completa [...] A pergunta-desafio de Camus torna-se inescapável: Por que não cometemos suicídio todos nós? Sua visão de mundo realmente tem esse tipo de efeito sobre estudantes e muitas outras pessoas [...] que nós todos evoluímos pelo acaso cego, do nada, e retornamos ao nada. Mesmo se a religião não fosse verdade, é melhor, muito melhor, acreditar em um mito nobre, como o de Platão, se ele traz paz de espírito enquanto vivemos. Mas *sua* visão de mundo leva à ansiedade, à dependência das drogas, à violência, ao niilismo, ao hedonismo, à ciência Frankenstein, e ao inferno na terra, e à Terceira Guerra Mundial [...] Fico imaginando se *você* é feliz em seus relacionamentos pessoais. Divorciado? Viúvo? Gay? Aqueles como você nunca são felizes, ou então não se esforçariam tanto para provar que *não existe* felicidade nem significado em nada.

O sentimento dessa carta, se não seu tom, é típico de muitas delas. O darwinismo, acredita essa pessoa, é inerentemente niilista, ensinando que evoluímos pelo acaso cego (pela enésima vez, a seleção natural é exatamente o *contrário* de um processo casual) e que somos aniquilados quando morremos. Como consequência direta de tamanho suposto negativismo, acontece todo tipo de mal. Presumo que ele não tenha *mesmo* querido sugerir que a viuvez pudesse ser consequência direta do meu darwinismo, mas sua carta, naquele ponto, já havia chegado àquele nível de malevolência frenética que reconheço tantas vezes entre meus correspondentes cristãos. Dediquei um livro inteiro (*Desvendando o arco-íris*) ao significado último, à poesia da ciência e a rebater, especificamente e a fundo, a acusação de negativismo niilista, portanto devo me conter aqui. Este capítulo é sobre o mal, e seu oposto, o bem; sobre a moralidade: de onde ela vem, por que devemos adotá-la, e se precisamos da religião para fazê-lo.

## NOSSO SENSO MORAL TEM ORIGEM DARWINIANA?

Vários livros, como *Why good is good* [Por que o bom é bom], de Robert Hinde, *The science of good and evil* [A ciência do bem e do mal], de Michael Shermer, *Can we be good without God?* [Podemos ser bons sem Deus?], de Robert Buckman, e *Moral minds* [Mentes morais], de Marc Hauser, argumentaram que nosso senso de certo e errado pode ser resultado de nosso passado darwiniano. Essa seção representa a minha visão sobre esse argumento.

À primeira vista, a ideia darwiniana de que a evolução é impulsionada pela seleção natural parece inadequada para explicar bondades como a que possuímos, ou nosso sentimento de moralidade, decência, empatia e piedade. A seleção natural explica com facilidade a fome, o medo e o desejo sexual, que contribuem diretamente para nossa sobrevivência ou para a preservação de nossos genes. Mas e a compaixão arrebatadora que sentimos quando vemos uma criança órfã chorando, uma viúva idosa desesperada de solidão ou um animal ganindo de dor? O que nos fornece o fortíssimo impulso de mandar uma doação anônima em dinheiro ou roupas para vítimas do tsunami do outro lado do mundo, que jamais encontraremos, e que dificilmente devolverão o favor? De onde vem o Bom Samaritano que existe em nós? A bondade não é incompatível com a teoria do "gene egoísta"? Não. Esse é um equívoco comum na compreensão da teoria — um equívoco perturbador (e, analisando em retrocesso, previsível).* É necessário colocar a ênfase na palavra certa. O *gene* egoísta é a ênfase correta, pois contrasta com o organismo egoísta, digamos, ou a espécie egoísta. Deixe-me explicar.

A lógica do darwinismo conclui que a unidade na hierarquia da vida que sobrevive e passa pelo filtro da seleção natural tenderá a ser egoísta. As unidades que sobrevivem no mundo serão aquelas que forem bem-sucedidas em sobreviver em detrimento de seus rivais em seu próprio nível de hierarquia. É precisamente isso o que egoísta quer dizer nesse contexto. A questão é: qual é o nível da ação? A ideia do gene egoísta, com a ênfase devidamente aplicada na palavra gene, é que a unidade da seleção natural (isto é, a unidade do egoísmo) não é o organismo egoísta, nem o grupo egoísta ou a espécie egoísta ou o ecossistema egoísta, mas o *gene* egoísta. É esse gene que, na forma de informação, ou sobrevive por muitas gerações ou não sobrevive. Diferentemente do gene (e talvez do meme), o organismo, o grupo e a espécie não são o tipo certo de entidade para funcionar como unidade nesse sentido, porque não fazem cópias exatas de si mesmos, e não competem num universo de unidades

* Fiquei mortificado quando li no *The Guardian* ("Animal Instincts", 27 de maio de 2006) que *O gene egoísta* é o livro favorito de Jeff Skilling, CEO da malfadada Enron Corporation, e que ele se inspirou numa característica do darwinismo social tirada dele. O jornalista do *The Guardian* Richard Conniff dá uma boa explicação sobre o equívoco: http://money.guardian.co.uk/workweekly/story/0,,1783900,00.html. Tentei impedir equívocos de interpretação semelhantes em meu novo prefácio à edição de trigésimo aniversário de *O gene egoísta*, recém-lançada pela Oxford University Press.

autorreplicantes. Isso é exatamente o que os genes fazem, e essa é a justificativa — essencialmente lógica — para destacar o gene como a unidade de "egoísmo" no sentido especial e darwiniano de egoísmo.

O modo mais óbvio de os genes garantirem sua sobrevivência "egoísta" em relação a outros genes é programando organismos isolados para que eles sejam egoístas. Há muitas circunstâncias em que a sobrevivência de um organismo isolado favorecerá a sobrevivência dos genes que viajam dentro dele. Mas circunstâncias diferentes favorecem táticas diferentes. Existem circunstâncias — que não são especialmente raras — em que os genes garantem sua sobrevivência egoísta influenciando os organismos a agir de forma altruísta. Essas circunstâncias são hoje bastante bem compreendidas e encaixam-se em duas categorias principais. Um gene que programa organismos isolados para favorecer seus parentes genéticos é estatisticamente mais propenso a beneficiar cópias de si mesmo. A frequência de um gene como esse pode aumentar, no universo genético, até o ponto em que o altruísmo entre os pares se transforme em norma. Tratar bem o filho dos outros é o exemplo óbvio, mas não é o único. Abelhas, vespas, formigas, cupins e, em menor proporção, determinados vertebrados como o rato-toupeira pelado, os suricatos e os pica-paus boloteiros desenvolveram sociedades em que os irmãos mais velhos tomam conta dos mais novos (com quem eles provavelmente compartilham os genes para cuidar). Em geral, como mostrou meu falecido colega W. D. Hamilton, os animais tendem a cuidar de familiares, defendê-los, dividir recursos com eles, adverti-los de perigos e mostrar altruísmo em relação a eles por causa da probabilidade estatística de que aquele parente tenha cópias dos mesmos genes.

O outro tipo principal de altruísmo para o qual há uma razão darwiniana bem explicada é o altruísmo recíproco ("Coce as minhas costas que eu coço as suas"). Essa teoria, apresentada pela primeira vez na biologia evolutiva por Robert Trivers, e frequentemente expressa na terminologia matemática da teoria dos jogos, não se apoia no compartilhamento de genes. Na verdade, ela funciona tão bem quanto, e talvez até melhor, entre membros de espécies totalmente diferentes, situação em que muitas vezes é chamada de simbiose. O princípio é a base de todo o comércio e dos escambos também para os seres humanos. O caçador precisa de uma lança e o ferreiro quer carne. A assimetria serve de intermediária para o acordo. A abelha precisa de néctar e a flor precisa da polinização. As flores não voam, portanto pagam às abelhas, na moeda do néctar, pelo aluguel de suas asas. Pássaros chamados indicadores encontram as colmeias de abelhas, mas não conseguem penetrar nelas. Os ratéis conseguem entrar nas colmeias, mas não têm asas para procurá-las. Os indicadores levam os ratéis (e às vezes os homens) até o mel com um voo especialmente chamativo, que não tem nenhum outro objetivo. Os dois lados beneficiam-se com a transação. Pode haver um pote de ouro sob uma pedra que seja pesada demais para ser removida pelo autor da descoberta. Ele pede a ajuda de outras pessoas, mesmo que tenha de dividir o ouro, porque sem a ajuda ficaria sem ouro nenhum. Os reinos vivos estão cheios desses relacionamentos mutualistas: búfalos e pica-bois, lobélias e beija-flores, garoupas e bodiões-limpadores, vacas e os micro-organismos de seu sistema digestivo. O altruísmo recíproco funciona por causa das assimetrias nas necessidades e na capacidade de satisfazê-las. É por isso que ele funciona especialmente bem entre espécies diferentes: as assimetrias são maiores.

Entre os seres humanos, as duplicatas e o dinheiro são dispositivos que permitem um intervalo de tempo entre as transações. Os dois lados do negócio não precisam entregar os bens simultaneamente, mas podem ficar devendo para o futuro, ou mesmo negociar a dívida com outras pessoas. Que eu saiba, nenhum animal não humano possui um equivalente direto do dinheiro. Mas a memória da identidade individual faz o mesmo papel, de maneira mais informal. Morcegos vampiros descobrem em que outros indivíduos de seu grupo social podem confiar, quem paga suas dívidas (em sangue regurgitado) e quais são os que trapaceiam. A seleção natural favorece os genes que predisponham os indivíduos, em relacionamentos em que haja necessidade assimétrica e oportunidade, a ajudar quando podem, e a solicitar favores quando não podem. Ela também favorece a tendência a lembrar-se de obrigações, a guardar ressentimentos, a policiar relacionamentos de troca e a punir traidores que aceitam favores, mas não os fazem quando chega sua vez.

Pois sempre haverá traidores, e as soluções estáveis para os enigmas de altruísmo recíproco da teoria dos jogos sempre envolvem um elemento de punição para os traidores. A teoria matemática permite duas categorias amplas de solução estável para "jogos" desse tipo. "Trair sempre" é estável porque, se todo mundo fizer isso, um indivíduo isolado que seja honesto não vai se dar bem. Mas existe outra estratégia que também é estável. ("Estável" quer dizer que, uma vez que ela supere determinada frequência numa população, nenhuma alternativa se sai melhor.) É a estratégia "Comece sendo legal, e dê aos outros o benefício da dúvida. A seguir pague as boas ações com boas ações, mas vingue-se das más ações". Na terminologia da teoria dos jogos, essa estratégia (ou família de estratégias relacionadas) possui vários nomes, como Tit for Tat, olho por olho ou de replicadores. Ela é evolutivamente estável sob certas condições no sentido em que, tomando-se uma população dominada por replicadores, nenhum indivíduo traidor, e nenhum indivíduo incondicionalmente cooperativo, terá vantagem. Existem outras variações mais complexas de olho por olho que sob algumas circunstâncias podem ter vantagem.

Mencionei o relacionamento familiar e a reciprocidade como os pilares gêmeos do altruísmo num mundo darwiniano, mas existem estruturas secundárias que se apoiam nesses pilares. Especialmente na sociedade humana, com a linguagem e as fofocas, a reputação é importante. Um indivíduo pode ter reputação de bondade e generosidade. Outro indivíduo pode ter reputação de não ser confiável, por trapacear e descumprir acordos. Outro pode ter reputação de generosidade quando a confiança já se consolidou, mas de punir impiedosamente as traições. A teoria bruta do altruísmo recíproco prevê que animais de qualquer espécie baseiem seu comportamento na resposta inconsciente a essas características em seus iguais. Nas sociedades humanas, ainda há o poder que a linguagem tem para espalhar reputações, normalmente na forma de fofoca. Você não precisa ter sido pessoalmente vítima do fato de o fulano não ter querido pagar as bebidas no bar quando chegou a vez dele. Ouve "boatos" de que fulano é mão de vaca, ou — para acrescentar uma complicação irônica ao exemplo — que sicrano é um fofoqueiro incorrigível. A reputação é importante, e os biólogos reconhecem o valor de sobrevivência darwiniana não só em ser um bom replicador, mas também em cultivar uma *reputação* de bom replicador. O livro *As origens da virtude*, de Matt Ridley, além de ser uma explicação lúcida sobre o campo da moralidade darwiniana, é especialmente bom no que diz respeito à reputação.*

* A reputação não se restringe aos seres humanos. Foi recentemente demonstrado que ela se aplica a um dos casos clássicos do altruísmo recíproco em animais, o relacionamento simbiótico entre o pequeno peixe limpador e seus clientes, os peixes maiores. Num experimento engenhoso, um bodião-limpador específico, o *Labroides dimidiatus*, que já tivesse sido observado pelo potencial cliente limpando diligentemente, tinha mais chance de ser escolhido pelo cliente que outros limpadores rivais que tivessem sido vistos negligenciando a limpeza. Veja R. Bshary e A. S. Grutter, "Image scoring and cooperation in a cleaner fish mutualism" [Avaliação de imagem e cooperação no mutualismo do peixe limpador], *Nature* 441, 22/6/2006, pp. 975-8.

O economista americano de origem norueguesa Thorstein Veblen e, de um jeito bastante diferente, o zoólogo israelense Amotz Zahavi acrescentaram uma ideia ainda mais fascinante. A doação altruísta pode ser uma propaganda de dominância ou superioridade. Os antropólogos conhecem esse fenômeno como Efeito Potlatch, o nome do costume pelo qual chefes rivais de tribos do noroeste do Pacífico competem entre si em duelos de festas de uma generosidade destrutiva. Nos casos extremos, o entretenimento retaliatório prossegue até que um dos lados esteja reduzido à penúria, e o vencedor não fica numa situação muito melhor. O conceito de Veblen de "consumo conspícuo" tem grande impacto sobre vários observadores do cenário moderno. A contribuição de Zahavi, desprezada por muitos anos pelos biólogos, até ser ratificada pelos brilhantes modelos matemáticos do teórico Alan Grafen, oferece uma versão evolutiva da ideia do potlatch. Zahavi estuda zaragateiros-árabes, pequenos pássaros marrons que vivem em grupos sociais e reproduzem-se de forma cooperativa. Como muitos passarinhos, os zaragateiros dão gritos de alerta e também doam alimentos entre si. Uma investigação darwiniana-padrão sobre tais atos de altruísmo procuraria, em primeiro lugar, por relações de replicação e de laços familiares entre os pássaros. Quando um zaragateiro alimenta seu companheiro, faz isso na expectativa de ser alimentado depois? Ou o beneficiário do favor é um parente genético próximo? A interpretação de Zahavi é radicalmente surpreendente. Os zaragateiros dominantes afirmam sua dominância alimentando os subordinados. Para usar o tipo de linguagem antropomórfica que Zahavi adora, o pássaro dominante está dizendo o equivalente a: "Olhe como sou superior em relação a você, posso até lhe dar comida". Ou: "Olhe como sou superior, posso até ficar vulnerável de propósito às águias parando num ramo alto, agindo como sentinela para alertar o resto do grupo que está comendo no chão". As observações de Zahavi e seus colegas sugerem que os zaragateiros competem ativamente pelo perigoso papel de sentinela. E, quando um zaragateiro subordinado tenta oferecer comida a um indivíduo dominante, a aparente generosidade é rejeitada com violência. A essência da ideia de Zahavi é que a propaganda de superioridade ganha autenticidade por seu custo. Só um indivíduo genuinamente superior pode se dar ao luxo de propagandear esse fato como um presente caro. Os indivíduos compram o sucesso, por exemplo na atração de parceiros, através de demonstrações caras de superioridade, incluindo a generosidade ostentatória e as situações de perigo cujo objetivo é ser vistas pelo público.

Temos agora quatro bons motivos darwinianos para que os indivíduos sejam altruístas, generosos ou "morais" uns com os outros. Em primeiro lugar, há o caso especial do parentesco genético. Em segundo, há a replicação: o pagamento dos favores recebidos, e a execução de favores "antecipando" seu pagamento. Depois desses vem, em terceiro lugar, o benefício darwiniano de adquirir uma reputação de generosidade e bondade. E, em quarto, se Zahavi estiver certo, vem o benefício adicional específico da generosidade conspícua, como forma de comprar uma propaganda autêntica e impossível de falsificar.

Pela maior parte de nossa pré-história, os seres humanos viveram sob condições que teriam favorecido fortemente a evolução de todos os quatro tipos de altruísmo. Morávamos em aldeias, ou, antes, em bandos nômades independentes como os dos babuínos, parcialmente isolados em relação a bandos ou aldeias vizinhos. A maioria dos outros membros de nosso bando teria sido formada por familiares, com uma relação mais próxima a você que os membros de outros bandos — muitas oportunidades para a evolução do altruísmo familiar. E, parente ou não, você tenderia a encontrar sempre os mesmos indivíduos ao longo de sua vida — condições ideais para a evolução do altruísmo recíproco. Essas também são as condições ideais para a construção de uma reputação de altruísmo, e ao mesmo tempo as condições ideais para propagandear a generosidade conspícua. Por qualquer um desses quatro caminhos, as tendências genéticas para o altruísmo teriam sido favorecidas nos primeiros seres humanos. Dá para entender com facilidade por que nossos ancestrais pré-históricos seriam bons com seu próprio grupo mas cruéis — até o ponto da xenofobia — para com outros grupos. Mas por que — agora que a maioria de nós mora em grandes cidades, onde não somos mais cercados pelos parentes, e onde todo dia encontramos indivíduos que nunca mais veremos na vida —, por que ainda somos tão bons uns com os outros, e às vezes até com outros que se imaginaria pertencerem a um grupo de fora?

É importante não exagerar o alcance da seleção natural. A seleção não favorece a evolução de uma consciência cognitiva sobre o que é bom para os seus genes. Essa consciência teve de esperar pelo século XX para alcançar o nível cognitivo, e mesmo agora o entendimento pleno está confinado a uma minoria de especialistas em ciência. O que a seleção natural favorece são regras gerais, que funcionam na prática para promover os genes que as constroem. As regras gerais, por natureza, às vezes dão errado. No cérebro de um pássaro, a regra "Cuide das coisinhas pequenas que piam em seu ninho, e jogue comida no biquinho aberto delas" normalmente tem o efeito de preservar os genes que criam essa regra, porque os objetos piantes de biquinho aberto no ninho de um pássaro adulto costumam ser sua própria cria. A regra dá errado se outro filhote de passarinho conseguir entrar no ninho, uma circunstância usada de forma positiva pelos cucos. Não é possível que nossos impulsos de Bom Samaritano sejam erros, análogos ao equívoco dos instintos paternos de um rouxinol-dos-caniços que se esforça para alimentar um jovem cuco? Uma analogia ainda mais próxima é o impulso humano de adotar uma criança. Devo me apressar a dizer que "erro" refere-se apenas ao sentido estritamente darwiniano. Não carrega nenhum tom pejorativo.

A ideia do "erro" ou do "subproduto", que estou adotando, funciona assim. A seleção natural, nos tempos ancestrais, quando vivíamos em bandos pequenos e estáveis como o dos babuínos, programou impulsos altruístas em nosso cérebro, junto com impulsos sexuais, impulsos de fome, impulsos xenofóbicos, e assim por diante. Um casal inteligente pode ler Darwin e saber que o motivo último de seus impulsos sexuais é a procriação. Eles sabem que a mulher não ficará grávida porque está tomando pílula. Mesmo assim seu interesse sexual não fica diminuído por esse conhecimento. Desejo sexual é desejo sexual, e sua força, na psicologia individual, independe da pressão darwiniana que o provocou. É um forte impulso que existe de forma independente de sua explicação racional.

Estou sugerindo que a mesma coisa aconteça com a bondade — com o altruísmo, a generosidade, a empatia, a compaixão. Nos tempos ancestrais, só tínhamos a oportunidade de ser altruístas em relação aos parentes próximos e a potenciais replicadores. Hoje essa restrição não existe mais, mas a regra geral persiste. Por que não persistiria? É a mesma coisa que o desejo sexual. Não podemos fazer nada para deixar de sentir pena quando vemos um desafortunado chorando (que não seja nosso parente e não seja capaz de retribuir), assim como não podemos fazer nada para deixar de sentir desejo por um integrante do sexo oposto (que pode ser estéril ou incapaz de se reproduzir). As duas situações são "erros", equívocos darwinianos: equívocos abençoados e maravilhosos.

Não encare, nem por um segundo, essa darwinização como desmerecedora das nobres emoções da compaixão e da generosidade. Nem do desejo sexual. O desejo sexual, quando canalizado pelos conduítes da cultura linguística, ressurge na forma de grandes obras de poesia e de dramaturgia: os poemas de amor de John Donne, por exemplo, ou *Romeu e Julieta*. E é claro que a mesma coisa acontece com o redirecionamento equivocado da compaixão baseada no parentesco e na retribuição. A piedade em relação a um devedor, quando vista fora de contexto, é tão antidarwiniana quanto adotar o filho de outra pessoa:

> *A qualidade da misericórdia não é forçada.*
> *Ela cai como a chuva mansa dos céus*
> *Sobre o que está embaixo.**

O desejo sexual é a força que impulsiona uma grande proporção da ambição e do esforço humanos, e boa parte dela constitui um erro. Não há nenhum motivo para que o mesmo não possa acontecer com o desejo de ser generoso e piedoso, se essa é a consequência equivocada da vida nas aldeias de nossos ancestrais. A melhor maneira de a seleção natural imprimir os dois tipos de desejo nos tempos ancestrais foi instalando regras gerais no cérebro. Essas regras ainda nos influenciam hoje em dia, mesmo quando as circunstâncias as tornam inadequadas a suas funções originais.

Essas regras gerais ainda nos influenciam, não de uma forma calvinisticamente determinista, mas filtradas pelas influências civilizadoras da literatura e dos costumes, da lei e das tradições — e, é claro, da religião. Assim como a regra cerebral primitiva do desejo sexual passa pelo filtro da civilização para ressurgir nas cenas românticas de *Romeu e Julieta*, as regras primitivas do "nós-contra-eles" no cérebro ressurgem na forma das

* "The quality of mercy is not strained./ It droppeth as the gentle rain from heaven/ Upon the place beneath." (N. T.)

batalhas entre os Capuleto e os Montecchio; enquanto as regras primitivas do cérebro de altruísmo e empatia acabam provocando o equívoco que nos anima na reconciliação punitiva da cena final de Shakespeare.

## UM ESTUDO DE CASO DAS RAÍZES DA MORALIDADE

Se nosso senso moral, assim como nosso desejo sexual, estiver mesmo profundamente enraizado em nosso passado darwiniano, que precede a religião, a expectativa seria de que pesquisas na mente humana revelassem algumas universais da moral, cruzando fronteiras geográficas e culturais, e também, o mais crucial, barreiras religiosas. O biólogo de Harvard Marc Hauser, em seu livro *Moral minds: How nature designed our universal sense of right and wrong* [Mentes morais: como a natureza desenhou nosso senso de certo e errado], ampliou uma linha fértil de experiências de pensamento que havia sido originalmente sugerida por filósofos morais. O estudo de Hauser servirá ainda para apresentar o modo como pensam os filósofos morais. Um dilema moral hipotético é formulado, e a dificuldade que sentimos para responder a ele é reveladora em relação a nosso senso de certo e errado. Hauser vai além dos filósofos porque realiza pesquisas estatísticas e experiências psicológicas, usando questionários na internet, por exemplo, para investigar o senso moral de pessoas de verdade. Do ponto de vista atual, o interessante é que a maioria das pessoas chega às mesmas decisões quando fica diante desses dilemas, e sua concordância em relação às próprias decisões é mais forte que sua capacidade de articular suas motivações. É o que esperaríamos se tivéssemos um senso moral que esteja impresso em nosso cérebro, como nosso instinto sexual ou nosso medo de altura, ou, como Hauser prefere dizer, como nossa capacidade para a linguagem (os detalhes variam de cultura para cultura, mas a estrutura subjacente da gramática é universal). Como veremos, o modo como as pessoas respondem a esses testes morais, e sua incapacidade de articular suas motivações, parece ser em grande parte independente de suas crenças religiosas ou da ausência delas. A mensagem do livro de Hauser, para antecipá-la nas próprias palavras dele, é essa: "Orientando nossos juízos morais há uma gramática moral universal, uma faculdade da mente que evoluiu ao longo de milhões de anos, até incluir um conjunto de princípios para formar uma série de sistemas morais possíveis. Assim como com a linguagem, os princípios que compõem nossa gramática moral voam abaixo do radar de nossa consciência".

São típicas dos dilemas morais de Hauser as variações sobre o tema do vagão ou bonde descontrolado que ameaça matar um grupo de pessoas. A história mais simples propõe que uma pessoa, Denise, está num centro de controle em condições de mandar o bonde para um desvio, salvando portanto a vida das cinco pessoas presas na linha principal. Infelizmente há um homem preso no desvio. Mas, como ele é apenas um, menos que as cinco pessoas presas na linha principal, a maioria das pessoas concorda que é moralmente permissível, se não obrigatório, que Denise mexa no controle e salve os cinco, matando o homem do desvio. Ignoramos possibilidades hipotéticas como a de que o homem no desvio possa ser Beethoven, ou um amigo íntimo.

As elaborações sobre a experiência de pensamento apresentam uma série de enigmas morais cada vez mais provocadores. E se o vagão puder ser contido pelo lançamento de um peso em seu caminho, de cima de uma ponte? É fácil: obviamente temos que jogar o peso. Mas e se o único peso disponível for um homem muito gordo que esteja na ponte admirando o pôr do sol? Quase todo mundo concorda que é imoral empurrar o gordo ponte abaixo, mesmo que, de determinado ponto de vista, o dilema possa parecer paralelo ao de Denise, em que a ação de mexer no controle mata um para salvar cinco. A maioria de nós tem a forte intuição de que há uma diferença crucial entre os dois casos, embora talvez não consigamos articular qual ela é.

Empurrar o gordo ponte abaixo remete a outro dilema analisado por Hauser. Cinco pacientes de um hospital estão morrendo, cada um da falência de um órgão diferente. Cada um seria salvo se um doador daquele órgão específico pudesse ser encontrado, mas não há nenhum disponível. O cirurgião percebe então que há um homem saudável na sala de espera, com todos os cinco órgãos em boas condições e adequados para o transplante. Nesse caso, é quase impossível encontrar alguém que esteja disposto a dizer que o ato moral é matar um para salvar os cinco.

Assim como com o gordo da ponte, a intuição que a maioria de nós tem é que um observador inocente não deve ser subitamente sugado por uma situação desafortunada e usado pelo bem de outras pessoas sem o seu consentimento. Immanuel Kant articulou o famoso princípio de que um ser racional jamais deve ser usado como um mero meio para um fim, sem seu consentimento, mesmo que esse fim seja beneficiar outras pessoas. Parece vir daí a diferença crucial entre o caso do gordo da ponte (ou o homem da sala de espera do hospital) e o homem no desvio de Denise. O gordo da ponte está sendo positivamente usado como forma de conter o avanço do vagão. Isso viola claramente o princípio kantiano. A pessoa no desvio não está sendo usada, apenas tem o azar de estar nele. Mas, quando a distinção é colocada dessa forma, por que ela nos satisfaz? Para Kant, era um absoluto moral. Para Hauser isso faz parte de nós, colocado em nós pela evolução.

As situações hipotéticas envolvendo o vagão desgovernado vão se tornando cada vez mais engenhosas, e os dilemas morais equivalentemente mais tortuosos. Hauser contrasta os dilemas enfrentados por indivíduos hipotéticos chamados Ned e Oscar. Ned está ao lado da linha do trem. Diferentemente de Denise, que podia mandar o vagão para um desvio, o controle de Ned o manda para um desvio circular que volta para a linha principal pouco antes das cinco pessoas. Mudar simplesmente a direção não adianta: o vagão vai bater nos cinco de qualquer jeito quando o desvio voltar para a linha principal. No entanto, enquanto a coisa acontece, há um homem extremamente gordo no desvio circular, que é pesado o suficiente para parar o bonde. Deveria Ned mexer no controle e desviar o trem? A intuição da maioria das pessoas diz que não. Mas qual é a diferença entre o dilema de Ned e o de Denise? Presume-se que as pessoas estejam intuitivamente aplicando o princípio de Kant. Denise desvia o vagão de atropelar as cinco pessoas, e a vítima infeliz do desvio é um "dano colateral", para usar o adorável termo rumsfeldiano. Ele não está sendo usado por Denise para salvar os outros. Ned está *usando* o homem gordo para deter o vagão, e a maioria das pessoas (talvez sem pensar), junto com Kant (que pensou com todos os detalhes), encara isso como uma diferença crucial.

A diferença é evidenciada novamente pelo dilema de Oscar. A situação de Oscar é idêntica à de Ned, com a exceção de que há um grande peso de ferro no desvio circular da pista, pesado o suficiente para deter o vagão. É claro que Oscar não deve ter problemas para decidir mexer no controle e desviar o bonde. Exceto pelo fato de que há uma pessoa caminhando na frente do peso de ferro. Ela certamente morrerá se Oscar acionar o desvio, assim como o homem gordo de Ned morreria. A diferença é que o andarilho de Oscar não está sendo usado para conter o vagão: ele é um dano colateral, assim como no dilema de Denise. Da mesma forma que Hauser, e da mesma forma que a maioria dos sujeitos das experiências de Hauser, acho que Oscar pode acionar o controle, mas Ned não. Mas também acho bastante difícil justificar minha intuição. A tese de Hauser é que esse tipo de intuição moral frequentemente não é pensado, mas que o sentimos com contundência do mesmo jeito, por causa de nossa herança evolutiva.

Numa incursão intrigante na antropologia, Hauser e seus colegas adaptaram seus experimentos morais aos kuna, uma pequena tribo da América Central que mantém pouco contato com os ocidentais e não possui religião formal. Os pesquisadores mudaram a experiência de pensamento do "vagão na linha de trem" para equivalentes mais adequados, como crocodilos nadando na direção de canoas. Com as pequenas diferenças correspondentes, os kuna mostram os mesmos juízos morais que a maioria de nós.

Hauser também especulou, de especial interesse para este livro, se as pessoas religiosas têm intuições morais diferentes das dos ateus. Se tiramos nossa moralidade da religião, certamente deveria haver diferença. Mas parece que não há. Hauser, trabalhando com o filósofo moral Peter Singer,[87] concentrou-se em três dilemas hipotéticos e comparou os veredictos de ateus com os de pessoas religiosas. Em cada um dos casos, pediu-se aos entrevistados que escolhessem qual atitude hipotética seria moralmente "obrigatória", "permissível" ou "proibida". Os três dilemas eram:

1 O dilema de Denise. Noventa por cento das pessoas disseram que era permissível desviar o vagão, matando um para salvar cinco.

2 Você vê uma criança se afogando num lago e não há nenhuma outra ajuda à vista. Você pode salvar a criança, mas suas calças ficarão arruinadas no processo. Noventa e sete por cento concordaram que você deve salvar a criança (o incrível é que 3% aparentemente prefeririam salvar as calças).

3 O dilema do transplante de órgãos descrito anteriormente. Noventa e sete por cento dos entrevistados concordaram que é

moralmente proibido capturar a pessoa saudável da sala de espera e matá-la para usar seus órgãos, salvando assim cinco pessoas.

A principal conclusão do estudo de Hauser e Singer foi que não há diferença estatisticamente significativa entre ateus e crentes religiosos na elaboração desses juízos. Esse fato parece compatível com a opinião, minha e de muitas outras pessoas, de que não precisamos de Deus para sermos bons — ou maus.

## SE DEUS NÃO EXISTE, POR QUE SER BOM?

Apresentada assim, a pergunta soa realmente ignóbil. Quando uma pessoa religiosa dirige-a desse jeito para mim (e muitas fazem isso), minha tentação imediata é lançar o seguinte desafio: "Você realmente quer me dizer que o único motivo para você tentar ser bom é para obter a aprovação e a recompensa de Deus, ou para evitar a desaprovação dele e a punição? Isso não é moralidade, é só bajulação, puxação de saco, estar peocupado com a grande câmera de vigilância dos céus, ou com o pequeno grampo de dentro da sua cabeça que monitora cada movimento seu, até seus pensamentos mais ordinários". Como disse Einstein, "se as pessoas são boas só porque temem a punição, e esperam a recompensa, então nós somos mesmo uns pobres coitados". Michael Shermer, em *The science of good and evil*, acha que a pergunta encerra o debate. Se você acha que, na ausência de Deus, "cometeria roubos, estupros e assassinatos", revela-se uma pessoa imoral, "e faríamos bem em nos manter bem longe de você". Se, por outro lado, você admite que continuaria sendo uma boa pessoa mesmo quando não estiver sob a vigilância divina, você destruiu fatalmente a alegação de que Deus é necessário para que sejamos bons. Suspeito que boa parte das pessoas religiosas realmente ache que a religião é o que as motiva a serem boas, especialmente se elas pertencem a uma daquelas crenças que exploram sistematicamente a culpa pessoal.

A mim me parece que é preciso uma dose muito baixa de autoestima para achar que, se a crença em Deus desaparecesse repentinamente do mundo, todos nós nos tornaríamos hedonistas insensíveis e egoístas, sem nenhuma bondade, caridade, generosidade, nada que mereça o nome de bondade. Acredita-se que Dostoiévski fosse dessa opinião, supostamente devido a algumas declarações que ele colocou na boca de Ivan Karamázov:

> [Ivan] observou com solenidade que não existia absolutamente nenhuma lei da natureza que fizesse o homem amar a humanidade, e que, se o amor realmente existia e havia existido no mundo até então, não era por causa da lei natural, mas só porque o homem acreditava em sua própria imortalidade. Ele acrescentou, num adendo, que era exatamente aquilo que constituía a lei natural, ou seja, que uma vez que a fé do homem em sua própria imortalidade fosse destruída, não seria só sua capacidade para o amor que se esgotaria, mas também as forças vitais que sustentam a vida neste planeta. Além do mais, nada seria imoral, tudo seria permitido, até a antropofagia. E, por fim, como se tudo isso não bastasse, ele declarou que para cada pessoa, como eu e você, por exemplo, que não acredita nem em Deus nem em sua própria imortalidade, a lei natural está destinada a transformar-se imediatamente no exato contrário da lei baseada na religião que a precedia, e que o egoísmo, mesmo levando à perpetração de crimes, não seria somente permissível, mas seria reconhecido como a *raison d'être* essencial, mais racional e mais nobre da condição humana.[88]

Talvez por ingenuidade tendi para uma visão menos cínica da natureza humana que a de Ivan Karamázov. Será que realmente precisamos de policiamento — seja feito por Deus ou por nós mesmos — para que não nos comportemos de modo egoísta e criminoso? Quero muito acreditar que não preciso dessa vigilância — nem você, caro leitor. Por outro lado, só para enfraquecer nossa convicção, leia a experiência sobre a desilusão de Steven Pinker numa greve policial em Montreal, descrita por ele em *Tábula rasa*:

> Quando eu era adolescente, no orgulhosamente pacífico Canadá, durante os românticos anos 1960, era um defensor fiel da anarquia de Bakunin. Ria do argumento de meus pais de que se o governo entregasse as armas o caos tomaria conta de tudo. Nossas previsões concorrentes foram postas à prova às oito horas da manhã do dia 17 de outubro de 1969, quando a polícia de Montreal entrou em greve. Às onze e vinte, o primeiro banco tinha sido roubado. Ao meio-dia a maioria das lojas do centro da cidade havia fechado as portas por causa dos saques. Algumas horas depois, taxistas incendiaram a garagem de um serviço de aluguel de limusines que concorria com eles por passageiros do aeroporto, um atirador assassinou um policial da província, baderneiros invadiram hotéis e restaurantes e um médico matou um ladrão em sua casa, no subúrbio. No fim do dia, seis bancos haviam sido assaltados, cem lojas haviam sido saqueadas, doze incêndios haviam sido provocados, quilos e quilos de vidros de vitrines haviam sido quebrados e 3 milhões de dólares em prejuízos haviam sido registrados, até que as autoridades da cidade tiveram que chamar o Exército e, é claro, a polícia montada para restabelecer a ordem. Esse teste empírico decisivo deixou minha política em frangalhos [...]

Talvez eu também seja uma Poliana por acreditar que as pessoas permaneceriam boas se não fossem observadas nem policiadas por Deus. Por outro lado, a maioria da população de

Montreal supostamente acreditava em Deus. Por que o medo de Deus não as conteve quando os policiais terrenos foram temporariamente tirados de cena? A greve de Montreal não foi uma ótima experiência natural para testar a hipótese de que a crença em Deus nos torna bons? Ou talvez o sarcástico H. L. Mencken tivesse razão quando disse: "As pessoas dizem que precisamos de religião, mas o que elas realmente querem dizer é que precisamos de polícia".

É óbvio que não foi todo mundo em Montreal que se comportou mal quando a polícia saiu de cena. Seria interessante saber se houve alguma tendência estatística, por mais leve que fosse, para que os crentes na religião tenham saqueado e depredado menos que os descrentes. Minha previsão desinformada seria a do contrário. Muitas vezes se diz, cinicamente, que não há ateus nas trincheiras. Estou inclinado a desconfiar (com base em alguma evidência, embora possa ser simplista tirar conclusões delas) que haja bem poucos ateus nas prisões. Não estou necessariamente afirmando que o ateísmo aumenta a moralidade, embora o humanismo — o sistema ético que frequentemente acompanha o ateísmo — provavelmente o faça. Outra boa possibilidade é que o ateísmo esteja correlacionado com algum terceiro fator, como um nível maior de instrução, inteligência ou ponderação, que pode contrabalançar impulsos criminosos. As evidências existentes retiradas de pesquisas certamente não sustentam a ideia comum de que a religiosidade está diretamente relacionada à moralidade. Evidências correlacionais nunca são conclusivas, mas os dados seguintes, descritos por Sam Harris em seu *Carta a uma nação cristã*, são de qualquer forma impressionantes.

> Embora a filiação partidária nos Estados Unidos não seja um indicador perfeito da religiosidade, não é segredo que os "estados vermelhos [republicanos]" são vermelhos principalmente devido

à enorme influência política dos cristãos conservadores. Se houvesse uma forte correlação entre o conservadorismo cristão e a saúde da sociedade, era de esperar que víssemos algum sinal dela nos estados vermelhos. Não vemos. Das 55 cidades com as taxas mais baixas de crimes violentos, 62% estão nos estados "azuis" [democratas] e 38% estão nos estados "vermelhos" [republicanos]. Das 25 cidades mais perigosas, 76% ficam nos estados vermelhos, e 24% nos estados azuis. Aliás, três das cinco cidades mais perigosas dos Estados Unidos ficam no devoto estado do Texas. Os doze estados com taxas mais elevadas de arrombamentos são vermelhos. Vinte e quatro dos 29 estados com as mais elevadas taxas de assalto são vermelhos. Dos 22 estados com as maiores taxas de assassinato, dezessete são vermelhos.*

Pesquisas sistemáticas tendem a sustentar esses dados correlacionais. Gregory S. Paul, no *Journal of Religion and Society* (2005), comparou dezessete nações economicamente desenvolvidas e chegou à devastadora conclusão de que "taxas mais altas de crença num criador e de culto a ele se correlacionam com taxas mais altas de homicídio, mortalidade juvenil e precoce, taxas de infecção por doenças sexualmente transmissíveis, gravidez na adolescência e aborto nas democracias prósperas". Dan Dennett, em *Quebrando o encanto*, faz comentários sardônicos sobre esses estudos em geral:

> Inútil dizer que esses resultados abalam tão fortemente as alegações-padrão de que há uma virtude moral maior entre os religio-

* Note que essas convenções para as cores nos Estados Unidos são exatamente o contrário das da Grã-Bretanha, onde o azul é a cor do Partido Conservador e o vermelho, assim como no resto do mundo, é a cor tradicionalmente associada com a esquerda política.

sos que até surgiu uma onda considerável de pesquisas adicionais iniciadas por organizações religiosas que tentam refutá-las [...] uma coisa de que podemos ter certeza é que, *se* houver um relacionamento positivo e significativo entre o comportamento moral e a filiação, a prática ou a crença religiosa, ele logo será descoberto, já que tantas organizações religiosas estão tão ansiosas para confirmar cientificamente suas convicções tradicionais sobre a questão. (Elas estão bastante impressionadas com o poder da ciência para detectar a verdade quando ela apoia aquilo em que já acreditam.) Cada mês que passa sem que apareça essa demonstração reforça a suspeita de que as coisas simplesmente não são assim.

A maioria das pessoas sensatas concorda que a moralidade na ausência de policiamento é mais verdadeiramente moral que o tipo de falsa moralidade que desaparece assim que a polícia entra em greve ou que a câmera de vigilância é desligada, seja a câmera de verdade, monitorada na delegacia, ou uma câmera imaginária no céu. Mas talvez seja injusto interpretar a pergunta "Se não há Deus, por que se dar ao trabalho de ser bom?" de modo tão cínico.* Um pensador religioso poderia oferecer uma interpretação mais genuinamente moral, na linha da seguinte declaração de um apologista imaginário. "Se você não acredita em Deus, não acredita que existem padrões absolutos de moralidade. Com a maior boa vontade do mundo, você pode até querer ser uma boa pessoa, mas como vai decidir o que é bom e o que é ruim? Só a religião pode fornecer definitivamente os padrões de bem e mal. Sem a religião você precisará construí-los. Isso seria a moralidade sem normas: uma moralidade a olho. Se a moralidade não é nada mais que uma questão de opção, Hitler poderia alegar estar sendo moral por seus próprios padrões inspirados

* H. L. Mencken, de novo com seu sarcasmo característico, definiu a consciência como a voz interior que nos adverte de que alguém pode estar olhando.

na eugenia, e tudo o que o ateu pode fazer é ter uma escolha pessoal e viver sob uma orientação diferente. O cristão, o judeu ou o muçulmano, pelo contrário, podem afirmar que o mal tem um sentido absoluto, que vale para todos os tempos e todos os lugares, segundo o qual Hitler era completamente mau."

Mesmo que fosse verdade que precisamos de Deus para ser bons, isso obviamente não tornaria a existência de Deus mais provável, apenas mais desejável (muita gente não consegue enxergar a diferença). Mas não é disso que se trata aqui. Meu apologista imaginário da religião não precisa admitir que puxar o saco de Deus é a motivação religiosa para fazer o bem. A alegação dele é que, venha de onde vier a *motivação* para fazer o bem, sem Deus não haveria padrão para *decidir* o que é o bem. Cada um de nós criaria nossa própria definição de bem e agiria de acordo com ela. Princípios morais que se baseiam somente na religião (em oposição, por exemplo, à "regra de ouro", que normalmente é associada à religião mas que pode ter outra origem) podem ser chamados de absolutistas. Bem é bem e mal é mal, e não vamos ficar decidindo casos isolados, por exemplo, pelo fato de alguém sofrer ou não. Meu apologista da religião defenderia que só a religião pode fornecer a base para que se decida o que é o bem.

Alguns filósofos, notadamente Kant, tentaram tirar morais absolutas de fontes não religiosas. Embora fosse religioso, como era quase inevitável naquela época,* Kant tentou basear a moralidade no dever pelo dever, e não em nome de Deus. Seu famoso imperativo categórico convoca-nos a "agir somente segundo a máxima tal que possamos ao mesmo tempo querer que se torne lei universal". Isso funciona direitinho para o exemplo de mentir.

* Essa é a interpretação-padrão das ideias de Kant. O destacado filósofo A. C. Grayling, porém, argumentou plausivelmente (*New Humanist*, julho-agosto de 2006) que, embora Kant seguisse publicamente as convenções religiosas de seu tempo, na verdade ele era ateu.

Imagine um mundo em que as pessoas mintam por princípio, onde a mentira seja considerada uma coisa boa e moral. Num mundo assim, mentir deixaria de fazer sentido. Mentir precisa por definição da pressuposição da verdade. Se um princípio moral é algo que devemos desejar que todos sigam, mentir não pode ser um princípio moral, porque o próprio princípio desmoronaria, sem sentido. Mentir, como norma de vida, é inerentemente instável. Em termos mais gerais, o egoísmo, ou o parasitismo explorador da boa vontade dos outros, pode funcionar para mim, um indivíduo egoísta isolado, e me dar satisfação pessoal. Mas não posso desejar que todo mundo adote o parasitismo egoísta como princípio moral, no mínimo porque senão eu não teria ninguém para explorar.

O imperativo kantiano parece funcionar para o dizer a verdade e para alguns outros casos. Não é tão fácil assim ampliá-lo para a moralidade em geral. Apesar de Kant, é tentador concordar com meu apologista hipotético que morais absolutistas costumam ser motivadas pela religião. É sempre errado tirar uma paciente terminal de seu sofrimento a pedido dela própria? É sempre errado fazer amor com um integrante de seu próprio sexo? É sempre errado matar um embrião? Há quem ache que sim, e suas bases são absolutas. Eles não toleram argumentação nem debate. Qualquer um que discorde merece ser morto: metaforicamente, é claro, não literalmente — exceto no caso de alguns médicos de clínicas de aborto americanas (veja o próximo capítulo). Felizmente, no entanto, as morais não têm de ser absolutas.

Os filósofos morais são os profissionais em se tratando de pensar sobre o certo e o errado. Como disse sucintamente Robert Hinde, eles concordam que "os preceitos morais, embora não necessariamente construídos pela razão, devem ser defensáveis pela razão".[89] Eles se classificam de muitas maneiras, mas na terminologia moderna a principal divisão é entre "deontologistas" (como Kant) e "consequencialistas" (incluindo "utilitaristas" como Jeremy Bentham, 1748-1832). Deontologia é um nome bonito para a crença de que a moralidade consiste em obedecer a regras. É literalmente a ciência do dever, do grego para "aquilo que é obrigatório". A deontologia não é bem a mesma coisa que absolutismo moral, mas para a maioria dos propósitos de um livro sobre religião não há necessidade de enfatizar a distinção. Os absolutistas acreditam que existem absolutos do certo e do errado, imperativos cuja correção não faz referência a suas consequências. Os consequencialistas acham, mais pragmaticamente, que a moralidade de uma ação deve ser julgada por suas consequências. Uma versão do consequencialismo é o utilitarismo, a filosofia associada a Bentham, a seu amigo James Mill (1773-1836) e ao filho dele, John Stuart Mill (1806-73). O utilitarismo é frequentemente resumido na máxima de Bentham, que é de uma imprecisão infeliz: "A maior felicidade para o maior número de pessoas é a fundação das morais e da legislação".

Nem todo absolutismo deriva da religião. De qualquer maneira, é muito difícil defender morais absolutistas em outras bases que não as religiosas. O único concorrente em que consigo pensar é o patriotismo, especialmente em tempos de guerra. Como disse o destacado cineasta espanhol Luis Buñuel, "Deus e a Pátria são um time imbatível; eles quebram todos os recordes de opressão e derramamento de sangue". Os oficiais que trabalham no recrutamento apelam fortemente ao senso de dever patriótico de suas vítimas. Na Primeira Guerra Mundial, as mulheres entregavam plumas brancas para jovens que não estivessem fardados.

*Oh, não queremos perdê-lo, mas achamos que você deve ir,*
*Pois seu rei e seu país precisam que você vá.**

* "Oh, we don't want to lose you, but we think you ought to go,/ For your King and your country both need you so." Trecho de uma música usada pela Inglaterra durante a Primeira Guerra para incentivar o alistamento. (N. T.)

As pessoas ignoravam as objeções conscienciosas, mesmo as do país inimigo, porque o patriotismo era tido como uma virtude absoluta. É difícil ser mais absoluto que o "Meu país, certo ou errado" do soldado profissional, pois o slogan faz com que você se comprometa a matar quem quer que os políticos de algum tempo futuro resolvam chamar de inimigos. O raciocínio consequencialista pode influenciar a decisão política de ir à guerra, mas, uma vez declarada a guerra, o patriotismo absoluto toma conta com uma força que não se vê fora da religião. Um soldado que permitir que suas ideias de moralidade consequencialista o convençam a não partir para o ataque tem grande probabilidade de enfrentar a corte marcial ou até de ser executado.

O ponto de partida para esta discussão sobre filosofia moral foi uma afirmação religiosa hipotética de que, sem um Deus, as morais são relativas e arbitrárias. Deixando de lado Kant e outros filósofos morais sofisticados, e dando o devido reconhecimento ao fervor patriótico, a fonte preferida da moralidade absoluta é normalmente algum tipo de livro sagrado, interpretado como detentor de uma autoridade que supera em muito sua capacidade histórica de justificá-la. Na realidade, os adeptos da autoridade das Escrituras demonstram uma curiosidade perturbadoramente pequena sobre as origens históricas (comumente duvidosas) de seus livros sagrados. O próximo capítulo vai demonstrar que, de qualquer jeito, as pessoas que afirmam retirar sua moral das Escrituras na prática não fazem isso de verdade. O que é muito bom, como concordarão elas se pensarem bem.

# 7. O livro do "Bem" e o *Zeitgeist* moral mutante

*A política já matou uns bons milhares, mas a religião já matou umas boas dezenas de milhares.*

Sean O'Casey

Existem duas maneiras pelas quais as Escrituras podem servir de fonte para os princípios morais ou normas para a vida. Uma é por instrução direta, como por exemplo com os Dez Mandamentos, que são objeto de tanta briga nas guerras culturais do interiorão americano. A outra é pelo exemplo: Deus, ou algum outro personagem bíblico, pode servir como alguém em quem se espelhar. Os dois caminhos escriturais, se seguidos religiosamente (o advérbio está sendo usado em seu sentido metafórico, mas lembrando sua origem), incentivam um sistema de princípios morais que qualquer pessoa moderna e civilizada, seja ela religiosa ou não, acharia — não tenho como dizer de modo mais delicado — repulsivo.

É preciso dizer, para ser justo, que grande parte da Bíblia não é sistematicamente cruel, mas simplesmente estranha, como seria de esperar de uma antologia caótica de documentos desconjuntados, escrita, revisada, traduzida, distorcida e "melhorada" por centenas de autores anônimos, editores e copiadores, que desconhecemos e que não se conheciam entre si, ao longo de nove séculos.[90] Isso pode explicar uma parte das esquisitices da Bíblia. Mas infelizmente é esse mesmo volume estranho que fanáticos religiosos consideram a fonte infalível de nossos princípios morais e nossas normas para viver. Quem pretende basear sua moralidade literalmente na Bíblia ou nunca a leu ou não a entendeu, como observou bem o bispo John Shelby Spong, em *The sins of scripture* [Os pecados das Escrituras]. O bispo Spong, aliás, é um bom exemplo de um bispo liberal cujas crenças são tão avançadas que chegam a ser quase irreconhecíveis para a maioria dos que se autodenominam cristãos. Um equivalente britânico é Richard Holloway, que se aposentou recentemente como bispo de Edimburgo. O bispo Holloway chega a se descrever como um "cristão em recuperação". Mantive uma discussão pública com ele em Edimburgo, que foi um dos encontros mais estimulantes e interessantes que já tive.[91]

## O ANTIGO TESTAMENTO

Comece no Gênesis com a adorada história de Noé, derivada do mito babilônico de Uta-Napishtim e conhecida em mitologias mais antigas de várias culturas. A lenda dos animais entrando na arca aos pares é linda, mas a moral da história de Noé é assustadora. Deus condenou os seres humanos e resolveu (com a exceção de uma família) afogar todos eles, incluindo as crianças, e também, por via das dúvidas, o resto dos animais (presumivelmente inocentes).

É claro que os teólogos, irritados, protestarão dizendo que não se interpreta mais o livro do Gênesis em termos literais. Mas é exatamente isso que estou dizendo! Escolhemos em que pedacinhos das Escrituras devemos acreditar, e quais pedacinhos descartar, por símbolos ou alegorias. Essa escolha é uma decisão pessoal, tanto quanto a decisão do ateu de seguir este ou aquele preceito moral foi uma decisão pessoal, sem nenhum fundamento absoluto. Se uma coisa é "moralidade a olho", a outra também é.

De qualquer maneira, apesar das boas intenções do teólogo sofisticado, um número assustadoramente grande de pessoas ainda interpreta as Escrituras, incluindo a história de Noé, de forma literal. De acordo com o Gallup, entre elas estão aproximadamente 50% do eleitorado dos Estados Unidos. Também estão, sem dúvida, muitos dos religiosos asiáticos que atribuíram o tsunami de 2004 não a um movimento tectônico, mas aos pecados humanos,[92] desde a bebida e a dança nos bares até a violação de alguma regra estúpida do Shabat. Afundados na história de Noé e ignorantes de tudo o que não seja o aprendizado bíblico, como podemos condená-los? Toda a educação deles levou-os a encarar os desastres naturais como coisas ligadas aos problemas humanos, castigos pelas infrações humanas, e não algo tão impessoal como placas tectônicas. Aliás, que egocentrismo presunçoso é acreditar que eventos sismológicos, da escala em que um deus (ou uma placa tectônica) tem de atuar, sempre têm de estar conectados aos seres humanos. Por que um ser divino, preocupado com a criação e a eternidade, iria se incomodar com as transgressõezinhas dos homens? Nós, seres humanos, damo-nos tanta importância que até elevamos nossos minúsculos "pecadilhos" ao nível de relevância cósmica!

Quando entrevistei, para a televisão, o reverendo Michael Bray, um proeminente ativista americano antiaborto, perguntei a ele por que os cristãos evangélicos são tão obcecados pelas inclinações sexuais pessoais como a homossexualidade, que não interferem na vida de mais ninguém. A resposta dele invocava certa autodefesa. Cidadãos inocentes correm o risco de se transformar em danos colaterais quando Deus resolver fazer um desastre natural atingir uma cidade porque ela abriga pecadores. Em 2005, a bela cidade de Nova Orleans foi catastroficamente inundada depois da passagem de um furacão, o Katrina. Houve registros de que o reverendo Pat Robertson, um dos televangelistas mais conhecidos dos Estados Unidos, que já foi candidato a presidente, responsabilizou uma comediante lésbica que por acaso morava em Nova Orleans pelo furacão.* Era de esperar que um Deus onipotente adotasse uma abordagem um pouco mais precisa para destruir pecadores: um infarto discreto, talvez, em vez da destruição a granel de uma cidade inteira só porque calhou de ela ser o domicílio de uma comediante lésbica.

Em novembro de 2005, os cidadãos de Dover, na Pensilvânia, derrubaram pelo voto, da diretoria da escola local, a lista inteira de fundamentalistas que havia dado notoriedade à cidade, para não dizer ridicularizado-a, ao tentar tornar obrigatório o ensino do design inteligente. Quando Pat Roberson soube que os fundamentalistas tinham sido democraticamente derrotados nas urnas, fez uma séria advertência a Dover:

* Não está claro se a história, que teve origem em http://datelinehollywood.com/archives/2005/09/05/robertson-blames-hurricane-on-choice-of-ellen-deneres-to-host-emmys/, é verdadeira. Verdadeira ou não, muita gente acredita nela, sem dúvida porque é bem típica das afirmações do clero evangélico, incluindo Robertson, sobre desastres como o Katrina. Veja, por exemplo, www.emediawire.com/releases/2005/9/emw281940.htm. O site que diz que a história sobre o Katrina é falsa (www.snopes.com/katrina/satire/robertson.asp) também cita uma declaração anterior de Robertson, sobre uma Parada do Orgulho Gay em Orlando, na Flórida: "Alerto Orlando de que vocês estão bem no caminho de belos furacões, e eu não agitaria essas bandeiras no nariz de Deus se fosse vocês".

> Gostaria de dizer aos bons cidadãos de Dover que, se houver um desastre em sua região, não apelem a Deus. Vocês acabaram de rejeitá-lo de sua cidade, e não questionem por que ele não os ajudou quando os problemas começarem, se eles começarem, e não estou dizendo que vão começar. Mas, se começarem, lembrem-se de que vocês acabaram de votar para que Deus deixasse sua cidade. E, se isso acontecer, não peçam a ajuda dele, porque ele pode não estar lá.[93]

Pat Robertson seria só uma piada inofensiva se fosse menos representativo daqueles que hoje são os detentores do poder e da influência nos Estados Unidos.

Na destruição de Sodoma e Gomorra, o equivalente a Noé, escolhido para ser poupado junto com sua família por ser especialmente correto, foi Ló, sobrinho de Abraão. Dois anjos foram enviados a Sodoma para avisar Ló e dizer que ele saísse da cidade antes da chegada do enxofre. Ló recebeu os anjos com hospitalidade, e então todos os homens de Sodoma reuniram-se em torno da casa dele e exigiram que Ló entregasse os anjos para que eles pudessem (o que mais?) sodomizá-los: "Onde estão os homens que vieram para tua casa esta noite? Traze-os para que deles abusemos" (Gênesis 19, 5). A bravura de Ló ao recusar-se a ceder à exigência sugere que Deus deve até ter tido razão ao considerá-lo o único homem de bem de Sodoma. Mas a auréola de Ló fica manchada com os termos de sua recusa: "Rogo-vos, meus irmãos, que não façais mal; tenho duas filhas, virgens, e vo-las trarei; tratai-as como vos parecer, porém nada façais a estes homens, porquanto se acham sob a proteção de meu teto" (Gênesis 19, 7-8).

Por mais estranha que a história possa parecer, ela certamente nos indica alguma coisa sobre o respeito reservado às mulheres nessa cultura intensamente religiosa. No final, a oferta que Ló fez da virgindade de suas filhas mostrou-se desnecessária, pois os anjos conseguiram afastar os agressores cegando-os por milagre. Eles então advertiram Ló para que partisse imediatamente com sua família e seus animais, porque a cidade estava prestes a ser destruída. A família inteira escapou, com exceção da pobre mulher de Ló, que o Senhor transformou num pilar de sal por ter cometido a ofensa — relativamente leve, seria de imaginar — de olhar para trás para ver os fogos de artifício.

As duas filhas de Ló fazem uma breve reaparição na história. Depois de a mãe delas ter sido transformada num pilar de sal, elas moram com o pai numa caverna, no alto de uma montanha. Carentes de companhia masculina, elas decidem embebedar o pai e copular com ele. Ló não percebeu quando sua filha mais velha chegou a sua cama ou quando saiu dela, mas não estava bêbado demais para engravidá-la. Na noite seguinte as duas filhas combinaram que era a vez da mais nova. Novamente Ló estava bêbado demais para perceber, e a engravidou também (Gênesis 19, 31-36). Se essa família tão perturbada era o melhor que Sodoma tinha a oferecer em termos de princípios morais, dá até para começar a sentir certa solidariedade para com Deus e seu enxofre punitivo.

A história de Ló e os sodomitas ressoa de forma assustadora no capítulo 19 do livro dos Juízes, quando um levita (padre) não identificado viajava com sua concubina em Jebus. Eles passaram a noite na casa de um velho hospitaleiro. Enquanto jantavam, os homens da cidade chegaram e bateram à porta, exigindo que o velho entregasse seu convidado "para que dele abusemos". Praticamente com as mesmas palavras de Ló, o velho disse: "Não, irmãos meus, não façais semelhante mal; já que o homem está em minha casa, não façais tal loucura. Minha filha virgem e a concubina dele trarei para fora; humilhai-as e fazei delas o que melhor vos agrade; porém a este homem não façais semelhante loucura" (Juízes 19, 23-24). Aparece novamente o ethos misógino, firme e forte. Acho o termo "humilhai-as" especialmente aterrador. Divirtam-se humilhando e estuprando minha filha e a concubina desse padre, mas mostrem o devido respeito por meu convidado, que, afinal de contas, é homem. Apesar da semelhança entre as duas histórias, o *dénouement* foi menos feliz para a concubina do levita que para as filhas de Ló.

O levita a entrega à multidão, que a estupra coletivamente a noite inteira: "E eles a forçaram e abusaram dela toda a noite até pela manhã; e, subindo a alva, a deixaram. Ao romper da manhã, vindo a mulher, caiu à porta da casa do homem, onde estava o seu senhor, e ali ficou até que se fez dia claro" (Juízes 19, 25-26). De manhã, o levita encontra a concubina prostrada na porta e diz, com o que hoje consideraríamos de uma aspereza insensível: "Levanta-te, e vamos". Mas ela não se moveu. Estava morta. Então ele "tomou de um cutelo e, pegando a concubina, a despedaçou por seus ossos em doze partes; e as enviou por todos os limites de Israel". Sim, você leu certo. Pode olhar em Juízes 19, 29. Caridosamente, atribuamos de novo tudo isso à esquisitice onipresente da Bíblia. De fato, a história não é tão completamente maluca quanto parece. Havia um motivo — provocar vingança — e deu resultado, pois o incidente causou uma guerra de desforra contra a tribo de Benjamim, na qual, como o capítulo 20 de Juízes ternamente registra, mais de 60 mil homens foram mortos. Essa história é tão parecida com a de Ló que não dá para não especular se algum fragmento do manuscrito sem querer não se misturou em algum escritório esquecido de um monastério: uma ilustração da proveniência errática dos textos sagrados.

O tio de Ló, Abraão, foi o pai fundador de todas as três "grandes" religiões monoteístas. Seu status patriarcal faz com que ele possa ser considerado um exemplo a ser tomado, quase como Deus. Mas que moralista moderno ia querer seguir seu exemplo? Relativamente cedo em sua vida longa, Abraão foi para o Egito para fugir da fome, com sua mulher, Sara. Ele percebeu que uma mulher tão bonita seria cobiçada pelos egípcios e que portanto sua própria vida, como marido dela, poderia ficar em perigo. Então decidiu fazê-la passar por sua irmã. Como tal, ela foi levada para o harém do faraó, e Abraão, em consequência, enriqueceu com o favorecimento do faraó. Deus desaprovou o pequeno arranjo, e enviou pragas sobre o faraó e sua casa (por que não sobre Abraão?). O faraó, compreensivelmente nervoso, exigiu saber por que Abraão não lhe contara que Sara era sua mulher. Ele então a devolveu a Abraão e expulsou os dois do Egito (Gênesis 12, 18-19). O estranho é que aparentemente o casal tentou usar o mesmo golpe de novo, dessa vez com Abimeleque, rei de Gerar. Também ele foi induzido por Abraão a casar-se com Sara, novamente tendo sido levado a crer que ela era irmã de Abraão, não mulher dele (Gênesis 20, 2-5). Também ele manifestou sua indignação, em termos quase idênticos aos do faraó, e é difícil não se solidarizar com os dois. Seria a semelhança uma outra indicação da falta de confiabilidade do texto?

Esses episódios desagradáveis da história de Abraão não passam de pecadilhos se comparados à infame lenda do sacrifício de seu filho Isaac (as escrituras muçulmanas contam a mesma história sobre o outro filho de Abraão, Ismael). Deus determinou que Abraão transformasse seu filho querido numa oferenda em forma de fogo. Abraão construiu um altar, colocou lenha sobre ele e amarrou Isaac sobre a lenha. A faca assassina já estava em sua mão quando um anjo interveio dramaticamente, com a notícia de uma mudança de planos de última hora: Deus estava apenas brincando, no fim das contas, "tentando" Abraão e testando sua fé. Um moralista moderno não poderia deixar de imaginar como uma criança conseguiria se recuperar de tamanho trauma psicológico. Pelos padrões da moralidade moderna, essa história vergonhosa é ao mesmo tempo um exemplo de abuso infantil, intimidação em dois relacionamentos assimétricos de poder e o primeiro uso registrado da defesa de Nuremberg: "Eu só estava seguindo ordens". Mesmo assim, a lenda é um dos grandes mitos fundadores das três religiões monoteístas.

Mais uma vez, os teólogos modernos protestarão dizendo que a história do sacrifício de Isaac por Abraão não deve ser encarada como um fato literal. E, mais uma vez, a resposta adequada tem dois lados. Em primeiro lugar, muitíssima gente, até hoje, encara, sim, as Escrituras como fatos literais, e elas têm bastante poder político sobre o resto de nós, especialmente nos Estados Unidos e no mundo islâmico. Em segundo, se não for como fato literal, como deveríamos encarar a história? Como uma alegoria? Alegoria de quê, então? Certamente de nada digno de louvor. Como lição moral? Mas que tipo de princípio moral pode-se tirar dessa história apavorante? Lembre-se de que só estou tentando dizer, por enquanto, que na verdade nós não retiramos nossos princípios morais das Escrituras. Ou, se retiramos, escolhemos os trechos mais agradáveis daqueles textos e rejeitamos os desagradáveis. Mas aí precisamos ter algum critério independente para decidir quais trechos são os morais: um critério que, venha de onde vier, não pode vir da própria escritura, e está supostamente disponível para todos nós, sejamos ou não religiosos.

Os apologistas bem que tentam resgatar alguma decência para o personagem Deus nessa história deplorável. Não foi bom que Deus tenha poupado a vida de Isaac no último minuto? Na improvável possibilidade de algum de meus leitores ter sido convencido por esse exemplar obsceno de alegação, indico a ele outra história sobre o sacrifício humano, que teve um final mais infeliz. Em Juízes, capítulo 11, o líder militar Jefté fez uma troca com Deus combinando que, se Deus garantisse a vitória de Jefté sobre os amonitas, Jefté sacrificaria, sem falta, na fogueira, "aquele que sair primeiro da porta da minha casa e vier ao meu encontro, voltando eu". Jefté tinha mesmo a intenção de derrotar os amonitas ("uma grande derrota") e voltou para casa vitorioso. Como era de esperar, sua filha, única filha, saiu da casa para recebê-lo (com tambores e com danças) e — que pena — foi a primeira a da porta sair. Jefté rasgou suas roupas, compreensivelmente, mas não havia nada que ele pudesse fazer. Deus estava obviamente ansioso pela oferenda prometida, e dadas as circunstâncias a filha, respeitosamente, concordou em ser sacrificada. Ela só pediu permissão para ficar dois meses nas montanhas para lamentar sua virgindade. Ao fim desse período ela voltou, obediente, e Jefté a cozinhou. Deus não achou por bem intervir nesse caso.

A ira monumental de Deus sempre que seu povo flertava com um deus rival remete ao pior tipo de ciúme sexual, e novamente não deve parecer a um moralista moderno um exemplo a ser seguido. A tentação da infidelidade sexual é prontamente compreensível, mesmo para aqueles que não sucumbem a ela, e está sempre presente na ficção e na dramaturgia, de Shakespeare às farsas. Mas a tentação aparentemente irresistível de nos prostituir com deuses estranhos é algo com que nós, modernos, temos dificuldade de nos solidarizar. Aos meus olhos ingênuos, "Amar a Deus sobre todas as coisas" seria um mandamento de fácil cumprimento: uma moleza, pode-se pensar, perto de "Não cobiçarás a mulher do próximo". Mesmo assim, em todo o Antigo Testamento, com a mesma regularidade previsível que numa farsa, basta Deus virar as costas por um minuto para os Filhos de Israel irem atrás de Baal, ou de alguma imagem esculpida.* Ou, numa ocasião calamitosa, um bezerro de ouro...

* Essa ideia engraçadíssima me foi sugerida por Jonathan Miller, que, surpreendentemente, não a incluiu num esquete de *Beyond the Fringe*. Também lhe sou grato pela recomendação do livro acadêmico em que ela se baseia: Halbertal e Margalit (1992).

Moisés, ainda mais que Abraão, é um candidato a exemplo para os seguidores de todas as três religiões monoteístas. Abraão pode ser o patriarca original, mas, se alguém deve ser chamado de fundador doutrinário do judaísmo e das religiões que derivaram dele, esse alguém é Moisés. Quando do episódio do bezerro de ouro, Moisés estava longe dali, em segurança, a caminho do monte Sinai, em comunhão com Deus e recebendo as tábuas de pedra esculpidas por ele. As pessoas lá embaixo (que estavam proibidas até de *encostar* na montanha sob pena de serem mortas) não perderam tempo:

> Mas, vendo o povo que Moisés tardava em descer do monte, acercou-se de Arão e lhe disse: Levanta-te, faze-nos deuses que vão adiante de nós; pois, quanto a este Moisés, o homem que nos tirou do Egito, não sabemos o que lhe terá sucedido. (Êxodo 32, 1)

Arão conseguiu com que todos juntassem seu ouro, derreteu-o e fez um bezerro de ouro, divindade recém-inventada para a qual ele construiu então um altar, para que todos pudessem começar a fazer sacrifícios em nome dele.

Bem, eles já deviam saber que não se podem fazer essas coisas assim, pelas costas de Deus. Ele pode estar lá no alto de uma montanha, mas é, afinal de contas, onisciente, e não perdeu tempo para despachar Moisés como seu policial. Moisés desceu a montanha correndo, carregando as tábuas de pedra em que Deus havia escrito os Dez Mandamentos. Quando chegou e viu o bezerro de ouro, ficou tão furioso que derrubou as tábuas e as quebrou (depois Deus lhe deu peças de reposição, então não houve problema). Moisés pegou o bezerro de ouro, queimou-o, reduziu-o a pó, misturou-o com água e fez que as pessoas o engolissem. Depois disse a todo mundo na devota tribo de Levi que pegasse uma espada e matasse o máximo de gente possível. O montante chegou a 3 mil, o que, seria de esperar, já devia ser o suficiente para apaziguar a ira ciumenta de Deus. Mas não, Deus ainda não estava satisfeito. No último verso desse terrível capítulo, seu golpe de despedida foi lançar uma praga contra as pessoas que haviam sobrado, "porque fizeram o bezerro que Arão fabricara".

O livro dos Números conta como Deus incitou Moisés a atacar os midianitas. Seu exército tratou de matar todos os homens, e incendiar todas as cidades midianitas, mas poupou as mulheres e as crianças. Esse comedimento piedoso dos soldados enfureceu Moisés, e ele ordenou que todos os meninos fossem mortos, e todas as mulheres que não fossem virgens."Porém todas as meninas, e as jovens que não coabitaram com algum homem, deitando-se com ele, deixai-as viver para vós outros" (Números 31, 18). Não, Moisés não era uma pessoa digna de ser tomada como exemplo por moralistas modernos.

Quando os autores religiosos modernos associam algum significado simbólico ou alegórico ao massacre dos midianitas, o simbolismo vai na direção errada. Os pobres midianitas, pelo menos pelo que dá para saber pelo relato bíblico, foram vítimas de um genocídio em suas próprias terras. Mas seu nome só sobrevive na doutrina cristã naquele hino famoso (que ainda consigo cantar de cor depois de cinquenta anos, em duas melodias diferentes, ambos em tons tristemente menores):

*Cristão, tu os vê*
*No terreno sagrado?*
*Como os soldados de Mídian*
*Vagueiam e vagueiam por lá?*
*Origem, levanta-te e ataca-os,*
*Contabilizando só os ganhos, não as perdas;*

*Ataca-os em nome*
*Da sagrada cruz.**

Coitados dos midianitas, massacrados e difamados, serão lembrados somente como símbolos poéticos da maldade universal num hino vitoriano.

O deus rival Baal parece ter sido sempre uma tentação sedutora para desviar a adoração. Em Números, no capítulo 25, muitos israelitas são convencidos por mulheres moabitas a se sacrificarem por Baal. Deus reage com sua fúria característica. Ele ordena a Moisés: "Toma todos os cabeças do povo, e enforca-os ao Senhor diante do sol, e o ardor da ira do Senhor se retirará de Israel". É impossível não se assombrar com a visão tão extraordinariamente draconiana que se tem do pecado de flertar com deuses rivais. Para nosso senso atual de valores e de justiça, ele parece um pecado pouco importante se comparado, por exemplo, a oferecer sua filha para uma gangue de estupradores. É mais um exemplo do distanciamento entre os princípios morais das Escrituras e os modernos (fica-se tentado a dizer civilizados). Ele é, claro, facilmente compreensível nos termos da teoria dos memes, e das características de que uma divindade precisa para sobreviver no universo memético.

A farsa tragicômica do ciúme maníaco de Deus contra outros deuses reaparece constantemente em todo o Antigo Testamento. Ela motiva os primeiros Dez Mandamentos (aqueles nas tábuas que Moisés quebrou: Êxodo 20, Deuteronômio 5), e é ainda mais proeminente nos mandamentos substitutos (bastante diferentes) que Deus entregou para substituir as tábuas que-

* "Christian, dost thou see them/ On the holy ground?/ How the troops of Midian/ Prowl and prowl around?/ Christian, up and smite them,/ Counting gain but loss;/ Smite them by the merit/ Of the holy cross." (N. T.)

bradas (Êxodo 34). Depois de prometer expulsar de sua terra natal os infelizes amoritas, cananeus, eteus, perizeus, eveus e jebuseus, Deus vai ao que realmente interessa: *deuses* rivais!

> [...] os seus altares derrubareis, e as suas estátuas quebrareis, e os seus bosques cortareis. Porque não te inclinarás diante de outro deus; pois o nome do Senhor é Zeloso; é um Deus zeloso. Para que não faças aliança com os moradores da terra, e quando eles se prostituírem após os seus deuses, ou sacrificarem aos seus deuses, tu, como convidado deles, comas também dos seus sacrifícios. E tomes mulheres das suas filhas para os teus filhos, e suas filhas, prostituindo-se com os seus deuses, façam que também teus filhos se prostituam com os seus deuses. Não te farás deuses de fundição. (Êxodo 34, 13-17)

Eu sei, eu sei, é claro, os tempos mudaram, e nenhum líder religioso de hoje em dia (tirando os do Talibã ou seus equivalentes cristãos americanos) pensa como Moisés. Mas é isso que estou dizendo. Tudo o que estou afirmando é que a moralidade moderna, venha de onde vier, não se origina da Bíblia. Os apologistas não podem sair pela tangente alegando que a religião fornece a eles alguma espécie de diretriz para definir o que é bom e o que é ruim — uma fonte privilegiada indisponível para os ateus. Eles não podem se safar dizendo isso, nem mesmo quando usam seu truque favorito, o de interpretar as Escrituras selecionadas como "simbólicas", e não literais. Por que critério alguém *decide* quais trechos são simbólicos e quais são literais?

A limpeza étnica iniciada nos tempos de Moisés é elevada à fruição sangrenta no livro de Josué, um texto marcante pelos massacres sangrentos que registra e o apreço xenofóbico com que faz isso. Como diz aquela velha e bela canção, exultante: "Josué lutou na batalha de Jericó, e as muralhas ruíram [...] Não há ninguém como o velho e bom Josué, na batalha de Jericó".* O bom e velho Josué não sossegou enquanto "tudo quanto havia na cidade eles destruíram totalmente ao fio da espada, desde o homem até à mulher, desde o menino até ao velho, e até ao boi e gado miúdo, e ao jumento" (Josué 6, 21).

Mais uma vez, protestarão os teólogos, isso não aconteceu de verdade. Não mesmo — segundo a história, as muralhas ruíram ao mero som dos homens gritando e tocando buzinas, portanto realmente não aconteceu de verdade —, mas não é essa a questão. A questão é que, verdade ou não, a Bíblia é mostrada a nós como a fonte de nossa moralidade. E a história bíblica da destruição de Jericó por Josué, e da invasão da Terra Prometida em geral, não se distingue em termos morais da invasão da Polônia por Hitler, ou dos massacres dos curdos e dos árabes dos pântanos do sul por Saddam Hussein. A Bíblia pode ser uma obra de ficção interessante e poética, mas não é o tipo de livro que deveria ser dado às crianças para formar seus princípios morais. Por sinal, a história de Josué em Jericó é tema de uma interessante experiência sobre a moralidade infantil, que será discutida mais para a frente neste capítulo.

Não pense, aliás, que o personagem Deus na história cultivou alguma dúvida ou escrúpulo sobre os massacres e genocídios que acompanharam a tomada da Terra Prometida. Suas ordens, pelo contrário, como mostra o exemplo em Deuteronômio 20, eram brutalmente explícitas. Ele fazia uma clara distinção entre as pessoas que viviam na terra que era requisitada e as pessoas que vivam distantes dela. Estas últimas deveriam ser convidadas a se render pacificamente. Se se recusassem, todos os homens deveriam ser mortos e as mulheres levadas para procriar. Num contraste com esse tratamento relativamente humano, veja o que

*"Joshua fit the battle of Jericho, and the walls came a-tumbling down [...] There's none like good old Joshuay, at the battle of Jericho." (N. T.)

era reservado àquelas tribos que tinham o azar de já residirem na *Lebensraum* prometida: "Quando o Senhor teu Deus te houver introduzido na terra, à qual vais para a possuir, e tiver lançado fora muitas nações de diante de ti, os eteus, e os girgaseus, e os amorreus, e os cananeus, e os perizeus, e os eveus, e os jebuseus, sete nações mais numerosas e mais poderosas do que ti, e o Senhor teu Deus as tiver dado diante de ti, para as ferir, totalmente as destruirás; não farás com elas aliança, nem terás piedade delas".

Será que as pessoas que tomam a Bíblia como inspiração para a retidão moral têm alguma noção do que realmente está escrito nela? As seguintes ofensas merecem a pena de morte, de acordo com o Levítico 20: amaldiçoar os pais; cometer adultério; ter relações sexuais com a madrasta ou com a enteada; a homossexualidade, casar com uma mulher e com a filha dela; o bestialismo (e, como se já não fosse o bastante, o pobre animal deve ser morto também). Também é executado, é claro, quem trabalhar no Shabat: a questão é relembrada a toda hora em todo o Antigo Testamento. Em Números 15, os filhos de Israel encontram um homem apanhando lenha no dia proibido. Eles o prendem e então perguntam a Deus o que fazer com ele. Só que Deus não estava a fim de meias medidas naquele dia. "Tal homem será morto; toda a congregação o apedrejará fora do arraial. Levou-o, pois, toda a congregação para fora do arraial, e o apedrejaram; e ele morreu." Será que o inofensivo apanhador de lenha não tinha uma mulher e filhos para lamentar sua morte? Teria ele chorado de medo quando as primeiras pedras voaram, e gritado de dor enquanto a fuzilaria atingia sua cabeça? O que me choca hoje em dia nessas histórias não é que elas tenham acontecido de verdade. Provavelmente não aconteceram. O que me deixa de queixo caído é que as pessoas de hoje em dia queiram basear sua vida num exemplo tão aterrador quanto o de Javé — e, pior ainda, que queiram impor esse mesmo monstro do mal (seja ele fato ou ficção) ao resto de nós.

O poder político dos guardiães americanos dos Dez Mandamentos é especialmente lamentável naquela grande República, cuja Constituição, afinal de contas, foi elaborada por homens iluministas em termos estritamente laicos. Se levarmos os Dez Mandamentos a sério, teremos que classificar a adoração aos deuses errados, e a fabricação de imagens esculpidas, em primeiro e segundo lugar entre todos os pecados. Em vez de condenar o vandalismo inenarrável do Talibã, que dinamitou os Budas de 45 metros de altura de Bamiyan, nas montanhas do Afeganistão, nós os elogiaríamos por sua devoção. Aquilo que consideramos vandalismo por parte deles certamente foi motivado por um zelo religioso sincero. Esse fato é atestado em cores fortes por uma história bizarra, que foi destaque no *The Independent* (de Londres) de 6 de agosto de 2005. Sob a manchete "A destruição de Meca", na primeira página, o *The Independent* afirmou:

> A histórica Meca, o berço do islã, está sendo sepultada num massacre sem precedentes perpetrado por fanáticos religiosos. Quase tudo na rica e multifacetada história da cidade sagrada já se perdeu [...] Hoje a cidade natal do profeta Maomé enfrenta as escavadeiras, com a conivência de autoridades religiosas sauditas, cuja interpretação linha-dura do islã as está fazendo destruir seu próprio patrimônio [...] O motivo por trás da destruição é o medo fanático dos wahhabistas de que lugares de interesse histórico e religoso possam dar origem à idolatria ou ao politeísmo, à adoração de múltiplos deuses, potencialmente iguais. A prática da idolatria ainda é, na Arábia Saudita, em princípio, punível pela decapitação.*

* "Nós todos financiamos esta torrente de fanatismo saudita", de Johann Hari, é uma exposição de fatos da insidiosa influência do wahhabismo saudita na Grã-Bretanha hoje. Originalmente publicado no *The Independent* em 8/2/2007, o artigo foi reproduzido em vários sites, inclusive o RichardDawkins.net.

Não acredito que haja um ateu no mundo que demoliria Meca — ou Chartres, a York Minster ou Notre Dame, o Shwedagon, os templos de Kyoto ou, claro, os Budas de Bamiyan. Como disse o físico americano e prêmio Nobel Steven Weinberg, "a religião é um insulto à dignidade humana. Com ou sem ela, teríamos gente boa fazendo coisas boas e gente ruim fazendo coisas ruins. Mas, para que gente boa faça coisas ruins, é preciso a religião". Blaise Pascal (o da aposta) disse algo parecido: "Os homens nunca fazem o mal tão plenamente e com tanto entusiasmo como quando o fazem por convicção religiosa".

Meu principal objetivo aqui não foi mostrar que não *devemos* tirar nossos princípios morais das Escrituras (embora essa seja minha opinião). Meu objetivo foi demonstrar que nós (e isso inclui as pessoas religiosas) na verdade *não* tiramos nossos princípios morais das Escrituras. Se tirássemos, observaríamos estritamente o dia de descanso e acharíamos justo e adequado executar quem preferir não observá-lo. Apedrejaríamos até a morte uma noiva que não conseguisse provar sua virgindade, se o marido anunciasse estar insatisfeito com ela. Executaríamos crianças desobedientes. Mas espere aí. Talvez eu esteja sendo injusto. Os bons cristãos terão protestado durante todo este trecho: todo mundo sabe que o Antigo Testamento é bem desagradável. O Novo Testamento de Jesus desfaz o prejuízo e conserta tudo. Não é verdade?

## O NOVO TESTAMENTO É MELHOR?

Bom, não há como negar que, do ponto de vista moral, Jesus é um enorme avanço se comparado com o ogro cruel do Antigo Testamento. Se é que existiu, Jesus (ou quem quer que tenha escrito seus textos, se não ele) foi certamente um dos grandes inovadores éticos da história. O Sermão da Montanha é bastante progressista. Seu "ofereça a outra face" antecipou Gandhi e Martin Luther King em 2 mil anos. Não foi à toa que escrevi um artigo chamado "Ateus por Jesus" (e depois tive o prazer de ganhar de presente uma camiseta com esses dizeres).[94]

Mas a superioridade moral de Jesus reforça minha tese. Jesus não se contentou em retirar sua ética das Escrituras sob as quais foi criado. Ele rompeu explicitamente com elas, por exemplo quando esvaziou as advertências duras contra desobedecer ao Shabat. "O Shabat foi feito para o homem, não o homem para o Shabat" acabou sendo generalizado na forma de um sábio provérbio. Como a principal tese deste capítulo é que nós não tiramos — nem deveríamos tirar — nossos princípios morais das Escrituras, é preciso fazer justiça e considerar Jesus um modelo para essa tese.

Os valores familiares de Jesus, é preciso admitir, não são lá muito exemplares. Ele era seco, chegando a ser rude, com a própria mãe, e encorajou os discípulos a abandonar a família para segui-lo. "Se alguém vem a mim e não aborrece a seu pai, e mãe, e mulher, e filhos, e irmãos, e irmãs e ainda a sua própria vida, não pode ser meu discípulo." A comediante americana Julia Sweeney manifestou seu espanto em seu show-solo *Letting go of God*:[95] "Não é o que os cultos fazem? Fazem você rejeitar sua família para que possam influenciá-lo?".[96]

Apesar de seus valores familiares meio estranhos, os ensinamentos éticos de Jesus foram — pelo menos em comparação ao desastre ético que é o Antigo Testamento — admiráveis; mas existem outros ensinamentos no Novo Testamento que nenhuma pessoa de bem apoiaria. Refiro-me especialmente à doutrina central do cristianismo: a da "expiação" do "pecado original". Esse ensinamento, que está no cerne da teologia do Novo Testamento, é quase tão repulsivo em termos morais quanto a história de

Abraão preparando-se para transformar Isaac em churrasquinho, e parece-se com ela — e não se trata de um acaso, como Geza Vermes deixa claro em *As várias faces de Jesus*. O pecado original em si vem diretamente do mito de Adão e Eva, do Antigo Testamento. O pecado deles — comer do fruto da árvore proibida — parece merecedor de não mais que uma simples bronca. Mas a natureza simbólica do fruto (o conhecimento do bem e do mal, que na prática se revelou o conhecimento de que eles estavam nus) foi o suficiente para transformar a travessura na mãe e no pai de todos os pecados.* Eles e todos os seus descendentes foram expulsos para sempre do Jardim do Éden, privados do dom da vida eterna e condenados a gerações de trabalhos dolorosos, no campo e no parto, respectivamente.

Tão distante, tão vingativo: bem adequado ao tom do Antigo Testamento. A teologia do Novo Testamento acrescenta mais uma injustiça, completada por um novo sadomasoquismo que nem o Antigo Testamento quase consegue superar. Pensando bem, é incrível que uma religião adote um instrumento de tortura e execução como seu símbolo sagrado, frequentemente usado em torno do pescoço. Lenny Bruce observou bem que, "se Jesus tivesse sido morto há vinte anos, as crianças católicas estariam usando cadeirinhas elétricas no pescoço, em vez de cruzes". Mas a teologia e a teoria da punição por trás disso são ainda mais graves.

* [O autor usa a palavra "scrumping", sobre a qual faz o comentário a seguir (N. T.)]: Sei que "scrumping" não soará familiar aos leitores americanos. Mas gosto de ler palavras americanas pouco familiares e procurar seu significado para ampliar meu vocabulário. Usei deliberadamente algumas outras palavras específicas de certas regiões por essa razão. "Scrumping" é uma *mot juste* de uma economia ímpar. Ela não significa apenas furtar: significa especificamente furtar *maçãs*, e *só* maçãs. Não dá para uma *mot* ficar muito mais *juste* que isso. É verdade que a história do Gênesis não especifica que a fruta era uma maçã, mas é assim que ficou na tradição.

Acredita-se que o pecado de Adão e Eva tenha sido transmitido ao longo da linhagem masculina — transmitido pelo sêmen, de acordo com santo Agostinho. Que tipo de filosofia ética é essa que condena todas as crianças, mesmo antes de nascer, a herdar o pecado de um ancestral remoto? Agostinho, por sinal, que com razão se considerava uma espécie de autoridade pessoal em pecado, foi o responsável por cunhar o termo "pecado original". Antes dele ele era conhecido como "pecado ancestral". Os pronunciamentos e debates de Agostinho exemplificam, para mim, a preocupação pouco saudável dos primeiros teólogos cristãos com o pecado. Eles podiam ter dedicado suas páginas e seus sermões a exaltar o céu estrelado, ou as montanhas e florestas, os mares e os coros do amanhecer. Essas coisas são mencionadas às vezes, mas o foco cristão está sempre no pecado pecado pecado pecado pecado pecado pecado. Que preocupaçãozinha chata para dominar sua vida. Sam Harris é de uma virulência magnífica em seu *Carta a uma nação cristã*: "Sua principal preocupação parece ser a de que o Criador do universo ficará ofendido com o que as pessoas fizerem peladas. Essa sua pudicícia contribui diariamente para o superávit da miséria humana".

Agora o sadomasoquismo. Deus encarnou-se como homem, Jesus, para que pudesse ser torturado e executado em *expiação* do pecado hereditário de Adão. Desde que Paulo expôs essa doutrina repugnante, Jesus vem sendo adorado como o *redentor* de todos os nossos pecados. Não apenas o pecado passado de Adão: pecados *futuros* também, decidam ou não as pessoas futuras cometê-los!

Em outro adendo, já ocorreu a muita gente, incluindo Robert Graves, em seu romance épico *King Jesus*, que o pobre Judas Iscariotes ficou com um mau negócio, já que sua "traição" era uma parte necessária do plano cósmico. O mesmo poderia ser dito dos supostos assassinos de Jesus. Se Jesus queria ser traído e depois assassinado, para que pudesse nos redimir, não é injusto por parte daqueles que se consideram redimidos descontar em Judas e nos judeus por toda a eternidade? Já mencionei a longa lista de evangelhos não canônicos. Um manuscrito que supostamente seria o Evangelho de Judas foi traduzido recentemente e recebeu grande publicidade em consequência.[97] As circunstâncias de sua descoberta são controversas, mas aparentemente ele apareceu no Egito nos anos 1970 ou 1960. Está em copta, em 62 páginas de papiros, e remonta a por volta de 300 d. C., pela datação por carbono, tendo sido provavelmente baseado em um manuscrito grego mais antigo. Seja quem for o autor, o evangelho é visto da perspectiva de Judas Iscariotes e sustenta que Judas só traiu Jesus porque Jesus pediu que ele fizesse esse papel. Tudo fazia parte do plano para que Jesus fosse crucificado e assim redimisse a humanidade. Por mais ridícula que seja essa doutrina, ela parece compreender o desagrado causado pela vilanização de Judas.*

Descrevi a expiação dos pecados, a doutrina central do cristianismo, como cruel, sadomasoquista e repugnante. Também deveríamos qualificá-la como loucura de pedra, se não fosse pela enorme familiaridade com ela, que anestesia nossa objetividade. Se Deus quisesse perdoar nossos pecados, por que não perdoá-los, simplesmente, sem ter de ser torturado e executado em pagamento — condenando, dessa forma, as gerações futuras e remotas de judeus a pogroms e perseguições por serem os "assassinos de Cristo": será que esse pecado hereditário também foi transmitido pelo sêmen?

* *Reading Judas* [Lendo Judas], de Elaine Pagels e Karen L. King (Virgin, Londres, 2007) veio à luz agora, tarde demais para ser comentado na edição de capa dura deste livro. Baseada na tradução feita por Karen King do Evangelho de Judas, a obra tem uma visão compassiva desse pretenso arquitraidor (que aparece na terceira pessoa no próprio evangelho).

Paulo, como deixa claro o intelectual judeu Geza Vermes, estava impregnado do velho princípio teológico judaico de que sem sangue não há expiação.[98] Em sua Epístola aos Hebreus (9, 22), aliás, ele diz exatamente isso. Os estudiosos progressistas da ética hoje em dia já acham difícil defender qualquer tipo de teoria retributiva da punição, imagine então a teoria do bode expiatório — executar um inocente para pagar pelos pecados dos culpados. De qualquer maneira (não dá para não questionar), quem é que Deus estava tentando impressionar? Presumivelmente ele mesmo — juiz e júri, além de vítima de execução. E, para completar, Adão, o suposto executor do pecado original, nem existiu: um fato estranho — tudo bem que Paulo não soubesse, mas um Deus onisciente supostamente saberia (e Jesus também, se se acreditar que ele era Deus) — que mina fundamentalmente a premissa de toda essa teoria tortuosa e nojenta. Ah, mas é claro, a história de Adão e Eva era apenas *simbólica*, não era? *Simbólica*? Então, para impressionar a si mesmo, Jesus fez-se ser torturado e executado, numa punição indireta por um pecado *simbólico* cometido por um indivíduo *inexistente*? Como eu disse, loucura de pedra, além de cruelmente desagradável.

Antes de deixar a Bíblia para trás, preciso chamar a atenção para um aspecto especialmente difícil de engolir de seus ensinamentos éticos. Os cristãos raramente percebem que boa parte das considerações morais pelos outros, que parecem ser promovidas tanto pelo Antigo quanto pelo Novo Testamento, tinha a intenção original de se aplicar apenas a um pequeno grupo interno e específico. "Amai o próximo" não signifca o que achamos hoje que significa. Significava apenas "Amai outro judeu". Essa tese é defendida de forma arrasadora pelo físico americano e antropólogo evolucionista John Hartung. Ele escreveu um trabalho extraordinário sobre a evolução e a história bíblica da moralidade entre membros de um grupo, ressaltando, também, o outro lado — a hostilidade com os forasteiros.

O humor negro de John Hartung fica evidente logo de cara,[99] quando ele conta sobre uma iniciativa batista para contabilizar o número de cidadãos do Alabama no inferno. Como afirmaram o *The New York Times* e o *Newsday*, o total final, 1,86 milhão, foi estimado usando uma fórmula secreta segundo a qual os metodistas tinham uma chance maior de ser salvos que os católicos, e "virtualmente todo mundo que não pertencesse a uma congregação foi contabilizado entre os perdidos". A presunção sobrenatural dessa gente reflete-se hoje nos vários sites de "arrebatamento", em que o autor sempre tem certeza absoluta de que estará entre os que "desaparecerão" nos céus quando o "fim dos tempos" chegar. Veja um exemplo típico, do autor de "Rapture Ready", um dos exemplares mais odiosamente santimoniais do gênero: "Se o arrebatamento ocorrer, resultando na minha ausência, tornar-se-á necessário que santos da tribulação reproduzam ou sustentem financeiramente este site".*

A interpretação que Hartung faz da Bíblia sugere que ela não fornece base para uma complacência tão convicta como a dos cristãos. Jesus limitou seu grupo de salvos estritamente aos judeus, no que respeitava a tradição do Antigo Testamento, que era tudo que conhecia. Hartung mostra claramente que "Não matarás" jamais quis significar o que achamos hoje que significa. Significava, de uma maneira bem específica, que não matarás judeus. E todos os mandamentos que fazem referência ao "próximo" são igualmente excludentes. "Próximo" significa camarada judeu. Moisés Maimônides, rabino e médico altamente respeitado do século XII, descreve o significado pleno de "Não matarás" da

* Talvez você não saiba o que "santos da tribulação" quer dizer nessa frase. Não se preocupe, você tem coisa melhor para fazer.

seguinte maneira: "Se alguém mata um único israelita, transgride um mandamento negativo, pois a Escritura diz: Não matarás. Se alguém matar propositadamente na presença de testemunhas, ele é morto pela espada. É óbvio que ele não é morto se matar um pagão". É óbvio!

Hartung cita o Sinédrio (a Suprema Corte Judaica, presidida pelo sumo sacerdote) no mesmo tom, absolvendo um homem que hipoteticamente matou um israelita por engano, quando pretendia matar um animal ou um pagão. Esse instigante enigma moral suscita uma questão interessante. E se jogarmos uma pedra sobre um grupo de nove pagãos e um israelita, e tivermos a infelicidade de matar o israelita? Hum, difícil! Mas a resposta já está pronta. "Então sua não responsabilidade pode ser inferida do fato de que a maioria era de pagãos."

Hartung usa muitas citações bíblicas do tipo das que usei neste capítulo sobre a conquista da Terra Prometida por Moisés, Josué e os Juízes. Tive o cuidado de admitir que as pessoas religiosas não pensam mais de modo bíblico. Para mim, isso comprovou que nossos princípios morais, sejamos nós religiosos ou não, vêm de outra fonte; e que essa outra fonte, seja ela qual for, está disponível para todos nós, independentemente da religião ou da ausência dela. Mas Hartung conta um estudo apavorante feito pelo psicólogo israelense George Tamarin. Tamarin apresentou para mais de mil crianças israelenses, entre oito e catorze anos de idade, o relato da batalha de Jericó, do livro de Josué:

> Disse Josué ao povo: "Gritai, porque o SENHOR vos tem dado a cidade. Porém a cidade será anátema ao SENHOR, ela e tudo quanto houver nela [...] Toda a prata, e o ouro, e os vasos de metal, e de ferro são consagrados ao SENHOR; irão ao tesouro do SENHOR" [...] E tudo quanto havia na cidade destruíram totalmente ao fio da espada, desde o homem até à mulher, desde o menino até ao velho, e

até ao boi e gado miúdo, e ao jumento [...] Tão somente a prata, e o ouro, e os vasos de metal e de ferro deram para o tesouro da casa do SENHOR.

Tamarin fez às crianças uma simples pergunta moral: "Vocês acham que Josué e os israelitas agiram bem ou não?". Elas tinham de escolher entre A (aprovação total), B (aprovação parcial) e C (reprovação total). Os resultados foram polarizados: 66% deram aprovação total e 26% reprovação total, com uma proporção bem menor (8%) no meio, com aprovação parcial. Aqui estão as três respostas típicas do grupo da aprovação total (A):

> Na minha opinião, Josué e os Filhos de Israel agiram bem, e aqui estão as razões: Deus prometera esta terra a eles, e deu-lhes permissão para conquistá-la. Se eles não tivessem agido dessa maneira ou não tivessem matado ninguém, haveria o perigo de que os Filhos de Israel fossem assimilados pelos góis.
>
> Na minha opinião Josué estava certo ao fazer aquilo, sendo que um dos motivos é que Deus mandou que ele exterminasse o povo para que as tribos de Israel não fossem assimiladas entre eles e aprendessem seus maus hábitos.
>
> Josué agiu bem porque o povo que morava na terra era de uma religião diferente, e quando Josué os matou ele varreu a religião deles da face da Terra.

A justificativa para o massacre genocida de Josué é sempre religiosa. Até os da categoria C, que deram sua total reprovação, fizeram isso, em alguns casos, por motivos religiosos duvidosos. Uma menina, por exemplo, reprovou a conquista de Jericó por Josué porque, para fazê-lo, ele teve de entrar nela:

> Acho que foi ruim, já que os árabes são impuros e se alguém entra numa terra impura também fica impuro e amaldiçoado como eles.

Dois outros estudantes que reprovaram totalmente a atitude de Josué o fizeram porque Josué destruiu tudo, incluindo animais e bens, em vez de manter alguma coisa como prêmio para os israelitas:

> Acho que Josué não agiu bem, porque eles podiam ter poupado os animais para eles mesmos.
>
> Acho que Josué não agiu bem, porque ele podia ter deixado os bens de Jericó; se ele não tivesse destruído os bens, eles teriam ficado com os israelitas.

Mais uma vez o sábio Maimônides, frequentemente citado por seu conhecimento acadêmico, não tem dúvidas de sua posição a respeito da questão: "É um mandamento positivo destruir as sete nações, já que está dito: *Totalmente as destruirás*. Se não se mata quem cai em seu poder, transgride-se um mandamento negativo, já que está dito: *Nenhuma coisa que tem fôlego deixarás com vida*".

Diferentemente de Maimônides, as crianças do experimento de Tamarin eram jovens o suficiente para ser inocentes. Presume-se que as opiniões selvagens que elas manifestaram sejam as de seus pais, ou do grupo em que foram criadas. Não é improvável, acredito, que crianças palestinas, criadas no mesmo país dilacerado pela guerra, dessem opiniões equivalentes, na direção contrária. Essas considerações enchem-me de desespero. Elas parecem mostrar o imenso poder da religião, e especialmente da educação religiosa das crianças, para dividir as pessoas e alimentar inimizades históricas e vendetas hereditárias. Não me contenho em ressaltar que duas das três citações representativas do grupo A do experimento de Tamarin mencionavam os perigos da assimilação, enquanto a terceira reforçava a importância de matar as pessoas para eliminar sua religião.

Tamarin fez um grupo de controle fascinante em sua experiência. Um grupo diferente de 168 crianças israelenses recebeu o mesmo texto do livro de Josué, mas com o nome de Josué trocado por "general Lin" e "Israel" trocado por "um reino chinês há 3 mil anos". Dessa vez o experimento teve resultados opostos. Apenas 7% aprovaram o comportamento do general Lin, e 75% o reprovaram. Em outras palavras, quando sua lealdade ao judaísmo foi removida da equação, a maioria das crianças concordou com os juízos morais que a maioria dos seres humanos modernos teria. A atitude de Josué foi um feito de genocídio selvagem. Mas tudo fica diferente do ponto de vista religioso. E a diferença começa muito cedo na vida. Foi a religião que fez a diferença entre as crianças condenarem ou endossarem o genocídio.

Na segunda metade de seu trabalho, Hartung passa para o Novo Testamento. Para dar um breve resumo da tese dele, Jesus foi um devoto da mesma moralidade entre membros do mesmo grupo — associada à hostilidade a forasteiros — que era tida como certa no Antigo Testamento. Jesus era um judeu leal. Foi Paulo quem inventou a ideia de levar o Deus judeu aos gentios. Hartung usa um tom mais duro do que eu me atreveria: "Jesus teria se revirado no túmulo se soubesse que Paulo estava levando seu plano para os porcos".

Hartung divertiu-se bastante com o livro do Apocalipse, que certamente é um dos livros mais estranhos da Bíblia. Foi supostamente escrito por são João, e, como disse bem o *Ken's guide to the Bible*, se as epístolas podem ser vistas como João maconhado, o Apocalipse é João sob LSD.[100] Hartung chama a atenção para os dois versos do Apocalipse em que o número dos "selados" (que algumas seitas, como as Testemunhas de Jeová, interpretam como "salvos") limita-se a 144 mil. A tese de Hartung é que todos teriam de ser judeus: 12 mil de cada uma das doze tribos. Ken Smith vai além, destacando que os 144 mil eleitos "não estão contaminados com mulheres", o que presumivelmente significa que nenhum deles podia *ser* mulher. Bem, esse é o tipo de coisa que já era de esperar.

Há muito mais no agradável trabalho de Hartung. Simplesmente o recomendarei mais uma vez, e o resumirei numa citação:

> A Bíblia é um guia da moralidade entre membros do mesmo grupo, contendo instruções para o genocídio, para a escravização de forasteiros e para a dominação do mundo. Mas a Bíblia não é malévola devido a seus objetivos ou à glorificação do assassinato, da crueldade e do estupro. Muitas obras antigas fazem a mesma coisa — a *Ilíada*, as sagas islandesas, as lendas dos sírios da Antiguidade ou as inscrições dos maias, por exemplo. Mas ninguém sai por aí vendendo a *Ilíada* como base da moralidade. Aí é que está o problema. A Bíblia é vendida, e comprada, como um guia para orientar a vida das pessoas. E é, de longe, o maior best-seller de todos os tempos.

Antes que se pense que o exclusivismo do judaísmo tradicional seja singular entre as religiões, veja o seguinte verso confiante de um hino de Isaac Watts (1674-1748):

> *Senhor, atribuo à Tua Graça,*
> *E não ao acaso, como outros,*
> *Que eu tenha nascido de Raça Cristã*
> *E não Pagão ou Judeu.**

* "Lord, I ascribe it to Thy Grace,/ And not to chance, as others do,/ That I was born of Christian Race/ And not a Heathen or a Jew." (N. T.)

O que me intriga nesses versos não é o exclusivismo *per se*, mas a lógica. Como muitos outros *nasceram* em religiões que não o cristianismo, como Deus decidiu que pessoas futuras deveriam receber um nascimento tão favorecido? Por que beneficiar Isaac Watts e as pessoas que ele visualizou que cantariam seu hino? E, além disso, antes de Watts ter sido concebido, qual era a natureza da entidade que estava sendo favorecida? São águas profundas, mas talvez não profundas demais para uma mente afinada com a teologia. O hino de Isaac Watts remete a três orações diárias que são ensinadas aos homens judeus ortodoxos e conservadores (mas não os reformados): "Abençoado sejas por não ter feito de mim um gentio. Abençoado sejas por não ter feito de mim uma mulher. Abençoado sejas por não ter feito de mim um escravo".

A religião é sem dúvida uma força que provoca divisões, e essa é uma das principais acusações levantadas contra ela. Mas diz-se com frequência e com razão que as guerras, e as brigas entre grupos ou seitas religiosas, raramente dizem respeito a discordâncias teológicas. Quando um paramilitar protestante do Ulster mata um católico, ele não está pensando: "Tome isto, seu idiota transubstancionista, mariólatra, incensado!". É muito mais provável que ele esteja vingando a morte de outro protestante morto por outro católico, talvez dentro de uma vendeta transgeracional. A religião é um *rótulo* para a inimizade entre integrantes do grupo/forasteiros e para a vendeta, não necessariamente pior que outros rótulos como a cor da pele, a língua ou o time de futebol preferido, mas frequentemente disponível quando outros rótulos não estão disponíveis.

Sim, sim, é claro que os problemas da Irlanda do Norte são políticos. Realmente houve opressão econômica e política de um grupo sobre o outro, e isso remonta a séculos atrás. Realmente existem ressentimentos e injustiças genuínos, e eles parecem ter pouco a ver com religião; tirando o fato de que — e isso é importante e muitas vezes deixado de lado — sem a religião não haveria rótulos herdados ao longo de muitas gerações. Católicos cujos pais, avós e bisavós estudaram em escolas católicas mandam os filhos para escolas católicas. Protestantes cujos pais, avós e bisavós estudaram em escolas protestantes mandam os filhos para escolas protestantes. Os dois grupos têm a mesma cor de pele, falam a mesma língua, gostam das mesmas coisas, mas é como se pertencessem a espécies diferentes, de tão profunda que é a divisão histórica. E, sem a religião, e a educação de segregação religiosa, a divisão simplesmente não existiria. Os dois teriam se unido por meio de casamentos e há muito tempo se dissolvido um no outro. Do Kosovo à Palestina, do Iraque ao Sudão, do Ulster ao subcontinente indiano, observe meticulosamente qualquer região do mundo onde encontrar inimizade e violência intratáveis entre grupos rivais. Não posso garantir que você encontrará religiões como rótulos dominantes para os membros dos grupos e para os forasteiros. Mas é uma boa aposta.

Na Índia, na época da partição, mais de 1 milhão de pessoas foram vítimas de massacre nos confrontos religiosos entre hindus e muçulmanos (e 15 milhões foram desalojados de suas casas). Não havia outros rótulos que não os religiosos para definir quem deveria ser morto. No final, não havia nada que os dividisse, com exceção da religião. Salman Rushdie, por causa de uma onda mais recente de massacres religiosos na Índia, escreveu um artigo chamado "A religião, como sempre, é o veneno no sangue da Índia".[101] Esses são os parágrafos que concluem o texto:

> O que há para ser respeitado em tudo isso, ou nos crimes que estão sendo cometidos quase diariamente em nome da malfadada religião? Como a religião ergue bem seus totens, com resultados tão fatais, e como estamos dispostos a matar por eles! E, quando

já fizemos isso várias vezes, o amortecimento de seu efeito torna mais fácil fazê-lo de novo.

Assim, o problema da Índia revela-se o problema do mundo. O que aconteceu na Índia aconteceu em nome de Deus.

O nome do problema é Deus.

Não nego que as poderosas tendências da humanidade para a lealdade dentro do grupo e a hostilidade a forasteiros existiriam mesmo na ausência da religião. Torcedores de times de futebol rivais são um exemplo do fenômeno em menor escala. Até mesmo os torcedores às vezes se dividem pela religião, como é o caso do Glasgow Rangers e do Glasgow Celtic. Línguas (como na Bélgica), raças e tribos (especialmente na África) podem ser símbolos importantes de divisão. Mas a religião amplifica e exacerba os danos, no mínimo de três maneiras:

- Rotulação das crianças. As crianças são descritas como "crianças católicas" ou "crianças protestantes" etc. desde que são bem pequenas, e certamente muito antes de ter chegado a suas próprias conclusões sobre o que acham da religião (retomo esse abuso contra a infância no capítulo 9).
- Escolas segregadas. As crianças são educadas, novamente desde bem cedo, junto com membros de um grupo religioso e distantes de crianças cujas famílias adotam outras religiões. Não é exagero dizer que os problemas da Irlanda do Norte desapareceriam no período de uma geração se a educação segregadora fosse abolida.
- Tabus contra "casamentos externos". Isso perpetua brigas e vendetas hereditárias, evitando a mistura de grupos adversários. O casamento misto, se permitido, tenderia naturalmente a amenizar as inimizades.

O vilarejo de Glenarm, na Irlanda do Norte, é o berço dos condes de Antrim. Uma vez, há não muito tempo, o então conde fez o inimaginável: casou-se com uma católica. Imediatamente, nas casas em toda a Glenarm, as janelas fecharam-se em sinal de luto. O horror aos casamentos externos também é disseminado entre os judeus religiosos. Várias das crianças israelenses citadas anteriormente mencionaram o perigo da "assimilação" como base de sua defesa da ação de Josué na batalha de Jericó. Quando pessoas de religiões diferentes se casam entre si, o fato é descrito com tristeza pelos dois lados como um "casamento misto" e com frequência há longas batalhas para decidir como as crianças serão educadas. Quando eu era criança e ainda tinha lá minha afeição pela Igreja Anglicana, lembro-me de ter ficado confuso ao ouvir falar de uma regra segundo a qual, quando um católico se casava com uma anglicana, os filhos eram sempre criados como católicos. Eu entendia por que um padre de cada denominação tentaria insistir nessa condição. O que eu não conseguia entender (e ainda não consigo) era a assimetria. Por que os padres anglicanos não retaliavam com a regra equivalente, invertida? Talvez fossem menos brutais. Meu velho capelão e o "Nosso Padre" de Betjeman eram bonzinhos demais.

Os sociólogos já fizeram pesquisas estatísticas sobre a homogamia religiosa (casar-se com alguém da mesma religião) e a heterogamia (casar-se com alguém de outra religião). Norval D. Glenn, da Universidade do Texas em Austin, reuniu vários estudos desse tipo feitos até 1978 e os analisou em conjunto.[102] Ele concluiu que existe uma tendência significativa para a homogamia religiosa nos cristãos (protestantes se casam com protestantes, católicos se casam com católicos, e isso supera o "efeito do vizinho"), mas que ela é especialmente marcante entre os judeus. De uma amostra total de 6021 pessoas casadas que responderam ao questionário, 140 autodenominaram-se judias, e, destas, 85,7%

haviam se casado com judeus. Essa proporção é imensamente maior que a porcentagem que seria aleatoriamente de esperar de casamentos homógamos. E é claro que não se trata de uma novidade para ninguém. Judeus devotos são fortemente desencorajados a se casar com alguém de fora do grupo, e o tabu mostra-se nas piadas sobre mães judias alertando seus meninos para ter cuidado com shiksas loiras de butuca para agarrá-los. Veja declarações típicas de três rabinos americanos:

- "Recuso-me a celebrar casamentos inter-religiosos."
- "Celebro-os se os casais declaram sua intenção de criar os filhos como judeus."
- "Celebro-os se os casais concordarem em participar de um aconselhamento pré-nupcial."

São raros os rabinos que concordam em celebrar o casamento junto com um sacerdote cristão, embora haja grande procura.

Mesmo que a religião em si não fizesse nenhum outro mal, sua característica divisora, perversa e cuidadosamene cultivada — sua apropriação deliberada da tendência natural da humanidade de favorecer os integrantes de seu próprio grupo e rejeitar os forasteiros — já seria suficiente para fazer dela uma força maligna significativa para o mundo.

## O *zeitgeist* MORAL

Este capítulo começou mostrando que nós — mesmo os religiosos — não baseamos nossa moralidade em livros sagrados, não importa no que acreditemos. Como, então, decidimos o que é certo e o que é errado? Independentemente de como respondamos a essa pergunta, existe um consenso sobre o que consideramos ser certo e errado: um consenso que prevalece de uma forma surpreendentemente disseminada. O consenso não tem nenhuma conexão evidente com a religião. Ele se estende, no entanto, a pessoas religiosas, *pensem* elas ou não que seus princípios morais vêm das Escrituras. Com as notáveis exceções do Talibã afegão e do cristianismo americano equivalente, a maioria das pessoas repete o mesmo consenso liberal e amplo de princípios éticos. A maioria de nós não provoca sofrimento desnecessário; acreditamos na liberdade de expressão e a protegemos mesmo quando discordamos do que está sendo dito; pagamos nossos impostos; não traímos, não matamos, não cometemos incesto, não fazemos aos outros o que não queremos que façam conosco. Alguns desses bons princípios podem ser encontrados em livros sagrados, mas enterrados junto com um monte de coisa que nenhuma pessoa decente gostaria de seguir: e os livros sagrados não fornecem regras para distinguir os bons princípios dos ruins.

Uma forma de expressar nossa ética consensual é na forma de "Novos Dez Mandamentos". Várias pessoas e instituições já tentaram fazer isso. O significativo é que eles tendem a produzir resultados bastante semelhantes entre si, e o que eles produzem é típico dos tempos em que vivem. Veja um conjunto de "Novos Dez Mandamentos" de hoje em dia, que encontrei por acaso numa página pró-ateísmo na internet:[103]

- Não faça aos outros o que não quer que façam com você.
- Em todas as coisas, faça de tudo para não provocar o mal.
- Trate os outros seres humanos, as outras criaturas e o mundo em geral com amor, honestidade, fidelidade e respeito.
- Não ignore o mal nem evite administrar a justiça, mas sempre esteja disposto a perdoar erros que tenham sido reconhecidos por livre e espontânea vontade e lamentados com honestidade.

- Viva a vida com um sentimento de alegria e deslumbramento.
- Sempre tente aprender algo de novo.
- Ponha todas as coisas à prova; sempre compare suas ideias com os fatos, e esteja disposto a descartar mesmo a crença mais cara se ela não se adequar a eles.
- Jamais se autocensure ou fuja da dissidência; sempre respeite o direito dos outros de discordar de você.
- Crie opiniões independentes com base em seu próprio raciocínio e em sua experiência; não se permita ser dirigido pelos outros.
- Questione tudo.

Essa pequena coleção não é obra de um grande sábio, ou profeta, ou de um profissional da ética. É só a tentativa simpática de um blogger de resumir os princípios de uma vida de bem hoje em dia, em comparação com os Dez Mandamentos bíblicos. Foi a primeira lista que encontrei quando escrevi "Novos Dez Mandamentos" num programa de busca, e deliberadamente não procurei mais que isso. O que interessa é que esse é o tipo de lista que qualquer pessoa decente comum elaboraria. Nem todo mundo faria exatamente a mesma lista. O filósofo John Rawls pode incluir alguma coisa do tipo: "Sempre crie suas normas como se não soubesse se está no topo ou no ponto mais baixo da hierarquia". Um suposto sistema inuíte para dividir a comida é um exemplo prático do princípio de Rawls: quem corta a comida é o último a escolher o pedaço.

Nos meus Dez Mandamentos emendados, escolheria alguns dos listados acima, mas também tentaria achar espaço para, entre outros:

- Aproveite sua própria vida sexual (desde que ela não prejudique outras pessoas) e deixe que os outros aproveitem a deles em particular, sejam quais forem as inclinações deles, que não lhe interessam.
- Não discrimine nem oprima com base no sexo, na raça ou (sempre que possível) na espécie.
- Não doutrine seus filhos. Ensine-os a pensar por si mesmos, a avaliar as provas e a discordar de você.
- Leve em consideração um futuro numa escala de tempo maior que a sua.

Mas deixemos para lá essas pequenas divergências de prioridade. O importante é que todos nós evoluímos, e bastante, desde os tempos bíblicos. A escravidão, que era aceita como uma coisa natural na Bíblia e ao longo da maior parte de nossa história, foi abolida nos países civilizados no século XIX. Todas as nações civilizadas hoje aceitam o que até os anos 1920 era amplamente negado, o fato de que o voto da mulher, numa eleição ou num júri, é igual ao do homem. Nas sociedades iluminadas de hoje (uma categoria que claramente não inclui, por exemplo, a Arábia Saudita), as mulheres já não são consideradas uma propriedade, como sem dúvida eram nos tempos bíblicos. Qualquer sistema legal moderno teria processado Abraão por maus-tratos contra crianças. E, se ele realmente tivesse executado seu plano de sacrificar Isaac, nós o teríamos condenado por homicídio qualificado. Mas, de acordo com a *mores* do tempo dele, sua conduta era totalmente admirável, obedecendo a um comando de Deus. Religiosos ou não, todos nós mudamos de forma maciça em nossa atitude quanto ao que é certo e ao que é errado. Qual é a natureza dessa mudança, e o que a motiva?

Em qualquer sociedade existe um consenso meio misterioso, que muda ao longo das décadas, e para o qual não é pretensioso usar a palavra emprestada do alemão *Zeitgeist* (espírito da época). Já disse que o sufrágio feminino é hoje universal nas democracias no mundo, mas essa reforma é surpreendentemente recente. Veja a seguir algumas datas de quando as mulheres conquistaram o voto:

Nova Zelândia — 1893
Austrália — 1902
Finlândia — 1906
Noruega — 1913
Estados Unidos — 1920
Grã-Bretanha — 1928
França — 1945
Bélgica — 1946
Suíça — 1971
Kuwait — 2006

Essa sequência de datas através do século xx é uma medida do *Zeitgeist* mutante. Outra é nossa atitude em relação à raça. No princípio do século xx, quase todo mundo na Grã-Bretanha (e em muitos outros países também) seria considerado racista pelos padrões de hoje. A maioria dos brancos achava que os negros (categoria dentro da qual eles incluiriam os africanos tão diversos entre si mais os grupos não relacionados da Índia, Austrália e Melanésia) eram inferiores aos brancos em quase todos os aspectos, com a exceção — condescendente — do senso de ritmo. O equivalente dos anos 1920 a James Bond foi aquele herói charmoso da infância, Bulldog Drummond. Em um romance, *The black gang*, Drummond faz referência a "judeus, estrangeiros e outros povos sujos". Na cena do clímax de *The female of the species*,

Drummond disfarça-se astutamente de Pedro, um empregado negro do maior vilão. Na revelação dramática, tanto para o leitor como para o vilão, de que aquele "Pedro" é na verdade Drummond, ele podia ter dito: "Você acha que sou Pedro. O que você não sabe é que sou seu arqui-inimigo Drummond, enegrecido". Em vez disso, ele prefere as seguintes palavras: "Nem toda barba é falsa, mas todo negro fede. Esta barba não é falsa, querido, e este negro aqui não fede. Então penso: tem algo errado". Li a história nos anos 1950, três décadas depois de ela ter sido escrita, e ainda (mal) era possível para um menino vibrar com o drama e não perceber o racismo. Hoje, isso seria inconcebível.

Thomas Henry Huxley, pelos padrões de sua época, era um progressista esclarecido e liberal. Mas a época dele não era a nossa, e em 1871 ele escreveu o seguinte:

> Nenhum homem racional, conhecedor dos fatos, acredita que o negro médio seja igual, muito menos superior, ao homem branco. E, se isso for verdade, é simplesmente implausível que, quando todas as suas incapacidades forem removidas, e nosso parente prognata tiver um ambiente justo, sem favorecimento, mas também sem opressor, consiga concorrer de forma bem-sucedida com seu rival de cérebro maior e mandíbula menor, numa competição que leve em conta ideias e não mordidas. Os postos mais elevados na hierarquia da civilização certamente ficarão fora do alcance de nossos primos escuros.[104]

É lugar-comum dizer que os bons historiadores não julgam declarações de épocas passadas pelos padrões de seu próprio tempo. Abraham Lincoln, assim como Huxley, era um homem avançado, mas suas opiniões sobre questões de raça também nos soam perversas e racistas. Aqui está ele num debate, em 1858, com Stephen A. Douglas:

> Direi, então, que não sou, nem nunca fui, a favor da igualdade social e política entre as raças branca e negra; que não sou, nem nunca fui, a favor de tornar os negros eleitores ou jurados, nem de qualificá-los a ocupar cargos públicos, nem de casá-los com brancos; e direi, além disso, que existe uma diferença física entre as raças branca e negra que, acredito, para sempre impedirá as duas raças de viver juntas em termos de igualdade social e política. E, como elas não podem viver assim, enquanto permanecem juntas é preciso haver uma posição de superioridade e inferioridade, e eu, assim como qualquer outro homem, sou favorável a que a posição de superioridade seja designada à raça branca.[105]

Se Huxley e Lincoln tivessem nascido e sido educados em nossos tempos, eles teriam sido os primeiros a se arrepiar, junto com o resto de nós, com seus próprios sentimentos vitorianos e seu tom melado. Só os cito para ilustrar como o *Zeitgeist* muda. Se até Huxley, uma das grandes cabeças liberais de sua época, e até Lincoln, que libertou os escravos, diziam esse tipo de coisa, imagine o que o vitoriano *médio* deve ter pensado. Voltando ao século XVIII, é sabido que Washington, Jefferson e outros homens do Iluminismo mantinham escravos. O *Zeitgeist* muda, de uma forma tão inexorável que às vezes esquecemos que a mudança é em si um fenômeno.

Há inúmeros outros exemplos. Quando os navegadores desembarcaram nas ilhas Maurício pela primeira vez e viram os inofensivos dodós, nunca lhes passou outra coisa pela cabeça que não fosse matá-los a pancadas. Eles não queriam nem comer as aves (elas foram descritas como intragáveis). Talvez dar pauladas na cabeça de pássaros indefesos, mansos, que não voavam, fosse só uma distração. Hoje em dia um comportamento como esse seria inimaginável, e a extinção de um equivalente moderno do dodó, mesmo que por acidente, é considerada uma tragédia — ainda mais de forma deliberada.

Tragédia igual, pelos padrões do clima cultural de hoje, foi a extinção mais recente do *Thylacinus*, o lobo-da-tasmânia. A captura dessas criaturas atualmente tão choradas valia recompensa até 1909. Nos romances vitorianos da África, "elefante", "leão" e "antílope" (repare no revelador singular) são "caça", e o que se faz com caça, sem pensar duas vezes, é atirar nela. Não pelo alimento. Não por autodefesa. Por "esporte". Mas agora o *Zeitgeist* mudou. É verdade que "esportistas" ricos e sedentários podem atirar em animais selvagens africanos de dentro da segurança de um Land Rover e levar as cabeças empalhadas para casa. Mas têm de pagar os tubos para fazê-lo, e são bastante desprezados por isso. A conservação da vida selvagem e do meio ambiente tornou-se um valor com o mesmo status moral que um dia já foi atribuído a respeitar o dia de descanso e a rejeitar imagens de divindades.

Os anos 1960 são lendários por sua modernidade e liberalidade. Mas no princípio daquela década ainda era possível ouvir, num julgamento sobre a obscenidade de *O amante de lady Chatterley*, um promotor perguntando ao júri: "Os senhores aprovariam que seus filhos e filhas pequenos — porque as meninas sabem ler tão bem quanto os meninos [dá para *acreditar* que ele disse isso?] — lessem esse livro? É um livro que os senhores teriam circulando por sua própria casa? É um livro que os senhores gostariam que sua mulher ou seus empregados lessem?". Esta última pergunta retórica é uma ilustração impressionante da velocidade com que o *Zeitgeist* muda.

A invasão americana do Iraque é amplamente condenada pelas baixas civis que provocou, mas esses números de vítimas são uma fração mínima em relação aos números comparáveis da Segunda Guerra Mundial. Parece haver um padrão continuamente mutante sobre o que é moralmente aceitável. Donald Rumsfeld, que hoje soa tão insensível e detestável, teria soado um liberal desbragado se tivesse dito as mesmas coisas durante a Segunda Guerra Mundial. Alguma coisa mudou nas décadas subsequentes. Mudou em todos nós, e a mudança não tem nenhuma ligação com a religião. No mínimo, a mudança acontece apesar da religião, e não por causa dela.

A mudança acontece numa direção facilmente reconhecível e consistente, que a maioria de nós consideraria um avanço. Adolf Hitler, amplamente considerado aquele que levou a maldade a territórios inéditos, não teria nem se destacado na época de Calígula ou Gêngis Khan. Hitler sem dúvida matou mais gente que Gêngis, mas tinha a tecnologia do século XX a sua disposição. E será que Hitler obtinha seu maior *prazer*, como Gêngis afirmava obter, em ver os "entes queridos de suas vítimas banhados em lágrimas"? Julgamos o nível de maldade de Hitler pelos padrões de hoje, e o *Zeitgeist* moral mudou desde os tempos de Calígula, assim como mudou a tecnologia. Hitler só parece especialmente cruel pelos padrões mais benignos de nossos tempos.

Em minha própria época, grandes números de pessoas usam sem pensar apelidos depreciativos e estereótipos com base na nacionalidade: wop, dago, hun, yid, coon, nip, wog.* Não vou dizer que essas palavras tenham desaparecido, mas hoje elas são rejeitadas nos círculos mais educados. A palavra "negro",** embora não tivesse a intenção de ser ofensiva, pode ser usada para datar uma amostra de prosa em língua inglesa. Os preconceitos são indicadores da data em que alguma coisa foi escrita. Em sua época, um respeitado teólogo de Cambridge, A. C. Bouquet, podia iniciar o capítulo sobre o islã em seu *Comparative religion* com

* Termos depreciativos em inglês que equivaleriam a "portuga", "gringo", "turcaiada", "negão", "carcamano", "baianada" (N. T.)

** Em inglês, "negro" é considerado ofensivo, o equivalente para o "preto" em português. (N. T.)

as seguintes palavras: "O semita não é um monoteísta natural, como se supunha por volta de meados do século XIX. Ele é um animista". A obsessão com a raça (em oposição à cultura) e o uso revelador do singular ("O semita [...] Ele é um animista") para reduzir uma pluralidade inteira de pessoas a um "tipo" não são monstruosos. Mas são mais um pequeno indicador do *Zeitgeist* mutante. Nenhum professor de teologia ou de qualquer outro assunto em Cambridge usaria hoje essas palavras. Essas dicas sutis da *mores* mutante revelam-nos que Bouquet não escreveu depois de meados do século XX. Na realidade, foi em 1941.

Volte outras quatro décadas, e os padrões mutantes tornam-se impossíveis de ignorar. Num livro anterior citei a utópica *Nova república*, de H. G. Wells, e devo fazê-lo novamente, já que ela é uma ilustração chocante do que estou tentando defender:

> E como a Nova República tratará as raças inferiores? Como ela lidará com o negro? [...] com o homem amarelo? [...] o judeu? [...] aquelas multidões de gente preta, e marrom, e branco-suja, e amarela, que não herdam as novas necessidades de eficiência? Bem, o mundo é o mundo, não uma instituição de caridade, e acho que eles terão de ir embora [...] E o sistema ético desses homens da Nova República, o sistema ético que vai dominar o estado do mundo, será moldado principalmente para favorecer a procriação do que é bom e eficiente e belo na humanidade — corpos belos e fortes, cabeças esclarecidas e poderosas [...] E o método que a natureza seguiu até então para moldar o mundo, pelo qual a fraqueza foi impedida de propagar a fraqueza [...] é a morte [...] Os homens da Nova República [...] terão um ideal que fará com que matar valha a pena.

Isso foi escrito em 1902, e Wells era considerado um progressista em sua época. Em 1902 esses sentimentos, embora não fossem consenso, teriam dado assunto para uma discussão aceitável num jantar. Os leitores modernos, pelo contrário, literalmente engasgam de horror quando veem tais palavras. Somos obrigados a perceber que Hitler, por mais aterrorizante que tenha sido, não estava tão distante do *Zeitgeist* de seu tempo quanto parece hoje, de nosso ponto de vista vantajoso. Como o *Zeitgeist* muda rápido — e muda de forma paralela, numa frente ampla, em todo o mundo educado.

De onde, então, vêm essas mudanças combinadas e constantes na consciência social? O ônus de responder não cabe a mim. Para meus fins basta o fato de que elas certamente não vêm da religião. Se fosse obrigado a apresentar uma teoria, eu a abordaria ao longo das linhas a seguir. Precisamos explicar por que o *Zeitgeist* moral mutante é tão amplamente sincronizado em números tão grandes de pessoas; e precisamos explicar sua direção relativamente constante.

Em primeiro lugar, como ele é sincronizado entre tanta gente? Ele se dissemina de cabeça para cabeça através de conversas em bares e em jantares, através de livros e resenhas de livros, através de jornais e da mídia, e hoje através da internet. As mudanças no clima moral são indicadas em editoriais, em programas de entrevistas no rádio, em discursos políticos, no bla-bla-blá dos comediantes e nos roteiros das novelas, nos votos dos parlamentares que fazem leis e nas decisões dos juízes que as interpretam. Um modo de dizer isso seria em termos de mudanças na frequência dos memes no universo memético, mas não o explorarei aqui.

Alguns de nós ficam para trás na onda do *Zeitgeist* moral mutante, e alguns ficam à frente dela. Mas a maioria de nós, no século XXI, está agrupada bem à frente de nossos equivalentes da Idade Média, ou dos tempos de Abraão, ou até de tão recentemente quanto os anos 1920. A onda continua avançando, e até mesmo a vanguarda de um século anterior (T. H. Huxley é o exemplo óbvio) fica muito para trás em relação a um século posterior. É claro que o avanço não é uma linha contínua, mas uma escadinha cheia de vaivéns. Há retrocessos locais e temporários, como o que os Estados Unidos estão sofrendo por parte de seu governo no início dos anos 2000. Mas, ao longo de uma escala de tempo maior, a tendência progressiva é inegável e vai se manter.

O que a impele em sua direção constante? Não podemos negligenciar o papel impulsionador de líderes individuais que, à frente de seu tempo, se posicionam e convencem o restante de nós a avançar com eles. Nos Estados Unidos, os ideais de igualdade racial foram alimentados por líderes políticos do calibre de Martin Luther King e por artistas, esportistas e outras personalidades públicas e exemplos como Paul Robeson, Sidney Poitier, Jesse Owens e Jackie Robinson. A emancipação dos escravos e das mulheres deve muito a líderes carismáticos. Alguns desses líderes eram religiosos; outros não. Alguns dos que eram religiosos fizeram suas boas ações porque eram religiosos. Em outros casos, sua religião foi um acaso. Embora Martin Luther King fosse cristão, ele tirou sua filosofia da desobediência civil pacífica de Gandhi, que não era.

E há, também, os avanços na educação e, em particular, a compreensão cada vez maior de que todos nós possuímos a humanidade em comum com membros de outras raças e do sexo oposto — ambas as ideias profundamente não bíblicas que vêm da ciência da biologia, especialmente da evolução. Um dos motivos pelos quais os negros, as mulheres e, na Alemanha nazista, os judeus e os ciganos foram maltratados é o fato de eles não serem vistos como totalmente humanos. O filósofo Peter Singer, em *Libertação animal*, é o mais eloquente defensor da visão de que devemos passar a adotar uma condição pós-espécies, em que o tratamento humanitário seja destinado a todas as espécies que tenham capacidade mental de apreciá-lo. Talvez isso indique a direção em que o *Zeitgeist* moral vá avançar nos próximos séculos. Seria uma extrapolação natural de reformas anteriores como a abolição da escravatura e a emancipação das mulheres.

Estaria além de minha psicologia e sociologia amadoras avançar mais na explicação sobre por que o *Zeitgeist* moral muda desse modo simultâneo e abrangente. Para os meus propósitos, é suficiente dizer que, como foi observado, ele *realmente* muda, e não é impulsionado pela religião — e certamente não pelas Escrituras. Provavelmente não se trate de uma força única, como a gravidade, mas de uma interação complexa entre forças díspares como aquela que impele a Lei de Moore, que descreve o crescimento exponencial no poder dos computadores. Seja qual for sua causa, o fenômeno manifesto da progressão do *Zeitgeist* é mais que suficiente para minar a alegação de que precisamos de Deus para ser bons, ou para decidir o que é bom.

## E HITLER E STÁLIN? ELES NÃO ERAM ATEUS?

O *Zeitgeist* pode mudar, e mudar numa direção em geral progressiva, mas, como já disse, trata-se de uma escadinha, não de um avanço sem solavancos, e houve alguns retrocessos aterradores. Regressões notáveis, profundas e terríveis, foram promovidas pelos ditadores do século XX. É importante distinguir as intenções malignas de homens como Hitler e Stálin do enorme poder que eles exerceram ao concretizá-las. Já observei que as ideias e intenções de Hitler não eram mais obviamente malignas que as de Calígula — ou de alguns dos sultões otomanos, cujos festivais de crueldade são descritos em *Lords of the golden horn* [Lordes do chifre dourado], de Noel Barber. Hitler tinha armas do século XX e tecnologia de comunicação do século XX a sua disposição. Mesmo assim, Hitler e Stálin foram, por qualquer padrão, homens espetacularmente malévolos.

"Hitler e Stálin eram ateus. O que você tem a declarar sobre isso?" A pergunta aparece depois de praticamente toda palestra pública que dou sobre a questão da religião, e também na maioria de minhas entrevistas no rádio. Ela é feita num tom truculento, carregada de indignação por duas suposições: não apenas 1) Stálin e Hitler eram ateus, mas 2) eles fizeram seus atos terríveis *porque* eram ateus. A suposição 1 é verdadeira para Stálin e duvidosa para Hitler. Mas a suposição 1 é irrelevante, porque a suposição 2 é falsa. Ela é certamente ilógica se se acreditar que derive de 1. Mesmo que admitamos que Hitler e Stálin tinham em comum o ateísmo, eles também tinham bigodes em comum, assim como Saddam Hussein. E daí? A pergunta interessante não é se seres humanos específicos e maus (ou bons) eram religiosos ou eram ateus. Não estamos nos dedicando a contabilizar os maus e elaborar duas listas rivais de maldade. O fato de que as fivelas dos cintos dos nazistas continham a inscrição "*Gott mit uns*" [Deus conosco] não prova nada, pelo menos não sem uma dose muito maior de discussão. O que interessa não é se Hitler e Stálin eram ateus, mas se o ateísmo *influencia* sistematicamente as pessoas a fazer maldades. Não existe a menor evidência de que o faça.

Parece não haver dúvida de que Stálin realmente era ateu. Ele estudou num seminário ortodoxo, e sua mãe jamais superou a decepção de ele não ter se tornado padre, como ela pretendia — fato que, segundo Alan Bullock, divertia bastante Stálin.[106] Talvez por causa do treinamento para o sacerdócio, o Stálin maduro foi muito duro com a Igreja Ortodoxa Russa, e com o cristianismo e a religião em geral. Mas não há evidências de que seu ateísmo tenha motivado sua brutalidade. Seu treinamento religioso provavelmente também não a motivou, a menos que tenha sido por tê-lo ensinado a reverenciar a fé absolutista, o autoritarismo e a crença de que os fins justificam os meios.

A lenda de que Hitler era ateu vem sendo assiduamente cultivada, de forma que muita gente acredita nela sem questionar, e é desfilada de modo desafiador por apologistas da religião. A verdade sobre a questão está bem longe de ser clara. Hitler nasceu numa família católica, e frequentou escolas e igrejas católicas quando era criança. É óbvio que isso não é significativo por si só: ele poderia facilmente ter abandonado a religião, como Stálin abandonou a Igreja Ortodoxa Russa quando saiu do Seminário Teológico de Tiflis. Mas Hitler nunca renunciou formalmente ao catolicismo, e existem indicações ao longo da vida dele de que tenha permanecido religioso. Se não católico, ele parece ter ficado com a crença em algum tipo de providência divina. Por exemplo, diz em *Mein Kampf* que, quando soube da notícia da declaração da Primeira Guerra Mundial, "caí de joelhos e agradeci aos céus com todo o meu coração pela generosidade de me permitir viver essa época".[107] Mas isso foi em 1914, quando ele tinha apenas 25 anos. Talvez tenha mudado depois?

Em 1920, quando Hitler tinha 31 anos, seu assessor Rudolf Hess, que depois seria vice-führer, escreveu numa carta ao primeiro-ministro da Baviera: "Conheço Herr Hitler muito bem, e sou muito próximo dele. Ele tem um caráter de uma honradez rara, cheio de uma bondade profunda, e é religioso, um bom católico".[108] É claro que se pode alegar que, como Hess estava tão redondamente enganado quanto ao "caráter honrado" e à "profunda bondade", talvez ele estivesse enganado também sobre o "bom católico"! É difícil descrever Hitler como um "bom" qualquer coisa, o que me faz lembrar do argumento mais ousado e engraçado que já ouvi a favor da afirmação de que Hitler tinha que ser ateu. Numa paráfrase de várias fontes, Hitler era um homem mau, e o cristianismo ensina o bem, portanto Hitler não pode ter sido cristão! A declaração de Goering sobre Hitler, de que "só um católico poderia unir a Alemanha", deve, imagino, ter querido dizer alguém que foi criado como católico, e não um católico fervoroso.

Num discurso em Berlim em 1933, Hitler disse: "Estávamos convencidos de que o povo precisa e requer essa fé. Assumimos portanto a luta contra o movimento ateísta, e não apenas com umas poucas declarações teóricas: nós o exterminamos".[109] Isso pode indicar apenas que, como tantas outras pessoas, Hitler "acreditava na crença". Mas, já em 1941, ele disse a seu assistente, o general Gerhard Engel: "Permanecerei para sempre católico".

Mesmo que ele não tenha continuado a ser um cristão de fé sincera, Hitler teria que ter sido mesmo muito diferente para não ter sido influenciado pela longa tradição cristã de chamar os judeus de assassinos de Cristo. Num discurso em Munique, em 1923, Hitler disse: "A primeira coisa a fazer é resgatar [a Alemanha] do judeu, que está arruinando nosso país [...] Queremos evitar que nossa Alemanha sofra, como Aquele sofreu, da morte na Cruz".[110] Em seu *Adolf Hitler: The definitive biography*, John Toland escreveu sobre a postura religiosa de Hitler na época da "solução final":

> Ainda um membro em boa posição da Igreja de Roma, apesar de detestar sua hierarquia, ele carregou consigo o ensinamento de que o judeu era o assassino de deus. O extermínio, portanto, poderia ser concretizado sem a menor dor na consciência, já que ele estava simplesmente agindo como a mão vingadora de deus — desde que isso fosse feito de forma impessoal, sem crueldade.

O ódio cristão pelos judeus não é só uma tradição católica. Martinho Lutero foi um antissemita virulento. Na Dieta de Worms, ele disse que "todos os judeus devem ser expulsos da Alemanha". E escreveu um livro inteiro, *Sobre os judeus e suas mentiras*, que provavelmente influenciou Hitler. Lutero descreveu os judeus como uma "raça de víboras", e o mesmo termo foi usado por Hitler num discurso notável de 1922, em que ele várias vezes repetiu que era cristão:

> Meu sentimento de cristão dirige-me como combatente para o meu Senhor e Salvador. Dirige-me para o homem que um dia, na solidão, cercado por uns poucos seguidores, reconheceu os judeus pelo que eles são e convocou homens a lutar contra eles, e que, pela verdade de Deus, foi não um grande sofredor, mas um grande combatente. No amor infinito de cristão, eu, um homem, li a passagem que nos conta como o Senhor elevou-se em Seu poder e pegou o chicote para expulsar do Templo a raça de víboras e cobras. Como foi maravilhosa Sua luta pelo mundo e contra o veneno judeu. Hoje, 2 mil anos depois, com a mais profunda emoção reconheço com mais profundidade que nunca o fato de que foi por isso que Ele teve de derramar Seu sangue na Cruz. Como cristão, não tenho o dever de me permitir ser enganado, mas tenho o dever de ser um combatente pela verdade e pela justiça [...] E, se há alguma coisa capaz de demostrar que estamos agindo corretamente, é o sofrimento que cresce a cada dia. Pois, como cristão, também tenho um dever para com meu povo.[111]

Não dá para saber se Hitler tirou o termo "raça de víboras" de Lutero ou se tirou diretamente de Mateus 3, 7, como Lutero deve ter feito. Quanto ao tema da perseguição dos judeus como vontade de Deus, Hitler o retomou em *Mein Kampf*: "Portanto hoje acredito que estou agindo de acordo com a vontade do Criador Todo-Poderoso: *ao me defender do judeu, estou lutando pela obra do Senhor*". Isso foi em 1925. Ele disse a frase novamente num discurso no Reichstag em 1938, e afirmou coisas parecidas ao longo de toda a sua carreira.

Citações como essas têm de ser contrabalançadas com outras dos registros de conversas particulares, nas quais ele manifestou opiniões anticristãs virulentas, registradas por seu secretário. Os seguintes trechos datam de 1941:

> O pior golpe que já atingiu a humanidade foi a chegada do cristianismo. O bolchevismo é o filho ilegítimo do cristianismo. Ambos são invenções dos judeus. A mentira deliberada na forma de religião foi introduzida no mundo pelo cristianismo [...]
>
> O mundo da Antiguidade era tão puro, leve e sereno porque não conhecia duas grandes escórias: a varíola e o cristianismo.
>
> Falando francamente, não temos motivo para desejar que os italianos e os espanhóis se libertem da droga do cristianismo. Sejamos o único povo imunizado contra a doença.

O registro das conversas particulares de Hitler contém mais citações como essas, com frequência comparando o cristianismo ao bolchevismo, às vezes fazendo uma analogia entre Karl Marx e são Paulo, e jamais esquecendo que ambos eram judeus (embora Hitler, bem estranhamente, sempre tenha dito com convicção que Jesus não era judeu). É possível que Hitler tenha, em algum ponto até 1941, passado por algum tipo de desconversão ou desilusão com o cristianismo. Ou seria a resposta para essas contradições simplesmente o fato de que ele era um mentiroso oportunista, em cujas palavras não se pode confiar, nem para um lado nem para o outro?

É possível argumentar que, apesar de suas próprias palavras e das dos que trabalhavam com ele, Hitler não era realmente religioso, mas apenas explorava cinicamente a religiosidade de seu público. Ele pode ter concordado com Napoleão, que disse: "A religião é ótima para manter as pessoas comuns caladas", e com Sêneca: "A religião é considerada verdade pelas pessoas comuns, mentira pelos sábios e útil pelos governantes". Ninguém pode negar que Hitler fosse capaz de tal falta de sinceridade. Se esse foi seu verdadeiro motivo para fingir ser religioso, ele nos faz lembrar que Hitler não executou suas atrocidades sozinho. Os atos temerosos em si foram executados por soldados e oficiais, sendo que a maioria certamente era de cristãos. O cristianismo do povo alemão está na base, aliás, da própria hipótese que estamos discutindo — uma hipótese para explicar a suposta falta de sinceridade das afirmações religiosas de Hitler! Ou talvez Hitler tenha achado que precisasse demonstrar alguma simpatia para com o cristianismo, senão seu regime não teria recebido o apoio que recebeu da Igreja. Esse apoio foi demonstrado de várias formas, inclusive na insistente recusa por parte do papa Pio XII de assumir uma postura contra os nazistas — coisa que provoca um embaraço considerável à Igreja moderna. Ou as declarações de cristianismo de Hitler foram sinceras ou ele fingiu seu cristianismo para conquistar — de forma bem-sucedida — a colaboração dos cristãos alemães e da Igreja Católica. Em qualquer um dos casos, é difícil defender que as maldades do regime de Hitler tenham sido consequência do ateísmo.

Mesmo quando esbravejava contra o cristianismo, Hitler jamais deixou de usar a terminologia da Providência: uma força misteriosa que, acreditava ele, o tinha destinado à missão divina de liderar a Alemanha. Às vezes ele a chamava de Providência, às vezes de Deus. Depois do *Anschluss*, quando Hitler voltou triunfante a Viena em 1938, seu discurso exultante fez menção a Deus, num providencial disfarce: "Creio que tenha sido a vontade de Deus mandar um garoto daqui para o Reich, deixá-lo crescer e criá-lo para ser o líder da nação, para que ele pudesse conduzir sua terra natal de volta para o Reich".[112]

Quando escapou de um atentado em Munique, em novembro de 1939, Hitler deu à Providência o crédito por ter salvado sua vida, fazendo-o mudar sua agenda: "Agora estou totalmente satisfeito. O fato de que deixei o Bürgerbräukeller mais cedo que o normal é uma corroboração da intenção da Providência de me deixar atingir meu objetivo".[113] Depois da tentativa fracassada de assassinato, o arcebisbo de Munique, cardeal Michael Faulhaber, ordenou que um *Te Deum* fosse dito na catedral, "para agradecer à Divina Providência, em nome da arquidiocese, pelo afortunado salvamento do führer". Alguns dos seguidores de Hitler, com o apoio de Goebbels, não hesitavam em fazer do nazismo uma religião. A seguinte citação, do chefe dos sindicatos comerciais, tem cara de oração, e possui até a mesma cadência do Pai-Nosso ou do Credo:

> Adolf Hitler! Estamos unidos só em torno de ti. Queremos renovar nosso voto neste momento: Nesta terra só cremos em Adolf Hitler. Cremos que o Nacional-Socialismo é a única fé que salvará nosso povo. Cremos que há um Senhor Deus nos céus, que nos criou, que nos orienta, nos dirige e que nos abençoa visivelmente. E cremos que esse Senhor Deus enviou-nos Adolf Hitler, para que a Alemanha possa se transformar na fundação de toda a eternidade.[114]

Jonathan Glover, em seu extraordinário e deprimente livro *Humanity: A moral history of the twentieth century* [Humanidade: história moral do século xx] (Yale University Press, 2001), observa que "muitos também aceitaram o culto religioso a Stálin, expresso por um escritor lituano":

> Eu me aproximava do retrato de Stálin, tirava-o da parede, depositava-o sobre a mesa e, com a cabeça pousada nas mãos, o contemplava e meditava. O que eu devia fazer? O rosto do Líder, sempre tão sereno, e seus olhos tão luminosos invadem o espaço. Parece que seu olhar penetrante se espalha por minha pequena sala e sai para abraçar o globo inteiro... Com cada fibra minha, cada nervo,

cada gota de sangue, sinto que, neste momento, nada existe no mundo a não ser essa face querida e amada.

Essa adulação quase religiosa é ainda mais repugnante por vir, no livro de Glover, imediatamente depois de seu relato das horríveis atrocidades de Stálin.

Stálin era ateu e Hitler provavelmente não era; mas, mesmo que fosse, o ponto principal do debate Stálin/Hitler é muito simples. Ateus podem fazer maldades, mas não fazem maldades em nome do ateísmo. Stálin e Hitler fizeram coisas extremamente cruéis, em nome, respectivamente, do marxismo dogmático e doutrinário e de uma teoria eugênica insana e acientífica com toques de delírios subwagnerianos. As guerras religiosas são combatidas em nome da religião, e é terrível como elas são frequentes na história. Não consigo pensar em nenhuma guerra que tenha sido combatida em nome do ateísmo. Como poderia? Uma guerra pode ser motivada pela ganância econômica, pelo preconceito étnico ou racial, por ressentimentos profundos ou vingança, ou pela crença patriótica no destino de uma nação. Um motivo ainda mais plausível para uma guerra é a fé inabalável de que a religião que se possui é a única verdadeira, reforçada por um livro sagrado que condene à morte de forma explícita todos os hereges e seguidores de religiões rivais, e que prometa de forma explícita que os soldados de Deus irão direto para o paraíso dos mártires. Sam Harris, como faz com tanta frequência, acerta bem no alvo em *The end of faith*:

> O perigo da fé religiosa é que ela permite a seres humanos normais colher os frutos da loucura e considerá-los *sagrados*. Como cada nova geração de crianças aprende que as proposições religiosas não precisam ser justificadas, como todas as outras precisam, a civilização ainda está sitiada pelos exércitos dos irracionais. Es-

tamos, agora mesmo, nos matando por causa de literatura da Antiguidade. Quem imaginaria que uma coisa tão tragicamente absurda seria possível?

Por outro lado, por que alguém iria à guerra em nome da *ausência* de fé?

# 8. O que a religião tem de mau? Por que ser tão hostil?

*A religião convenceu mesmo as pessoas de que existe um homem invisível — que mora no céu — que observa tudo o que você faz, a cada minuto de cada dia. E o homem invisível tem uma lista especial com dez coisas que ele não quer que você faça. E, se você fizer alguma dessas dez coisas, ele tem um lugar especial, cheio de fogo e fumaça, e de tortura e angústia, para onde vai mandá--lo, para que você sofra e queime e sufoque e grite e chore para todo o sempre, até o fim dos tempos... Mas Ele ama você!*

George Carlin

Por natureza, não me dou bem em confrontos. Não acho que o formato antagônico seja o melhor para obter a verdade, e com frequência recuso convites para participar de debates formais. Uma vez fui convidado para debater com o então arcebispo de York, em Edimburgo. Senti-me honrado e aceitei. Depois do debate, o físico religioso Russell Stannard reproduziu em seu livro *Doing away with God?* [Destruindo Deus?] uma carta que escreveu para o *The Observer*:

Senhor,

Sob o bem-humorado título "Deus fica num triste segundo lugar para a Majestade da Ciência", seu correspondente de ciência contou (bem no domingo de Páscoa) como Richard Dawkins "aplicou um dolorido golpe intelectual" no arcebispo de York num debate sobre ciência e religião. Soubemos de "ateus sorrindo satisfeitos" e "Leões 10; Cristãos 0".

Stannard prosseguiu repreendendo o *Observer* por não ter relatado um encontro subsequente dele comigo, junto com o bispo de Birmingham e o destacado cosmólogo sir Hermann Bondi, na Royal Society, que *não* tinha sido realizado no formato de debate antagônico, e que em consequência tinha sido muito mais construtivo. Só posso concordar com a condenação implícita que ele fez do formato do debate antagônico. Especificamente, por motivos que expliquei em *O capelão do diabo*, jamais participo de debates com criacionistas.*

Apesar do meu pouco apreço por essas discussões de gladiadores, aparentemente ganhei fama de beligerante contra a religião. Colegas que concordam que Deus não existe, que concordam que não precisamos de religião para ser morais e que concordam que é possível explicar as raízes da religião e da moralidade em termos não religiosos mesmo assim me procuram meio intrigados. Por que você é tão hostil? O que a religião tem de tão errado? Ela faz tanto mal assim para que devamos combatê-la ativamente? Por que não deixar para lá, como se faz com Touro e Escorpião, com a energia dos cristais e as linhas ley? Não são só bobagens inofensivas?

* Não tenho a *chutzpah* de recusar nos mesmos termos que um de meus colegas cientistas mais destacados, sempre que um criacionista tenta realizar um debate formal com ele (não o identificarei, mas suas palavras devem ser lidas com sotaque australiano): "Isso ficaria ótimo no seu currículo; não tão bom no meu".

Rebato dizendo que essa hostilidade que eu ou outros ateus às vezes expressamos contra a religião limita-se a palavras. Não vou atacar ninguém com bombas, decapitar ninguém, apedrejar ninguém, queimar ninguém em fogueiras, crucificar ninguém nem lançar aviões contra arranha-céus só por causa de uma discordância teológica. Mas meu interlocutor normalmente não deixa as coisas assim. Ele pode prosseguir dizendo algo como: "Sua hostilidade não faz de você um ateu fundamentalista, tão fundamentalista quanto aqueles malucos do Cinturão Bíblico?". Preciso descartar essa acusação de fundamentalismo, pois ela é perturbadoramente comum.

## FUNDAMENTALISMO E A SUBVERSÃO DA CIÊNCIA

Os fundamentalistas sabem que estão certos porque leram a verdade num livro sagrado e sabem, desde o começo, que nada os afastará de sua crença. A verdade do livro sagrado é um axioma, não o produto final de um processo de raciocínio. O livro é a verdade e, se as provas parecem contradizê-lo, são as provas que devem ser rejeitadas, não o livro. Pelo contrário, as coisas em que eu, como cientista, acredito (a evolução, por exemplo), acredito não porque as li num livro sagrado, mas porque estudei as provas. É uma coisa bem diferente. As pessoas acreditam nos livros sobre evolução não porque eles sejam sagrados. Acreditam porque eles apresentam quantidades imensas de evidências mutuamente sustentadas. Quando um livro de ciência está errado, alguém acaba descobrindo o erro, e ele é corrigido nos livros subsequentes. Isso evidentemente não acontece com os livros sagrados.

Os filósofos, especialmente os amadores, com um aprendizado filosófico limitado, e mais especialmente ainda aqueles contaminados pelo "relativismo cultural", podem levantar nesse ponto mais uma cansativa bandeira: a crença dos cientistas nas *evidências* é por si só uma questão de fé fundamentalista. Já tratei disso em outros lugares, e só vou repetir brevemente meus argumentos aqui. Todos nós acreditamos em evidências em nossa vida, independentemente do que professemos quando vestimos nosso uniforme de filósofos amadores. Se sou acusado de assassinato, e o promotor pergunta, sério, se é verdade que eu estava em Chicago na noite do crime, não posso me safar com uma fuga filosófica: "Depende do que você quer dizer com 'verdade'". Nem com uma alegação antropológica e relativista: "Só no seu sentido científico e ocidental de 'em' é que eu estava em Chicago. Os bongoleses têm um conceito completamente diferente de 'em', segundo o qual só se está 'em' um lugar se se é um ancião ungido com o direito de aspirar pó de escroto de bode".[115]

Talvez os cientistas sejam fundamentalistas quando se trate de definir de um jeito meio abstrato o que "verdade" significa. Mas todo mundo é assim. Não sou mais fundamentalista quando digo que a evolução é uma verdade do que quando digo que é verdade que a Nova Zelândia fica no hemisfério sul. Acreditamos na evolução porque as evidências a sustentam, e a abandonaríamos num piscar de olhos se surgissem novas evidências que a desmentissem. Nenhum fundamentalista de verdade diria uma coisa dessas.

É muito fácil confundir fundamentalismo com paixão. Posso muito bem parecer apaixonado quando defendo a evolução diante do criacionismo fundamentalista, mas isso não acontece por causa de meu próprio fundamentalismo rival. Acontece porque as evidências da evolução são fortíssimas e fico apaixonadamente perturbado com o fato de meu oponente não conseguir enxergar isso — ou, o mais comum, recusar-se até a pensar nisso, porque contradiz seu livro sagrado. Minha paixão aumenta quando penso em tudo que os pobres fundamentalistas, e aqueles que eles influenciam, estão *perdendo*. As verdades da evolução, junto com muitas outras verdades científicas, são tão fascinantes e belas que é realmente trágico morrer tendo perdido tudo isso! É claro que isso me inflama. Como não inflamaria? Mas minha crença na evolução não é fundamentalismo, e não é fé, porque sei o que seria necessário para mudar de ideia, e mudaria satisfeito se fossem apresentadas as evidências necessárias.

Isso acontece. Já contei a história de um integrante respeitado do Departamento de Zoologia de Oxford, quando eu fazia a graduação. Por anos ele tinha acreditado apaixonadamente, e ensinado, que o complexo de Golgi (uma estrutura microscópica do interior das células) não existia: era uma fabricação, uma ilusão. Era costume do departamento ouvir, toda tarde de segunda-feira, uma palestra de um convidado sobre alguma pesquisa. Uma segunda-feira, o visitante foi um biólogo celular americano que apresentou evidências totalmente convincentes de que o complexo de Golgi existia. No fim da palestra, o senhor de Oxford foi até a frente da sala, apertou a mão do americano e disse, apaixonadamente: "Caro companheiro, gostaria de agradecer-lhe. Eu estava errado por todos esses quinze anos". Aplaudimos até ficar com as mãos vermelhas. Nenhum fundamentalista jamais diria isso. Na prática, nem todos os cientistas diriam. Mas todos os cientistas pelo menos declaram que isso é o ideal — diferentemente, digamos, de políticos, que talvez condenassem esse tipo de atitude, chamando-a de mudança de lado. A lembrança do incidente que descrevi ainda me provoca um nó na garganta.

Como cientista, sou hostil à religião fundamentalista porque ela debocha ativamente do empreendimento científico. Ela nos ensina a não mudar de ideia, e a não querer saber de coisas emocionantes que estão aí para ser aprendidas. Ela subverte a ciência e mina o intelecto. O exemplo mais triste que conheço é o do geólogo americano Kurt Wise, que hoje dirige o Centro para Pesquisa das Origens no Bryan College, em Dayton, Tennessee. Não é por acaso que o Bryan College tem esse nome por causa de William Jennings Bryan, promotor do "Julgamento do Macaco" contra o professor de ciências John Scopes, em Dayton, em 1925. Wise poderia ter realizado sua ambição de infância e ser professor de biologia numa universidade de verdade, uma universidade cujo lema fosse "Pense criticamente", em vez do oximoro estampado no site da Bryan na internet: "Pense crítica e biblicamente". Ele, aliás, obteve um diploma de verdade na Universidade de Chicago, além de dois outros títulos em geologia e paleontologia em (nada menos que) Harvard, onde teve aulas com (ninguém menos que) Stephen Jay Gould. Era um jovem cientista altamente qualificado e promissor, que avançava para realizar o sonho de ensinar ciência e fazer pesquisas numa boa universidade.

Aí veio a tragédia. Ela veio não do exterior, mas de dentro da própria cabeça dele, uma cabeça fatalmente subvertida e enfraquecida por uma criação religiosa fundamentalista que exigia que ele acreditasse que a Terra — o objeto de seus estudos geológicos em Chicago e Harvard — tinha menos de 10 mil anos de idade. Ele era inteligente demais para não reconhecer a colisão frontal entre sua religião e sua ciência, e o conflito mental o deixou cada vez mais desconfortável. Um dia, sem conseguir suportar mais a tensão, atacou o problema com uma tesoura. Pegou uma Bíblia e a percorreu, retirando literalmente todos os versos que teriam que ser eliminados se a visão científica do mundo fosse verdadeira. No final desse exercício honesto e trabalhoso, sobrou tão pouco da Bíblia que:

> por mais que eu tentasse, e mesmo com o benefício das margens intactas ao longo das páginas das Escrituras, vi que era impossível pegar a Bíblia sem que ela se partisse ao meio. Tive de tomar uma decisão entre a evolução e as Escrituras. Ou as Escrituras eram

> verdade e a evolução estava errada ou a evolução era verdade e eu tinha de jogar a Bíblia fora [...] Foi ali, naquela noite, que aceitei a Palavra de Deus e rejeitei tudo que a contradissesse, incluindo a evolução. Assim, com grande tristeza, lancei ao fogo todos os meus sonhos e as minhas esperanças na ciência.

Acho isso uma coisa terrivelmente triste; mas, se a história do complexo de Golgi me levou a lágrimas de admiração e júbilo, a história de Kurt Wise é só patética — patética e desprezível. A ferida, na carreira e na felicidade dele, fora autoinfligida, e era tão desnecessária, tão fácil de evitar. Ele só tinha que jogar a Bíblia fora. Ou interpretá-la em termos simbólicos, ou alegóricos, como fazem os teólogos. Em vez disso, tomou a atitude fundamentalista e jogou a ciência, a evidência e a razão fora, junto com todos os seus sonhos e esperanças.

Talvez de forma singular entre os fundamentalistas, Kurt Wise é honesto — de uma honestidade devastadora, dolorosa, chocante. Deem a ele o prêmio Templeton; ele pode ser o primeiro premiado realmente sincero. Wise leva à superfície o que está secretamente escondido, na cabeça dos fundamentalistas em geral, quando eles encontram evidências científicas que contradizem suas crenças. Ouça sua peroração:

> Embora existam razões científicas para aceitar uma terra jovem, sou criacionista porque essa é minha compreensão das Escrituras. Como disse para meus professores anos atrás, quando estava na faculdade, se todas as evidências do universo se voltarem contra o criacionismo, serei o primeiro a admiti-las, mas continuarei sendo criacionista, porque é isso que a Palavra de Deus parece indicar. Essa é minha posição.[116]

Ele parece estar citando Lutero, quando pregou suas teses na porta da igreja em Wittenburg, mas o pobre Kurt Wise me faz lembrar mais Winston Smith em *1984* — lutando desesperadamente para acreditar que dois mais dois é igual a cinco, se o Grande Irmão diz que é. Winston, porém, estava sendo torturado. O duplipensamento de Wise não vem do imperativo da tortura física, mas do imperativo — aparentemente tão inegável quanto, para algumas pessoas — da fé religiosa: pode-se defender que se trate de uma forma de tortura mental. E, se ela fez isso a um geólogo que estudou em Harvard, imagine o que é capaz de fazer a pessoas menos dotadas e menos aparelhadas.

A religião fundamentalista está determinada a arruinar a educação científica de inúmeros milhares de mentes jovens, inocentes e bem-intencionadas. A religião não fundamentalista, "sensata", pode não estar fazendo isso. Mas está tornando o mundo seguro para o fundamentalismo ao ensinar as crianças, desde muito cedo, que a fé inquestionável é uma virtude.

## O LADO NEGRO DO ABSOLUTISMO

No capítulo anterior, quando tentei explicar o *Zeitgeist* moral mutante, invoquei um consenso disseminado de pessoas liberais, esclarecidas e decentes. Assumi a hipótese otimista de que "nós" todos concordamos amplamente com esse consenso, alguns mais que os outros, e tinha em mente a maioria das pessoas propensas a ler este livro, sejam elas religiosas ou não. Mas é claro que nem todo mundo está dentro desse consenso (e nem todo mundo terá vontade de ler meu livro). É preciso admitir que o absolutismo está longe de estar morto. Na verdade, ele domina a mente de um grande número de pessoas no mundo atual, de forma mais perigosa no mundo muçulmano e na teocracia americana incipiente (veja o livro de Kevin Phillips com esse nome). Esse absolutismo quase sempre resulta de uma forte fé religiosa, e constitui um grande motivo para sugerir que a religião seja uma força para o mal no mundo.

Uma das punições mais rígidas do Antigo Testamento é a imposta à blasfêmia. Ela ainda está em vigor em determinados países. A seção 295-C do código penal do Paquistão prevê a pena de morte para esse "crime". No dia 18 de agosto de 2001, o dr. Younis Shaikh, médico e palestrante, foi condenado à morte por blasfêmia. Seu crime específico foi dizer aos alunos que o profeta Maomé não era muçulmano antes de inventar a religião, aos quarenta anos. Onze de seus alunos denunciaram-no às autoridades pela "ofensa". A lei da blasfêmia no Paquistão costuma ser invocada contra os cristãos, como Augustine Ashiq "Kingri" Masih, que foi condenado à morte em Faisalabad em 2000. Masih, cristão, não podia se casar com a namorada porque ela era muçulmana e — o que é inacreditável — a lei paquistanesa (e islâmica) não permite que uma mulher muçulmana se case com um homem não muçulmano. Então ele tentou se converter ao islã e foi acusado de fazê-lo por motivos vis. Não ficava claro pela informação que li se isso por si só era o crime capital ou se ele era acusado de ter dito alguma coisa sobre os princípios morais do profeta. Seja como for, certamente não é o tipo de transgressão que resulte em pena de morte em qualquer país cujas leis estejam livres do fanatismo religioso.

Em 2006, no Afeganistão, Abdul Rahman foi condenado à morte por se converter ao cristianismo. Ele matou alguém, feriu alguém, roubou alguma coisa, estragou alguma coisa? Não. Só mudou de ideia. Mudou de ideia, interna e privadamente. Cultivou certos *pensamentos* que não eram do agrado do partido que governa seu país. E esse, lembre-se, não é o Afeganistão do Talibã, mas o Afeganistão "libertado" de Hamid Karzai, criado pela coalizão liderada pelos Estados Unidos. O sr. Rahman acabou escapando da execução, mas só alegando insanidade, e só depois de forte pressão internacional. Buscou então asilo na Itália, para evitar ser assassinado por fanáticos loucos para cumprir seu dever islâmico. Ainda consta de um artigo da *Constituição* do Afeganistão "libertado" que a pena para a apostasia é a morte. A apostasia, lembre-se, não significa um dano real a pessoas ou a propriedades. É pura "crimideia", para usar a terminologia de George Orwell em *1984*, e a punição oficial da lei islâmica para ela é a morte. Em 3 de setembro de 1992, para usar um exemplo que chegou à execução, Sadiq Abdul Karim Malallah foi decapitado em público na Arábia Saudita depois de ser condenado por apostasia e blasfêmia.[117]

Tive uma vez um encontro televisionado com sir Iqbal Sacranie, mencionado no capítulo 1 como o principal muçulmano "moderado" da Grã-Bretanha. Questionei-o sobre a pena de morte para a apostasia. Ele se contorceu todo, mas não conseguiu nem negá-la nem condená-la. Ficou tentando mudar de assunto, dizendo que se tratava de um detalhe sem importância. Esse é o homem que recebeu o título de cavalheiro do governo britânico por promover as boas "relações entre as fés".

Mas não sejamos complacentes com a cristandade. Há não muito tempo, em 1922, na Grã-Bretanha, John William Gott foi condenado a nove meses de trabalhos forçados por blasfêmia: ele comparou Jesus a um palhaço. É quase inacreditável, mas o crime de blasfêmia ainda consta do código civil britânico,[118] e em 2005 um grupo cristão tentou entrar com uma ação civil por blasfêmia contra a BBC pela transmissão do musical *Jerry Springer — The Opera.*

Nos Estados Unidos dos últimos anos o termo "Talibã americano" estava implorando para ser cunhado, e uma rápida pesquisa no Google mostra mais de uma dezena de sites que já o cunharam. As citações que eles antologizam, de líderes religiosos americanos e políticos de fé, remetem de modo assustador ao fanatismo estreito, à crueldade e à repulsividade do Talibã afegão, do aiatolá Khomeini e das autoridades wahhabistas da Arábia Saudita. A página chamada "The American Taliban" é uma fonte especialmente rica de citações ridículas, a começar por uma de uma tal Ann Coulter, que, segundo o que me convenceram colegas americanos, não é uma paródia inventada pelo *The Onion*: "Deveríamos invadir seus países, matar seus líderes e convertê-los ao cristianismo".[119] Entre outras pérolas está o congressista Bob Dornan, com "Não use a palavra 'gay', a não ser como sigla para 'Já pegou aids?'",* o general William G. Boykin com "George Bush não foi eleito pela maioria dos eleitores dos Estados Unidos, ele foi nomeado por Deus" — e uma mais antiga, a famosa política ambiental do secretário do Interior de Ronald Reagan: "Não temos de proteger o meio ambiente, o Retorno de Cristo está próximo". O Talibã afegão e o Talibã americano são bons exemplos do que acontece quando as pessoas levam as Escrituras a sério e em termos literais. Elas proporcionam uma reprodução moderna e apavorante de como deve ter sido a vida sob a teocracia do Antigo Testamento. *The fundamentals of extremism: The Christian right in America* [Fundamentos do extremismo: direitos cristãos na América], de Kimberly Blaker, é uma exposição em forma de livro da ameaça do Talibã cristão (não sob esse nome).

## FÉ E HOMOSSEXUALIDADE

No Afeganistão, sob o Talibã, a punição oficial para a homossexualidade era a execução, pelo método — de extremo bom gosto — de enterrar a vítima viva, soterrada sob um muro. Como o "crime" em si é um ato privado, realizado por adultos de

* "Got Aids Yet?" (N. T.)

forma consensual, sem fazer mal a ninguém, temos aqui a marca registrada do absolutismo religioso. Meu próprio país não pode se vangloriar. O comportamento homossexual privado foi uma transgressão criminosa na Grã-Bretanha até — inacreditavelmente — 1967. Em 1954 o matemático britânico Alan Turing, candidato junto com John von Neumann ao título de pai do computador, cometeu suicídio depois de ser condenado pela contravenção de manter comportamento homossexual privado. Tudo bem que Turing não tenha sido enterrado vivo debaixo de uma parede derrubada por um tanque. Ofereceram a ele a opção entre dois anos de prisão (dá para imaginar como os outros prisioneiros o teriam tratado) e uma série de injeções de hormônio que equivaleriam à castração química, e que faria com que ele desenvolvesse seios. Sua opção final e privada foi uma maçã, em que ele tinha injetado cianeto.[120]

Cabeça essencial para o desvendamento dos códigos da Enigma alemã, Turing pode ter contribuído mais para derrotar os nazistas que Einsenhower e Churchill. Graças a Turing e seus colegas do "Ultra" de Bletchley Park, os generais aliados nos campos de batalha recebiam, durante longos períodos da guerra, planos alemães detalhados antes mesmo que os generais alemães tivessem tempo de implementá-los. Depois da guerra, quando a atuação de Turing já não era ultrassecreta, ele deveria ter sido condecorado e celebrado como salvador de sua nação. Em vez disso, o gênio simpático, gago e excêntrico foi destruído, por um "crime", cometido na esfera privada, que não prejudicou ninguém. Mais uma vez, a marca registrada e inconfundível do moralizador da fé é preocupar-se fanaticamente com o que as outras pessoas fazem (ou até pensam) na esfera *privada.*

A atitude do "Talibã americano" em relação à homossexualidade resume seu absolutismo religioso. Ouça o reverendo Jerry Falwell, fundador da Universidade da Liberdade: "A aids não é só a punição de Deus contra os homossexuais; é a punição de Deus contra a sociedade que tolera os homossexuais".[121] A primeira coisa que percebo nessa gente é sua maravilhosa caridade cristã. Que tipo de eleitorado consegue, mandato atrás de mandato, votar num homem de um fanatismo tão mal informado como o senador republicano pela Carolina do Norte Jesse Helms? Um homem que já disse: "O *The New York Times* e o *The Washington Post* estão infestados de homossexuais. Quase todo mundo lá é homossexual ou lésbica".[122] A resposta, imagino, é um tipo de eleitorado que enxerga a moralidade em termos religiosos estreitos e sente-se ameaçado por qualquer pessoa que não tenha a mesma fé absolutista.

Já citei Pat Robertson, o fundador da Coalizão Cristã. Ele foi um sério candidato a ser o presidenciável do Partido Republicano em 1988, e reuniu mais de 3 milhões de voluntários para trabalhar em sua campanha, além de uma quantia comparável em dinheiro: um nível de apoio inquietante, levando em consideração as seguintes declarações, totalmente típicas dele: "[Os homossexuais] querem entrar nas igrejas e atrapalhar as cerimônias religiosas e jogar sangue por todo lado e fazer as pessoas pegarem aids e cuspir na cara dos pastores". "[O Planned Parenthood]* está ensinando as crianças a fornicar, ensinando as pessoas a cometer adultério, todo tipo de bestialismo, homossexualismo, lesbianismo — tudo que a Bíblia condena." A atitude de Robertson em relação às mulheres também encheria de ternura os corações negros do Talibã afegão: "Sei que isso é doloroso para as mulheres ouvirem, mas, se você se casa, aceita a liderança de um homem, seu marido. Cristo é o chefe do lar e o marido é o chefe da mulher, e é assim que as coisas são, ponto final".

* Organização não governamental de planejamento familiar que nos Estados Unidos se destaca, entre outras coisas, por oferecer a realização de abortos. (N. T.)

Gary Potter, presidente da entidade Católicos pela Ação Política Cristã, tem o seguinte a dizer: "Quando a maioria cristã dominar este país, não haverá igrejas satânicas, não haverá mais distribuição gratuita de pornografia, não se falará mais nos direitos dos homossexuais. Depois que a maioria cristã assumir o controle, o pluralismo será considerado imoral e ruim, e o Estado não permitirá a ninguém o direito de fazer o mal". O "mal", como fica bem claro na citação, não significa fazer coisas que tenham consequências ruins para as pessoas. Quer dizer pensamentos e ações na esfera privada que não sejam do agrado privado da "maioria cristã".

O pastor Fred Phelps, da Igreja Batista de Westboro, é outro religioso que tem uma antipatia obsessiva pelos homossexuais. Quando a viúva de Martin Luther King morreu, o pastor Fred organizou um piquete no enterro dela, proclamando: "Deus Odeia Bichas e Quem Ajuda Bichas. Portanto Deus Odeia Coretta Scott King e agora a está atormentando com fogo e enxofre onde o verme nunca morre e o fogo nunca se extingue, e a fumaça de seu tormento se elevará para todo o sempre".[123] É fácil chamar Fred Phelps de maluco, mas ele conta com o apoio de muitas pessoas, e com o dinheiro delas. Segundo seu site, Phelps organizou 22 mil manifestações anti-homossexuais desde 1991 (isso dá uma média de quatro por dia) nos Estados Unidos, no Canadá, na Jordânia e no Iraque, com slogans como: "GRAÇAS A DEUS PELA AIDS". Um recurso especialmente encantador de seu site é a contagem automática de há quantos dias um determinado homossexual, identificado pelo nome e já morto, está queimando no inferno.

As atitudes em relação à homossexualidade revelam muita coisa sobre o tipo de moralidade que a fé religiosa inspira. Um exemplo igualmente instrutivo é o aborto e a santidade da vida humana.

Embriões humanos são exemplos de vida humana. Portanto, à luz do absolutismo religioso, o aborto é simplesmente errado: assassinato declarado. Não sei bem o que fazer com minha observação reconhecidamente anedótica de que muitos daqueles que mais ardentemente são contra tirar a vida de um embrião também parecem ser mais entusiastas que o normal em tirar a vida de um adulto. Para ser justo, isso não se aplica, como regra, aos católicos apostólicos romanos, que estão entre os mais eloquentes adversários do aborto. O renascido George W. Bush, porém, é um exemplar típico da ascendência religiosa atual. Ele, e eles, são defensores implacáveis da vida humana, desde que seja vida embrionária (ou de doentes terminais) — a ponto até de impedir pesquisas médicas que certamente salvariam muitas vidas.[124] A base óbvia para combater a pena de morte é o respeito pela vida humana. Desde 1976, quando a Suprema Corte derrubou a proibição da pena de morte, o Texas foi o responsável por mais de um terço de todas as execuções de todos os cinquenta estados da União. E Bush presidiu mais execuções no Texas que qualquer outro governador da história do estado, chegando a uma média de uma morte a cada nove dias. Talvez ele estivesse apenas cumprindo seu dever e executando as leis do estado.[125] Mas, nesse caso, o que fazer com o famoso relato do jornalista da CNN Tucker Carlson? Carlson, que apoia pessoalmente a pena de morte, ficou chocado com a imitação "humorística" feita por Bush de uma prisioneira no corredor da morte, implorando ao governador que a execução fosse suspensa: "'Por favor', Bush choraminga, os lábios franzidos fingindo desespero. 'Não me mate'".[126] Talvez essa mulher tivesse encontrado mais solidariedade se tivesse lembrado a ele que um dia foi um embrião. A contemplação de embriões parece mesmo ter um efeito extraordinário sobre muitas pessoas de fé. Madre Teresa de Calcutá chegou a dizer, em seu discurso ao receber o prêmio Nobel da Paz: "O maior destruidor da paz é o aborto". *O quê?* Como uma mulher com um juízo tão vesgo pode ser levada a sério sobre qualquer assunto, quanto mais ser considerada seriamente merecedora de um prêmio Nobel? Qualquer um que fique tentado a ser engabelado pela hipócrita madre Teresa deve ler o livro de Christopher Hitchens *The missionary position: Mother Teresa in theory and practice* [A posição missionária: madre Teresa na teoria e na prática].

Voltando ao Talibã americano, ouça Randall Terry, fundador da Operação Resgate, uma organização para intimidar quem oferece abortos. "Quando eu, ou pessoas como eu, estiver governando o país, é bom você fugir, porque vamos encontrá-lo, vamos julgá-lo e vamos executá-lo. Estou falando sério. E farei com que seja parte da minha missão assegurar que vocês sejam julgados e executados." Terry estava se referindo a médicos que realizam abortos, e sua inspiração cristã é claramente demonstrada por outras declarações:

> Quero que você se deixe lavar por uma onda de intolerância. Quero que você deixe uma onda de ódio lavá-lo. Sim, o ódio é bom [...] Nosso objetivo é uma nação cristã. Temos um dever bíblico, somos chamados por Deus a conquistar este país. Não queremos tempos iguais. Não queremos pluralismo.
>
> Nosso objetivo tem que ser simples. Precisamos de uma nação cristã construída na lei de Deus, nos Dez Mandamentos. Sem pedidos de desculpa.[127]

Essa ambição de obter o que só pode ser classificado como um Estado fascista cristão é bem típica do Talibã americano. É quase uma reprodução perfeita do Estado fascista islâmico, buscado tão ardentemente por tanta gente em outras partes do mundo. Randall Terry não tem poder político — ainda. Mas nenhum observador do cenário político americano no momento em que escrevo (2006) pode se dar ao luxo de ser otimista.

Alguém que seja consequencialista ou utilitarista provavelmente abordará a questão do aborto de uma forma bem diferente, tentando avaliar o sofrimento. O embrião sofre? (Presume-se que não, se o aborto for realizado antes que ele tenha um sistema nervoso; e mesmo que já tenha um sistema nervoso, ele certamente sofre menos que, digamos, um boi adulto no matadouro.) A grávida, ou a família dela, sofre se não realizar o aborto? É muito possível; e, de qualquer maneira, como o embrião não possui um sistema nervoso, o sistema nervoso desenvolvido da mãe não deveria ter preferência?

Não pretendo negar que um consequencialista possa ter fundamentos para ser contra o aborto. Argumentos do tipo "bola de neve" podem ser apresentados por consequencialistas (mas eu não faria isso nesse caso). Talvez os embriões não sofram, mas uma cultura que tolere que se tire uma vida humana arrisca-se a ir longe demais: onde isso vai parar? No infanticídio? O momento do nascimento proporciona um Rubicão natural para a definição de regras, e dá para argumentar que é difícil encontrar um outro num ponto anterior do desenvolvimento embrionário. Argumentos do tipo bola de neve podem portanto nos levar a dar ao momento do nascimento mais importância que o utilitarismo, interpretado em termos estreitos, gostaria.

Argumentos contra a eutanásia também podem ser formulados no formato bola de neve. Inventemos uma declaração imaginária de um filósofo moral: "Se se permitir que os médicos acabem com a agonia dos doentes terminais, logo todo mundo estará despachando a vovó para ficar com o dinheiro dela. Nós, filósofos, podemos ter superado o absolutismo, mas a sociedade precisa da disciplina de regras absolutas como 'Não matarás', senão ela não sabe quando parar. Sob certas circunstâncias, o absolutismo pode, pelas razões erradas num mundo longe do ideal, ter *consequências* melhores que o consequencialismo ingênuo! Nós, filósofos, podemos ter dificuldade para proibir que se comam pessoas mortas e não reclamadas — mendigos atropelados, por exemplo. Mas, por causa da bola de neve, o tabu absolutista contra o canibalismo é valioso demais para ser perdido".

Argumentos do tipo bola de neve podem ser encarados como uma maneira pela qual os consequencialistas reimportam uma forma de absolutismo indireto. Mas os oponentes religiosos do aborto não estão nem aí para a bola de neve. Para eles, a questão é muito mais simples. Um embrião é um "bebê", matá-lo é assassinato, e ponto: assunto encerrado. Muita coisa decorre dessa posição absolutista. Para começar, as pesquisas com células-tronco embrionárias precisam acabar, apesar de seu enorme potencial para a medicina, porque elas envolvem a morte de células embrionárias. A incoerência fica evidente quando lembramos que a sociedade já aceita a FIV (fertilização in vitro), na qual os médicos rotineiramente estimulam as mulheres a produzir mais óvulos, que serão fertilizados fora do corpo. Mais de uma dezena de zigotos podem ser produzidos, dos quais dois ou três são implantados no útero. A expectativa é que, entre eles, apenas um ou talvez dois sobrevivam. A FIV, portanto, mata embriões em dois estágios do procedimento, e a sociedade em geral não tem nenhum problema com isso. Há 25 anos a FIV é um procedimento-padrão para levar alegria à vida de casais sem filhos.

Absolutistas religiosos, porém, podem ter problemas com a FIV. O *The Guardian* de 3 de junho de 2005 trouxe uma reportagem bizarra sob o título "Casais cristãos atendem apelo para salvar embriões deixados pela FIV". A reportagem é sobre uma organização chamada Snowflakes, que tenta "resgatar" os embriões excedentes deixados em clínicas de reprodução assistida. "Sentimos que o Senhor estava nos convocando a tentar dar a um desses embriões — dessas crianças — uma chance de viver", disse uma mulher do estado de Washington, cujo quarto filho resultou dessa "aliança inesperada que os cristãos conservadores estão formando com o mundo dos bebês de proveta". Preocupado com essa aliança, o marido dela consultou um líder da sua igreja, que afirmou: "Quando se quer libertar os escravos, às vezes é preciso fazer acordos com o negociante de escravos". Fico imaginando o que essa gente diria se soubesse que a maioria dos embriões concebidos sofre abortos espontâneos. Provavelmente isso deva ser encarado como uma espécie de "controle de qualidade" natural.

Um determinado tipo de cabeça religiosa não consegue enxergar a diferença moral entre matar um agrupamento microscópico de células, por um lado, e matar um médico totalmente crescido, de outro. Já citei Randall Terry e a Operação Resgate. Mark Juergensmeyer, em seu assustador livro *Terror in the mind of God* [Terror na mente de Deus], traz uma foto do reverendo Michael Bray com seu amigo, o reverendo Paul Hill, segurando uma faixa com os dizeres: "É errado conter o assassinato de bebês inocentes?". Os dois têm a aparência de jovens agradáveis e bem preparados, com um sorriso contagiante, roupas casuais e bonitas, o exato contrário de lunáticos abobalhados. Mesmo assim, eles e seus amigos do Exército de Deus (Army of God — AOG) resolveram incendiar clínicas de aborto, e não faziam segredo de seu desejo de matar os médicos. No dia 29 de julho de 1994, Paul Hill pegou uma espingarda e matou o dr. John Britton e o segurança dele, James Barrett, na frente da clínica de Britton, em Pensacola, na Flórida. Em seguida se entregou à polícia, dizendo que tinha matado o médico para impedir a morte futura de "bebês inocentes".

Michael Bray defende esse tipo de ação de forma articulada e com toda a aparência de um fim moral elevado, como descobri quando o entrevistei, num parque público de Colorado Springs, para meu documentário sobre a religião para a televisão.* Antes de chegar à pergunta sobre o aborto, obtive uma medida da moralidade de Bray, baseada na Bíblia, fazendo a ele algumas perguntas preliminares. Lembrei que a lei bíblica condena os adúlteros à morte por apedrejamento. Minha expectativa era que ele desaprovasse esse exemplo específico, classificando-o como obviamente inaceitável, mas ele me surpreendeu. Afirmou tranquilamente que, depois de passar pelo devido processo legal, os adúlteros deveriam ser executados. Lembrei então que Paul Hill, com o total apoio de Bray, não havia seguido o devido processo legal, e sim feito justiça com as próprias mãos e matado um médico. Bray defendeu a atitude de seu colega religioso nos mesmos termos que tinha defendido quando Juergensmeyer o entrevistara, fazendo uma distinção entre o assassinato punitivo, de um médico aposentado, por exemplo, e o assassinato de um médico praticante como forma de impedir que ele "mate bebês regularmente". Então disse a ele que, embora as crenças de Paul Hill sem dúvida fossem sinceras, a sociedade cairia numa anarquia terrível se todo mundo invocasse uma convicção pessoal para fazer justiça com as próprias mãos, em vez de seguir as leis locais. Não seria o caminho correto tentar mudar a lei, democraticamente? Bray respondeu: "Bem, esse é o problema quando não se tem leis que sejam leis autênticas; quando se tem leis que são inventadas na hora, por capricho, como já vimos no caso da chamada lei do direito do aborto, que foi imposta às pessoas por juízes[...]". Entramos então numa discussão sobre a Constituição americana e a origem das leis. A atitude de Bray em relação a essas questões revelou-se bem parecida com a daqueles militantes muçulmanos

* Os ativistas que fazem ameaças de violência contra cientistas que usam animais em pesquisas médicas alegariam fins morais igualmente elevados.

que moram na Grã-Bretanha e que anunciam abertamente seguir apenas a lei islâmica, não as leis democraticamente aprovadas do país que adotaram.

Em 2003, Paul Hill foi executado pelo assassinato do dr. Britton e do segurança dele, afirmando que faria tudo de novo para salvar aqueles que ainda não haviam nascido. Verdadeiramente ansioso por morrer em nome de sua causa, ele disse numa entrevista coletiva: "Acredito que o Estado, ao executar-me, estará me transformando num mártir". Os ativistas antiaborto de direita que protestavam em sua execução juntaram-se, numa aliança profana, com os ativistas de esquerda contrários à pena de morte, que pediram ao governador da Flórida, Jeb Bush, que "impedisse o martírio de Paul Hill". Eles argumentaram, de forma plausível, que o assassinato judicial de Hill acabaria incentivando mais assassinatos, exatamente o contrário do efeito preventivo que a pena de morte deveria ter. Hill sorriu por todo o trajeto até a câmara de execução, dizendo: "Espero uma grande recompensa no céu [...] Estou ansioso pela glória".[128] E sugeriu que outras pessoas assumissem sua causa de violência. Prevendo ataques retaliatórios pelo "martírio" de Paul Hill, a polícia entrou em alerta máximo quando ele foi executado, e várias pessoas ligadas ao caso receberam cartas com ameaças, acompanhadas de balas.

Todo esse episódio terrível tem origem numa simples divergência de percepção. Há pessoas que, por causa de suas convicções religiosas, acham que o aborto é um assassinato e estão dispostas a matar em defesa dos embriões, que preferem chamar de "bebês". Do outro lado há defensores sinceros do aborto, que ou têm outras convicções religiosas ou não têm religião, junto com princípios morais consequencialistas ponderados. Eles também se consideram idealistas, que oferecem um serviço médico para pacientes que precisam dele, que senão recorreriam a charlatães de fundo de quintal, perigosamente incompetentes. Os dois lados, à sua própria luz, são igualmente sinceros.

A porta-voz de outra clínica de aborto descreveu Paul Hill como um psicopata perigoso. Mas gente como ele não se considera psicopata perigoso; consideram-se pessoas boas, morais, guiadas por Deus. Na verdade, não acho que Paul Hill fosse psicopata. Apenas muito religioso. Perigoso sim, mas não psicopata. Perigosamente religioso. À luz de sua fé religiosa, Hill estava plenamente certo em atirar no dr. Britton. O que havia de errado em Hill era sua fé religiosa em si. Michael Bray, quando o conheci, também não me pareceu psicopata. Até gostei bastante dele. Achei-o um homem honesto e sincero, comedido e cuidadoso, mas sua cabeça havia sido infelizmente tomada por absurdos religiosos venenosos.

Os adversários mais contundentes do aborto são quase todos profundamente religiosos. Os defensores sinceros do aborto, sejam pessoalmente religiosos ou não, têm propensão a seguir uma filosofia moral não religiosa, consequencialista, talvez invocando a pergunta de Jeremy Bentham: "Eles *sofrem*?". Paul Hill e Michael Bray não viam diferença moral entre matar um embrião e matar um médico, com exceção do fato de que, para eles, o embrião era um "bebê" inocente. O consequencialista vê toda a diferença do mundo. Um embrião de pouco tempo tem a sensibilidade, assim como a aparência, de um girino. Um médico é um ser adulto consciente, com esperanças, amores, aspirações, medos, um estoque maciço de conhecimento humano, capacidade para emoções profundas, muito provavelmente uma viúva desolada e filhos órfãos, talvez pais idosos loucos por ele.

Paul Hill causou um sofrimento real, profundo, duradouro, a seres com sistema nervoso capaz de sofrimento. Sua vítima não fazia isso. Embriões de pouco tempo que não têm sistema nervoso quase com certeza não sofrem. E, se embriões abortados mais tardiamente, com sistema nervoso, sofrem — embora todo sofrimento seja deplorável —, não é porque eles são *humanos*.

Não há nenhuma razão para achar que os embriões humanos de qualquer idade sofram mais que embriões de boi ou de ovelha no mesmo estágio de desenvolvimento. E há toda a razão do mundo para achar que todos os embriões, humanos ou não, sofrem bem menos que bois e ovelhas adultos no matadouro, especialmente num matadouro ritualístico onde, por motivos religiosos, eles têm de estar plenamente conscientes enquanto sua garganta é cerimonialmente cortada.

O sofrimento é difícil de medir,[129] e os detalhes podem ser motivo de debates. Mas isso não afeta minha tese principal, que diz respeito à diferença entre a filosofia consequencialista laica e a moral religiosa e absoluta.* Uma escola de pensamento preocupa-se em saber se os embriões sofrem. A outra preocupa-se em saber se eles são humanos. É possível ouvir moralistas religiosos debatendo dúvidas como: "Quando o embrião em desenvolvimento se torna uma pessoa — um ser humano?". Moralistas laicos tendem a perguntar: "Não importa se ele é ou não *humano* (e o que isso *significa* para um pequeno conjunto de células?); em que idade um embrião em desenvolvimento, de qualquer espécie, se torna capaz de *sofrer*?".

## A GRANDE FALÁCIA BEETHOVEN

O próximo movimento dos ativistas antiaborto no xadrez verbal normalmente é como descrevo a seguir. A questão não é se o embrião humano é ou não capaz de sofrer no presente. A

* Isso, é claro, não esgota todas as possibilidades. Uma maioria significativa dos cristãos americanos não assume uma atitude absolutista em relação ao aborto e é a favor do direito de escolha. Veja, por exemplo, a Coalizão Religiosa pela Escolha Reprodutiva, em www.rcrc.org/.

questão está em seu *potencial*. O aborto priva-o da oportunidade de uma vida humana plena no futuro. Essa ideia aparece resumida num argumento retórico cuja estupidez extrema é sua única defesa contra a acusação de grave desonestidade. Estou falando da Grande Falácia Beethoven, que existe em vários formatos. Peter e Jean Medawar,* em *Life science*, atribuem a versão a seguir a Norman St. John Stevas (hoje lorde St. John), um membro do Parlamento britânico e proeminente leigo da Igreja Apostólica Romana. Ele, por sua vez, pegou-a de Maurice Baring (1874-1945), um destacado convertido à Igreja Católica e ligado aos vigorosos católicos G. K. Chesterton e Hilaire Belloc. Ele a encenou na forma de um diálogo hipotético entre dois médicos.

> "Sobre a interrupção da gravidez, quero sua opinião. O pai era sifilítico, a mãe tuberculosa. Das quatro crianças que nasceram, a primeira era cega, a segunda morreu, a terceira era surda-muda e a quarta também era tuberculosa. O que você teria feito?"
> "Eu teria interrompido a gravidez."
> "Então você teria assassinado Beethoven."

A internet está coalhada de chamados sites pró-vida que repetem essa história ridícula, e mudam as premissas factuais sem pudores. Aqui está outra versão: "Se você conhecesse uma mulher que estivesse grávida, que já tivesse oito filhos, sendo que três deles eram surdos, dois eram cegos, um com deficiência mental (tudo porque ela tinha sífilis), recomendaria que ela fizesse um aborto? Então você teria matado Beethoven".[130] Essa apresentação da lenda rebaixa o grande compositor de quinto a nono na ordem de nascimento, aumenta o número de surdos para três e o número de cegos para dois, e dá a sífilis à mãe em vez de ao

* Sir Peter Medawar ganhou o prêmio Nobel de Fisiologia e Medicina de 1960.

pai. A maioria dos 43 sites que encontrei quando procurei versões da história a atribui não a Maurice Baring, mas a um certo professor L. R. Agnew da Faculdade de Medicina da UCLA, que, diz-se, propôs o dilema aos alunos e depois lhes disse: "Parabéns, vocês acabaram de assassinar Beethoven". Podemos ser caridosos e dar a L. R. Agnew o benefício de duvidar de sua existência — é incrível como essas lendas urbanas nascem. Não consigo descobrir se foi Baring que deu origem à lenda ou se ela foi inventada antes.

Porque inventada certamente ela foi. É completamente falsa. A verdade é que Ludwig van Beethoven não era nem o nono nem o quinto filho de seus pais. Era o mais velho — em termos estritos o segundo, mas seu irmão mais velho morreu pequeno, como era comum naquela época, e não era, pelo que se sabe, nem cego nem surdo nem mudo nem tinha deficiência mental. Não há evidências de que algum de seus pais tenha tido sífilis, embora seja verdade que sua mãe morreu de tuberculose. Havia muita tuberculose naqueles tempos.

Trata-se, na verdade, de uma lenda urbana completa, uma fabricação, deliberadamente disseminada por gente com interesses velados em espalhá-la. Mas, de qualquer maneira, o fato de que ela seja mentira não vem ao caso. Mesmo que não fosse, o argumento que deriva dela é um argumento muito ruim. Peter e Jean Medawar não precisaram duvidar da veracidade da história para apontar a falácia do argumento: "O raciocínio por trás desse argumentozinho horrível é falacioso de tirar o fôlego, pois, a menos que se esteja sugerindo que haja alguma conexão causal entre o fato de ter uma mãe tuberculosa e um pai sifilítico e o nascimento de um gênio da música, é mais provável que o mundo seja privado de um Beethoven não por um aborto, mas pela abstinência casta de relações sexuais".[131] O descarte lacônico e ridicularizante dos Medawar é irrespondível (para tomar emprestada a trama de um dos contos negros de Roald Dahl, uma decisão igualmente fortuita de *não* fazer um aborto, em 1888, deu-nos Adolf Hitler). Mas é preciso um bocadinho de inteligência — ou talvez estar livre de certo tipo de criação religiosa — para entender. Dos 43 sites "pró-vida" da internet que citam alguma versão da lenda de Beethoven e que apareceram na minha busca no Google, no dia em que escrevi, nenhum notou a falta de lógica do argumento. Todos (eram todos sites religiosos, por sinal) caíam direitinho na falácia. Um deles até reconhecia Medawar (grafado Medavvar) como fonte. Essa gente queria tanto acreditar numa falácia adequada a sua fé que nem percebeu que os Medawar só tinham citado o argumento para derrubá-lo.

Como apontaram com toda a razão os Medawar, a conclusão lógica para o argumento do "potencial humano" é que potencialmente privamos uma alma humana do dom da existência toda vez que deixamos de aproveitar uma oportunidade para manter relações sexuais. Toda recusa a qualquer oferta de cópula por um indivíduo fértil equivale, por essa lógica "pró-vida" capenga, ao assassinato de uma criança em potencial! Até mesmo resistir a um estupro poderia ser representado como assassinar um bebê em potencial (e, aliás, há um monte de ativistas "pró-vida" que negariam o aborto até a mulheres vítimas de estupros brutais). O argumento Beethoven é, como se pode ver, lógica de péssima qualidade. Sua estupidez surreal é bem resumida pela esplêndida canção "Todo espermatozoide é sagrado", cantada por Michael Palin, com um coro de centenas de crianças, no filme do Monty Python *O sentido da vida* (se você não viu, por favor veja). A Grande Falácia Beethoven é um exemplo típico da confusão lógica em que entramos quando nossa cabeça está confusa pelo absolutismo inspirado pela religião.

Perceba que "pró-vida" não significa exatamente pró-*vida*. Significa pró-vida-*humana*. É difícil conciliar a atribuição de direitos especiais a células da espécie *Homo sapiens* com o fato da evolução. Tudo bem que isso não vai preocupar os tantos ativistas antiaborto que não entendem que a evolução *é* um fato! Mas deixe-me descrever brevemente o argumento para os ativistas antiaborto que possam ser menos ignorantes em relação à ciência.

A tese evolutiva é muito simples. A *humanidade* das células de um embrião não tem como conferir a ele nenhum status moral absolutamente descontínuo. Não tem como por causa de nossa continuidade evolutiva em relação aos chimpanzés e, de forma mais distante, com todas as espécies do planeta. Para enxergar isso, imagine que uma espécie intermediária, o *Australopithecus afarensis*, por exemplo, tivesse conseguido sobreviver e fosse descoberta numa área remota da África. Essas criaturas "contariam como humanas" ou não? Para um consequencialista como eu, a questão não merece resposta, pois não me diz nada. Basta que ficássemos fascinados e honrados por conhecer uma nova "Lucy". O absolutista, por outro lado, precisa responder à pergunta, para aplicar o princípio moral de garantir aos seres humanos um status único e especial, *porque eles são humanos*. No extremo, eles teriam que criar tribunais, como aqueles da África do Sul no apartheid, para decidir se um indivíduo específico deveria ou não "passar como humano".

Mesmo que se tente dar uma resposta clara para o *Australopithecus*, a continuidade gradativa que é característica inescapável da evolução biológica diz-nos que tem de haver *algum* intermediário que fique suficientemente perto do "limite" a ponto de obscurecer o princípio moral e destruir seu absolutismo. Um jeito melhor de dizer isso é afirmando que não há limites naturais na evolução. A ilusão de um limite é criada pelo fato de que, por acaso, os intermediários evolutivos estão extintos. É claro que se pode argumentar que os homens têm uma capacidade maior para o sofrimento, por exemplo, que outras espécies. Isso pode muito bem ser verdade, e é legítimo que demos aos seres humanos um status especial por isso. Mas a continuidade evolutiva mostra que não há distinção *absoluta*. O fato da evolução derruba de forma devastadora a discriminação moral absolutista. O incômodo causado pela consciência desse fato pode, aliás, estar por trás de um dos motivos dos criacionistas para ser contra a evolução: eles temem suas consequências morais. Estão errados, mas, em todo caso, é muito estranho pensar que uma verdade sobre o mundo real possa ser invertida devido a considerações sobre o que seria moralmente desejável.

## COMO A "MODERAÇÃO" NA FÉ ALIMENTA O FANATISMO

Quando ilustrei o lado negro do absolutismo, mencionei os cristãos que jogam bombas em clínicas de aborto nos Estados Unidos e o Talibã no Afeganistão, cuja lista de crueldades, especialmente contra mulheres, considero dolorosa demais para descrever. Poderia ter ampliado o espectro e mencionado o Irã sob os aiatolás, ou a Arábia Saudita sob os príncipes Saud, onde as mulheres não podem dirigir e veem-se com problemas só de sair de casa sem um parente do sexo masculino (que pode, numa concessão generosa, ser uma criança). Veja *Price of honour* [Preço da honra], de Jan Goodwin, para uma exposição devastadora sobre o tratamento das mulheres na Arábia Saudita e em outras teocracias da atualidade. Johann Hari, um dos colunistas mais vigorosos do *The Independent* (de Londres), escreveu um artigo cujo título é autoexplicativo: "A melhor maneira de minar os jihadistas é deflagrar uma rebelião entre as mulheres muçulmanas".[132]

Ou, trocando para o cristianismo, eu poderia ter citado aqueles cristãos americanos do "arrebatamento" cuja poderosa influência sobre a política americana no Oriente Médio é governada por sua crença bíblica no fato de que Israel tem um direito garantido por Deus a todas as terras da Palestina.[133]

Alguns cristãos do arrebatamento vão mais além e chegam a torcer por uma guerra nuclear, porque a intepretam como o "Armageddon", que, de acordo com sua bizarra mas perturbadoramente comum interpretação do livro do Apocalipse, apressará a volta de Cristo. Não consigo fazer nada melhor que o aterrorizante comentário de Sam Harris, em seu *Carta a uma nação cristã*:

> Não é, portanto, exagero dizer que, se a cidade de Nova York de repente fosse substituída por uma bola de fogo, uma porcentagem significativa da população americana veria um lado bom no cogumelo de fumaça que se formaria em seguida, já que ele lhes sugeriria que a melhor coisa que pode acontecer está prestes a acontecer: o retorno de Cristo. Devia ser de uma obviedade ofuscante que esse tipo de crença não nos ajuda muito a criar um futuro duradouro para nós mesmos — em termos sociais, econômicos, ambientais ou geopolíticos. Imagine as consequências da possibilidade de qualquer componente significativo do governo dos Estados Unidos realmente acreditar que o mundo está prestes a acabar e que esse fim será *glorioso*. O fato de quase metade da população americana aparentemente acreditar nisso, com base puramente no dogma religioso, deveria ser considerado uma emergência intelectual.

Existem, portanto, pessoas cuja fé religiosa as coloca fora do consenso esclarecido do meu "*Zeitgeist* moral". Elas representam o que já chamei de o lado negro do absolutismo religioso, e frequentemente são chamadas de extremistas. Mas minha tese, neste ponto, é que até mesmo a religião amena e moderada ajuda a proporcionar o clima de fé no qual o extremismo floresce naturalmente.

Em julho de 2005, Londres foi vítima de um ataque suicida a bomba e coordenado: três bombas no metrô e uma num ônibus. Não tão ruim quanto o ataque de 2001 contra o World Trade Center, e certamente não inesperado (na verdade, Londres vinha se preparando para uma eventualidade como essa desde que Blair nos ofereceu para ser ajudantes relutantes na invasão do Iraque por Bush), mas mesmo assim as explosões de Londres horrorizaram a Grã-Bretanha. Os jornais encheram-se de análises agonizantes sobre o que levou quatro jovens a se explodirem e a levar um monte de gente inocente com eles. Os assassinos eram cidadãos britânicos, educados, que gostavam de críquete, o tipo de jovem cuja companhia teríamos apreciado.

Por que esses rapazes fizeram aquilo? Diferentemente de seus equivalentes palestinos, ou de seus equivalentes camicases do Japão, ou de seus equivalentes tigres tâmeis no Sri Lanka, esses homens-bomba não tinham a expectativa de que sua família enlutada fosse celebrada e recebesse cuidados e pensões destinadas a mártires. Pelo contrário, seus parentes, em alguns casos, tiveram que se esconder. Um dos homens deixou deliberadamente a mulher grávida viúva e o filho pequeno órfão. A atitude desses quatro rapazes não foi nada menos que um desastre, não só para eles mesmos e suas vítimas, mas para suas famílias e toda a comunidade muçulmana na Grã-Bretanha, que agora enfrenta a reação. Só a fé religiosa é forte o bastante para motivar uma loucura tão completa em pessoas sãs e decentes. Mais uma vez, Sam Harris defendeu a questão com uma aspereza perspicaz, pegando o exemplo do líder da Al-Qaeda, Osama bin Laden (que por sinal não teve nada a ver com os ataques de Londres). Por que alguém quereria destruir o World Trade Center e todo mundo dentro dele? Chamar Bin Laden de "mau" é fugir da responsabilidade de dar uma resposta adequada a pergunta tão importante.

> A resposta para essa pergunta é óbvia — no mínimo por ela ter sido pacientemente articulada ad nauseam pelo próprio Bin La-

den. A resposta é que homens como Bin Laden *realmente* acreditam no que dizem acreditar. Eles acreditam na veracidade literal do Corão. Por que dezenove homens cultos, de classe média, trocaram sua vida neste mundo pelo privilégio de matar milhares de nossos vizinhos? Porque acreditavam que iriam direto para o paraíso por fazê-lo. É raro encontrar o comportamento de seres humanos tão completa e satisfatoriamente explicado. Por que temos tanta relutância em aceitar essa explicação?[134]

A respeitada jornalista Muriel Gray, num texto no *Herald* (de Glasgow) de 24 de julho de 2005, defendeu uma tese parecida, nesse caso referindo-se aos ataques de Londres.

> Todo mundo está sendo acusado, desde a óbvia dupla de vilões George W. Bush e Tony Blair até a inação das "comunidades" muçulmanas. Mas nunca foi tão claro que só há um lugar em que pôr a culpa, e ele sempre existiu. A causa de toda essa tragédia, do massacre, da violência, do terror e da ignorância, é, obviamente, a religião por si só, e, se parece ridículo ter de dizer uma realidade tão óbvia, o fato é que o governo e a imprensa estão se saindo muito bem em fingir que não é assim que as coisas são.

Nossos políticos ocidentais evitam mencionar a palavra que começa com R (religião), e em vez disso caracterizam sua batalha como uma guerra contra o "terror", como se o terror fosse uma espécie de espírito ou força, com vontades e razões. Ou caracterizam os terroristas como pessoas motivadas pela pura "maldade". Mas elas não são motivadas pelo mal. Por mais equivocadas que as consideremos, elas são motivadas, como os assassinos cristãos de médicos que fazem abortos, pelo que elas entendem ser a execução correta e fiel daquilo que sua religião lhes diz. Não são psicóticos; são idealistas religiosos que, ao seu próprio ver, são racionais. Percebem seus atos como bons, não por causa de uma idiossincrasia pessoal distorcida, e não porque tenham sido possuídos por Satã, mas porque foram ensinados, desde o berço, a ter uma *fé* total e indiscutível. Sam Harris cita um homem-bomba palestino frustrado que disse que o que o levou a matar israelenses foi "o amor pelo martírio [...] Não queria vingança por nada. Só queria ser mártir". Em 19 de novembro de 2001 a *The New Yorker* publicou uma entrevista feita por Nasra Hassan com outro homem-bomba frustrado, um palestino educado de 27 anos conhecido como "S". A atração do paraíso é de uma eloquência tão poética, do modo como ele é pregado por líderes e professores religiosos, que acho que merece a longa citação:

> "Qual é a atração do martírio?", perguntei.
>
> "O poder do espírito eleva-nos, enquanto o poder das coisas materiais puxa-nos para baixo", disse ele. "Uma pessoa determinada ao martírio torna-se imune ao empuxo material. Nosso mentor peguntou: 'E se a operação fracassar?'. Dissemos a ele: 'De qualquer maneira, conseguiremos nos encontrar com o Profeta e seus companheiros, oxalá'.
>
> "Flutuávamos, nadávamos na sensação de que estávamos prestes a entrar na eternidade. Não tínhamos dúvida. Fizemos um juramento sobre o Corão, na presença de Alá — a promessa de não vacilar. Essa promessa da jihad chama-se *bayt al-ridwan*, com o nome do jardim do Paraíso reservado aos profetas e aos mártires. Sei que há outras maneiras de lutar a jihad. Mas essa é a melhor de todas. Todas as operações de martírio, se feitas em nome de Alá, doem menos que uma picada de mosquito!"
>
> S mostrou-me um vídeo que documentava o planejamento final da operação. Nas imagens granuladas, vi-o com outros dois jovens engajados num diálogo ritualístico de perguntas e respostas sobre a glória do martírio [...]

> Os jovens e o mentor então se ajoelharam e colocaram a mão direita sobre o Corão. O mentor disse: "Vocês estão preparados? Amanhã, estarão no Paraíso".[135]

Se eu fosse "S", ficaria tentado a dizer ao mentor: "Bem, nesse caso, por que *você* não faz o que diz? Por que não executa *você* a missão suicida e pega o atalho para o Paraíso?". Mas o que é tão difícil para nós entender é que — repetindo, já que esse ponto é muito importante — *essa gente realmente acredita no que diz acreditar*. A mensagem que deve ficar é que devemos pôr a culpa na religião em si, e não no *extremismo* religioso — como se isso fosse uma perversão horrível da religião de verdade, decente. Voltaire captou bem há muito tempo: "Aqueles que são capazes de convencê-lo de absurdos são capazes de fazê-lo cometer atrocidades". Assim como Bertrand Russell: "Muita gente prefere morrer a pensar. Na verdade é isso o que fazem".

Se aceitarmos o princípio de que a fé religiosa deve ser respeitada simplesmente porque é fé religiosa, é difícil deixar de respeitar a fé de Osama bin Laden e dos homens-bomba. A alternativa, tão transparente que não deveria precisar de propaganda, é abandonar o princípio do respeito automático pela fé religiosa. Esse é um dos motivos por que faço tudo o que posso para advertir as pessoas contra a própria fé, não apenas contra a chamada fé "extremista". Os ensinamentos da religião "moderada", embora não sejam extremistas em si mesmos, são um convite aberto ao extremismo.

Pode-se alegar que não há nada de especial na fé religiosa. O amor patriótico ao país ou a um grupo étnico também pode tornar o mundo menos seguro devido a sua própria versão de extremismo, não pode? Sim, pode, como com os camicases no Japão e os tigres tâmeis no Sri Lanka. Mas a fé religiosa é um silenciador especialmente potente do cálculo racional, que normalmente parece sobrepujar todos os outros. Isso acontece principalmente, suspeito eu, por causa da promessa fácil e ilusória de que a morte não é o fim, e de que o paraíso de um mártir é especialmente glorioso. Mas também acontece em parte porque ela desencoraja o questionamento, por sua própria natureza.

O cristianismo, tanto quanto o islamismo, ensina às crianças que a fé sem questionamentos é uma virtude. Não é preciso defender aquilo em que se acredita. Se alguém anuncia que isso faz parte de sua *fé*, o resto da sociedade, tenha a mesma fé, outra fé ou nenhuma fé, é obrigado, por um costume arraigado, a "respeitar" sem questionar; respeitar até o dia em que aquilo se manifestar na forma de um massacre horrendo como a destruição do World Trade Center ou os ataques a bomba em Londres ou Madri. Surge então um forte coro de reprovações, enquanto clérigos e "líderes de comunidades" (quem *os* elegeu, aliás?) fazem fila para explicar que esse extremismo é uma perversão da fé "verdadeira". Mas como pode haver uma perversão da fé se a fé, por não ter justificativa objetiva, não tem nenhum parâmetro demonstrável para ser pervertido?

Há dez anos, Ibn Warraq, em seu excelente livro *Why I am not a Muslim* [Por que não sou muçulmano], defendeu uma tese semelhante do ponto de vista de um estudioso profundamente conhecedor do islamismo. Na verdade, um bom título alternativo para o livro de Warraq poderia ter sido *O mito do islã moderado*, que é o título de um artigo mais recente da *The Spectator* (de Londres, de 30 de julho de 2005) assinado por outro estudioso, Patrick Sookhdeo, diretor do Instituto para o Estudo do Islã e do Cristianismo. "A grande maioria dos muçulmanos hoje vive sua vida sem recorrer à violência, pois o Corão é como uma seleção sortida de onde se pode escolher à vontade. Se você quiser paz, encontra versos pacíficos. Se quiser guerra, encontra versos belicosos."

Sookhdeo explica como os estudiosos islâmicos, para lidar com as muitas contradições que encontram no Corão, desenvolveram o princípio da anulação, segundo o qual textos posteriores invalidam trechos prévios. Infelizmente, os trechos pacíficos do Corão são na maioria antigos, datando do tempo de Maomé em Meca. Os versos mais beligerantes tendem a datar de mais tarde, depois de sua fuga para Medina. O resultado é que

> o mantra "o islã é paz" está fora de moda há quase 1400 anos. Foi só durante cerca de treze anos que o islã foi paz e nada mais que paz [...] Para os muçulmanos radicais de hoje — assim como para os juristas medievais que desenvolveram o islã clássico — seria mais verdadeiro dizer "o islã é guerra". Um dos grupos islâmicos mais radicais da Grã-Bretanha, o Al-Ghurabaa, declarou, logo após os dois ataques de Londres: "Qualquer muçulmano que negue que o terror faz parte do islã é um kafir". Um kafir é um descrente (isto é, um não muçulmano), um termo muito ofensivo [...]
>
> Não seria possível que os jovens que cometeram suicídio não estivessem nem à margem da sociedade muçulmana na Grã-Bretanha, nem seguissem uma interpretação excêntrica e extremista de sua fé, mas que tenham vindo bem do coração da comunidade muçulmana, e que tenham sido motivados por uma interpretação corrente do islã?

Em termos mais gerais (e isso não se aplica menos ao cristianismo que ao islã), o que é verdadeiramente pernicioso é a prática de ensinar às crianças que a fé, por si só, é uma virtude. A fé é um mal exatamente porque não exige justificativa e não tolera nenhuma argumentação. Ensinar às crianças que a fé sem questionamentos é uma virtude as predispõe — dados alguns outros ingredientes que não são difíceis de aparecer — a se transformar em armas potencialmente letais para jihads ou cruzadas futuras. Imunizado contra o medo pela promessa do paraíso dos mártires, o fiel autêntico merece um lugar de destaque na história dos armamentos, junto com o arco, o cavalo, o tanque e a bomba de fragmentação. Se as crianças fossem ensinadas a questionar e a pensar sobre suas crenças, em vez de ser ensinadas sobre a grande virtude que é a fé sem questionamentos, daria para apostar, com boas chances de ganhar, que não haveria homens-bomba. Os homens-bomba fazem o que fazem porque acreditam mesmo no que lhes ensinaram nas escolas religiosas: que o dever para com Deus supera todas as outras prioridades, e que o martírio a serviço dele será recompensado nos jardins do Paraíso. E eles aprenderam *essa* lição não necessariamente com extremistas fanáticos, mas com instrutores religiosos decentes, gentis, normais, que os colocaram em fileiras em suas madraçais, abaixando e levantando ritmadamente a cabecinha enquanto aprendiam cada palavra do livro sagrado, como papagaios malucos. A fé pode ser perigosíssima, e implantá-la deliberadamente na cabeça de uma criança inocente é gravemente errado. É à infância em si, e à violação da infância pela religião, que nos voltamos no próximo capítulo.

# 9. Infância, abuso e a fuga da religião

*Há em cada cidade uma tocha — o professor; e um extintor — o padre.*

Victor Hugo

Começo com um caso da Itália do século XIX. Não estou insinuando que qualquer coisa parecida com essa história terrível possa acontecer hoje. Mas as posturas mentais que ela demonstra são lamentavelmente atuais, mesmo que os detalhes factuais não sejam. Essa tragédia humana oitocentista denuncia sem dó as atitudes religiosas de hoje em dia em relação às crianças.

Em 1858, Edgardo Mortara, um menino de seis anos filho de judeus que morava em Bolonha, foi capturado pela polícia papal que agia sob as ordens da Inquisição. Edgardo foi arrancado dos braços da mãe em prantos e do pai desesperado e levado ao Catecúmeno (casa de conversão de judeus e muçulmanos) em Roma, e a partir de então educado como católico apostólico romano. Tirando as visitas ocasionais e rápidas, sempre sob forte supervisão dos padres, seus pais jamais o viram novamente. A história é contada por David I. Kertzer em seu extraordinário livro *O sequestro de Edgardo Mortara*.

A história de Edgardo não era incomum na Itália daquela época, e a razão para esses raptos sacerdotais era sempre a mesma. Em todos os casos, a criança havia sido secretamente batizada em algum momento anterior, normalmente por uma babá católica, e a Inquisição mais tarde ficava sabendo do batizado. Uma parte central do sistema de fé católico determinava que, uma vez que uma criança tivesse sido batizada, por mais informal e clandestinamente que fosse, ela era irrevogavelmente transformada em cristã. Naquele universo mental, permitir que uma "criança cristã" ficasse com seus pais judeus não era uma opção, e eles mantinham firmemente essa postura bizarra e cruel, com a maior sinceridade, para a indignação do mundo todo. Essa revolta generalizada, aliás, foi desqualificada pelo jornal católico *Civiltà Cattolica*, que a atribuiu ao poder internacional dos judeus ricos — soa familiar, não?

Exceto pela publicidade que atraiu, a história de Edgardo Mortara era igual a muitas outras. Ele tinha ficado sob os cuidados de Anna Morisi, uma católica analfabeta que tinha então catorze anos. Ficou doente e ela entrou em pânico, achando que ele pudesse morrer. Criada sob a crença automática de que uma criança que morresse sem ser batizada sofreria para sempre no inferno, ela pediu conselhos a um vizinho católico, que lhe mostrou como realizar um batismo. Ela voltou para casa, jogou um pouco da água de um balde na cabeça do pequeno Edgardo e disse: "Eu te batizo em nome do Pai, do Filho e do Espírito Santo". E foi isso. A partir daquele momento Edgardo era legalmente um cristão. Quando os padres da Inquisição souberam do incidente, anos depois, agiram prontamente, sem se preocupar com as tristes consequências de seu ato.

De forma surpreendente, para um ritual que podia ter um significado tão monumental para famílias inteiras, a Igreja Católica permitia (e ainda permite) que qualquer pessoa batizasse qualquer um. O autor do batismo não precisa ser padre. Nem a criança, nem os pais nem ninguém mais tem de concordar com o batismo. Nada precisa ser assinado. Não são necessárias testemunhas oficiais para nada. Bastam uns pingos d'água, algumas palavras, uma criança indefesa e uma babá supersticiosa e que tenha sofrido lavagem cerebral pela catequese. Na verdade, só é necessário mesmo este último item, porque, pressupondo que a criança é jovem demais para ser testemunha, quem é que vai saber? Uma colega americana que foi educada como católica escreveu-me o seguinte: "Costumávamos batizar nossas bonecas. Não lembro de nenhum de nós batizando nossos amiguinhos protestantes, mas não duvido que já tenha acontecido e aconteça hoje. Fazíamos de nossas bonecas pequenas católicas, levando-as para a igreja, dando a elas a comunhão etc. Já tínhamos sofrido lavagem cerebral para ser boas mães católicas desde cedo".

Se as meninas do século XIX fossem pelo menos um pouco parecidas com minha colega, é de surpreender que casos como o de Edgardo Mortara não fossem ainda mais comuns. Histórias como essa eram, mesmo assim, perturbadoramente frequentes na Itália oitocentista, o que nos obriga a fazer a pergunta óbvia. Por que os judeus dos Estados Papais contratavam empregados católicos, considerando o risco que isso poderia significar? Por que não contratavam só funcionários judeus? A resposta, mais uma vez, não tem nada a ver com bom senso e tem tudo a ver com religião. Os judeus precisavam de funcionários cuja religião não lhes proibisse trabalhar no Shabat. Uma criada judia certamente não batizaria o filho do patrão, levando-o à orfandade espiritual. Mas ela não poderia acender o fogo ou limpar a casa no sábado. Era por isso que, das famílias judias bolonhesas que tinham dinheiro para contratar funcionários naquela época, a maioria contratava católicos.

Neste livro, evitei deliberadamente detalhar os horrores das Cruzadas, dos *conquistadores* ou da Inquisição espanhola. Pessoas cruéis e más há em todos os séculos, com todas as motivações.

Mas essa história da Inquisição italiana e sua atitude em relação às crianças é particularmente reveladora do modo de pensar religioso e dos males que se originam especificamente *porque* ele é religioso. Primeiro é a incrível ideia da cabeça religiosa de que uma gota de água e um breve ritual de palavras podem mudar totalmente a vida de uma criança, assumindo precedência sobre o consentimento dos pais, o consentimento da própria criança, a felicidade e o bem-estar psicológico da criança... Sobre tudo o que o bom senso e o sentimento humanitário considerariam importante. O cardeal Antonelli disse isso com todas as letras naquela época numa carta a Lionel Rothschild, o primeiro judeu a ser membro do Parlamento britânico, que tinha escrito para protestar contra a abdução de Edgardo. O cardeal respondeu que não tinha poderes para intervir, e acrescentou: "Aqui pode ser oportuno observar que, se a voz da natureza é poderosa, ainda mais poderosos são os deveres sagrados da religião". Bem, isso diz tudo, não diz?

Em segundo lugar está o fato extraordinário de que os padres, os cardeais e o papa pareciam genuinamente não compreender que coisa terrível estavam fazendo com o pobre Edgardo Mortara. Isso supera qualquer entendimento sensato, mas eles sinceramente acreditavam que estavam fazendo um bem a ele ao tirá-lo de seus pais e dar-lhe uma educação católica. Sentiam que tinham o dever de *protegê-lo*! Um jornal católico nos Estados Unidos defendeu a posição do papa no caso Mortara, argumentando que era impensável que um governo cristão "deixasse uma criança cristã ser criada por um judeu" e invocando o princípio da liberdade de religião, "a liberdade de uma criança de ser cristã, e não forçada compulsoriamente a ser judia [...] A proteção da criança pelo Santo Padre, diante de todo o fanatismo e intolerância ferozes, é o espetáculo moral mais grandioso de eras e eras no mundo". Terá havido alguma vez uma distorção tão flagrante de palavras como "forçada", "compulsoriamente", "ferozes", "fanatismo" e "intolerância"? E ainda assim há todas as indicações de que os apologistas católicos, do papa para baixo, sinceramente acreditavam estar fazendo a coisa certa: absolutamente certa em termos morais e para o bem-estar da criança. Esse é o enorme poder da religião (normal, "moderada") de desvirtuar o juízo e perverter a decência humana. O jornal *Il Cattolico* estava francamente estupefato com a cegueira generalizada em relação ao favor magnânimo que a Igreja tinha feito a Edgardo Mortara quando o resgatou de sua família judia:

> Qualquer um de nós que pensar seriamente sobre a questão, que comparar a condição de um judeu — sem uma Igreja de verdade, sem um rei, e sem um país, dispersos e sempre estrangeiros onde quer que vivam na face da Terra, e, mais que tudo, famosos pela terrível mancha que marca os assassinos de Cristo [...] entenderá imediatamente a grande vantagem temporal que o papa está obtendo para o menino Mortara.

Em terceiro lugar está a presunção com que as pessoas religiosas *sabem*, sem evidências, que a fé em que nasceram é a única fé verdadeira, e que todas as outras são aberrações ou simplesmente mentiras. As citações acima são exemplos claros dessa atitude por parte dos cristãos. Seria totalmente injusto equiparar os dois lados nesse caso, mas aqui é um bom lugar para lembrar que os Mortara poderiam, de um golpe só, conseguir Edgardo de volta, se tivessem aceitado as súplicas dos padres e concordado em ser eles batizados. Edgardo havia sido roubado por causa de uns pingos de água e uma dúzia de palavras sem sentido. A insensatez da cabeça doutrinada pela religião é tamanha que outro par de respingos era o que bastava para reverter o processo. Para alguns de nós, a recusa dos pais indica uma teimosia injustificada. Para outros, sua postura firme os coloca na longa lista de mártires de todas as religiões ao longo dos séculos.

"Console-se, mestre Ridley, e seja homem: acenderemos hoje pela graça de Deus na Inglaterra uma chama que, confio, jamais será apagada." Sem dúvida existem causas pelas quais é nobre morrer. Mas como os mártires Ridley, Latimer e Cranmer puderam se deixar queimar só para não abrir mão de seu lado-pequenense protestante e adotar o lado-grandense católico — faz tanta diferença assim de que lado quebrar um ovo cozido? Tamanha é a convicção teimosa — ou admirável, se você vê assim — da mente religiosa que os Mortara não foram capazes de ceder e aproveitar a oportunidade proporcionada pelo ritual sem sentido do batismo. Será que eles não podiam ter cruzado os dedos, ou sussurrado um "não" bem baixinho enquanto fossem batizados? Não, não podiam, porque tinham sido criados sob uma religião (moderada), e portanto levavam toda aquela farsa ridícula a sério. Eu, do meu lado, só penso no pobre Edgardo — nascido involuntariamente num mundo dominado pelo pensamento religioso, desgraçado em meio ao fogo cruzado, praticamente tornado órfão num ato bem-intencionado, mas, para uma criança, devastadoramente cruel.

Em quarto lugar, para ficar no mesmo tema, está a suposição de que se possa dizer que uma criança de seis anos tem uma religião, seja ela a judaica ou a cristã ou qualquer outra. Para usar outras palavras, a ideia de que batizar uma criança inconsciente pode mudá-la de uma religião para outra em um só golpe parece absurda — mas certamente não é mais absurda que rotular uma criancinha como pertencente a qualquer religião específica. O que importava para Edgardo não era a "sua" religião (ele era pequeno demais para possuir opiniões religiosas ponderadas), mas o amor e o cuidado de seus pais e sua família, e ele foi privado dos dois por padres celibatários cuja crueldade grotesca só era mitigada pela insensibilidade crassa aos sentimentos humanos normais — insensibilidade da qual uma cabeça sequestrada pela fé religiosa é presa fácil.

Mesmo sem a abdução física, não é sempre uma forma de abuso infantil classificar que crianças possuam crenças sobre as quais elas são pequenas demais para ter refletido? Mas a prática persiste até hoje, quase totalmente inquestionada. Questioná-la é meu principal objetivo neste capítulo.

## ABUSO FÍSICO E MENTAL

Abuso de crianças por padres hoje em dia significa abuso sexual, e sinto-me obrigado, logo de saída, a colocar a questão do abuso sexual em suas devidas proporções para tirá-la da frente. Já se falou que vivemos numa época de histeria com a pedofilia, uma psicologia de massas que faz lembrar as caças às bruxas de Salem em 1692. Em julho de 2000, o *News of the World*, aclamado, em meio à forte concorrência, como o jornal mais repugnante da Grã-Bretanha, organizou uma campanha de deduragem, chegando a quase incitar os vigilantes a tomar atitudes violentas diretas contra os pedófilos. A casa de um pediatra sofreu ataques de fanáticos que não sabiam a diferença entre um pediatra e um pedófilo.[136] A histeria em massa com os pedófilos alcançou proporções de epidemia e levou pânico aos pais. Os Just Williams de hoje, os Huck Finns de hoje, as Andorinhas e Amazonas de hoje estão sendo privados da liberdade de movimento que era um dos pontos altos da infância de antigamente (quando o risco verdadeiro, não a sensação de risco, de molestação provavelmente não era menor).

Para fazer justiça com o *News of the World*, na época da campanha os espíritos estavam acirrados por causa de um assassinato odioso, por motivações sexuais, de uma menina de oito anos sequestrada em Sussex. Mesmo assim, é claramente injusto lançar contra todos os pedófilos uma vingança apropriada à minúscula minoria de assassinos. Os três internatos que frequentei empregavam professores cujo apego aos meninos ultrapassava as fronteiras da adequação. Isso era repreensível. Ainda assim, se, cinquenta anos depois, eles fossem classificados por ativistas ou advogados como a mesma coisa que assassinos de crianças, eu me veria obrigado a sair em defesa deles, mesmo tendo sido vítima de um (uma experiência embaraçosa mas inofensiva).

A Igreja Católica Apostólica Romana ficou com uma fração pesada desse opróbrio retrospectivo. Por muitos motivos diferentes, não gosto da Igreja Católica. Mas gosto menos ainda de injustiça, e não consigo deixar de questionar se essa instituição não foi injustamente demonizada nessa questão, especialmente na Irlanda e nos Estados Unidos. Imagino que parte do ressentimento público venha da hipocrisia dos padres cuja vida profissional é devotada a suscitar a culpa pelo "pecado". E há o abuso de confiança por uma figura de autoridade, que a criança foi treinada a reverenciar desde o berço. Esses ressentimentos adicionais fazem com que devamos ter ainda mais cuidado em não fazer juízos apressados. Devemos ter consciência do incrível poder da mente de criar falsas lembranças, especialmente quando incentivada por terapeutas inescrupulosos e advogados mercenários. A psicóloga Elizabeth Loftus demonstrou grande coragem, diante de interesses velados e malignos, ao comprovar como é fácil para as pessoas criar lembranças que são totalmente falsas mas que, para a vítima, são tão reais quanto as lembranças verdadeiras.[137] Trata-se de uma coisa tão contraintuitiva que os júris são facilmente influenciados pelo depoimento sincero, mas falso, das testemunhas.

No caso específico da Irlanda, mesmo sem o abuso sexual, a brutalidade dos Irmãos Cristãos,[138] responsáveis pela educação de uma parcela significativa da população masculina do país, é lendária. E pode-se dizer o mesmo das freiras frequentemente sádicas e cruéis que dirigem muitas das escolas irlandesas para meninas. Os notórios Lares de Madalena, tema do filme *Em nome de Deus*, de Peter Mullan, continuaram existindo até 1996. Quarenta anos depois, é mais difícil obter indenizações para surras que para afagos sexuais, e não são poucos os advogados cobrando taxas de vítimas que, se não fosse isso, não estariam vasculhando passado tão distante. Aqueles apertões tão antigos na sacristia valem ouro — alguns tão antigos que o acusado está provavelmente morto e incapaz de mostrar seu lado da história. A Igreja Católica no mundo todo já pagou mais de 1 bilhão de dólares em indenizações.[139] Dá quase para se solidarizar com ela, enquanto não lembramos de onde, afinal, veio o dinheiro.

Uma vez, depois de uma palestra em Dublin, perguntaram-me o que eu achava dos casos amplamente divulgados de abuso sexual por padres católicos na Irlanda. Respondi que, por mais horrível que o abuso sexual sem dúvida seja, o prejuízo pode ser menor que o prejuízo infligido pela atitude de educar a criança dentro da religião católica. Foi uma declaração instintiva feita no calor do momento, e fiquei surpreso com o fato de ela ter ganhado uma salva de palmas entusiasmada por parte do público irlandês (composto, reconheço, de intelectuais de Dublin e provavelmente nada representativo do país em geral). Mas lembrei-me do incidente depois, quando recebi uma carta de uma americana de cerca de quarenta anos que tinha sido criada como católica. Aos sete anos, contou, duas coisas desagradáveis aconteceram com ela. Sofreu abuso sexual por parte do padre de sua paróquia, no carro dele. E, mais ou menos na mesma época, uma amiguinha da escola, que tragicamente tinha morrido, foi para o inferno por ser protestante. Ou pelo menos foi o que ela foi levada a crer pela doutrina então oficial da igreja de seus pais. Sua visão de adulta era que, desses dois exemplos de abuso infantil pela Igreja Católica, um físico e um mental, o segundo foi de longe pior. Ela escreveu:

> Ser apalpada pelo padre só deixou uma sensação (na cabeça de uma menina de sete anos) de "nojo", enquanto a lembrança de minha amiga indo para o inferno é de um medo gelado, incomensurável. Nunca perdi o sono por causa do padre — mas passei muitas noites aterrorizada com o medo de que as pessoas que eu amava fossem para o Inferno. Aquilo me causou pesadelos.

Reconheço que as apalpadas que ela sofreu no carro do padre foram relativamente leves se comparadas com, por exemplo, a dor e o nojo de um sacristão sodomizado. E hoje em dia dizem que a Igreja Católica já não dá tanta ênfase ao inferno como fazia antes. Mas o exemplo mostra que é pelo menos possível que o abuso psicológico de crianças supere o físico. Dizem que Alfred Hitchcock, o grande cineasta especialista na arte de assustar as pessoas, estava uma vez dirigindo na Suíça quando de repente apontou pela janela do carro e disse: "Essa é a cena mais aterrorizante que já vi". Era um padre conversando com um menininho, a mão dele sobre o ombro do garoto. Hitchcock pôs a cabeça para fora do carro e gritou: "Fuja, menininho! Salve sua vida!".

"Pedras e paus podem me quebrar os ossos, mas palavras jamais vão me machucar." O provérbio é verdadeiro desde que você não *acredite* de verdade nas palavras. Mas se toda a sua educação, e tudo o que seus pais, professores e padres lhe disseram fizer com que você acredite, *acredite mesmo*, absoluta e completamente, que os pecadores queimam no inferno (ou em algum outro item ridículo de doutrina como o de que a mulher é propriedade do marido), é totalmente plausível que as palavras possam ter um efeito mais duradouro e prejudicial que ações. Estou convencido de que o termo "abuso infantil" não é exagero quando usado para descrever o que professores e padres estão fazendo com crianças que incentivam a acreditar em coisas como a punição de pecados mortais inconfessos num inferno eterno.

No documentário para a televisão *Root of all evil?*, ao qual já me referi, entrevistei vários líderes religiosos e fui criticado por pegar no pé de extremistas americanos, e não de representantes da corrente principal como arcebispos.* Parece uma crítica justa — exceto pelo fato de que, nos Estados Unidos do século XXI, o que *parece* extremo para o mundo exterior na verdade é a corrente dominante. Um dos meus entrevistados que mais chocou a audiência da televisão britânica, por exemplo, foi o pastor Ted Haggard, de Colorado Springs. Mas, longe de ser um extremo na América de Bush, o "pastor Ted" é presidente da Associação Nacional de Evangélicos, que conta com 30 milhões de integrantes, e alega ser consultado por telefone pelo presidente Bush toda segunda-feira. Se eu quisesse entrevistar extremistas de verdade pelos padrões americanos modernos, eu teria procurado os "reconstrucionistas", cuja "Teologia da Dominação" prega abertamente uma teocracia cristã nos Estados Unidos. Um colega americano preocupado escreveu:

> Os europeus precisam saber que há um teoshow itinerante de aberrações que defende a restituição da lei do Antigo Testamento — matar homossexuais etc. — e que o direito de ocupar cargos públicos, e até de votar, fique só com cristãos. Multidões da classe média vibram com essa retórica. Se os secularistas não ficarem

* O arcebispo de Canterbury, o cardeal-arcebispo de Westminster e o rabino-chefe da Grã-Bretanha foram convidados a ser entrevistados por mim. Todos recusaram, sem dúvida com bons motivos. O bispo de Oxford concordou, e foi encantador, e ficou longe de ser extremista, como os outros certamente também teriam ficado.

atentos, dominionistas e reconstrucionistas serão em breve a corrente principal numa verdadeira teocracia americana.*

Outro de meus entrevistados para o programa foi o pastor Keenan Roberts, do mesmo estado do Colorado do pastor Ted. O tipo específico de loucura do pastor Roberts assume a forma do que ele chama de Casas do Inferno. Uma Casa do Inferno é um lugar onde as crianças são ensinadas, por seus pais ou suas escolas cristãs, a ter um medo estúpido do que pode acontecer com elas depois que morrerem. Atores fazem encenações aterradoras de "pecados" específicos, como o aborto e a homossexualidade, com a presença maligna de um diabo de capa escarlate. Essas encenações são um prelúdio para a *pièce de résistance*, o Inferno Ele-Mesmo, com direito a cheiro de enxofre realista e gritos agonizantes dos eternamente amaldiçoados.

Depois de assistir a um ensaio, em que o demônio era bem diabólico, no estilo batido de um vilão de melodrama vitoriano, entrevistei o pastor Roberts na presença de seu elenco. Ele me disse que a idade ideal para uma criança visitar uma Casa do Inferno é doze anos. Aquilo me deixou meio chocado, e pergun-

* A seguinte história parece ser real, embora no começo eu tenha desconfiado que fosse um golpe satírico do *The Onion*: www.talk2action.org/story/2006/5/29/195855/959. É um jogo de computador chamado *Left Behind: Eternal Forces* [Deixado para trás: forças eternas]. P. Z. Myers resumiu-o em seu excelente blog Pharyngula. "Imagine: você é um soldado de infantaria em um grupo paramilitar cujo objetivo é reconstruir os Estados Unidos na forma de uma teocracia cristã e estabelecer sua visão de mundo do domínio de Cristo sobre todos os aspectos da vida [...] Você faz parte de uma missão — uma missão tanto religiosa como militar — para converter ou matar católicos, judeus, muçulmanos, budistas, gays e qualquer pessoa que defenda a separação entre Igreja e Estado [...]" Veja http://scienceblogs.com/pharyngula/2006/05/gta_meet_lbef.php; para uma resenha, veja http://select.nytimes.com/gst/abstract.html?res=F1071FFD3C550C718CDDAA0894DE404482.

tei a ele se não o preocupava o fato de que uma criança de doze anos tivesse pesadelos depois de uma de suas apresentações. Ele respondeu, presumo que com honestidade:

> Prefiro que elas entendam que o Inferno é um lugar para o qual elas absolutamente não vão querer ir. Prefiro levar essa mensagem a elas aos doze anos a ficar sem levar a mensagem e deixá-las viver uma vida de pecado, sem nunca encontrar o Senhor Jesus Cristo. E, se elas acabarem tendo pesadelos, por ter passado por isso, acho que será um bem maior a ser conquistado e realizado na vida delas do que só ter pesadelos.

Imagino que, se você real e verdadeiramente acreditasse no que o pastor Roberts diz acreditar, também acharia certo intimidar crianças.

Não podemos desqualificar o pastor Roberts como um maluco extremista. Assim como Ted Haggard, ele faz parte da corrente dominante nos Estados Unidos de hoje. Eu ficaria surpreso se eles engolissem a crença de alguns religiosos como eles de que é possível ouvir os gritos dos amaldiçoados se se colocar o ouvido dentro de vulcões,[140] e de que anelídeos gigantes encontrados em vulcões submersos são a concretização de Marcos 9, 43-44: "E, se tua mão te faz tropeçar, corta-a; pois é melhor entrares maneta na vida do que, tendo as duas mãos, ires para o inferno, para o fogo inextinguível: onde não lhes morre o verme, nem o fogo se apaga". Como quer que eles acreditem que seja o inferno, todos esses entusiastas do fogo infernal parecem ter a mesma *Schadenfreude* e arrogância exultante dos que sabem que estarão entre os que serão salvos, bem descrita pelo maior dos teólogos, são Tomás de Aquino, na *Suma teológica*: "Para que os santos possam aproveitar com mais abundância sua beatitude e a graça de Deus, eles têm a permissão de ver a punição dos condenados no inferno". Que bom homem.*

O medo do fogo do inferno pode ser muito real, mesmo entre pessoas em princípio racionais. Depois do meu documentário sobre religião para a TV, entre as muitas cartas que recebi estava esta, de uma mulher obviamente inteligente e honesta:

> Fui para uma escola católica aos cinco anos, e fui doutrinada por freiras armadas de varas, chicotes e bastões. Durante minha adolescência li Darwin, e o que ele disse sobre a evolução fez um enorme sentido na parte lógica de minha cabeça. Mas tenho vivido com muitos conflitos e tenho um medo, lá no fundo, do fogo do inferno, que é deflagrado com bastante frequência. Já fiz um pouco de psicoterapia, que me permitiu trabalhar alguns de meus problemas mais antigos, mas não consigo superar esse medo profundo.
>
> Por isso, o motivo pelo qual lhe escrevo é pedir que por favor me envie o nome e o endereço da terapeuta que você entrevistou no programa desta semana, que trata desse medo específico.

Fiquei tocado com a carta dela, e (segurando o impulso momentâneo e ignóbil de lamentar que não haja um inferno para onde aquelas freiras pudessem ir) respondi que ela devia confiar em sua razão, um grande dom que ela — diferentemente de pessoas mais infelizes — obviamente possuía. Sugeri que a repulsividade extrema do inferno, do modo como ele é pintado por padres e freiras, é inflacionada para compensar sua implausibilidade. Se o inferno fosse plausível, ele só teria de ser moderadamente desagradável para ter poder de dissuasão. Como é tão improvável,

* Compare com a caridade cristã encantadora de Ann Coulter: "Desafio qualquer religioso como eu a dizer que não ri com a imagem de Dawkins queimando no inferno" (Coulter 2006, 268).

precisa ser anunciado como muitíssimo assustador, para compensar sua implausibilidade e reter algum poder de dissuasão. Também a coloquei em contato com a terapeuta mencionada por ela, Jill Mytton, uma mulher agradabilíssima e profundamente sincera que eu havia entrevistado diante das câmeras. Jill foi educada dentro de uma seita mais repugnante que o normal, chamada Irmãos Exclusivistas: tão desagradável que existe até um site na internet, www.peebs.net, totalmente dedicado a ajudar aqueles que conseguiram escapar dela.

Jill Mytton foi ensinada a ter pavor do inferno, fugiu do cristianismo quando ficou adulta e hoje orienta e ajuda outras pessoas que foram igualmente traumatizadas na infância: "Se eu pensar em minha infância, ela foi dominada pelo medo. E era o medo da desaprovação no presente, mas também o da condenação eterna. E, para uma criança, as imagens do fogo do inferno e do ranger de dentes são bastante reais. Não são nada metafóricas". Pedi então a ela que reproduzisse o que lhe haviam dito sobre o inferno, quando ela era criança, e a resposta foi tão tocante quanto a expressão de seu rosto durante a longa hesitação antes de dizer: "É estranho, não é? Depois de todo esse tempo isso ainda tem o poder de... me abalar... quando você... quando você me faz essa pergunta. O inferno é um lugar apavorante. É a completa rejeição por Deus. É o juízo final, há fogo de verdade, há tormentos de verdade, tortura de verdade, e isso continua para sempre, portanto não há descanso".

Ela prosseguiu me contando sobre o grupo de apoio que comanda para refugiados de uma infância semelhante à dela, e falou de como é difícil para muitos deles deixar o culto: "O processo de sair é extraordinariamente difícil. Ah, você está deixando para trás toda uma rede social, todo um sistema em que você praticamente cresceu, está deixando para trás um sistema de crença que manteve por anos. Muitas vezes você abandona familiares e amigos... Você deixa de existir para eles". Pude contribuir contando minha experiência com as cartas de americanos dizendo que leram meus livros e abriram mão de sua religião em consequência disso. É desconcertante o número dos que continuam dizendo que não se atrevem a contar à família, ou que contaram à família e tiveram resultados terríveis. O texto a seguir é típico. O autor é um jovem estudante de medicina americano:

> Senti a necessidade de escrever-lhe uma mensagem porque compartilho de sua visão sobre a religião, uma visão que, tenho certeza de que você sabe disso, provoca isolamento nos Estados Unidos. Cresci numa família cristã e, embora nunca tenha engolido muito bem a ideia da religião, só recentemente tive coragem de contar isso para alguém. Esse alguém era minha namorada, que ficou [...] horrorizada. Sei que uma declaração de ateísmo pode causar choque, mas agora é como se ela me visse como uma pessoa completamente diferente. Ela diz que não pode confiar em mim porque meus princípios morais não vêm de Deus. Não sei como vamos superar isso, e não quero dividir minha crença com outras pessoas próximas a mim porque temo a mesma reação de desgosto [...] Não tenho a expectativa de que me responda. Só escrevo porque imaginei que você se solidarizaria comigo e teria a mesma frustração. Imagine perder alguém que você amava, e que o amava, por causa da religião. Tirando a ideia dela de que agora sou um gentio herege, éramos perfeitos um para o outro. Isso me faz lembrar de sua observação de que as pessoas fazem coisas insanas em nome da fé. Obrigado pela atenção.

Respondi a esse rapaz infeliz ressaltando que, se a namorada havia descoberto alguma coisa sobre ele, ele também tinha descoberto algo sobre ela. Ela era mesmo boa o suficiente para ele? Eu duvidava.

Já mencionei a atriz e comediante americana Julia Sweeney e sua luta determinada e engraçada para encontrar algum traço redentor na religião e de resgatar o Deus de sua infância de suas dúvidas de adulta. A busca acabou tendo um final feliz, e hoje ela é um exemplo admirável para jovens ateus de qualquer lugar. O *dénouement* é talvez a cena mais emocionante do show dela, *Letting go of God*. Ela havia tentado de tudo. E então

> quando eu ia do meu escritório, no quintal, para minha casa, percebi que havia uma vozinha sussurrando na minha cabeça. Não tenho certeza de há quanto tempo ela estava lá, mas de repente ela ficou um decibelzinho mais alta. Ela sussurrou: "Deus não existe".
>
> E tentei ignorá-la. Mas ela ficou um pouquinho mais alta. "Deus não existe. Deus não existe. *Ai, meu Deus, Deus não existe*". [...]
>
> E estremeci. Senti que estava escorregando da tábua de salvação.
>
> E então pensei: "Mas não consigo. Não sei se eu *consigo* não acreditar em Deus. Preciso de Deus. Quer dizer, temos uma história juntos".
>
> "Mas não sei não acreditar em Deus. Não sei fazer isso. Como levantar da cama, como levar o dia? Me senti desequilibrada [...]
>
> Pensei: "O.k., calma. Vamos experimentar por um minuto os óculos de não-acreditar-em-Deus. Só coloque os óculos e dê uma rápida espiada com eles, e depois imediatamente os jogue fora". E coloquei os óculos e dei uma olhada em volta.
>
> Tenho vergonha de contar que no começo fiquei tonta. Cheguei a pensar: "Tudo bem, como a Terra fica pendurada no céu? Quer dizer que estamos voando pelo espaço? Isso é tão vulnerável!". E tive vontade de correr e pegar a Terra que caía do espaço nas minhas mãos.
>
> E então lembrei: "Ah é, a gravidade e a velocidade angular vão nos manter revolvendo em torno do Sol provavelmente por muito, muito tempo".

Quando assisti a *Letting go of God* num teatro de Los Angeles, fiquei profundamente emocionado com essa cena. Especialmente quando Julia contou depois sobre a reação dos pais dela a uma reportagem sobre sua cura:

> A primeira ligação da minha mãe era mais um grito. "Ateia? ATEIA?!?!"
>
> Meu pai ligou e disse: "Você traiu sua família, sua escola, sua cidade". Foi como se eu tivesse vendido segredos para os russos. Os dois disseram que não iam mais falar comigo. Meu pai disse: "Não quero que você vá nem ao meu enterro". Depois que eu desliguei, pensei: "Quero ver você tentar me impedir".

Parte do dom de Julia Sweeney é fazer você rir e chorar ao mesmo tempo.

> Acho que meus pais tinham ficado levemente decepcionados quando eu disse que não acreditava mais em Deus, mas ser *ateia* era uma coisa completamente diferente.

O livro *Losing faith in faith: >From preacher to atheist* [Perdendo a fé na fé: de pregador a ateu], de Dan Barker, é a história da conversão gradativa dele de ministro fundamentalista e pastor viajante até o ateu contundente e convicto que é hoje. O significativo é que Barker continuou maquinalmente a pregar o cristianismo por um tempo mesmo depois de ter se tornado ateu, porque era a única carreira que ele conhecia, e ele se sentia enredado numa teia de obrigações sociais. Hoje ele conhece muitos outros religiosos americanos que estão na mesma posição que ele estava, mas que o confidenciaram só a ele, depois de ler seu livro. Não se atrevem a admitir o ateísmo nem mesmo à própria família, tão terrível é a reação que acreditam que isso provocará. A história de Barker teve uma conclusão mais feliz. Para começar, seus pais ficaram profunda e agonizantemente chocados. Mas ouviram seu raciocínio calmo e acabaram eles mesmos se tornando ateus.

Dois professores de uma universidade nos Estados Unidos escreveram-me, independentemente um do outro, para falar de seus pais. Um disse que a mãe sofre de uma tristeza permanente, porque teme pela alma imortal dele. O outro disse que o pai preferiria que ele jamais tivesse nascido, tão convencido está de que o filho vai passar a eternidade no inferno. Trata-se de professores universitários de instrução elevadíssima, confiantes em sua sapiência e em sua maturidade, que, presume-se, deixaram os pais para trás em todas as questões do intelecto, não só na religião. Imagine como deve ser difícil para pessoas menos robustas em termos intelectuais, menos equipadas pela educação e pela habilidade retórica que eles, ou que Julia Sweeney, para argumentar sua posição diante de familiares obstinados. Como também provavelmente deve ter sido para muitos dos pacientes de Jill Mytton.

Num ponto anterior de nossa conversa televisionada, Jill tinha descrito esse tipo de criação religiosa como uma forma de abuso mental, e retomei esse ponto dizendo: "Você usa as palavras abuso religioso. Se você fosse comparar o abuso que é criar uma criança acreditando de verdade no inferno... como você acha que isso se compara, em termos de trauma, ao abuso sexual?". Ela respondeu: "Essa é uma pergunta muito difícil... Acho que na verdade há muitas semelhanças, porque se trata de um abuso de confiança; trata-se de negar à criança o direito de sentir-se livre e aberta para relacionar-se normalmente com o mundo... é uma forma de denegrição; é uma forma de negação do eu verdadeiro em ambos os casos".

Meu colega, o psicólogo Nicholas Humphrey, usou o provérbio dos "paus e pedras" para abrir sua Palestra da Anistia em Oxford em 1997.[141] Humphrey começou sua palestra argumentando que o provérbio nem sempre é verdadeiro, e citou o caso de haitianos que acreditam em vodus e que morrem, aparentemente devido a um efeito psicossomático do pavor, dias depois de ter um "feitiço" maligno lançado sobre eles. Ele então perguntou se a Anistia Internacional, a beneficiária da série de palestras para a qual ele estava contribuindo, deveria ou não fazer campanhas contra discursos ou publicações injuriosas ou prejudiciais. Sua resposta foi um rotundo não a esse tipo de censura em geral: "A liberdade de expressão é uma liberdade preciosa demais para mexermos com ela". Mas ele prosseguiu, entrando em choque com sua personalidade de liberal, na defesa de uma exceção importante: argumentar a favor da censura no caso especial

> da educação moral e religiosa de crianças, e principalmente da educação que a criança recebe em casa, onde os pais podem — e até há a expectativa de que façam isso — determinar para seus filhos o que conta como verdade e mentira, certo e errado. As crianças, argumentarei, têm o direito humano de não ter a cabeça aleijada pela exposição às péssimas ideias de outras pessoas — não importa quem sejam essas outras pessoas. Os pais, da mesma maneira, não possuem permissão divina para aculturar os filhos do modo que bem quiserem: não têm o direito de limitar os horizontes do conhecimento dos filhos, de criá-los numa atmosfera de dogma e superstição, ou de insistir que eles sigam os caminhos estreitos e predefinidos de sua própria fé.
>
> Em resumo, as crianças têm o direito de não ter a cabeça confundida por absurdos, e nós, como sociedade, temos o dever de

protegê-las disso. Portanto não devemos permitir que os pais ensinem os filhos a acreditar, por exemplo, na veracidade literal da Bíblia ou que os planetas governam sua vida, assim como não permitimos que eles arranquem os dentes dos filhos ou os tranquem num calabouço.

É claro que uma declaração tão contundente como essa precisa de muitas especificações — e teve. Não é questão de opinião decidir o que é absurdo? A ciência ortodoxa já não sofreu bastante para que saibamos que é preciso ter cuidado? Os cientistas podem achar que é absurdo ensinar astrologia e a veracidade literal da Bíblia, mas existem outras pessoas que acham o contrário, e elas não têm o direito de ensinar isso a seus filhos? Insistir que a ciência é que deve ser ensinada às crianças não é uma posição tão arrogante quanto?

Agradeço aos meus pais por adotar a opinião de que o mais importante não é ensinar às crianças *o que* pensar, mas *como* pensar. Se depois de ter sido expostas de forma justa e adequada a todas as evidências científicas elas crescerem e decidirem que a Bíblia diz a verdade literal ou que o movimento dos planetas governa suas vidas, é direito delas. O essencial é que é direito *delas* decidir o que pensarão, e não dos pais de impô-lo por *force majeure*. E isso, evidentemente, tem uma importância especial quando lembramos que as crianças serão os pais da geração seguinte, em posição de passar para a frente a doutrinação que as possa ter moldado.

Humphrey sugere que, enquanto as crianças forem pequenas, vulneráveis e carentes de proteção, a verdadeira proteção moral é demonstrada pela tentativa honesta de adivinhar o que elas *escolheriam* por si próprias se tivessem idade suficiente. Ele cita o exemplo tocante de uma menina inca cujos restos mortais de quinhentos anos foram encontrados congelados nas montanhas do Peru em 1995. O antropólogo que a descobriu escreveu que ela foi vítima de um ritual de sacrifício. Segundo o relato de Humphrey, um documentário sobre essa jovem "menina de gelo" foi exibido pela televisão americana. Os telespectadores foram convidados a

> se maravilhar com o comprometimento espiritual dos sacerdotes incas e a compartilhar com a menina, em sua última viagem, seu orgulho e sua empolgação por ter sido escolhida para a extraordinária honra de ser sacrificada. A mensagem do programa de televisão era, na prática, a de que o sacrifício humano era, à sua maneira, uma intervenção cultural gloriosa — mais uma joia na coroa do multiculturalismo, se você preferir.

Humphrey ficou escandalizado, e eu também.

> Como alguém ousa sugerir tal coisa? Como se atrevem a nos convidar — em nossas salas de estar, assistindo à tevê — a nos sentirmos enlevados pela contemplação de um ato de assassinato ritualístico: o assassinato de uma criança indefesa por um grupo de velhos estúpidos, inchados, supersticiosos e ignorantes? Como se atrevem a nos convidar a ver algo de bom na contemplação de uma ação imoral contra outra pessoa?

Mais uma vez, o leitor liberal e decente pode sentir um pouco de desconforto. Imoral pelos nossos padrões, certamente, e estúpida, mas e quanto aos padrões incas? Para os incas, o sacrifício não era um ato moral e nada estúpido, autorizado por tudo o que eles consideravam sagrado? A menina era, sem dúvida, fiel à religião em que fora criada. Quem somos nós para usar uma palavra como "assassinato", julgando os sacerdotes incas por nossos próprios padrões, em vez de pelos deles? Talvez a menina estivesse arrebatadoramente feliz com seu destino; talvez ela realmente acreditasse que estava indo direto para o paraíso eterno, aquecida pela companhia radiante do Deus Sol. Ou talvez — como é bem mais provável — ela tenha gritado de pavor.

A tese de Humphrey — e minha — é que, independentemente de ela ter sido ou não uma vítima consentida, há fortes motivos para supor que ela não teria dado seu consentimento se tivesse pleno domínio dos fatos. Suponha, por exemplo, que ela soubesse que o Sol na verdade é uma bola de hidrogênio, mais quente que 1 milhão de graus Kelvin, convertendo-se em hélio pela fusão nuclear, e que ele se formou originalmente de um disco de gás, a partir do qual o resto do sistema solar, incluindo a Terra, também se condensou... Presume-se, então, que ela não teria idolatrado o Sol como se fosse um deus, e isso teria alterado sua perspectiva sobre ser sacrificada para agradar-lhe.

Não se pode culpar os sacerdotes incas por sua ignorância, e talvez seja rude chamá-los de estúpidos e inflados. Mas pode-se culpá-los por ter empurrado suas crenças para uma criança que era pequena demais para decidir se deveria ou não idolatrar o Sol. A tese adicional de Humphrey é que os autores do documentário atual, e seu público, podem ser acusados de ver beleza na morte da menina — "algo que enriquece *nossa* cultura coletiva". A mesma tendência a glorificar o exotismo de costumes religiosos étnicos, e de justificar crueldades em nome dele, aparece a todo momento. Ela é a fonte de conflitos internos na cabeça de pessoas liberais e de bem que, por um lado, não suportam o sofrimento e a crueldade, mas por outro foram treinadas por pós-modernistas e relativistas a respeitar as outras culturas tanto quanto a sua. A mutilação genital (às vezes chamada de circuncisão) feminina é sem dúvida terrivelmente dolorosa, e sabota o prazer sexual das mulheres (na verdade, esse provavelmente é seu propósito subjacente), e uma metade da cabeça liberal quer abolir a prática. A outra metade, porém, "respeita" as culturas étnicas e acha que não devemos interferir se "eles" quiserem mutilar as meninas "deles".* A questão, é claro, é que as meninas "deles" na verdade são as meninas *das meninas*, e a vontade delas não deve ser ignorada. Mais difícil é responder: e se uma garota disser que quer ser circuncidada? Mas ela, sendo plenamente adulta, em retrospectiva não *gostaria* que aquilo nunca tivesse acontecido? Humphrey afirma que nenhuma mulher adulta que tenha deixado de ser circuncidada quando criança se apresenta como voluntária para a operação quando mais velha.

Depois de uma discussão sobre os amish, e seu direito de educar "seus próprios filhos" a "seu próprio" modo, Humphrey é duro ao falar de nosso entusiasmo, como sociedade, pela

> manutenção da diversidade cultural. Tudo bem, você pode dizer, é difícil para uma criança amish, ou hassídica, ou cigana, ser moldada por seus pais como são — mas pelo menos o resultado é que essas tradições culturais fascinantes subsistem. Nossa civilização não ficaria mais pobre se elas fossem eliminadas? É uma pena, talvez, que indivíduos tenham de ser sacrificados para manter essa diversidade. Mas é o preço que pagamos como sociedade. Só que, sinto-me obrigado a lembrar, não somos nós que pagamos, são *eles*.

A questão ganhou atenção pública em 1972, quando a Suprema Corte dos Estados Unidos deu um veredicto num caso exemplar, Wisconsin contra Yoder, que dizia respeito ao direito dos pais de tirar seus filhos da escola por motivos religiosos. Os amish vivem em comunidades fechadas em várias regiões dos Estados Unidos. A maioria fala um dialeto do alemão chamado holandês da Pensilvânia e rejeita, em vários graus, a eletricidade,

* Ela ainda é uma prática regular na Grã-Bretanha atual. Uma autoridade do sistema escolar contou-me de meninas britânicas que estavam sendo enviadas para um "tio", em Bradford, para ser circuncidadas, em 2006. As autoridades fazem vista grossa, com medo de ser consideradas racistas "na comunidade".

motores de combustão interna, zíperes e outras manifestações da vida moderna. Há, é verdade, algo de atraente e exótico numa ilha de vida do século XVII como espetáculo para o olhar de hoje. Não vale a pena preservá-la, em nome da riqueza da diversidade humana? E a única maneira de preservá-la é permitir que os amish eduquem seus filhos a seu próprio modo, e protejam-nos da influência maligna da modernidade. Mas, temos que nos perguntar, as próprias crianças não deveriam ter direito a uma opinião?

A Suprema Corte foi solicitada a decidir, em 1972, quando alguns pais amish em Wisconsin tiraram os filhos de escolas de ensino médio. A simples ideia da educação além de certa idade contrariava os valores religiosos dos amish, especialmente a educação científica. O estado do Wisconsin levou os pais ao tribunal, alegando que as crianças estavam sendo privadas de seu direito à educação. Depois de passar por várias instâncias da Justiça, o caso acabou chegando à Suprema Corte dos Estados Unidos, que deu um veredicto dividido (6 a 1) a favor dos pais.[142] A opinião da maioria, descrita pelo juiz-chefe Warren Burger, incluía o seguinte trecho: "Como mostra o histórico, a frequência compulsória à escola até a idade de dezesseis anos para crianças amish carrega consigo uma ameaça muito real de minar a comunidade e a prática religiosa dos amish da forma como elas existem hoje; elas têm ou de abandonar a crença e ser assimiladas pela sociedade em geral ou são forçadas a migrar para alguma outra região mais tolerante".

A opinião minoritária do juiz William O. Douglas foi que as próprias crianças deveriam ter sido consultadas. Elas realmente queriam abreviar sua educação? Queriam mesmo ficar na religião amish? Nicholas Humphrey teria ido mais além. Mesmo que as crianças tivessem sido consultadas e tivessem manifestado a preferência pela religião amish, dá para supor que elas fariam a mesma coisa se tivessem sido educadas e informadas sobre as alternativas disponíveis? Para que isso fosse plausível, não deveria haver exemplos de jovens do mundo exterior protestando e se apresentando como voluntários para se unirem aos amish? O juiz Douglas foi mais adiante, mas numa direção ligeiramente diferente. Ele não via nenhum motivo especial para dar às opiniões *religiosas* dos pais um status especial para decidir até onde se podia permitir a eles privar seus filhos da educação. Se a religião constitui a base para uma exceção, crenças laicas também não se qualificariam?

A maioria dos juízes da Suprema Corte traçou um paralelo com alguns valores positivos das ordens monásticas, cuja presença em nossa sociedade é passível de ser considerada enriquecedora. Mas, como afirma Humphrey, há uma diferença crucial. Os monges optam pela vida monástica, por livre e espontânea vontade. As crianças amish nunca optam por ser amish; elas nasceram dentro da comunidade e não tiveram escolha.

Há uma condescendência devastadora em sacrificar pessoas, especialmente crianças, no altar da "diversidade" e na virtude da preservação de uma variedade de tradições religiosas. O restante de nós vive feliz com nossos carros e computadores, vacinas e antibióticos. Mas vocês, pessoinhas exóticas com seus chapéus e calçolas, suas carroças, seu dialeto arcaico e suas casinhas de banho, vocês enriquecem nossa vida. É claro que se deve permitir que vocês aprisionem suas crianças em seu túnel do tempo seiscentista, senão perderíamos uma coisa irrecuperável: uma parte da maravilhosa diversidade da cultura humana. Uma pequena parte de mim consegue ver alguma coisa nisso. Mas a maior parte fica é com enjoo.

## UM ESCÂNDALO EDUCACIONAL

O primeiro-ministro de meu país, Tony Blair, invocou a "diversidade" quando desafiado na Câmara dos Comuns pela deputada Jenny Tonge a justificar o subsídio governamental a uma escola no nordeste da Inglaterra que (de forma quase isolada na Grã-Bretanha) ensina o criacionismo bíblico literal. O sr. Blair respondeu que seria triste se preocupações relativas àquela questão interferissem na obtenção de "um sistema escolar tão diverso como o que podemos ter".[143] A escola em questão, o Emmanuel College, em Gateshead, é uma das "academias municipais" criadas por uma iniciativa da qual o governo Blair se orgulha. Benfeitores ricos são incentivados a contribuir com uma soma relativamente pequena (2 milhões de libras, no caso do Emmanuel), que é completada por uma soma bem maior de dinheiro público (20 milhões de libras para a escola, mais os custos de administração e de salários, de forma perpétua), e que também dá ao benfeitor o direito de controlar o ethos da escola, a nomeação da maioria dos diretores, a política para exclusão ou inclusão de alunos e muito mais.

O benfeitor do Emmanuel College, com 10% dos custos, é sir Peter Vardy, um rico negociante de carros que tem o honorável desejo de dar às crianças de hoje a educação que ele gostaria de ter recebido, e o desejo menos honorável de incutir nelas suas convicções religiosas pessoais.* Vardy infelizmente se misturou com um grupinho de professores fundamentalistas de inspiração americana, liderado por Nigel McQuoid, que foi diretor do Emmanuel College e agora dirige um consórcio inteiro de escolas de Vardy. Dá para julgar o nível do entendimento científico de McQuoid por sua crença de que o mundo tem menos de 10 mil anos, e também pela seguinte declaração: "Mas pensar que evoluímos de uma explosão, que éramos macacos, isso parece inacreditável quando se olha para a complexidade do corpo humano [...] Se se

* H. L. Mencken foi profético quando escreveu: "No fundo do coração de todo evangelista há a carcaça de um vendedor de carros".

disser às crianças que a vida delas não tem um propósito — que elas são apenas uma mutação química —, isso não eleva a auto-estima".[144]

Nenhum cientista jamais sugeriu que uma criança seja uma "mutação química". O uso do termo nesse contexto é um absurdo iletrado, bem ao estilo das declarações do "bispo" Wayne Malcolm, líder da Igreja Municipal da Vida Cristã, em Hackney, no leste de Londres, que, de acordo com o *The Guardian* de 18 de abril de 2006, "questiona as evidências científicas da evolução". Dá para medir bem o entendimento que Malcolm tem das evidências que questiona pela sua afirmação de que "há claramente uma ausência de registros fósseis de níveis intermediários de desenvolvimento. Se um sapo virou um macaco, não deveria haver um monte de sacacos?".

A ciência também não é o forte do sr. McQuoid, portanto devemos, para ser justos, nos voltar para seu diretor científico, Stephen Layfield. No dia 21 de setembro de 2001, o sr. Layfield deu uma palestra no Emmanuel College sobre "O ensino da ciência: Uma perspectiva bíblica". O texto da palestra foi publicado por um site cristão na internet (www.christian.org.uk). Mas você não o encontrará lá agora. O Instituto Cristão removeu a palestra no mesmo dia em que chamei a atenção para ela num artigo no *Daily Telegraph* de 18 de março de 2002, em que a submeti a uma dissecação crítica.[145] É difícil, porém, eliminar uma coisa de modo permanente da rede mundial de computadores. As ferramentas de busca obtêm sua velocidade em parte porque mantêm caches de informação, e eles persistem inevitalmente por algum tempo, mesmo depois de os originais terem sido apagados. Um jornalista britânico atento, Andrew Brown, o primeiro correspondente do *The Independent* para questões religiosas, prontamente localizou a palestra de Layfield, baixou-a do cache do Google e a publicou, a salvo, em seu próprio site na internet, http://www.darwinwars.com/lunatic/liars/layfield.html. Você perceberá que as palavras usadas por Brown para a URL já são por si sós um material divertido de leitura. Elas perdem seu poder de diversão, no entanto, quando vemos o conteúdo em si da palestra.

Aliás, quando um leitor curioso escreveu para o Emmanuel College para peguntar por que a palestra havia sido retirada do site, recebeu a seguinte resposta hipócrita da escola, novamente registrada por Andrew Brown:

> O Emmanuel College ficou no centro de um debate a respeito do ensino da criação nas escolas. Na prática, o Emmanuel College recebeu um número enorme de requisições da imprensa. Isso envolveu uma quantidade considerável de tempo por parte do diretor e da diretoria da escola. Todas essas pessoas têm outras coisas para fazer. Para ajudar, removemos temporariamente uma palestra de Stephen Layfield de nosso site na internet.

Tudo bem que as autoridades da escola estivessem ocupadas demais para explicar aos jornalistas sua posição sobre o ensino do criacionismo. Mas por que, então, remover de seu site o texto de uma palestra que faz exatamente isso, e que poderiam ter indicado aos jornalistas, economizando assim um bom tempo? Não, eles retiraram a palestra de seu diretor científico porque admitiam que tinham algo a esconder. O parágrafo a seguir pertence ao início da palestra:

> Declaremos então, já de início, que rejeitamos a ideia popularizada, talvez inadvertidamente, por Francis Bacon no século XVII, de que há "Dois Livros" (isto é, o Livro da natureza e as Escrituras), que podem ser explorados de forma independente em busca da verdade. Em vez disso, baseamo-nos firmemente na alegação nua e crua de que Deus falou com autoridade e de forma infalível nas

> páginas das sagradas Escrituras. Por mais frágil, antiquada ou antiga que essa afirmação possa parecer, especialmente para uma cultura de descrentes, embriagada pela tevê, podemos ter a certeza de que é a fundação mais robusta possível que se pode estabelecer para servir de base a uma construção.

Continue se beliscando. Você não está sonhando. Não se trata de um orador qualquer numa tenda no Alabama, mas o diretor *científico* de uma escola na qual o governo britânico está despejando dinheiro, e que é orgulho de Tony Blair. Cristão devoto, o senhor Blair realizou a cerimônia de abertura de um dos acréscimos posteriores à rede de escolas de Vardy.[146] A diversidade pode ser uma virtude, mas não é mais diversidade, é maluquice.

Layfield prossegue listando as comparações entre a ciência e as Escrituras, concluindo, em todos os casos onde parece haver um conflito, que as Escrituras são preferíveis. Quando ressalta que as geociências não fazem parte do currículo nacional, Layfield diz: "Seria especialmente prudente para todos que ministram esse aspecto do curso que se familiarizem com os trabalhos sobre a geologia do Dilúvio de Whitcomb e Morris". Sim, "geologia do Dilúvio" significa o que você acha que significa. Estamos falando da Arca de Noé. Arca de Noé! — quando as crianças podiam estar aprendendo o incrível fato de que a África e a América do Sul já foram grudadas, e que se separaram com a mesma velocidade com que as unhas crescem. Leia mais o que Layfield (o diretor de ciências) fala sobre o dilúvio de Noé, uma explicação rápida e recente para um fenômeno que, de acordo com evidências geológicas reais, levou centenas de milhões de anos para produzir-se:

> Devemos reconhecer, dentro de nosso grande paradigma geofísico, a historicidade de um dilúvio mundial, como o descrito em Gen

> 6, 10. Se a narrativa bíblica é certa e as genealogias relacionadas (por exemplo, Gen 5; 1 Cro 1; Mat 1 e Lu 3) são completas, temos de assumir que essa catástrofe global ocorreu num passado relativamente recente. Seus efeitos estão aparentes de maneira abundante por toda parte. As evidências principais estão nas rochas sedimentares repletas de fósseis, nas amplas reservas de combustíveis de hidrocarbonetos (carvão, petróleo e gás) e nos relatos "lendários" sobre um dilúvio tão grande como aquele, comuns a vários grupos populacionais em todo o mundo. A factibilidade de manter uma arca cheia de criaturas representativas por um ano, até que as águas recuassem o bastante, foi bem documentada por John Woodmorrappe, entre outros.

De certa maneira, isso é ainda pior que as afirmações de ignorantes como Nigel McQuoid ou do bispo Wayne Malcolm citadas acima, porque Layfield estudou ciência. A seguir, mais um trecho inacreditável:

> Como afirmamos no princípio, os cristãos, com ótimos motivos, consideram as Escrituras e o Antigo e o Novo Testamento um guia confiável para o que devemos acreditar. Não são meramente documentos religiosos. Eles nos proporcionam um relato verdadeiro sobre a história da Terra, que, se ignoramos, é por nossa própria conta e risco.

A conclusão de que as Escrituras proporcionam um relato literal sobre a história geológica daria arrepios a qualquer teólogo respeitado. Meu amigo Richard Harries, bispo de Oxford, e eu escrevemos uma carta conjunta para Tony Blair, e fizemos com que oito bispos e nove cientistas importantes a assinassem.[147] Entre os nove cientistas estavam o então presidente da Royal Society (que havia sido conselheiro-científico-chefe de Tony Blair), os secretários de biologia e de física da Royal Society, o astrônomo real (hoje presidente da Royal Society), o diretor do Museu de História Natural e sir David Attenborough, talvez o homem mais respeitado da Inglaterra. Entre os bispos havia um católico e sete anglicanos — líderes religiosos importantes de toda a Inglaterra. Recebemos uma resposta perfunctória e inadequada do gabinete do primeiro-ministro, mencionando os bons resultados da escola nas provas e a boa avaliação que recebeu da agência oficial de inspeção de escolas, a OFSTED. Parece que não ocorreu ao sr. Blair que, se os inspetores da OFSTED fazem uma avaliação entusiasmada de uma escola cujo diretor científico ensina que o universo inteiro começou depois da domesticação do cachorro, deve haver alguma coisinha errada com os padrões de inspeção.

Talvez o trecho mais perturbador da palestra de Stephen Layfield seja sua conclusão, "O que se pode fazer?", em que ele analisa as táticas a serem empregadas pelos professores que desejem colocar o cristianismo fundamentalista dentro da sala de aula. Ele pede, por exemplo, aos professores de ciências que

> prestem atenção em todas as ocasiões em que um paradigma evolucionário/Terra antiga (milhões ou bilhões de anos) seja mencionado ou sugerido por um livro-texto, uma questão de prova ou um visitante, e educadamente ressaltem a falibilidade da afirmação. Sempre que possível, devemos dar a explicação alternativa bíblica (sempre melhor) sobre os mesmos dados. Observaremos alguns exemplos da física, da química e da biologia no momento oportuno.

O resto da palestra de Layfield não passa de um manual de propaganda, um recurso para professores religiosos de biologia, química e física que quiserem, mantendo-se dentro das diretrizes do currículo nacional, subverter a educação baseada na ciência e trocá-la pelas escrituras bíblicas.

No dia 15 de abril de 2006, James Naughtie, um dos âncoras mais experientes da BBC, entrevistou sir Peter Vardy no rádio. O principal tema da entrevista foi a investigação policial das denúncias, negadas por Vardy, de que o governo Blair havia oferecido propinas — títulos de cavalheiro e de nobreza — a ricos na tentativa de fazê-los participar do esquema das academias municipais. Naughtie também perguntou a Vardy sobre a questão do criacionismo, e Vardy negou categoricamente que o Emmanuel promova o criacionismo Terra-nova entre seus alunos. Um dos estudantes do Emmanuel College, Peter French, declarou, tão categoricamente quanto:[148] "Ensinaram para nós que a Terra tem 6 mil anos".* Quem está dizendo a verdade? Bem, não sabemos, mas a palestra de Stephen Layfield expõe de forma bastante franca sua política para o ensino da ciência. Será que Vardy nunca leu o manifesto tão explícito de Layfield? Será que ele não sabe qual é a do diretor de ciências? Peter Vardy ficou rico vendendo carros usados. Você compraria um carro dele? E você lhe venderia, como fez Tony Blair, uma escola por 10% de seu valor — incluindo no pacote o pagamento de todos os seus custos de administração? Sejamos caridosos com Blair e assumamos que ele, pelo menos, não tenha lido a palestra de Layfield. Imagino que seja querer demais esperar que ele vá prestar atenção nela agora.

O diretor McQuoid defendeu o que claramente via como o espírito aberto de sua escola, defesa que se destaca pela presunção:

> o melhor exemplo que posso dar sobre o que somos é uma palestra de filosofia que dei para o colegial. Shaquille estava sentado ali e disse: "O Corão está certo e é a verdade". E Clare, logo ali, disse: "Não, a Bíblia é a verdade". Então conversamos sobre as seme-

* Para dar uma ideia da escala desse erro, é o equivalente a acreditar que a distância entre Nova York e San Francisco é de seis metros e quarenta centímetros.

lhanças entre o que os dois livros dizem e os lugares em que eles discordam. E decidimos que os dois não podiam ser verdade ao mesmo tempo. E eu acabei dizendo: "Desculpe, Shaquille, você está errado, é a Bíblia que diz a verdade". E ele disse: "Desculpe, senhor McQuoid, o senhor está errado, é o Corão". E eles foram almoçar e continuaram com a discussão. É isso o que queremos. Queremos que as crianças saibam por que acreditam no que acreditam e defendam isso.[149]

Que lindo quadro! Shaquille e Clare foram almoçar juntos, argumentando vigorosamente na defesa de suas crenças incompatíveis. Mas é mesmo tão lindo assim? Não é, na verdade, um quadro deplorável o pintado pelo senhor McQuoid? Em que, afinal, Shaquille e Clare baseavam seus argumentos? Que evidências convincentes cada um deles podia apresentar em seu debate vigoroso e construtivo? Clare e Shaquille simplesmente declararam cada um que seu livro sagrado era superior, e ficou nisso. Aparentemente foi só o que disseram, e, pensando bem, é só isso que se *pode* dizer quando se aprende que a verdade vem das Escrituras, e não das evidências. Clare e Shaquille, e os colegas deles, não estavam sendo educados. Estavam sendo traídos pela escola, e o diretor estava cometendo um abuso, não sobre o corpo, mas sobre a mente deles.

## CONSCIENTIZAÇÃO DE NOVO

E agora veja só mais um lindo quadro. Um ano, na época do Natal, meu jornal diário, *The Independent*, estava procurando uma imagem apropriada para período natalino e encontrou uma de um ecumenismo reconfortante, uma peça escolar sobre a natividade. Os Três Reis Magos eram representados, como dizia, radiante, a legenda, por Shadbreet (sikh), Musharaff (muçulmano) e Adele (cristã), todos de quatro anos de idade.

Lindo? Reconfortante? Não, não é, nenhum dos dois; é grotesco. Como qualquer pessoa decente pode achar certo rotular crianças de quatro anos com as opiniões cósmicas e teológicas de seus pais? Para entender, imagine uma foto idêntica, com a legenda modificada para o seguinte: "Shadbreet (keynesiano), Musharaff (monetarista) e Adele (marxista), todos de quatro anos de idade". Não seria essa legenda uma candidata a cartas iradas de protesto? Certamente. Mas, por causa do status estranhamente privilegiado da religião, não se ouviu nem um pio, como não se ouve em nenhuma ocasião semelhante. Só imagine a revolta se a legenda dissesse: "Shadbreet (ateu), Musharaff (agnóstico) e Adele (humanista laica), todos de quatro anos de idade". Os pais não poderiam até ser investigados para saber se eles estavam aptos a criar os filhos? Na Grã-Bretanha, onde não há uma separação constitucional entre a Igreja e o Estado, pais ateus normalmente seguem a corrente e deixam as escolas ensinar aos filhos a religião que prevalecer na cultura. A "The-Britghts.net" (uma iniciativa americana para redenominar os ateus como "Brilhantes", da mesma forma que os homossexuais conseguiram se redenominar como "gays") é escrupulosa ao estabelecer as regras para que as crianças se inscrevam: "A decisão de ser um Brilhante tem de ser da criança. Qualquer jovem que tiver ouvido que ele ou ela tem de ser, ou devia ser, Brilhante NÃO pode ser Brilhante". Você consegue imaginar uma igreja ou mesquita divulgando uma ordem tão abnegada? Mas elas não deviam ser obrigadas a fazer isso? Inscrevi-me nos Brilhantes, em parte porque estava genuinamente curioso de saber se a palavra conseguirá ou não ser memeticamente absorvida pela língua. Não sei, e gostaria de saber, se a transformação de "gay" foi deliberadamente fabricada ou se ela simplesmente aconteceu.[150] A campanha dos Brilhantes enfrentou turbulências logo de cara, ao ser alvo de ataques furiosos por parte de alguns ateus, petrificados pelo medo de ser chamados de "arrogantes". O movimento do Orgulho Gay, felizmente, não sofre dessa falsa modéstia, e talvez por isso é que tenha sido bem-sucedido.

Num capítulo anterior, generalizei o tema da "conscientização", começando pela conquista das feministas de fazer com que fiquemos incomodados ao ouvir um termo como "homens de boa vontade" em vez de "pessoas de boa vontade". Aqui quero conscientizar de outra maneira. Acho que todos nós devemos nos sentir incomodados quando ouvirmos uma criança pequena sendo rotulada como pertencente a uma ou outra religião específica. Crianças pequenas são jovens demais para tomar decisões sobre suas opiniões a respeito da origem do cosmos, da vida ou da moral. O simples som do termo "criança cristã" ou "criança muçulmana" deveria soar como unhas arranhando uma lousa.

Abaixo está transcrita uma reportagem, datada de 3 de setembro de 2001, do programa *Irish Aires* da emissora americana de rádio KPFT-FM.

> Meninas católicas enfrentaram protestos de unionistas quando tentavam entrar na Escola Primária para Meninas Santa Cruz, na Ardoyne Road, no norte de Belfast. Oficiais do Regimento Real do Ulster (Royal Ulster Constabulary — RUC) e soldados do Exército britânico tiveram de afastar os manifestantes que tentavam isolar a escola. Barreiras de contenção foram erguidas para permitir às crianças passar pelo protesto e chegar à escola. Os unionistas gritavam ofensas sectárias enquanto as crianças, algumas de quatro anos de idade, eram protegidas pelos pais ao entrar na instituição. Enquanto crianças e pais entravam pelo portão principal da escola, os unionistas lançavam garrafas e pedras.

É natural que qualquer pessoa de bem estremeça com tudo o que essas infelizes meninas tiveram que passar. Estou tentando fazer com que também estremeçamos com a simples ideia de chamá-las de "meninas católicas". ("Unionistas", como já afirmei no capítulo 1, não passa do eufemismo medroso da Irlanda do Norte para protestantes, assim como "nacionalistas" é o eufemismo para católicos. Gente que não hesita em classificar crianças como "católicas" e "protestantes" não tem coragem de aplicar os mesmos rótulos religiosos — de forma bem mais apropriada — a terroristas e gangues de adultos.)

Nossa sociedade, incluindo o setor não religioso, já aceitou a ideia absurda de que é normal e correto doutrinar crianças pequenas na religião de seus pais, e colar rótulos religiosos nelas — "criança católica", "criança protestante", "criança judia", "criança muçulmana" etc. —, embora não haja nenhum outro rótulo comparável: não existem crianças conservadoras, nem crianças liberais, nem crianças republicanas, nem crianças democratas. Por favor, conscientize-se e faça barulho sempre que vir isso acontecendo. Uma criança não é uma criança cristã, não é uma criança muçulmana, mas uma criança de pais cristãos ou uma criança de pais muçulmanos. Essa nomenclatura, aliás, seria um excelente instrumento de conscientização para as próprias crianças. Uma criança que ouve que é "filha de pais muçulmanos" perceberá imediatamente que a religião é algo que cabe a ela escolher — ou rejeitar — quando tiver idade suficiente para tal.

Na realidade, dá para fazer uma boa defesa dos benefícios educacionais do ensino de religião comparada. Minhas próprias dúvidas foram suscitadas, certamente, por volta dos nove anos, pela lição (que não foi dada pela escola, mas pelos meus pais) de que a religião cristã em que eu havia sido educado era apenas uma entre vários sistemas de crença incompatíveis entre si. Os apologistas da religião sabem disso e muitas vezes ficam com medo.

Depois da reportagem sobre a peça da natividade no *The Independent*, não houve nem uma única carta ao editor reclamando da rotulação religiosa de crianças de quatro anos. A única carta negativa veio da "Campanha pela Educação Real", cujo porta-voz, Nick Seaton, disse que a educação religiosa ecumênica era extremamente perigosa porque "as crianças hoje em dia aprendem que todas as religiões têm o mesmo valor, o que significa que a delas não tem nenhum valor especial". É, é verdade; é exatamente isso. Esse porta-voz tem razão de se preocupar. Em outra ocasião, o mesmo indivíduo disse: "Apresentar todas as fés como igualmente válidas é errado. Todo mundo tem o direito de achar que sua fé é superior às outras, sejam hindus, judeus, muçulmanos ou cristãos — senão, qual é a graça de ter fé?".[151]

Qual é, mesmo? Que absurdo transparente! Essas fés são incompatíveis entre si. Senão qual é a graça de achar que sua fé é superior? A maioria delas, portanto, não pode ser "superior às outras". Deixemos que as crianças aprendam sobre as diferentes fés, deixemos que elas percebam sua incompatibilidade, e deixemos que tirem suas próprias conclusões sobre as consequências dessa incompatibilidade. Quanto a se alguma delas é "válida", deixemos que concluam quando tiverem idade suficiente.

## EDUCAÇÃO RELIGIOSA COMO PARTE DA CULTURA LITERÁRIA

Tenho de admitir que até eu fico meio desconcertado com a ignorância bíblica normalmente demonstrada por pessoas educadas em décadas mais recentes que eu. Ou talvez não tenha a ver com a década. Já em 1954, segundo Robert Hinde em seu meticuloso livro *Why gods persist*, uma pesquisa da Gallup nos Estados Unidos mostrou o seguinte: três quartos dos católicos e protestantes não sabiam dizer o nome de sequer um único profeta do Antigo Testamento. Mais de dois terços não sabiam quem proferiu o Sermão da Montanha. Um número significativo achava que Moisés era um dos doze apóstolos de Jesus. Isso, repetindo, foi nos Estados Unidos, que são dramaticamente mais religiosos que outras partes do mundo desenvolvido.

A Bíblia King James, de 1611 — a Versão Autorizada —, possui trechos de valor literário extraordinário por si só, como por exemplo o Cântico dos Cânticos e o sublime Eclesiastes (que já me disseram ser ótimo também no original em hebraico). Mas o principal motivo de a Bíblia ter de fazer parte de nossa educação é o fato de ela ser uma importante fonte de cultura literária. A mesma coisa aplica-se às lendas dos deuses gregos e romanos, e aprendemos sobre eles sem que ninguém peça que acreditemos neles. Leia abaixo uma lista rápida de frases e termos bíblicos, ou inspirados na Bíblia, que são comuns na língua literária ou coloquial, da poesia consagrada ao clichê banal, de provérbios a fofocas:

> Crescei e multiplicai-vos — A leste do Éden — A costela de Adão — Acaso sou eu tutor do meu irmão? — A marca de Caim — Tão velho quanto Matusalém — Escada de Jacó — Terra alheia — Sem olhos em Gaza — A fartura da terra — Boi gordo — Estrangeiro em terra estranha — Terra que mana leite e mel — Deixa ir o meu povo — Olho por olho, dente por dente — Sabeis que vosso pecado vos há de achar — A menina dos olhos — As estrelas em sua órbita — Nata em taça de príncipes — Do forte saiu doçura — Filisteu — Davi e Golias — Ultrapassando o amor das mulheres — Como caíram os valentes? — Sabedoria salomônica — Jezebel — Rainha de Sabá — Não me contaram a metade — Paciência de Jó — A sabedoria vale mais que as riquezas — Leviatã — Boa palavra — Vaidade das vaidades — Tudo tem seu tempo — Não é dos ligeiros o prêmio, nem dos valentes a vitória — Não há limite para fazer

livros — Jardim fechado — Raposinhas — As muitas águas não poderiam apagar o amor — O lobo habitará com o cordeiro — Comamos e bebamos, que amanhã morreremos — Põe em ordem a tua casa — Pregar no deserto — Para os perversos não há paz — Ser tirado da terra dos viventes — O tigre não muda suas listras — A encruzilhada — Daniel na cova dos leões — Quem semeia vento colhe tempestade — Sodoma e Gomorra — Nem só de pão viverá o homem — O sal da terra — Dar a outra face — Onde a traça e a ferrugem corroem — Lançar pérolas aos porcos — Lobo em pele de cordeiro — Vinho novo em odre velho — Choro e ranger de dentes — Quem não está comigo está contra mim — Julgamento de Salomão — Cair em solo rochoso — A manada dos porcos desembestados — Sacudi o pó dos vossos pés — Um profeta só não é honrado em sua terra — As migalhas da mesa — Sinal dos tempos — Cova de ladrões — Fariseu — Sepulcros caiados — Guerras e rumores de guerras — Servo bom e fiel — Separar as ovelhas dos cabritos — Lavo minhas mãos — O Shabat foi feito para o homem, não o homem para o Shabat — Vinde a mim as criancinhas — As moedas da viúva pobre — Médico de si mesmo — Bom samaritano — Passar do outro lado da rua — Vinhas da ira — Ovelhas perdidas — Filho pródigo — Um grande abismo entre nós e vós — Não sou digno de desatar-lhes as correias das sandálias — Atire a primeira pedra — Jesus chorou — Ninguém tem amor maior do que este — Onde está, ó morte, teu aguilhão? — Espinho na carne — Lucro sujo — A raiz de todo mal — Lute o bom combate — Eu sou o princípio e o fim — Armageddon — De profundis — Quo vadis

Cada uma dessas expressões, frases ou clichês vem diretamente da Bíblia. Certamente a ignorância em relação à Bíblia empobrece o apreço à literatura. E não apenas da literatura séria e solene. O verso a seguir, do lorde Juiz Bowen, é de um humor engenhoso:

*A chuva choveu sobre os justos,*
*E também sobre os camaradas injustos.*
*Mas mais sobre os justos, porque*
*Os injustos tinham dos justos o guarda-chuva.**

Mas a diversão é menor se você não captar a alusão a Mateus 5, 45 ("Porque ele faz nascer o seu sol sobre os maus e bons e vir chuvas sobre justos e injustos"). E a graça da fantasia de Eliza Dolittle em *My fair lady* estaria perdida para quem ignorasse o fim de João Batista:

"Muito obrigada, rei", digo eu de modo educado,
"Mas só o que quero é a cabeça de 'Enry 'Iggins."

P. G. Wodehouse é, para mim, o maior autor de comédias da Inglaterra, e aposto que metade da minha lista de expressões bíblicas pode ser encontrada na forma de alusões em suas páginas. (Uma busca no Google, porém, não encontrará todas elas. Não detectará a derivação do título do conto "A tia e o preguiçoso",** de Provérbios 6, 6.) O cânone de Wodehouse é rico em outras expressões bíblicas, que não pertencem à minha lista e que não foram incorporadas pela língua na forma de frases ou provérbios. Veja Bertie Wooster evocando como é acordar com uma bela ressaca: "Sonhei que estavam enfiando pregos na minha cabeça — mas não pregos comuns, como os usados por Jael, mulher de Héber, mas pregos em brasa". Bertie tinha um orgulho enorme de sua única realização acadêmica, o prêmio que ganhou uma vez por seu conhecimento das Escrituras.

* "The rain raineth on the just,/ And also on the unjust fella./ But chiefly on the just, because/ The unjust hath the just's umbrella." (N. T.)
** O autor refere-se ao trocadilho *aunt* (tia)/*ant* (formiga), relativo à citação bíblica "Vai ter com a formiga, ó preguiçoso". (N. T.)

O que vale para os textos de comédia na Inglaterra vale de modo ainda mais óbvio para a literatura séria. A totalização de mais de 1300 referências bíblicas nas obras de Shakespeare, feita por Naseeb Shaheen, é amplamente citada e tem grande credibilidade.[152] O *Bible Literacy Report*, publicado em Fairfax, Virgínia (confessadamente financiado pela famigerada Fundação Templeton), fornece muitos exemplos, e cita um consenso avassalador de professores de literatura em língua inglesa de que o conhecimento bíblico é essencial para a plena apreciação de seu objeto de estudo.[153] Sem dúvida o equivalente também acontece com o francês, o alemão, o russo, o italiano, o espanhol e outras grandes literaturas europeias. E, para os falantes de línguas arábicas ou indianas, o conhecimento do Corão ou do Bhagavad Gita é presumivelmente tão essencial quanto, para a apreciação plena de seu patrimônio literário. Por fim, para completar a lista, não dá para apreciar Wagner (cuja música, como já se disse, é melhor do que soa) sem conhecer os deuses nórdicos.

Não vou martelar o assunto. Provavelmente já disse o suficiente para convencer pelo menos meus leitores mais velhos de que uma visão de mundo ateísta não é justificativa para excluir a Bíblia, e outros livros sagrados, de nossa educação. E é claro que podemos manter uma lealdade sentimental às tradições culturais e literárias, por exemplo, do judaísmo, do anglicanismo ou do islã, e até participar de rituais religiosos como casamentos e enterros, sem aderir às crenças sobrenaturais que historicamente acompanham essas tradições. Podemos abrir mão de acreditar em Deus sem perder contato com uma história valiosa.

# 10. Uma lacuna muito necessária?

*O que pode ser mais comovente que olhar para uma galáxia distante através de um telescópio de 2,5 metros, ter nas mãos um fóssil de 100 milhões de anos ou uma ferramenta de pedra de 500 mil anos, ver-se diante do imenso abismo temporal e espacial que é o Grand Canyon ou ouvir um cientista que ficou, sem pestanejar, cara a cara com a criação do universo? Isso é a profunda e sagrada ciência.*

Michael Shermer

"Este livro preenche uma lacuna muito necessária." A piada funciona porque entendemos ao mesmo tempo os dois significados opostos. Aliás, eu achava que era uma piada inventada, mas, para minha surpresa, descobri que ela realmente foi usada, com toda a inocência, por editoras. Veja em http://www.amazon.co.uk/Tel-Quel-Reader-Patrick-Ffrench/dp/product-description/0415157145 um livro que "preenche uma lacuna muito necessária na literatura disponível sobre o movimento pós-estruturalista". É deliciosamente apropriado o fato de que esse livro tão confessadamente supérfluo seja sobre Michel Foucault, Roland Barthes, Julia Kristeva e outros ícones do *haut* francofonismo.

A religião preenche uma lacuna muito necessária? Com frequência se diz que há uma lacuna no cérebro com o formato de Deus, que precisa ser preenchida: temos uma necessidade psicológica de Deus — amigo imaginário, pai, irmão mais velho, confessor, confidente — e essa necessidade tem de ser satisfeita, existindo Deus de verdade ou não. Mas não é possível que Deus esteja entulhando uma lacuna que poderia ser mais bem preenchida com outra coisa? Com a ciência, talvez? A arte? A amizade humana? O humanismo? O amor a esta vida no mundo real, sem dar crédito a outras vidas do além-túmulo? O amor à natureza, ou o que o grande entomologista E. O. Wilson chamou de *biofilia*?

A religião, em várias épocas, já foi considerada o elemento que supre quatro papéis principais na vida humana: explicação, exortação, consolo e inspiração. Historicamente, a religião aspirava a *explicar* nossa própria existência e a natureza do universo em que vivemos. Nesse papel ela foi completamente suplantada pela ciência, e já tratei disso no capítulo 4. Com *exortação* refiro-me à instrução moral sobre como devemos agir, e abordei essa questão nos capítulos 6 e 7. Por enquanto ainda não fiz justiça ao *consolo* e à *inspiração*, e este capítulo final tratará brevemente deles. Antes do consolo, quero começar com o fenômeno infantil do "amigo imaginário", que, acredito, tem afinidades com a crença religiosa.

## BINKER

Christopher Robin, imagino, não acreditava que o Leitão e o ursinho Pooh realmente falassem com ele. Mas com Binker era diferente?

Binker — como eu o chamo — é um segredo meu,
E Binker é o motivo de eu nunca me sentir só.
Brincando no quarto, sentado na escada,
Qualquer coisa que eu esteja fazendo, Binker estará lá.
Oh, papai é inteligente, o tipo inteligente de homem,
E mamãe é a melhor desde o princípio do mundo,
E a babá é a babá, e eu a chamo de Bá —
Mas eles não conseguem Ver Binker.
Binker está sempre falando, estou ensinando-o a falar
Ele às vezes gosta de falar numa vozinha engraçada,
E às vezes gosta de falar num rugido estranho...
E eu tenho que falar por ele, a garganta dele está doendo.
Oh, papai é inteligente, o tipo inteligente de homem,
E mamãe sabe tudo o que alguém pode saber,
E a babá é a babá, e a chamo de Bá —
Mas eles não Conhecem Binker.
Binker é corajoso como os leões que correm no parque;
Binker é corajoso como os tigres deitados no escuro;
Binker é corajoso como os elefantes. Ele nunca, nunca chora...
Só (como outras pessoas) quando entra sabão no seu olho.
Oh, papai é papai, o tipo papai de homem,
E mamãe é a mamãe que alguém pode ser,
E a babá é a babá, e a chamo de Bá...
Mas eles não Gostam de Binker.
Binker não é guloso, mas gosta de comer as coisas,
Então tenho de dizer às pessoas que me dão um doce:
"Oh, Binker quer um chocolate, você poderia me dar dois?".
E então como por ele, seus dentes são bem novos.
Bem, gosto muito do papai, mas ele não tem tempo para brincar,
E gosto muito da mamãe, mas ela às vezes vai embora,
E muitas vezes fico bravo com a babá quando ela quer escovar meu cabelo...

Mas Binker é sempre Binker, e sempre estará lá.

A. A. Milne, *Now we are six**

Seria o fenômeno do amigo imaginário uma ilusão mais elevada, pertencente a uma categoria diferente do faz de conta infantil comum? Minha experiência não será de muita ajuda aqui. Como muitos pais, minha mãe fez um caderno com as coisas que eu falava quando criança. Além de fingimentos simples (agora estou na lua... sou um acelerador... um babilônio), eu evidentemente gostava de fingimentos de segundo grau (agora sou uma coruja fingindo ser uma roda-d'água), que podiam ser reflexivos (agora sou um menininho fingindo ser Richard). Nunca acreditei que realmente fosse uma dessas coisas, e acho que isso é o que normalmente acontece nas brincadeiras de faz de conta das crianças. Mas eu não tive um Binker. Se dermos credibilidade ao depoimento de suas versões adultas, pelo menos algumas das crianças normais que têm amigos imaginários realmente acreditam que eles existem, e, em alguns casos, veem-nos como se fossem alucinações, claras e palpáveis. Desconfio que o fenômeno Binker da infância possa servir como um bom modelo para entender a crença teísta dos adultos. Não sei se psicólogos já a estudaram por esse ponto de vista, mas seria uma pesquisa interessante. Companheiro e confidente, um Binker para a vida inteira: esse é certamente um dos papéis de Deus — uma lacuna que pode ficar, se Deus for embora.

Outra criança, uma menina, tinha um "homenzinho roxo", que para ela era uma presença visível e real, e que se manifestava, aparecendo em pleno ar, com um som de sininho. Ele a visitava regularmente, especialmente quando ela se sentia sozinha, mas com uma frequência cada vez menor conforme ela foi crescendo.

* Reproduzido com permissão do Espólio de A. A. Milne.

Um dia, pouco antes de ela ir para a escolinha, o homenzinho roxo apareceu para ela, antecedido pelos sininhos usuais, e anunciou que não a visitaria mais. Ela ficou triste, mas o homenzinho roxo disse que ela estava crescendo e que não ia precisar mais dele no futuro. Ele tinha que deixá-la, para poder ir tomar conta de outras crianças. Prometeu a ela que voltaria se um dia ela precisasse *de verdade* dele. Ele voltou mesmo, muitos anos depois, num sonho, quando ela estava no meio de uma crise pessoal e tentava decidir o que fazer com sua vida. A porta do quarto dela abriu-se e um carregamento de livros apareceu, empurrado pelo... homenzinho roxo. Ela interpretou isso como o conselho para que fosse para a universidade — conselho que seguiu e mais tarde julgou correto. A história quase me deixa com lágrimas nos olhos, e leva-me o mais próximo que jamais estarei de entender o papel de consolo e de orientação que os deuses imaginários exercem na vida das pessoas. Um ser pode existir só na imaginação, e ainda assim ser completamente real para a criança, e ainda assim lhe dar conforto e bons conselhos. Talvez até mais: amigos imaginários — e deuses imaginários — têm tempo e paciência para dedicar toda a sua atenção a quem sofre. E são muito mais baratos que psiquiatras ou conselheiros profissionais.

Teriam os deuses, em seu papel de confortadores e conselheiros, evoluído a partir de binkers, por uma espécie de "pedomorfose"? A pedomorfose é a manutenção de características da infância na vida adulta. Os cães pequineses têm focinhos pedomórficos: os adultos parecem filhotes. É um padrão de evolução conhecido, amplamente aceito como importante para o desenvolvimento de características humanas como nossa testa arredondada e nossas mandíbulas curtas. Evolucionistas já nos descreveram como macacos adolescentes, e chimpanzés e gorilas jovens realmente se parecem mais com seres humanos que suas versões adultas. A religião não poderia ter evoluído originalmente pelo adiamento gradativo, ao longo de gerações, do momento da vida em que as crianças abrem mão de seus binkers — assim como adiamos, ao longo da evolução, o achatamento de nossa testa e a protrusão de nossas mandíbulas?

Acho que, em nome da completude, devemos levar em conta a possibilidade inversa. Em vez de os deuses terem evoluído a partir de binkers ancestrais, os binkers não poderiam ter evoluído a partir de deuses ancestrais? A mim me parece menos provável. Fui levado a pensar sobre isso quando li *The origin of consciousness in the breakdown of the bicameral mind* [A origem da consciência na superação da mente bicameral], de Julian Jaynes, um livro tão estranho quanto sugere o título. É um daqueles livros que ou são uma besteira completa ou são obra de um gênio acabado, sem meio-termo! Provavelmente a primeira hipótese, mas não ponho minha mão no fogo.

Jaynes afirma que muita gente vive seus processos de pensamento como uma espécie de diálogo entre o "eu" e outro protagonista interno dentro da cabeça. Hoje em dia sabemos que ambas as "vozes" são nossas — ou, se não sabemos, somos tratados como doentes mentais. Isso aconteceu, por algum tempo, com Evelyn Waugh. Waugh, que nunca foi de medir as palavras, disse a uma amiga: "Não a vejo há tanto tempo, mas tenho visto bem pouca gente porque — sabia? — fiquei maluco". Quando se recuperou, Waugh escreveu um romance, *A provação de Gilbert Pinfold*, que descreveu seu período alucinatório e as vozes que ele ouvia.

A sugestão de Jaynes é que em algum momento antes de 1000 a. C. as pessoas em geral não sabiam que a segunda voz — a voz de Gilbert Pinfold — vinha de dentro delas mesmas. Achavam que a voz de Pinfold era um deus: Apolo, por exemplo, ou Astarte, ou Javé, ou, mais provavelmente, um deusinho mais caseiro, que lhes dava ordens e conselhos. Jaynes até localizou as vozes dos deuses no hemisfério do cérebro oposto ao que controla a fala audível. A "divisão da mente bicameral" foi, para Jaynes, uma transição histórica. Foi o momento histórico em que as pessoas se deram conta de que as vozes exteriores que pareciam estar ouvindo na verdade eram interiores. Jaynes chega ao extremo de definir essa transição histórica como a aurora da consciência humana.

Existe uma inscrição antiga egípcia sobre o deus da criação Ptah, que descreve os vários outros deuses como variações da "voz" ou da "língua" de Ptah. As traduções modernas rejeitam a "voz" literal e interpretam os outros deuses como "concepções coisificadas do pensamento [de Ptah]". Jaynes desqualifica esse tipo de leitura e prefere levar o sentido literal a sério. Os deuses eram vozes de alucinações que falavam dentro da cabeça das pessoas. Jaynes sugere ainda que esses deuses evoluíram a partir de lembranças de reis mortos que ainda, de certa forma, mantinham o controle sobre seus comandados através de vozes imaginárias. Você pode achar ou não a tese plausível, mas o livro de Jaynes é suficientemente intrigante para merecer uma menção num livro sobre religião.

Vamos agora à possibilidade que levantei de tomar emprestada a tese de Jaynes para construir a teoria de que deuses e binkers são parentes em seu desenvolvimento, mas no sentido contrário da teoria da pedomorfose. Ela equivale à sugestão de que a divisão da mente bicameral não tenha acontecido de forma repentina na história, mas que tenha sido um recuo progressivo na infância do momento em que as vozes e as aparições das alucinações eram reveladas como irreais. Numa espécie de inversão da hipótese da pedomorfose, os deuses das alucinações desapareceram primeiro da mente adulta e depois recuaram cada vez mais na infância, até hoje, quando só sobrevivem no fenômeno Binker e homenzinho roxo. O problema dessa versão da teoria é que ela não explica a persistência de deuses na vida adulta atual.

Talvez seja melhor não tratar os deuses como ancestrais dos binkers, ou vice-versa, mas encarar os dois como subprodutos da mesma predisposição psicológica. Deuses e binkers têm em comum o poder de consolar, e funcionam como uma caixa de ressonância para testar ideias novas. Não nos afastamos muito da teoria do subproduto psicológico para a evolução da religião, apresentada no capítulo 5.

## CONSOLO

Chegou o momento de encarar o importante papel que Deus cumpre de nos reconfortar; e o desafio humanitário, se Deus não existir, de colocar alguma coisa em seu lugar. Muita gente que admite que Deus provavelmente não existe, e que ele não é necessário para a moralidade, ainda recorre ao que frequentemente considera um trunfo: a suposta *necessidade* psicológica ou emocional de um deus. Se você tirar a religião, as pessoas perguntam, com truculência, o que vai colocar no lugar? O que você tem a oferecer aos pacientes que estão morrendo, aos parentes enlutados, às Eleanor Rigby solitárias que têm em Deus seu único amigo?

A primeira coisa a dizer em resposta a isso é algo que nem deveria precisar ser dito. O poder de consolo da religião não a torna verdadeira. Mesmo que fizéssemos uma enorme concessão; mesmo que fosse demonstrado de forma conclusiva que a crença na existência de Deus é absolutamente essencial para o bem-estar psicológico e emocional humano; mesmo que todos os ateus fossem neuróticos desesperados levados ao suicídio por uma angústia cósmica infinita — nada disso contribuiria nem com um pingo de prova de que a crença religiosa é verdadeira. Poderia ser evidência a favor da vantagem de se convencer de que Deus existe, mesmo que ele não exista. Como já mencionei, Dennet, em *Quebrando o encanto*, faz a distinção entre acreditar em Deus e acreditar na crença: a crença de que é desejável acreditar, mesmo que a crença em si seja falsa: "Eu creio, Senhor! Ajuda a minha incredulidade" (Marcos 9, 24). Os fiéis são encorajados a *professar* a crença, estejam ou não convencidos dela. Talvez se você repetir alguma coisa o bastante consiga se convencer de sua veracidade. Acho que todos nós conhecemos pessoas que gostam da ideia da fé religiosa, e ficam ressentidas com ataques a ela, mas que admitem com relutância que elas próprias não a possuem. Fiquei ligeiramente chocado ao descobrir um exemplo da primeira categoria no livro de meu herói Peter Medawar *The limits of Science* (Oxford University Press, 1984, p. 96): "Eu lamento minha descrença em Deus e nas respostas religiosas em geral, porque acho que a crença daria satisfação e conforto para muitos que dela necessitam se fosse possível descobrir boas razões científicas e filosóficas para se acreditar em Deus".

Desde que li a distinção de Dennet, encontrei várias ocasiões para utilizá-la. Não chega a ser exagero dizer que a maioria dos ateus que conheço disfarça seu ateísmo atrás de uma fachada religiosa. Eles não acreditam em nada sobrenatural, mas possuem um ponto fraco indistinto para a crença irracional. Acreditam na crença. É incrível quanta gente parece não saber a diferença entre "X é verdade" e "É desejável que as pessoas acreditem que X é verdade". Ou talvez elas não caiam nesse erro lógico, mas simplesmente considerem a verdade pouco importante se comparada com os sentimentos humanos. Não quero desprezar os sentimentos humanos. Mas deixemos claro, em qualquer conversa, sobre o que estamos falando: sentimentos ou verdade. Os dois podem ser importantes, mas não são a mesma coisa.

De qualquer maneira, minha concessão hipotética foi extravagante e equivocada. Não sei de nenhuma evidência de que os ateus tenham qualquer tipo de tendência para a depressão movida pela infelicidade e pela angústia. Alguns ateus são felizes. Outros são uns desgraçados. Do mesmo jeito, alguns cristãos, judeus, muçulmanos, hindus e budistas são uns desgraçados, enquanto outros são felizes. Pode ser que haja evidências estatísticas quanto à relação entre felicidade e crença (ou descrença), mas duvido que seja um efeito considerável, num ou noutro sentido. Acho que é mais interessante perguntar se existe algum bom *motivo* para sentir-se deprimido quando se vive sem Deus. Encerrarei este livro argumentando, pelo contrário, que dizer que é possível ter uma vida feliz e realizada sem religião sobrenatural ainda é pouco. Primeiro, porém, devo examinar as alegações da religião para oferecer consolo.

Consolar, segundo o dicionário, é aliviar ou tentar aliviar a dor, o sofrimento, a aflição. Dividirei o consolo em dois tipos.

1 *Consolo físico direto.* Um homem obrigado a passar a noite numa montanha deserta pode encontrar conforto num grande e quentinho são-bernardo, sem esquecer, é claro, do barril de aguardente na coleira dele. Uma criança que chora pode ser consolada por braços fortes que a envolvam, e por palavras reconfortantes sussurradas em seu ouvido.

2 *Consolo pela descoberta de um fato previamente ignorado, ou por um modo previamente desconhecido de encarar fatos existentes.* Uma mulher cujo marido tenha sido morto na guerra pode ser consolada pela descoberta de que está grávida dele, ou de que ele morreu como herói. Também podemos obter consolo ao descobrir uma nova forma de pensar numa situação. Um filósofo ressalta que não há nada de especial no momento em que um velho morre. A criança que ele um dia foi "morreu" há muito tempo, não por deixar repentinamente de viver, mas por crescer. Cada uma das sete idades shakespearianas do homem "morre" ao transformar-se lentamente na próxima. Por esse ponto de vista, o momento em que um velho

finalmente expira não é diferente das "mortes" lentas de toda a sua vida.[154] Um homem que não goste da perspectiva de sua própria morte pode achar essa mudança de ponto de vista um consolo. Ou talvez não, mas é um exemplo potencial de consolo através da reflexão. Outro é a negação do medo da morte por Mark Twain: "Não temo a morte. Fiquei morto bilhões e bilhões de anos antes de nascer, e não tive a menor inconveniência por causa disso". O *aperçu* não muda nada no fato de nossa morte inevitável. Mas ele nos proporciona uma nova maneira de encarar essa inevitabilidade, e podemos achá-la um consolo. Thomas Jefferson também não tinha medo da morte, e aparentemente não acreditava em nenhum tipo de vida no além-túmulo. Diz o relato de Christopher Hitchens: "Conforme seus dias começaram a escassear, Jefferson escreveu mais de uma vez a amigos que não encarava a aproximação do fim nem com esperança nem com medo. Isso equivalia a dizer, nos termos mais inconfundíveis, que ele não era cristão".

Intelectos robustos podem estar preparados para o sólido mantimento que é a declaração de Bertrand Russell, em seu ensaio "Em que acredito", de 1925:

> Acredito que quando morrer apodrecerei, e nada de meu ego sobreviverá. Não sou jovem e amo a vida. Mas desprezo o pavor diante do pensamento da aniquilação. A felicidade não deixa de ser felicidade verdadeira por ter de acabar, nem o pensamento e o amor perdem seu valor por não serem eternos. Muitos homens enfrentaram a plataforma de execução com orgulho; por certo o mesmo orgulho deve nos ensinar a pensar de verdade no lugar do homem no mundo. Mesmo que as janelas abertas da ciência a princípio nos façam tremer depois da quentura confortável dos

mitos humanizadores tradicionais, no final o ar fresco traz vigor, e os grandes espaços abertos têm seu próprio esplendor.

Fui inspirado por esse ensaio de Russell quando o li na biblioteca da minha escola, por volta dos dezesseis anos de idade, mas o tinha esquecido. É possível que eu estivesse homenageando Russell de forma inconsciente (assim como conscientemente homenageei Darwin) quando escrevi, em *O capelão do Diabo*, em 2003:

> Há mais que apenas grandiosidade nessa visão da vida, por mais nua e fria que ela possa parecer de sob o cobertor reconfortante da ignorância. Há uma revigoração profunda a ser sentida ao receber de frente o vento forte e agudo da compreensão: os "ventos que sopram pelas vias estreladas", de Yeats.

Como a religião se compara à ciência, por exemplo, na oferta desses dois tipos de consolo? Analisando primeiro o tipo 1 de consolo, é totalmente plausível que os braços fortes de Deus, mesmo que sejam puramente imaginários, possam consolar exatamente da mesma forma que os braços reais de um amigo, ou um cachorro são-bernardo com um barril de aguardente na coleira. Mas é claro que a medicina científica também pode oferecer conforto — normalmente mais eficaz que aguardente.

Passando para o tipo 2 de consolo, é fácil acreditar que a religião seja extremamente eficiente. Vítimas de desastres terríveis, como um terremoto, frequentemente contam tirar consolo do pensamento de que tudo faz parte do plano inescrutável de Deus: sem dúvida, alguma coisa de bom deve resultar de tudo aquilo num tempo mais amplo. Se alguém teme a morte, a crença sincera de que a pessoa possui uma alma imortal pode ser um consolo — a menos, é claro, que ela ache que vai para o inferno ou para o purgatório. Falsas crenças podem ser tão reconfortantes quanto as verdadeiras, até o momento da desilusão. Isso também se aplica a crenças não religiosas. Um homem com câncer em estado terminal pode ser consolado por um médico que minta e diga que ele está curado, de modo tão eficaz quanto outro homem a quem tenham dito a verdade, que ele está curado. A crença sincera e devotada na vida após a morte é ainda mais imune à desilusão que a crença num médico mentiroso. A mentira do médico só funciona até os sintomas ficarem inconfundíveis. Quem acredita na vida após a morte pode acabar jamais sofrendo a desilusão.

Pesquisas indicam que aproximadamente 95% da população dos Estados Unidos acredita que vá sobreviver à própria morte. À parte a aspiração dos mártires, não consigo deixar de me perguntar quantas pessoas moderadamente religiosas que alegam acreditar nisso realmente acreditam, do fundo do coração. Se elas estivessem mesmo sendo sinceras, não deveriam todas comportar-se como o abade de Ampleforth? Quando o cardeal Basil Hume disse a ele que estava morrendo, o abade ficou encantado: "Parabéns! Que ótima notícia. Queria estar indo com o senhor".[155] O abade, ao que parece, era mesmo um crente sincero. Mas é exatamente por ser tão rara e inesperada que a história chama a nossa atenção, quase nos diverte — de um jeito que faz lembrar a charge que mostra uma jovem carregando um cartaz de "Faça amor, não faça guerra", nua em pelo, e um observador exclamando: "Isso é o que eu chamo de sinceridade!". Por que todos os cristãos e muçulmanos não dizem coisas parecidas com o que o abade disse quando ficam sabendo que um amigo está morrendo? Quando uma mulher devota ouve de um médico que só tem alguns meses de vida, por que não sorri de entusiasmo, como se tivesse acabado de ganhar uma viagem para as ilhas Seychelles?

"Não vejo a hora!" Por que os fiéis que vão visitá-la em seu leito não a enchem de recados para os que já partiram antes? "Por favor mande minhas lembranças para o tio Robert quando o vir..."

Por que as pessoas religiosas não falam desse jeito quando estão na presença dos moribundos? Não pode ser porque na verdade elas não acreditam em tudo aquilo em que fingem acreditar? Ou talvez acreditem, mas temam o *processo* de morrer. Com bons motivos, já que nossa espécie é a única que não pode ir ao veterinário para acabar sem dor com o sofrimento. Mas, nesse caso, por que a oposição mais eloquente à eutanásia e ao suicídio assistido vem das religiões? No modelo "Abade de Ampleforth" ou "Férias nas ilhas Seychelles" de morte, não seria de esperar que as pessoas religiosas fossem as últimas a se agarrar, desesperançosamente, à vida terrena? E no entanto é impressionante como, quando se encontra alguém que é ardentemente contra a eutanásia ou contra o suicídio assistido, dá para apostar um bom dinheiro que essa pessoa seja religiosa. A razão oficial pode ser que matar é sempre pecado. Mas por que considerar isso pecado se você acreditar sinceramente que está acelerando sua viagem para o céu?

Minha atitude em relação ao suicídio assistido, bem ao contrário, parte da observação de Mark Twain, que já citei. Estar morto não será diferente de não ter nascido — só serei como era no tempo de William, o Conquistador, ou dos dinossauros, ou dos trilobitos. Não há nada a temer nisso. Mas o processo de morrer pode muito bem ser, dependendo de nossa sorte, doloroso e desagradável — o tipo de experiência da qual nos acostumamos a ser protegidos pela anestesia geral, como na remoção do apêndice. Se seu animal de estimação estiver morrendo, cheio de dor, você será chamado de cruel se não o levar ao veterinário para que ele dê ao bicho uma anestesia geral da qual ele não acordará. Mas, se seu médico realizar exatamente o mesmo serviço misericordioso com você, se você estiver morrendo cheio de dor, corre o risco de ser indiciado por assassinato. Quando eu estiver morrendo, gostaria que minha vida fosse tirada sob anestesia geral, exatamente como no caso de um apêndice doente. Mas esse privilégio não me será permitido, porque tenho o azar de ter nascido membro da espécie *Homo sapiens*, em vez, por exemplo, da *Canis familiaris* ou da *Felis catus*. Pelo menos é o que acontecerá se eu não me mudar para um lugar mais esclarecido, como a Suíça, a Holanda ou o Oregon. Por que lugares esclarecidos assim são tão raros? Principalmente por causa da influência da religião.

Mas, podem dizer, não há uma diferença importante entre ter o apêndice removido e ter a vida removida? Não, na verdade; não se você estiver prestes a morrer de qualquer jeito. E não se você tiver uma crença religiosa sincera na vida após a morte. Se se tem tal crença, morrer é só uma transição de uma vida para outra. Se a transição é dolorosa, não há motivo para querer que ela aconteça sem anestesia, assim como não se desejaria retirar o apêndice sem anestesia. Quem, como nós, vê a morte como uma coisa terminal, em vez de uma transição, é que deveria resistir ingenuamente à eutanásia ou ao suicídio assistido. Só que somos nós que os defendemos.*

Na mesma linha, o que devemos pensar da observação de uma enfermeira que conheço, que tem uma experiência de vida inteira administrando um asilo, onde a morte é uma ocorrência regular? Ela percebeu, ao longo dos anos, que os que mais têm

* Um estudo sobre as atitudes em relação à morte entre ateus americanos mostrou o seguinte: 50% queriam uma celebração fúnebre de sua vida; 99% apoiavam o suicídio assistido por um médico para aqueles que assim o desejassem e 75% queriam ter esse direito; 100% não queriam contato com equipes hospitalares que promovam a religião. Veja http://nursestoner.com/myresearch.html.

medo da morte são os religiosos. A observação precisaria de sustentação estatística, mas, pressupondo que ela esteja certa, o que é isso? O que quer que seja, não é um depoimento muito bom do poder da religião para reconfortar os moribundos.* No caso dos católicos, será que eles estão com medo do purgatório? O santo cardeal Hume disse adeus a um amigo com as seguintes palavras: "Bom, tchau, então. Vejo você no purgatório, acho". O que *eu* acho é que havia um brilho de ceticismo naqueles velhos olhos bondosos.

A doutrina do purgatório revela a falta de lógica com que a cabeça teológica funciona. O purgatório é uma espécie de Ellis Island divina, uma sala de espera hadeana para onde as almas dos mortos vão se seus pecados não forem ruins o bastante para mandá-los para o inferno, mas precisarem ainda de umas verificações e de purificação para ser admitidas no paraíso sem pecados.** Nos tempos medievais, a Igreja vendia "indulgências" em troca de dinheiro. Equivalia a pagar por um determinado número de dias descontados do purgatório, e a Igreja literalmente (com uma presunção de tirar o fôlego) emitia certificados assinados especificando o número de dias que haviam sido adquiridos. A Igreja Católica Apostólica Romana é uma instituição para a qual

* Um amigo australiano cunhou uma frase maravilhosa para descrever a tendência da religiosidade de aumentar com a idade. Leia com sotaque australiano, subindo o tom no fim, com uma pergunta: "Ralando para a prova final?" ["Cramming for the final?"].

** O purgatório não deve ser confundido com o limbo, para onde os bebês que morrem sem ser batizados supostamente iam. E os fetos abortados? E os blastocistos? Agora, com pose caracteristicamente arrogante, o papa Bento XVI acaba de abolir o limbo. Isso significa que todos os bebês que lá estiveram, lânguidos, por todos esses séculos vão de repente flutuar para o céu? Ou permanecem lá e apenas os nascidos a partir de agora estão livres do limbo? Ou os papas anteriores estavam todos errados desde o começo, apesar de sua infalibilidade? Esse é o tipo de coisa que todos nós devemos "respeitar".

o termo "ganhos escusos" poderia ter sido especialmente inventado. E, de todos os esquemas para fazer dinheiro, a venda de indulgências deve certamente se classificar como um dos maiores golpes da história, o equivalente medieval ao golpe do nigeriano na internet, mas muito mais bem-sucedido.

Ainda em 1903, o papa Pio x tabulava o número de dias descontados do purgatório que cada escalão da hierarquia tinha direito a ganhar: duzentos dias para cardeais; cem dias para arcebispos; para bispos, meros cinquenta dias. Naquela época, porém, as indulgências já não eram mais vendidas diretamente por dinheiro. Mesmo na Idade Média, o dinheiro não era a única moeda para comprar a dispensa do purgatório. Dava para pagar em orações também, fossem as suas próprias, antes de morrer, ou as de outras pessoas por você, depois de sua morte. E o dinheiro comprava orações. Se você fosse rico, podia garantir indefinidamente as provisões para sua alma. A faculdade que cursei em Oxford, New College (era novo naquela época), foi fundada em 1379 por um dos maiores filantropos daquele século, William de Wykeham, bispo de Winchester. Um bispo medieval podia virar o Bill Gates daquele tempo, controlando o equivalente em termos de vias de informação (para Deus) e reunindo enormes riquezas. Sua diocese era excepcionalmente grande, e Wykeham usou sua fortuna e influência para fundar dois grandes estabelecimentos educacionais, um em Winchester e um em Oxford. A educação era importante para Wykeham, mas, nas palavras da história oficial do New College, publicada em 1979 para marcar o sexto centenário, o objetivo fundamental da escola era ser "uma grande oferenda para a intercessão pelo repouso de sua alma. Ele providenciou para os serviços da capela dez capelões, três secretários e dezesseis coristas, e ordenou que só eles fossem mantidos se a renda da escola faltasse". Wykeham deixou o New College nas mãos da Sociedade, um organismo que se autoelege e que existe há mais de seiscentos anos. Imagina-se que ele confiava que continuaríamos rezando por sua alma ao longo dos séculos.

Hoje a faculdade tem apenas um capelão* e nenhum secretário de capela, e o fluxo torrencial e constante de orações para Wykeham, século após século, reduziu-se à míngua de uma ou duas orações por ano. Só os coristas seguem firmes e fortes, e sua música é mesmo mágica. Até eu sinto um pouco de culpa lá no fundo, como membro da Sociedade, pela traição de uma confiança. No entendimento de sua época, Wykeham estava fazendo o equivalente a um homem rico hoje que faça um grande pagamento adiantado a uma companhia de criogenia que garanta congelar o corpo e mantê-lo protegido de terremotos, desordens civis, guerras nucleares e outros perigos, até algum ponto no futuro em que a ciência e a medicina tenham descoberto como descongelá-lo e curar a doença, qualquer que seja ela, da qual ele estava morrendo. Não estamos nós, membros posteriores da Sociedade, descumprindo um contrato com nosso fundador? Se estamos, estamos em boa companhia. Centenas de benfeitores medievais morreram acreditando que seus herdeiros, bem pagos para fazê-lo, rezariam por eles no purgatório. Não consigo deixar de especular qual é a proporção dos tesouros da arte e arquitetura medieval da Europa que começou como pagamentos adiantados pela eternidade, em contratos hoje traídos.

Mas o que realmente me fascina na doutrina do purgatório é a *evidência* que os teólogos apresentaram de sua existência: evidência de uma debilidade tão espetacular que torna ainda mais cômica a convicção com que é defendida. A entrada sobre o purgatório na *Catholic encyclopedia* possui um trecho chamado "provas". A evidência essencial para a existência do purgatório é a seguinte: se os mortos simplesmente fossem para o céu ou o in-

* Uma capelã — o que o bispo William teria achado?

ferno com base em seus pecados cometidos na Terra, não haveria motivo para rezar por eles. "Pois por que rezar pelos mortos, se não houver a crença de que o poder da oração oferece consolo para aqueles que ainda estão excluídos da visão de Deus?" E nós rezamos pelos mortos, não rezamos? Portanto o purgatório tem de existir, senão nossas orações não teriam sentido! c. q. d. Isso é um bom exemplo do que passa por raciocínio numa cabeça religiosa.

Esse *non sequitur* admirável é repetido, numa escala maior, no uso comum do Argumento do Consolo. Deus tem de existir, afirma o argumento, porque, se não existir, a vida seria vazia, sem sentido, inútil, um deserto de insignificância. Como é possível que se tenha de mostrar que a lógica não resiste nem ao primeiro obstáculo? Talvez a vida *seja* vazia. Talvez nossas orações pelos mortos *não façam* mesmo sentido. Presumir o contrário é presumir a veracidade de qualquer conclusão que queiramos provar. O suposto silogismo é transparentemente circular. A vida sem sua mulher pode muito bem ser intolerável, estéril e vazia, mas isso infelizmente não impede que ela esteja morta. Há algo de infantil na ideia de que outra pessoa (pais no caso de crianças, Deus no caso de adultos) tem a responsabilidade de dar sentido e objetivo a sua vida. Tudo isso faz parte da mesma infantilidade daqueles que, no momento em que torcem o tornozelo, olham em torno para achar quem processar. Alguém tem de ser o responsável por meu bem-estar, e alguém tem de ser o culpado se eu me machuco. Seria uma infantilidade semelhante o que está na verdade por trás da "necessidade" de um Deus? Voltamos ao Binker?

A visão verdadeiramente adulta, pelo contrário, é a de que nós é que decidimos se nossa vida será significativa, plena e maravilhosa. E podemos fazer com que ela seja mesmo maravilhosa. Se a ciência oferece um consolo não material, isso se funde com meu tópico final, a inspiração.

Inspiração é uma questão de gosto, ou de opinião, e a consequência levemente negativa disso é que o método de argumentação que tenho de empregar é mais retórico que lógico. Já fiz isso antes, e muitos outros também fizeram, como, para citar apenas exemplos recentes, Carl Sagan em *Pálido ponto azul*, E. O. Wilson em *Biophilia*, Michael Shermer em *The soul of science* [A alma da ciência] e Paul Kurtz em *Affirmations*. Em *Desvendando o arco-íris* tentei mostrar como temos sorte de estar vivos, considerando o fato de que a grande maioria das pessoas que poderiam ser criadas pela loteria combinatória do DNA na realidade jamais nascerá. Para nós, sortudos, que estamos aqui, descrevi a brevidade relativa da vida imaginando uma luzinha de laser avançando ao longo de uma enorme linha do tempo. Tudo o que há antes ou depois da luzinha está mergulhado na escuridão do passado morto ou na escuridão do futuro desconhecido. Somos incrivelmente sortudos de estar sob a luz. Por mais curto que seja nosso tempo sob o sol, se desperdiçarmos um segundo dele, ou reclamarmos que é tedioso ou estéril ou chato (como uma criança), isso não poderá ser visto como um insulto insensível para os trilhões de não nascidos que jamais terão a chance de receber a vida? Como muitos ateus já disseram melhor que eu, a consciência de que temos apenas uma vida deveria torná-la ainda mais preciosa. A visão ateísta reafirma e melhora a vida, e ao mesmo tempo nunca é afetada pela autoilusão, pelo excesso de otimismo ou pela autopiedade chorosa daqueles que acham que a vida lhes deve alguma coisa. Emily Dickinson disse:

*Que ela nunca acontecerá de novo*
*É o que torna a vida tão bela.**

* "That it will never come again/ Is what makes life so sweet." (N. T.)

Se a eliminação de Deus vai deixar uma lacuna, cada um vai preenchê-la à sua maneira. Minha maneira inclui uma boa dose de ciência, a empreitada honesta e sistemática para descobrir a verdade sobre o mundo real. Vejo o esforço humano para entender o universo como um empreendimento de modelismo. Cada um de nós constrói, dentro de nossa cabeça, um modelo do mundo em que vivemos. O modelo mínimo do mundo é o modelo de que nossos ancestrais precisavam para sobreviver nele. O software da simulação foi construído e aperfeiçoado pela seleção natural, e funciona melhor no mundo que nossos ancestrais da savana africana conheciam: um mundo tridimensional de objetos materiais de dimensões médias, movendo-se em velocidades médias proporcionalmente entre si. Num bônus inesperado, nosso cérebro revelou-se poderoso o suficiente para acomodar um modelo de mundo muito mais rico que o mundo medíocre e utilitarista de que nossos ancestrais precisavam para sobreviver. A arte e a ciência são manifestações desse bônus. Quero apresentar um panorama final, para mostrar o poder que a ciência tem de abrir a cabeça e satisfazer a psique.

## A MÃE DE TODAS AS BURCAS

Um dos espetáculos mais tristes de nossas ruas hoje em dia é a imagem de uma mulher encoberta por uma forma negra dos pés à cabeça, espiando o mundo através de uma nesga minúscula. A burca não é só um instrumento da opressão de mulheres e de repressão de sua liberdade e de sua beleza; não é só um símbolo da crueldade flagrante masculina da trágica submissão feminina. Quero usar a estreita fenda do véu como representação de outra coisa.

Nossos olhos enxergam o mundo através de uma fenda estreita no espectro eletromagnético. A luz visível é uma fresta de brilho no vasto espectro escuro, de ondas de rádio, no extremo curto, aos raios gama, no extremo longo. É difícil imaginar *quão* estreita ela é, e um desafio explicar. Imagine uma burca negra gigantesca, com uma fenda para a visão aproximadamente da largura-padrão, por exemplo de 2,5 centímetros. Se o comprimento do tecido negro acima da fenda representar o extremo das ondas curtas do espectro invisível, e se o comprimento do tecido negro abaixo da fenda representar a porção de ondas longas do espectro invisível, que comprimento a burca teria de ter para acomodar uma fenda de 2,5 centímetros à mesma escala? É difícil representá-la de forma sensata sem invocar escalas logarítmicas, tão imensos são os comprimentos de que estamos falando. O último capítulo de um livro como este não é lugar para começar a sair despejando logaritmos, mas pode acreditar em mim que seria a mãe de todas as burcas. A janelinha de 2,5 centímetros de luz visível é ridiculamente minúscula comparada aos quilômetros e quilômetros de tecido negro que representam a parte invisível do espectro, das ondas de rádio na barra da saia aos raios gama do alto da cabeça. O que a ciência faz para nós é alargar a janela. Ela se abre tanto que a vestimenta aprisionante quase que se rasga totalmente, expondo nossos sentidos a uma liberdade revigorante.

Os telescópios ópticos usam lentes de vidro e espelhos para vasculhar os céus, e o que eles veem são estrelas que por acaso estejam irradiando na estreita faixa de comprimento de onda que chamamos de luz visível. Mas outros telescópios "veem" em raio X ou comprimentos de onda de rádio, e apresentam a nós uma cornucópia de céus noturnos alternativos. Numa escala menor, câmeras com filtros adequados conseguem "ver" em ultravioleta e tirar fotos de flores com uma série de faixas e pontos que são visíveis — e aparentemente "projetados" — para os olhos de insetos, mas que nossos olhos nus nem detectam. Os olhos dos insetos têm uma janela espectral de espessura semelhante à da nossa, mas ligeiramente mais para cima na burca: eles são cegos para o vermelho e veem mais ultravioleta que nós — mais do "jardim ultravioleta".*

A metáfora da janela estreita de luz, que se abre num espectro espetacularmente amplo, também funciona para outras áreas da ciência. Vivemos perto do centro de um museu de magnitudes cavernosas, enxergando o mundo com órgãos dos sentidos e sistemas nervosos equipados para perceber e entender apenas uma pequena variação mediana de tamanhos, que se movam numa variação mediana de velocidades. Ficamos bem com objetos que variem de alguns quilômetros (a visão de um pico de montanha) até um décimo de milímetro (a ponta de um alfinete). Fora dessa gama, até nossa imaginação é deficiente, e precisamos da ajuda de instrumentos e da matemática — que, felizmente, podemos aprender a usar. A gama de tamanhos, distâncias ou velocidades com que nossa imaginação se sente confortável é uma faixa minúscula, no meio de um espectro gigantesco do que é possível, da escala de estranheza do quantum, no extremo menor, à escala da cosmologia einsteiniana, no extremo maior.

Nossa imaginação é tristemente subequipada para lidar com distâncias que saiam do estreito âmbito mediano do que é familiar desde sempre. Tentamos visualizar um elétron como uma bola pequenininha, em órbita em torno de um agrupamento maior de bolas que representam os prótons e os nêutrons. Não é nada disso. Os elétrons não são como bolinhas. Eles não se parecem com nada que possamos reconhecer. Nem claro o que "parecer" possa significar quando tentamos voar perto demais dos horizon-

* "O jardim ultravioleta" foi o título de uma de minhas cinco Palestras de Natal da Royal Institution, originalmente transmitidas pela BBC sob o título "Growing up in the universe" ["Crescendo no universo"]. A série completa das cinco palestras está disponível em DVD em www.richarddawkins.net, site da Fundação Richard Dawkins.

tes mais distantes da realidade. Nossa imaginação ainda não está instrumentalizada para penetrar na área do quantum. Nada que tenha aquela escala age como a matéria — da maneira como evoluímos para pensar — devia agir. Nem conseguimos lidar com o comportamento de objetos que se movam a alguma fração apreciável da velocidade da luz. O bom senso deixa-nos na mão, porque o bom senso evoluiu num mundo onde nada se move rápido demais, e nada é muito pequeno nem muito grande.

No final de um famoso ensaio sobre "Mundos possíveis", o grande biólogo J. B. S. Haldane escreveu: "Agora, minha desconfiança é que o universo não só é mais estranho do que imaginamos, mas mais estranho do que podemos imaginar [...] Suspeito que haja mais coisas no céu e na terra que se sonha, ou que se possa sonhar, em qualquer filosofia". Aliás, fiquei intrigado com a sugestão de que o famoso discurso de Hamlet invocado por Haldane costuma ser dito de modo errado. A ênfase normal é no "tua":

*Há mais coisas no céu e na terra, Horácio,*
*Do que sonha a* tua *filosofia.**

Na verdade, a citação é frequentemente repetida com a implicação de que Horácio representa todos os racionalistas e céticos rasos. Mas alguns acadêmicos colocam a ênfase em "filosofia", com o "tua" quase desaparecendo: "[...] do que sonha t'a *filosofia*". A diferença não interessa muito para nossos propósitos atuais, com a exceção de que a segunda interpretação já cuida do "qualquer" filosofia de Haldane.**

* "There are more things in heaven and earth, Horatio,/ Than are dreamt of in *your* philosophy." (N. T.)

** Embora não seja totalmente fiel ao original, a tradução que acabou se consagrando para citações em português é: "Há mais coisas entre o céu e a terra do que sonha nossa vã filosofia", que muda o tom da frase, aproximando-a da interpretação de Haldane. (N. T.)

A pessoa a quem este livro é dedicado ganhou a vida com a estranheza da ciência, levando-a ao ponto da comédia. O trecho seguinte foi tirado do mesmo discurso improvisado em Cambridge em 1998 que citei no capítulo 1: "O fato de que vivemos no fundo de um poço profundo de gravidade, na superfície de um planeta coberto de gás que gira em volta de uma bola de fogo nuclear a 150 milhões de quilômetros e achamos isso *normal* é obviamente uma indicação do quão torta tende a ser nossa perspectiva". Enquanto outros escritores de ficção científica brincavam com a estranheza da ciência para despertar nosso senso de mistério, Douglas Adams usava-a para nos fazer dar risada (quem já leu *O guia do mochileiro das galáxias* pode lembrar do "gerador de improbabilidade infinita", por exemplo). A risada pode mesmo ser a melhor resposta para alguns dos paradoxos mais esquisitos da física moderna. A alternativa, às vezes acho, é chorar.

A mecânica quântica, aquele pico rarefeito de realização científica do século XX, faz previsões brilhantemente bem-sucedidas sobre o mundo real. Richard Feynman comparou sua precisão a prever uma distância tão grande quanto a largura da América do Norte com a acuidade da espessura de um fio de cabelo humano. Esse sucesso preditivo parece significar que a teoria quântica tem de ser verdadeira em algum sentido; tão verdadeira quanto qualquer coisa que conhecemos, mesmo os fatos mais bobos e comuns. Mas as *pressuposições* que a teoria quântica precisa fazer, para produzir as previsões, são tão misteriosas que o grande Feynman, ele mesmo, foi levado a dizer (existem várias versões dessa citação, dentre as quais a seguinte parece-me a mais legal): "Se você acha que entende a teoria quântica... você não entende a teoria quântica".*

* Afirmação semelhante é atribuída a Niels Bohr: "Se alguém não ficar chocado com a teoria quântica é porque não a entendeu".

A teoria quântica é tão esquisita que os físicos recorrem a uma ou outra "interpretação" paradoxal dela. Recorrem é a palavra certa. David Deutsch, em *A essência da realidade*, adota a interpretação da teoria quântica dos "muitos mundos", talvez porque o pior do que ela pode ser acusada é de ser ridiculamente *extravagante*. Ela postula um número enorme e crescente de universos, que existem de forma paralela e são mutuamente indetectáveis, exceto pelo estreito portal dos experimentos de mecânica quântica. Em alguns desses universos eu já morri. Numa pequena minoria deles, você tem um bigode verde. E assim por diante.

A alternativa, a "interpretação de Copenhague", é igualmente ridícula — não extravagante, apenas drasticamente paradoxal. Erwin Schrödinger satirizou-a com sua parábola do gato. O gato de Schrödinger é preso numa caixa com um mecanismo de morte acionado por um evento de mecânica quântica. Antes de abrirmos a tampa da caixa, não sabemos se o gato está vivo ou morto. O bom senso diz que, de qualquer jeito, o gato tem de estar ou vivo ou morto dentro da caixa. A interpretação de Copenhague contradiz o bom senso: tudo que existe antes de abrirmos a caixa é uma probabilidade. Assim que abrimos a caixa, a função de onda colapsa e ficamos com um evento isolado: o gato está morto, ou o gato está vivo. Até que abramos a caixa, ele não estava nem morto nem vivo.

A interpretação dos "muitos mundos" para os mesmos acontecimentos é que em alguns universos o gato está morto; em outros universos o gato está vivo. Nenhuma das duas interpretações satisfaz o bom senso ou a intuição humana. Os físicos, mais machos, não estão nem aí. O que interessa é que a matemática funciona, e as previsões são experimentalmente cumpridas. A maioria de nós é fraca demais para ir atrás deles. Aparentemente *precisamos* de algum tipo de visualização do que está "realmente" acontecendo. Sei, aliás, que Schrödinger propôs originalmente o experimento de pensamento do gato para desnudar o absurdo que via na interpretação de Copenhague.

O biólogo Lewis Wolpert acredita que a esquisitice da física moderna é só a ponta do iceberg. A ciência em geral, ao contrário da tecnologia, é violenta com o bom senso.[156] Wolpert calcula, por exemplo, que "há muito mais moléculas em um copo d'água do que copos d'água no oceano". Uma vez que toda a água do planeta passa pelo oceano, pareceria que a conclusão é de que toda vez que você toma um copo d'água há boas chances de que algo do que está bebendo tenha passado pela bexiga de Oliver Cromwell. É claro que não há nada de especial em Cromwell, nem em bexigas. Você não acabou de respirar um átomo de nitrogênio que um dia foi respirado pelo terceiro iguanodonte à esquerda da árvore cicadácea? Não fica feliz de viver num mundo em que, além de tal conjectura ser possível, você tem o privilégio de entender o porquê dela? E explicá-la publicamente para outra pessoa, não como uma opinião ou crença, mas como algo que ela, quando tiver entendido seu raciocínio, se sentirá compelida a aceitar? Talvez esse seja um dos aspectos do que Carl Sagan quis dizer quando explicou sua motivação para escrever *O mundo assombrado pelos demônios: A ciência vista como uma vela no escuro*: "Não explicar a ciência parece-me perverso. Quando estamos apaixonados, queremos contar ao mundo todo. Este livro é uma declaração pessoal, que reflete meu caso de amor de vida inteira com a ciência".

A evolução da vida complexa, e de fato sua própria existência num universo que obedeça às leis da física, é uma surpresa maravilhosa — ou seria, se não fosse o fato de que a surpresa é uma emoção que só pode existir num cérebro que seja o produto desse mesmo processo tão surpreendente. Existe um sentido antrópico, portanto, pelo qual nossa existência não deveria ser surpreendente. Gostaria de acreditar que falo também pelos outros seres humanos quando insisto, mesmo assim, que ela é de uma surpresa desesperadora.

Pense nisso. Em um planeta, e possivelmente um único planeta no universo inteiro, moléculas que normalmente não formariam nada mais complicado que um pedaço de pedra reúnem-se em grupos de matéria do tamanho de pedras, de uma complexidade tão inacreditável que são capazes de correr, pular, nadar, voar, enxergar, escutar, capturar e comer outros pedaços animados de complexidade; capazes em alguns casos de pensar e sentir, e de apaixonar-se por outros pedaços de matéria complexa. Hoje entendemos em termos básicos como o truque funciona, mas somente desde 1859. Antes de 1859 isso teria parecido esquisitíssimo. Hoje, graças a Darwin, é só muito esquisito. Darwin pegou a janela da burca e a arregaçou, deixando entrar uma torrente de compreensão cujo caráter inovador e fascinante, e cujo poder de elevar o espírito humano, talvez tenha sido inédito — exceto talvez a percepção copérnica de que a Terra não era o centro do universo.

"Diga-me", perguntou uma vez o grande filósofo do século XX Ludwig Wittgenstein a um amigo, "por que as pessoas sempre dizem que era natural para o homem assumir que o Sol é que girava em torno da Terra, em vez de que a Terra estava girando?" Seu amigo respondeu: "Bom, é óbvio que é porque *parece* que o Sol está girando em torno da Terra". Wittgenstein respondeu: "Bom, e como teria parecido se parecesse que era a Terra que estava girando?". Às vezes cito essa declaração de Wittgenstein em palestras, na expectativa de que o público dê risada. Em vez disso, as pessoas ficam assombradas, em silêncio.

No mundo limitado em que nosso cérebro evoluiu, os objetos pequenos são mais propensos a se mexer que os grandes, que são vistos como pano de fundo para o movimento. Conforme o mundo roda, objetos que parecem grandes porque estão próximos — montanhas, árvores e prédios, o próprio chão — movem-se todos em exata sincronia entre si e entre o observador, em relação ao Sol e às estrelas. Nosso cérebro evoluído projeta uma ilusão de movimento neles, em vez de nas montanhas e nas árvores que estão no primeiro plano.

Quero agora explorar a questão mencionada acima, de que o modo como vemos o mundo, e o motivo pelo qual achamos certas coisas intuitivamente fáceis de entender e outras difíceis, é que *nosso próprio cérebro é um órgão resultante da evolução*: computadores portáteis, que evoluíram para ajudar-nos a sobreviver num mundo — usarei o nome Mundo Médio — em que os objetos que interessavam à nossa sobrevivência não eram nem muito grandes nem muito pequenos; um mundo em que as coisas ou estavam paradas ou se moviam devagar se comparadas com a velocidade da luz; e em que o muito improvável podia sem problemas ser tratado como impossível. Nossa fenda de burca mental é estreita porque ela não *precisava* ser mais larga para ajudar nossos ancestrais a sobreviver.

A ciência nos ensinou que, contrariando toda a intuição que a evolução criou, coisas aparentemente sólidas como cristais e rochas são na verdade compostas quase totalmente de espaço vazio. A ilustração mais comum é a que representa o núcleo de um átomo como uma mosca no centro de um estádio de futebol. O próximo átomo está fora do estádio. A rocha mais dura, mais sólida, mais densa, portanto, "na verdade" é quase só espaço vazio, interrompido apenas por partículas minúsculas tão longe umas das outras que nem deveriam contar. Então por que as rochas parecem tão sólidas e duras e impenetráveis?

Não vou tentar imaginar como Wittgenstein teria respondido a essa pergunta. Mas, como biólogo evolutivo, eu responderia da seguinte maneira: Nosso cérebro evoluiu para ajudar nosso corpo a se virar no mundo na escala em que esse corpo funciona. Nunca evoluímos para navegar no mundo dos átomos. Se tivéssemos, talvez nosso cérebro *percebesse* as rochas como coisas cheias de espaços vazios. As rochas parecem duras e impenetráveis para nossas mãos porque nossas mãos não conseguem penetrá-las. O motivo pelo qual elas não podem penetrá-las não tem nada a ver com os tamanhos e as separações entre as partículas que constituem a matéria. Tem a ver, sim, com os campos de força associados a essas partículas tão distantes entre si na matéria "sólida". É útil para nosso cérebro *construir* noções como solidez e impenetrabilidade, porque essas noções ajudam-nos a navegar com nosso corpo por um mundo no qual os objetos — que chamamos de sólidos — não podem ocupar o mesmo espaço ao mesmo tempo.

Um pequeno intervalo cômico neste ponto — tirado de *The men who stare at goats* [Homens que encaram cabras], de Jon Ronson:

> Esta é uma história real. Verão de 1983. O major-general Albert Stubblebine III está sentado em sua mesa em Arlington, Virgínia, e olha fixamente para a parede, na qual estão penduradas suas várias condecorações militares. Elas detalham uma longa e respeitada carreira. Ele é o chefe de inteligência do Exército dos Estados Unidos, com 16 mil soldados sob seu comando... Ele não olha para os prêmios, mas para a parede atrás deles. Sente que tem de fazer uma coisa, embora tenha medo só de pensar. Pensa na escolha que tem de fazer. Pode ficar em seu escritório ou pode ir ao escritório ao lado. A escolha é dele. E ele escolheu. Vai ao escritório ao lado... Ele se levanta, sai de trás da mesa e começa a andar. Afinal, pensa ele, do que mesmo o átomo é mais feito? Espaço! Ele acelera o passo. Do que eu sou mais feito? Pensa. Átomos! Só tenho que fundir os espaços... Então o general Stubblebine bate com tudo o nariz na parede de seu escritório. Droga, pensa. O contínuo fracasso do ato de atravessar sua parede confunde o general Stubblebine.

O general Stubblebine é bem descrito como "um inovador" no site da organização em que, aposentado, ele hoje comanda junto com a mulher.* A organização chama-se HealthFreedomUSA e é dedicada a "suplementos (vitaminas, minerais, aminoácidos etc.), ervas, remédios homeopáticos, medicina nutricional e comida limpa (sem pesticidas, herbicidas e antibióticos), sem corporações (através do uso da coerção do governo) ditando-lhe que doses e tratamentos você pode usar". Nenhuma menção aos preciosos fluidos corporais.**

Como evoluímos no Mundo Médio, achamos intuitivamente fácil entender ideias como: "Quando um major-general se movimenta, na velocidade média com que os majores-generais e outros objetos do Mundo Médio costumam se movimentar, e atinge outro objeto sólido do Mundo Médio como uma parede, seu avanço é dolorosamente interrompido". Nosso cérebro não está equipado para imaginar como seria ser um neutrino que atravessa uma parede, nos vastos interstícios de que a parede "na verdade" consiste. Assim como nosso entendimento não consegue captar o que acontece quando as coisas se movem à velocidade da luz.

A intuição humana, que evoluiu e se formou no Mundo Médio sem ajuda, acha até mesmo difícil acreditar em Galileu quando ele nos diz que uma bala de canhão e uma pena, sem o atrito do ar, atingiriam o chão no mesmo instante se lançadas de uma torre inclinada. Isso porque, no Mundo Médio, o atrito do ar está sempre lá. Se tivéssemos evoluído no vácuo, nossa *expectativa* seria de que a pena e a bala de canhão atingissem o chão simultanea-

* www.healthfreedomusa.org/aboutus/president.shtml. Para um retrato aparentemente bem característico do general Stubblebine, veja www.mindcontrolforums.com/images/Mind94.jpg.

** Referência ao filme *Dr. Fantástico*, de Stanley Kubrick, em que um general acha que os comunistas querem poluir os "preciosos fluidos corporais" dos americanos. (N. T.)

mente. Somos cidadãos do Mundo Médio resultantes da evolução, e isso limita o que somos capazes de imaginar. A abertura estreita de nossa burca só permite, a menos que sejamos superdotados ou peculiarmente instruídos, que vejamos o Mundo Médio.

Em certo sentido, nós, animais, temos de sobreviver não apenas no Mundo Médio, mas no micromundo de átomos e elétrons também. Os próprios impulsos nervosos com que pensamos e imaginamos dependem das atividades do Micromundo. Mas uma compreensão do Micromundo não teria ajudado nossos ancestrais selvagens em nenhuma ação que tiveram de realizar, nenhuma decisão que tiveram de tomar. Se fôssemos bactérias, constantemente esbofeteados pelos movimentos térmicos das moléculas, seria diferente. Só que nós, mundomedianos, somos grandalhões demais para notar o movimento browniano. Da mesma maneira, nossa vida é dominada pela gravidade, mas praticamente ignoramos a força delicada da tensão da superfície. Um pequeno inseto inverteria essa ordem de prioridade e não acharia a tensão da superfície nada delicada.

Steve Grand, em *Creation: Life and how to make it* [Criação: vida e como fazê-la], é quase cruel com nossa preocupação com a matéria. Temos uma tendência a achar que só as "coisas" sólidas, materiais, são realmente "coisas". "Ondas" de flutuação eletromagnética num vácuo parecem "irreais". Os vitorianos achavam que ondas só eram ondas "em" algum meio material. Não se conhecia nenhum meio assim, então eles o inventaram e o batizaram de éter luminífero. Mas nosso entendimento só se sente confortável com a matéria "de verdade" porque nossos ancestrais evoluíram para sobreviver no Mundo Médio, onde a matéria é um conceito útil.

Por outro lado, até nós, mundomedianos, somos capazes de ver que um redemoinho é uma "coisa" com uma realidade parecida com a da rocha, embora a matéria do redemoinho esteja constantemente mudando. Numa planície do deserto na Tanzânia, à sombra do Ol Donyo Lengai, vulcão sagrado dos masai, há uma grande duna feita de cinzas de uma erupção em 1969. Seu formato é moldado pelo vento. O bonito, porém, é que ela *anda*. É o que tecnicamente se chama barcana. A duna inteira anda pelo deserto na direção oeste a uma velocidade de cerca de dezessete metros por ano. Ela mantém seu formato de lua crescente e avança na direção das pontas. O vento joga areia sobre a encosta mais baixa. Assim, conforme cada grão de areia chega ao topo, desce pela encosta mais inclinada, no centro do crescente.

Na verdade, até uma barcana é mais "coisa" que uma onda. Uma onda *parece* movimentar-se horizontalmente pelo mar aberto, mas as moléculas de água movem-se verticalmente. Da mesma forma, as ondas de som podem viajar do falante para o ouvinte, mas as moléculas de ar não viajam: senão seria um vento, não um som. Steve Grand afirma que eu e você somos mais ondas que "coisas" permanentes. Ele convida o leitor a pensar

> numa experiência de sua infância. Alguma coisa de que você se lembre bem, alguma coisa que você consiga ver, sentir, talvez até cheirar, como se estivesse mesmo lá. Afinal de contas, você estava mesmo lá naquela época, não estava? Senão, como iria lembrar? Mas aqui vem a bomba: você *não estava* lá. Nem um único átomo que está em seu corpo hoje estava lá quando aquilo aconteceu [...] A matéria flui de lugar para lugar e por um instante reúne-se para formar você. O quer quer que você seja, portanto, você não é aquilo de que é feito. Se isso não faz você sentir um calafrio na espinha, leia de novo até que faça, porque isso é importante.*

* Alguns podiam contestar a verdade literal da afirmação de Grand, por exemplo no caso de moléculas de ossos. Mas o espírito dela com certeza é válido. Você é mais onda que "coisas" materiais estáticas.

"Na verdade" não é um termo que devemos usar com confiança. Se um neutrino tivesse um cérebro que houvesse evoluído em ancestrais do tamanho de neutrinos, ele diria que as rochas "na verdade" consistem em grande parte de espaços vazios. Temos um cérebro que evoluiu em ancestrais de tamanho médio, que não eram capazes de atravessar rochas, portanto nosso "na verdade" é um "na verdade" no qual as rochas são sólidas. "Na verdade", para um animal, é aquilo que seu cérebro precisa que seja, para ajudá-lo a sobreviver. E, como espécies diferentes vivem em mundos tão diferentes, haverá uma variedade perturbadora de "na verdade".

O que vemos do mundo real não é o mundo real intocado, mas um *modelo* do mundo real, regulado e ajustado por dados sensoriais — um modelo que é construído para que seja útil para lidar com o mundo real. A natureza desse modelo depende do tipo de animal que somos. Um animal que voa precisa de um modelo de mundo diferente do de um animal que anda, que escala ou que nada. Predadores precisam de um modelo diferente do das presas, embora seus mundos necessariamente se sobreponham. O cérebro de um macaco precisa ter uma programação capaz de simular um labirinto tridimensional de galhos e troncos. O cérebro de um notonectídeo não precisa de um programa em 3D, já que mora na superfície de um lago na Flatland de Edwin Abbott. O software para construir modelos do mundo de uma toupeira é adaptado para o uso subterrâneo. Os ratos-toupeiras pelados provavelmente têm um programa de representação do mundo parecido com o de uma toupeira. Mas um esquilo, embora seja roedor como o rato-toupeira, provavelmente tem um software de construção do mundo muito mais próximo do do macaco.

Já especulei, em *O relojoeiro cego* e em outros lugares, que os morcegos podem "ver" a cor com os ouvidos. O modelo de mundo de que um morcego precisa, para navegar pelas três dimensões capturando insetos, deve certamente ser semelhante ao modelo de que uma andorinha precisa para realizar a mesma tarefa. O fato de o morcego usar o eco para atualizar as variáveis de seu modelo, enquanto a andorinha usa a luz, é secundário. Os morcegos, sugiro, usam percepções de tonalidades, como "vermelho" e "azul", como rótulos internos para algum aspecto útil dos ecos, talvez a textura acústica das superfícies; exatamente da mesma maneira como as andorinhas usam as percepções de tonalidades para rotular comprimentos de onda curtos e longos da luz. O importante é que a natureza do modelo é determinada por como ele será *usado*, mais que pela modalidade sensorial envolvida. A lição que os morcegos dão é essa. O formato geral do modelo mental — ao contrário das variáveis que estão constantemente chegando através dos nervos sensoriais — é uma adaptação ao modo de vida do animal, exatamente como suas asas, suas patas e sua cauda.

J. B. S. Haldane, no artigo sobre os "mundos possíveis" que citei anteriormente, tinha algo de relevante a dizer sobre os animais cujo mundo é dominado pelos cheiros. Ele ressaltou que os cachorros conseguem distinguir dois ácidos graxos voláteis muito semelhantes — o ácido caprílico e o ácido capróico — diluídos na proporção de uma parte para um milhão. A única diferença é que a principal cadeia molecular do ácido caprílico tem dois átomos de carbono a mais que a cadeia principal do ácido caproico. Um cachorro, imaginou Haldane, provavelmente seria capaz de colocar os ácidos "na ordem de seus pesos moleculares por meio dos cheiros, assim como um homem consegue colocar cordas de piano na ordem de seu comprimento por meio das notas".

Existe outro ácido graxo, o ácido cáprico, que é igual aos outros dois, exceto pelo fato de que tem mais dois átomos de carbono ainda na cadeia principal. Um cão que nunca tenha deparado com o ácido cáprico talvez não tenha mais dificuldade de imaginar seu cheiro que nós teríamos para imaginar um trompete tocando uma nota mais alta que a que já ouvimos o trompete tocar. Parece-me muito razoável supor que um cachorro, ou um rinoceronte, trate misturas de cheiros como acordes harmoniosos. Talvez haja dissonâncias. É pouco provável que haja melodias, pois as melodias são construídas com notas que começam ou param abruptamente em momentos precisos, diferentemente dos odores. Ou talvez cachorros e rinocerontes cheirem em cores. O argumento seria o mesmo para os morcegos.

Mais uma vez, as percepções a que chamamos cores são instrumentos usados por nosso cérebro para rotular distinções importantes no mundo exterior. As tonalidades que sentimos — o que os filósofos chamam de qualia — não têm conexão intrínseca com luzes de comprimentos específicos de onda. São rótulos internos que estão *disponíveis* no cérebro, quando ele constrói seu modelo da realidade externa, para fazer distinções que são especialmente relevantes para o animal em questão. Em nosso caso, ou no de um pássaro, isso significa a luz de diferentes comprimentos de onda. No caso de um morcego, como especulei, podem ser superfícies de diferentes propriedades ou texturas de eco, talvez vermelho para brilhante, azul para aveludado, verde para abrasivo. E, no caso de um cachorro ou de um rinoceronte, por que não seria para os cheiros? A possibilidade de imaginar como é o mundo exterior para um morcego ou um rinoceronte, para um inseto que anda sobre a água ou uma toupeira, para uma bactéria ou um besouro que perfura cascas de árvores é um dos privilégios que a ciência nos proporciona quando afasta o tecido negro de nossa burca para nos mostrar a maior variedade do que existe, para nosso deleite.

A metáfora do Mundo Médio — da faixa intermediária de fenômenos que a abertura estreita de nossa burca permite-nos enxergar — aplica-se a outras escalas ainda, ou "espectros". Podemos construir uma escala de improbabilidades, com uma abertura tão estreita quanto, através da qual nossa intuição e nossa imaginação conseguem avançar. Em um extremo do espectro de improbabilidades estão aqueles acontecimentos que classificaríamos como impossíveis. Milagres são coisas extremamente improváveis. Uma estátua da Madona poderia acenar com a mão para nós. Os átomos que formam sua estrutura cristalina estão todos vibrando para a frente e para trás. Como são muitos, e como não há uma preferência em sua direção de movimento, a mão, como a vemos no Mundo Médio, fica solidamente parada. Mas os átomos que se mexem o tempo todo na mão *podiam* todos simplesmente, *por acaso*, se mover na mesma direção ao mesmo tempo. E de novo. E de novo... Nesse caso a mão ia se mexer, e a veríamos fazendo tchau para nós. Poderia acontecer, mas as chances de que não aconteça são tão grandes que, se você tivesse começado a escrever o número na origem do universo, ainda não teria escrito zeros suficientes até hoje. O poder para calcular essas possibilidades — o poder de quantificar o quase impossível em vez de simplesmente desistir de desespero — é outro exemplo dos benefícios liberadores da ciência para o espírito humano.

A evolução no Mundo Médio deixou-nos mal equipados para lidar com acontecimentos altamente improváveis. Mas na vastidão do espaço astronômico, ou do tempo geológico, acontecimentos que parecem impossíveis no Mundo Médio revelar-se-iam inevitáveis. A ciência abre à força a estreita fresta através da qual estamos acostumados a enxergar o espectro de possibilidades. O cálculo e o raciocínio libertam-nos para visitar regiões de possibilidade que um dia estiveram fora dos limites permitidos, ou povoadas por dragões. Já utilizamos esse alargamento da janela no capítulo 4, em que analisamos a improbabilidade da origem da vida e como um evento químico quase impossível tem de acontecer, desde que nos sejam dados para brincar anos planetários suficientes; e onde analisamos o espectro de universos possíveis, cada um com seu próprio conjunto de leis e constantes, e a necessidade antrópica de nos encontrarmos em um lugar amistoso dentre uma minoria de lugares amistosos.

Como devemos interpretar o "mais estranho do que podemos imaginar", de Haldane? Mais estranho do que pode, *em princípio*, ser imaginado? Ou simplesmente mais estranho do que podemos imaginar, dada a limitação do aprendizado evolutivo de nosso cérebro no Mundo Médio? Será que podemos, pelo treino e pela prática, nos emancipar do Mundo Médio, rasgar nossa burca negra e alcançar algum tipo de compreensão intuitiva — além de meramente matemática — daquilo que é pequeníssimo, grandíssimo e rapidíssimo? Genuinamente não sei a resposta, mas fico muito feliz de estar vivo numa época em que a humanidade tenta superar os limites do entendimento. Melhor ainda, talvez acabemos descobrindo que os limites não existem.

# Apêndice

## Uma lista parcial de endereços úteis para indivíduos que precisem de apoio para fugir da religião

Pretendo manter uma versão atualizada desta lista no site da Fundação Richard Dawkins para a Razão e a Ciência: www.richarddawkins.net. Peço desculpas por limitar a lista abaixo principalmente ao mundo de língua inglesa.

EUA

American Atheists [Ateus Americanos]
PO Box 5733, Parsippany, NJ 07054-6733
Secretária eletrônica: 1-908-276-7300
Fax: 1-908-276-7402
E-mail: info@atheists.org
www.atheists.org

American Humanist Association [Associação Humanista Americana]
1777 T Street, NW, Washington, D. C. 20009-7125
Telefone: (202) 238-9088
Telefone gratuito: 1-800-837-3792
Fax: (202) 238-9003
www.americanhumanist.org

Atheist Alliance International [Aliança Ateísta Internacional]
PO Box 26867, Los Angeles, CA 90026
Telefone gratuito: 1-866-HERETIC

E-mail: info@atheistalliance.org
www.atheistalliance.org

The Brights [Os Brilhantes]
PO Box 163418, Sacramento, CA 95816 USA
E-mail: the-brights@the-brights.net
www.the-brights.net

Center for Inquiry Transnational [Centro pelo Questionamento Transnacional]
Council for Secular Humanism [Conselho pelo Humanismo Secular]
Campus Freethought Alliance [Campus Aliança do Livre-Pensamento]
Center for Inquiry — On Campus [Centro pelo Questionamento — No Campus]
African Americans for Humanism [Afro-Americanos pelo Humanismo]
3965 Rensch Road, Amherst, NY 14228
Telefone: (716) 636-4869
Fax: (716) 636-1733
E-mail: info@secularhumanism.org
www.centerforinquiry.net
www.secularhumanism.org
www.campusfreethought.org
www.secularhumanism.org/index.php?section=aah&page=index

Freedom From Religion Foundation [Fundação pela Libertação da Religião]
PO Box 750, Madison, WI 53701
Telefone: (608) 256-5800
E-mail: info@ffrf.org
www.ffrf.org

Anti-Discrimination Support Network (ADSN) [Rede de Apoio Antidiscriminação]
Freethought Society of Greater Philadelphia [Sociedade de Livre-Pensamento da Grande Filadélfia]
PO Box 242, Pocopson, PA 19366-0242
Telefone: (610) 793-2737
Fax: (610) 793-2569
E-mail: fsgp@freethought.org
www.fsgp.org/

Institute for Humanist Studies [Instituto para Estudos Humanistas]
48 Howard St, Albany, NY 12207
Telefone: (518) 432-7820
Fax: (518) 432-7821
www.humaniststudies.org

International Humanist and Ethical Union — USA [União Humanista e Ética Internacional — EUA]
Appignani Bioethics Center [Centro de Bioética Appignani]
PO Box 4104, Grand Central Station, New York, NY 10162
Telefone: (212) 687-3324
Fax: (212) 661-4188

Internet Infields [Infiéis da Internet]
PO Box 142, Colorado Springs, CO 80901-0142
Fax: (877) 501-5113
www.infidels.org

James Randi Educational Foundation [Fundação Educacional James Randi]
201 S. E. 12th St (E. David Blvd), Fort Lauderdale, FL 33316-1815
Telefone: (954) 467-1112
Fax: (954) 467-1660
E-mail: jref@randi.org
www.randi.org

Secular Coalition for America [Coalizão Secular pela América]
PO Box 53330, Washington, D. C. 20009-9997
Telefone: (202) 299-1091
www.secular.org

Secular Student Alliance [Aliança Estudantil Secular]
PO Box 3246, Columbus, OH 43210
Secretária eletrônica gratuita / Fax: 1-877-842-9474
E-mail: ssa@secularstudents.org
www.secularstudents.org

The Skeptics Society [Sociedade de Céticos]
PO Box 338, Altadena, CA 91001
Telefone: (626) 794-3119
Fax: (626) 794-1301
E-mail: editorial@skeptic.com
www.skeptic.com

Society for Humanistic Judaism [Sociedade pelo Judaísmo Humanista]
28611 W. 12 Mile Rd., Farmington Hills, MI 48334
Telefone: (248) 478-7610
Fax: (248) 478-3159
E-mail: info@shj.org
www.shj.org

British Humanist Association [Associação Humanista Britânica]
1 Gower Street, London WC1E 6HD
Telefone: 020 7079 3580
Fax: 020 7079 3588
E-mail: info@humanism.org.uk
www.humanism.org.uk

International Humanist and Ethical Union — UK [União Humanista e Ética Internacional — Reino Unido]
1 Gower Street, London WC1E 6HD
Telefone: 020 7631 3170
Fax: 020 7631 3171
www.iheu.org/

National Secular Society [Sociedade Secular Nacional]
25 Red Lion Square, London WC1R 4RL
Telefone: 020 7404 3126
Fax: 0870 762 8971
www.secularism.org.uk/

New Humanist [Novo Humanista]
1 Gower Street, London WC1E 6HD
Telefone: 020 7436 1151
Fax: 020 7079 3588
E-mail: info@newhumanist.org.uk
www.newhumanist.org.uk

Rationalist Press Association [Associação Racionalista de Imprensa]
1 Gower Street, London WC1E 6HD
Telefone: 020 7436 1151
Fax: 020 7079 3588
E-mail: info@rationalist.org.uk
www.rationalist.org.uk

South Place Ethical Society (UK) [Sociedade Ética South Place (Reino Unido)]
Conway Hall, Red Lion Square, London WC1R 4RL
Telefone: 020 7242 8037/4
Fax: 020 7242 8036
E-mail: library@ethicalsoc.org.uk
www.ethicalsoc.org.uk

CANADÁ

Humanist Association of Canada [Associação Humanista do Canadá]
PO Box 8752, Station T, Ottawa, Ontario, K1G 3J1
Telefone: 877-HUMANS-1
Fax: (613) 739-4801
E-mail: HAC@Humanists.ca
http://hac.humanists.net/

AUSTRÁLIA

Australian Skeptics [Céticos Australianos]
PO Box 268, Roseville, NSW 2069
Telefone: 02 9417 2071
E-mail: skeptics@bdsn.com.au
www.skeptics.com.au

Council of Australian Humanist Societies [Conselho das Sociedades Humanistas Australianas]
GPO Box 1555, Melbourne, Victoria 3001.
Telefone: 613 5674 4096
E-mail: AmcPhate@bigpond.net.au
http://home.vicnet.net.au/~humanist/resources/cahs.html

NOVA ZELÂNDIA

New Zealand Skeptics [Céticos da Nova Zelândia]
NZCSICOP Inc.
PO Box 29-492, Christchurch
E-mail: skeptics@spis.co.nz
http://skeptics.org.nz

Humanist Society of New Zealand [Sociedade Humanista da Nova Zelândia]
PO Box 3372, Wellington
E-mail: jeffhunt90@yahoo.co.nz
www.humanist.org.nz/

ÍNDIA

Rationalist International [Racionalista Internacional]
PO Box 9110, New Delhi 110091

Telefone: + 91-11-556 990 12
E-mail: info@rationalistinternational.net
www.rationalistinternational.net/

MUNDO ISLÂMICO

Apostates of Islam [Apóstatas do Islã]
www.apostatesofislam.com/index.htm

Dr. Homa Darabi Foundation [Fundação Dr. Homa Darabi]
(Para promover os direitos das mulheres e das crianças sob o islã)
PO Box 11049, Truckee, CA 96162, USA
Telefone: (530) 582 4197
Fax: (530) 582 0156
E-mail: homa@homa.org
www.homa.org

FaithFreedom.org
www.faithfreedom.org/index.htm

Institute for the Secularization of Islamic Society [Instituto pela Secularização da Sociedade Islâmica]
E-mail: info@SecularIslam.org
www.secularislam.org/Default.htm

# Livros citados ou recomendados

ADAMS, D. (2003). *The salmon of doubt.* Londres: Pan.

ALEXANDER, R. D. e TINKLE, D. W., ed. (1981). *Natural selection and social behavior.* Nova York: Chiron Press.

ANON. (1985). *Life — How did it get here? By evolution or by creation?* Nova York: Watchtower Bible and Tract Society.

ASHTON, J. F., ed. (1999). *In six days: Why 50 scientists choose to believe in creation.* Sydney: New Holland.

ATKINS, P. W. (1992). *Creation revisited.* Oxford: W. H. Freeman.

ATRAN, S. (2002). *In gods we trust.* Oxford: Oxford University Press.

ATTENBOROUGH, D. (1960). *Quest in paradise.* Londres: Lutterworth.

AUNGER, R. (2002). *The electric meme: A new theory of how we think.* Nova York: Free Press.

BAGGINI, J. (2003). *Atheism: A very short introduction.* Oxford: Oxford University Press.

BARBER, N. (1988). *Lords of the golden horn.* Londres: Arrow.

BARKER, D. (1992). *Losing faith in faith.* Madison, WI: Freedom From Religion Foundation.

BARKER, E. (1984). *The making of a moonie: Brainwashing of choice?* Oxford: Blackwell.

BARROW, J. D. e TIPLER, F. J. (1988). *The anthropic cosmological principle.* Nova York: Oxford University Press.

BAYNES, N. H., ed. (1942). *The speeches of Adolf Hitler*, vol. 1. Oxford: Oxford University Press.

BEHE, M. J. (1997). *A caixa preta de Darwin*. Rio de Janeiro: Jorge Zahar.

BEIT-HALLAHMI, B. e ARGYLE, M. (1997). *The psychology of religious behaviour, belief and experience*. Londres: Routledge.

BELINERBLAU, J. (2005). *The secular Bible: Why nonbelievers must take religion seriously*. Cambridge: Cambridge University Press.

BLACKMORE, S. (1999). *The meme machine*. Oxford: Oxford University Press.

BLAKER, K., ed. (2003). *The fundamentals of extremism: The Christian right in America*. Plymouth, MI: New Boston.

BOUQUET, A. C. (1956). *Comparative religion*. Harmondsworth: Penguin.

BOYD, R. e RICHERSON, P. J. (1985). *Culture and the evolutionary process*. Chicago: University of Chicago Press.

BOYER, P. (2001). *Religion explained*. Londres: Heinemann.

BRODIE, R. (1996). *Virus of the mind: The new science of the meme*. Seattle: Integral Press.

BUCKMAN, R. (2000). *Can we be good without God?* Toronto: Viking.

BULLOCK, A. (1991). *Hitler and Stalin*. Londres: HarperCollins.

_______. (2005). *Hitler: A study in tyranny*. Londres: Penguin.

BUSS, D. M., ed. (2005). *The handbook of evolutionary psychology*. Hoboken, NJ: Wiley.

CAIRNS-SMITH, A. G. (1985). *Seven clues to the origin of life*. Cambridge: Cambridge University Press.

COMINS, N. F. (1993). *What if the moon didn't exist?* Nova York: HarperCollins.

COULTER, A. (2006). *Godless: The church of liberalism*. Nova York: Crown Forum.

DARWIN, C. (1859). *On the origin of species by means of natural selection*. Londres: John Murray. Edição brasileira: *Origem das espécies* (2002). Belo Horizonte: Itatiaia.

DAWKINS, M. Stamp (1980). *Animal suffering*. Londres: Chapman & Hall.

DAWKINS, R. (1982). *The extended phenotype*. Oxford: W. H. Freeman.

_______. (1996). *O rio que saía do Éden*. Rio de Janeiro: Rocco.

_______. (1998). *A escalada do monte Improvável*. São Paulo: Companhia das Letras.

_______. (2000). *Desvendando o arco-íris*. São Paulo: Companhia das Letras.

_______. (2001a). *O gene egoísta*. Belo Horizonte: Itatiaia.

_______. (2001b). *O relojoeiro cego*. São Paulo: Companhia das Letras.

_______. (2005). *O capelão do Diabo: Ensaios escolhidos*. São Paulo: Companhia das Letras.

DENNETT, D. C. (1987). *The intentional stance*. Cambridge, MA: MIT Press.

DENNETT, D. (1998). *A perigosa ideia de Darwin*. Rio de Janeiro: Rocco.
DENNETT, D. C. (2003). *Freedom evolves*. Londres: Viking.
_______. (2006). *Quebrando o encanto: A religião como fenômeno natural*. São Paulo, Globo Editora.
DEUTSCH, D. (2000). *A essência da realidade*. São Paulo: Makron Books.
DISTIN, K. (2005). *The selfish meme: A critical reassessment*. Cambridge: Cambridge University Press.
DOSTOIÉVSKI, F. (2001). *Os irmãos Karamázov*. São Paulo: Ediouro.
EHRMAN, B. D. (2003a). *Lost Christianities: The battles for scripture and the faiths we never knew*. Oxford: Oxford University Press.
EHRMAN, B. D. (2003b). *Lost scriptures: Books that did not make it into the New Testament*. Oxford: Oxford University Press.
_______. (2006). *O que Jesus disse? O que Jesus não disse? — Quem mudou a Bíblia e por quê*. Rio de Janeiro: Prestígio.
FISHER, H. (2006). *Por que amamos: A natureza química do amor romântico*. Rio de Janeiro: Record.
FORREST, B. e GROSS, P. R. (2004). *Creationism's Trojan horse: The wedge of intelligent design*. Oxford: Oxford University Press.
FRAZER, J. G. (1982). *O ramo de ouro*. Rio de Janeiro: Guanabara Koogan.
FREEMAN, C. (2002). *The closing of the Western mind*. Londres: Heinemann.
GALOUYE, D. F. (1964). *Counterfeit world*. Londres: Gollancz.
GLOVER, J. (2006). *Choosing children*. Oxford: Oxford University Press.
GOODENOUGH, U. (1998). *The sacred depths of nature*. Nova York: Oxford University Press.
GOODWIN, J. (1994). *Price of honour: Muslim women lift the veil of silence on the Islamic world*. Londres: Little, Brown.
GOULD, S. J. (2002). *Pilares do tempo: Ciência e religião na plenitude da vida*. Rio de Janeiro: Rocco.
GRAFEN, A. e RIDLEY, M., ed. (2006). *Richard Dawkins: How a scientist changed the way we think*. Oxford: Oxford University Press.
GRAND, S. (2000). *Creation: Life and how to make it*. Londres: Weidenfeld & Nicolson.
GRAYLING, A. C. (2003). *What is good? The search for the best way to live*. Londres: Weidenfeld & Nicolson.
GREGORY, R. L. (1997). *Eye and brain*. Princeton: Princeton University Press.
HALBERTAL, M. e MARGALIT, A. (1992). *Idolatry*. Cambridge, MA: Harvard University Press.
HARRIS, S. (2004). *The end of faith: Religion, terror and the future of reason*. Nova York: Norton.

HARRIS, S. (2007). *Carta a uma nação cristã*. São Paulo: Companhia das Letras.

HAUGHT, J. A. (1996). *2000 years of disbelief: Famous people with the courage to doubt*. Buffalo, NY: Prometheus.

HAUSER, M. (2006). *Moral minds: How nature designed our universal sense of right and wrong*. Nova York: Ecco.

HAWKING, S. (2002). *Uma breve história do tempo*. Rio de Janeiro: Rocco.

HENDERSON, B. (2006). *The gospel of the flying spaghetti monster*. Nova York: Villard.

HINDE, R. A. (1999). *Why gods persist: A scientific approach to religion*. Londres: Routledge.

_______. (2002). *Why good is good: The sources of morality*. Londres: Routledge.

HITCHENS, C. (1995). *The missionary position: Mother Teresa in theory and practice*. Londres: Verso.

_______. (2005). *Thomas Jefferson: Author of America*. Nova York: HarperCollins.

HODGES, A. (1983). *Alan Turing: The enigma*. Nova York: Simon & Schuster.

HOLLOWAY, R. (1999). *Godless morality: Keeping religion out of ethics*. Edimburgo: Canongate.

_______. (2001). *Doubts and loves: What is left of Christianity*. Edimburgo: Canongate.

HUMPHREY, N. (2002). *The mind made flesh: Frontiers of psychology and evolution*. Oxford: Oxford University Press.

HUXLEY, A. (1991). *A filosofia perene*. São Paulo: Cultrix.

_______. (2002). *Contraponto*. São Paulo: Globo Editora.

HUXLEY, T. H. (1871). *Lay sermons, addresses and reviews*. Nova York: Appleton.

_______. (1931). *Lectures and essays*. Londres: Watts.

JACOBY, S. (2004). *Freethinkers: A history of American secularism*. Nova York: Holt.

JAMMER, M. (2002). *Einstein and religion*. Princeton: Princeton University Press. Edição brasileira: Einstein e a religião (2000). Rio de Janeiro: Contraponto Editora.

JAYNES, J. (1976). *The origin of consciousness in the breakdown of the bicameral mind*. Boston: Houghton Mifflin.

JUERGENSMEYER, M. (2000). *Terror in the mind of God: The global rise of religious violence*. Berkeley: University of California Press.

KENNEDY, L. (1999). *All in the mind: A farewell to God*. Londres: Hodder & Stoughton.

KERTZER, D. I. (1998). *O sequestro de Edgardo Mortara*. Rio de Janeiro: Rocco.

KILDUFF, M. e JAVERS, R. (1978). *The suicide cult.* Nova York: Bantam.
KURTZ, P., ed. (2003). *Science and religion: Are they compatible?* Amherst, NY: Prometheus.
KURTZ, P. (2004). *Affirmations: Joyful and creative exuberance.* Amherst, NY: Prometheus.
KURTZ, P. e MADIGAN, T. J., ed. (1994). *Challenges to the Enlightenment: In defense of reason and science.* Amherst, NY: Prometheus.
LANE, B. (1996). *Killer cults.* Londres: Headline.
LANE FOX, R. (1993). *Bíblia: Verdade e ficção.* São Paulo: Companhia das Letras.
LEVITT, N. (1999). *Prometheus bedeviled.* New Brunswick, NJ: Rutgers University Press.
LOFTUS, E. e KETCHAM, K. (1994). *The myth of repressed memory: False memories and allegations of sexual abuse.* Nova York: St Martin's.
MCGRATH, A. (2004). *Dawkins' God: Genes, memes and the meaning of life.* Oxford: Blackwell.
MACKIE, J. L. (1985). *The miracle of theism.* Oxford: Clarendon Press.
MEDAWAR, P. B. (1982). *Pluto's republic.* Oxford: Oxford University Press.
MEDAWAR, P. B. e MEDAWAR, J. S. (1977). *The life science: Current ideas of biology.* Londres: Wildwood House.
MILLER, K. (1999). *Finding Darwin's God.* Nova York: HarperCollins.
MILLS, D. (2006). *Atheist universe: The thinking person's answer to Christian fundamentalism.* Berkeley: Ulysses Books.
MITFORD, N. e WAUGH, E. (2001). *The letters of Nancy Mitford and Evelyn Waugh.* Nova York: Houghton Mifflin.
MOONEY, C. (2005). *The republican war on science.* Cambridge, MA: Basic Books.
PERICA, V. (2002). *Balkan idols: Religion and nationalism in Yugoslav states.* Nova York: Oxford University Press.
PHILIPS, K. (2006). *American theocracy.* Nova York: Viking.
PINKER, S. (1999). *Como a mente funciona.* São Paulo: Companhia das Letras.
_______. (2004). *Tábula rasa: A negação contemporânea da natureza humana.* São Paulo: Companhia das Letras.
PLIMER, I. (1994). *Telling lies for God: Reason vs creationism.* Milsons Point, NSW: Random House.
POLKINGHORNE, J. (1994). *Science and Christian belief: Theological reflections of a bottom-up thinker.* Londres: SPCK.
REES, M. (2001a). *Apenas seis números.* Rio de Janeiro: Rocco.
_______. (2001) *Our cosmic habitat.* Londres: Weidenfeld & Nicolson.
REEVES, T. C. (1996). *The empty church: The suicide of liberal Christianity.* Nova York: Simon & Schuster.

RICHERSON, P. J. e BOYD, R. (2005). *Not by genes alone: How culture transformed human evolution*. Chicago: University of Chicago Press.

RIDLEY, Mark (2000). *Mendel's demon: Gene justice and the complexity of life*. Londres: Weidenfeld & Nicolson.

RIDLEY, Matt (2000). *As origens da virtude*. Rio de Janeiro: Record.

RONSON, J. (2005). *The men who stare at goats*. Nova York: Simon & Schuster.

RUSE, M. (1982). *Darwinism defended: A guide to the evolution controversies*. Reading, MA: Addison-Wesley.

RUSSELL, B. (1960). *Porque não sou cristão — E outros ensaios sobre religião e assuntos correlatos*. São Paulo: Livraria Exposição do Livro.

______. (1993). *The quotable Bertrand Russell*. Amherst, NY: Prometheus.

______. (1997a). *The collected papers of Bertrand Russell*, vol. 2: *Last philosophical testament, 1943-1968*. Londres: Routledge.

______. (1997b). *Collected papers*, vol. 11, ed. J. C. Slater e P. Köllner. Londres: Routledge.

______. (1997c). *Religion and science*. Oxford: Oxford University Press.

RUTHVEN, M. (1989). *The divine supermarket: Travels in search of the soul of America*. Londres: Chatto & Windus.

SAGAN, C. (1996a). *Pálido ponto azul*. São Paulo: Companhia das Letras.

______. (1996b). *O mundo assombrado pelos demônios: A ciência vista como uma vela no escuro*. São Paulo: Companhia das Letras.

SCOTT, E. C. (2004). *Evolution vs. Creationism: An introduction*. Westport, CT: Greenwood.

SHENNAN, S. (2002). *Genes, memes and human history*. Londres: Thames & Hudson.

SHERMER, M. (1999). *How we believe: The search for God in an age of science*. Nova York: W. H. Freeman.

______. (2001). *Por que acreditam as pessoas em coisas estranhas: Pseudociência, superstições e outras confusões de nossos tempos*. Lisboa: Replicação.

______. (2004). *The science of good and evil: Why people cheat, gossip, care, share, and follow the golden rule*. Nova York: Holt.

______. (2005). *Science friction: Where the known meets the unknown*. Nova York: Holt.

______. (2006). *The soul of science*. Los Angeles: Skeptics Society.

SILVER, L. M. (2006). *Challenging nature: The clash of science and spirituality at the new frontiers of life*. Nova York: HarperCollins.

SINGER, P. (1994). *Ethics*. Oxford: Oxford University Press.

______. (2004). *Libertação animal*. Porto Alegre: Lugano.

SMITH, K. (1995). *Ken's guide to the Bible*. Nova York: Blast Books.

SMOLIN, L. (2004). *A vida do cosmos.* São Leopoldo: Unisinos.
SMYTHIES, J. (2006). *Bitter fruit.* Charleston, SC: Booksurge.
SPONG, J. S. (2005). *The sins of scripture.* San Francisco: Harper.
STANNARD, R. (1993). *Doing away with God? Creation and the big bang.* Londres: Pickering.
STEER, R. (2003). *Letter to an influential atheist.* Carlisle: Authentic Lifestyle Press.
STENGER, V. J. (2003). *Has science found God? The latest results in the search for purpose in the universe.* Nova York: Prometheus.
SUSSKIND, L. (2006). *The cosmic landscape: String theory and the illusion of intelligent design.* Nova York: Little, Brown.
SWINBURNE, R. (1996) *Is there a God?.* Oxford: Oxford University Press.
_______. (2004). *The existence of God.* Oxford: Oxford University Press.
TAVERNE, R. (2005). *The march of unreason: Science, democracy and the new fundamentalism.* Oxford: Oxford University Press.
TIGER, L. (1979). *Optimism: The biology of hope.* Nova York: Simon & Schuster.
TOLAND, J. (1991). *Adolf Hitler: The definitive biography.* Nova York: Anchor.
TRIVERS, R. L. (1985). *Social evolution.* Menlo Park, CA: Benjamin/Cummings.
UNWIN, S. (2003). *The probability of God: A simple calculation that proves the ultimate truth.* Nova York: Crown Forum.
VERMES, G. (2006). *As várias faces de Jesus.* Rio de Janeiro: Record.
WARD, K. (1996). *God, chance and necessity.* Oxford: Oneworld.
WARRAQ, I. (1995). *Why I am not a Muslim.* Nova York: Prometheus.
WEINBERG, S. (1994). *Sonhos de uma teoria final.* Rio de Janeiro: Rocco.
WELLS, G. A. (1986). *Did Jesus exist?* Londres: Pemberton.
WHEEN, F. (2007). *Como a picaretagem conquistou o mundo.* Rio de Janeiro: Record.
WILLIAMS, W., ed. (1998). *The values of science: Oxford Amnesty Lectures 1997.* Boulder, CO: Westview.
WILSON, A. N. (1999). *God's funeral.* Londres: John Murray.
_______. (2006). *Jesus: O maior homem do mundo.* Rio de Janeiro: Prestígio.
WILSON, D. S. (2002). *Darwin's cathedral: Evolution, religion and the nature of society.* Chicago: University of Chicago Press.
WILSON, E. O. (1984). *Biophilia.* Cambridge, MA: Harvard University Press.
WINSTON, R. (2005). *The story of God.* Londres: Transworld/BBC.
WOLPERT, L. (1992). *The unnatural natural of science.* Londres: Faber & Faber.
_______. (2006). *Six impossible things before breakfast: The evolutionary origins of belief.* Londres: Faber & Faber.
YOUNG, M. e EDIS, T., ed. (2006). *Why intelligent design fails: A scientific critique of the new creationism.* New Brunswick: Rutgers University Press.

# Notas

## PREFÁCIO (PP. 11-9)

1. Wendy Kaminer, "The last taboo: why America needs atheism", *New Republic*, 14/10/1996; http://www.positiveatheism.org/writ/kaminer.htm.

2. Dr. Zoë Hawkins, dr. Beata Adams e dr. Paul St. John Smith, comunicação pessoal.

## 1. UM DESCRENTE PROFUNDAMENTE RELIGIOSO (PP. 33-54)

### RESPEITO MERECIDO

3. O documentário para a tevê do qual a entrevista fez parte foi acompanhado de um livro (Winston 2005).

4. Dennett (2006).

### RESPEITO NÃO MERECIDO

5. O discurso está transcrito na íntegra em Adams (2003) como "Is there an artificial God?".

6. Perica (2002). Veja também http://www.historycooperative.org/journals/ahr/108.5/br_151.html.

7. "Dolly e os porta-vozes da religião", em Dawkins (2005).

8. http://scotus.ap.org/scotus/04-1084p.zo.pdf.

9. R. Dawkins, "The irrationality of faith", *New Statesman* (Londres), 31/3/1989.

10. *Columbus Dispatch*, 19/8/2005.

11. *Los Angeles Times*, 10/4/2006.

12. http://gatewaypundit.blogspot.com/2006/02/islamic-society-of-denmark-used-fake.html.

13. http://news.bbc.co.uk/2/hi/south_asia/4686536.stm; http://www.neandernews.com/?cat=6.

14. *The Independent*, 5/2/2006.

15. Andrew Mueller, "An argument with sir Iqbal", *Independent on Sunday*, 2/4/2006, Sunday Review, 12-16.

## 2. A HIPÓTESE DE QUE DEUS EXISTE (PP. 55-110)

16. Mitford e Waugh (2001).

### POLITEÍSMO

17. http://www.newadvent.org/cathen/06608b.htm.

18. http://www.catholic-forum.com/saints/indexsnt.htm?NF=1.

### SECULARISMO, OS PAIS FUNDADORES E A RELIGIÃO DOS ESTADOS UNIDOS

19. *Congressional Record*, 16/9/1981.

20. http://www.stephenjaygould.org/ctrl/buckner_tripoli.html.

21. Giles Fraser, "Resurgent religion has done away with the country vicar", *The Guardian*, 13/4/2006.

22. Robert I. Sherman, em *Free Inquiry* 8: 4, outono de 1988, 16.

23. N. Angier, "Confessions of a lonely atheist", *The New York Times Magazine*, 14/1/2001: http://www.geocities.com/mindstuff/Angier.html.

24. http://www.fsgp.org/adsn.html.

25. O caso especialmente bizarro do assassinato de um homem simplesmente pelo fato de ele ser ateu é relatado na publicação da Sociedade de Livre-Pensamento da Grande Filadélfia de março/abril de 2006. Veja em http://www.fsgp.org/newsletters/newsletter_2006_0304.pdf, rolando a página até "The murder of Larry Hooper".

26. http://www.hinduonnet.com/thehindu/mag/2001/11/18/stories/2001111800070400.htm.

A POBREZA DO AGNOSTICISMO

27. Quentin de la Bédoyère, *Catholic Herald*, 3/2/2006.

28. Carl Sagan, "The burden of skepticism", *Skeptical Inquirer* 12, outono de 1987.

29. Discuti esse caso em Dawkins (2000).

30. T. H. Huxley, "Agnosticism" (1889), reproduzido em Huxley (1931). O texto integral de "Agnosticism" também está disponível em http://www.infidels.org/library/historical/thomas_huxley/huxley_wace/part_02.html.

31. Russell, "Is there a God?" (1952), reproduzido em Russell (1997b).

32. Andrew Mueller, "An argument with sir Iqbal", *Independent on Sunday*, 2/4/2006, Sunday Review, 12-6.

33. *The New York Times*, 29/8/2005. Veja também Henderson (2006).

34. Henderson (2006).

35. http://www.lulu.com/content/267888.

O GRANDE EXPERIMENTO DA PRECE

36. H. Benson et al., "Study of the therapeutic effects of intercessory prayer (STEP) in cardiac bypass patients", *American Heart Journal* 151: 4, 2006, 934-42.

37. Richard Swinburne, em *Science and Theology News*, 7/4/2006, http://www.stnews.org/Commentary-2772.htm.

38. *The New York Times*, 11/4/2006.

A ESCOLA NEVILLE CHAMBERLAIN DE EVOLUCIONISTAS

39. Em casos judiciais e livros como Ruse (1982). Seu artigo na *Playboy* foi publicado na edição de abril de 2006.

40. A resposta de Jerry Coyne a Ruse foi publicada na edição de agosto de 2006 da *Playboy*.

41. Madeleine Bunting, *The Guardian*, 27/3/2006.

42. A resposta de Dan Dennett foi publicada no *The Guardian*, 4/4/2006.

43. http://scienceblogs.com/pharyngula/2006/03/the_dawkinsdennett_bo-ogeyman.php; http://scienceblogs.com/pharyngula/2006/02/our_double_-standard.php; http://scienceblogs.com/pharyngula/2006/02/the_rusedennett_feud.php.

HOMENZINHOS VERDES

44. http://vo.obspm.fr/exoplanetes/encyclo/encycl.html.

45. Dennett (1998).

## 3. ARGUMENTOS PARA A EXISTÊNCIA DE DEUS (PP. 111-53)

### O ARGUMENTO ONTOLÓGICO E OUTROS ARGUMENTOS *A PRIORI*

46. http://www.iep.utm.edu/o/ont-arg.htm. A "prova" de Gasking está em http://www.uq.edu.au/~pdwgrey/pubs/gasking.html.

### O ARGUMENTO DA "EXPERIÊNCIA" PESSOAL

47. O tema das ilusões é discutido por Richard Gregory em uma série de livros que inclui Gregory (1997).

48. Minha tentativa de explicação está em Dawkins (2000).

49. http://www.sofc.org/Spirituality/s-of-fatima.htm.

### O ARGUMENTO DAS ESCRITURAS

50. Tom Flynn, "Matthew vs. Luke", *Free Inquiry* 25: 1, 2004, 34-45; Robert Gillooly, "Shedding light on the light of the world", *Free Inquiry* 25: 1, 2004, 27-30.

51. Ehrman (2006). Veja também Ehrman (2003a, b).

### O ARGUMENTO DOS CIENTISTAS ADMIRADOS E RELIGIOSOS

52. Beit-Hallahmi e Argyle (1997).

53. E. J. Larson e L. Witham, "Leading scientists still reject God", *Nature* 394, 1998, 313.

54. http://www.leaderu.com/ftissues/ft9610/reeves.html é uma análise especialmente interessante das tendências históricas na opinião religiosa americana, feita por Thomas C. Reeves, professor de história da Universidade de Wisconsin, baseada em Reeves (1996).

55. http://www.answersingenesis.org/docs/3506.asp.

56. R. Elisabeth Cornwell e Michael Stirrat, manuscrito em preparação, 2006.

57. P. Bell, "Would you believe it?", *Mensa Magazine*, 2/2002, 12-3.

## 4. POR QUE QUASE COM CERTEZA DEUS NÃO EXISTE (PP. 154-214)

### O BOEING 747 DEFINITIVO

58. Uma revisão exaustiva da proveniência, dos usos e das citações dessa analogia é fornecida, pelo ponto de vista criacionista, por Gert Korthof em http://home.wxs.nl/~gkorthof/kortho46a.htm.

### A SELEÇÃO NATURAL COMO CONSCIENTIZADORA

59. Adams (2002), p. 99. Meu "Lament for Douglas", escrito no dia seguinte a sua morte, está republicado como Epílogo de *The salmon of doubt*, e tam-

bém em *O capelão do Diabo*, que traz ainda o panegírico que fiz na reunião em memória dele na igreja de St. Martin-in-the-Fields.

60. Entrevista em *Der Spiegel*, 26/12/2005.

61. Susskind (2006: 17).

A ADORAÇÃO DAS LACUNAS

62. Behe (1997).

63. http://www.millerandlevine.com/km/evol/design2/article.html.

64. Esse relato do julgamento de Dover, incluindo as citações, foi tirado de A. Bottaro, M. A. Inlay e N. J. Matzke, "Immunology in the spotlight at the Dover 'Intelligent Design' trial", *Nature Immunology* 7, 2006, 433-5.

65. J. Coyne, "God in the details: the biochemical challenge to evolution", *Nature* 383, 1996, 227-8. O artigo escrito por Coyne e eu, "One side can be wrong", foi publicado no *The Guardian*, 1/9/2005: http://www.guardian.co.uk/life/feature/story/0,13026,1559743,00.html. A citação do "blogger eloquente" está em http://www.religionisbullshit.net/blog/2005_09_01_archive.php.

66. Dawkins (1996).

O PRINCÍPIO ANTRÓPICO: VERSÃO PLANETÁRIA

67. Carter admitiu depois que "princípio da cognoscibilidade" seria um nome melhor para o princípio em geral que o já estabelecido termo "princípio antrópico": B. Carter, "The anthropic principle and its implications for biological evolution", *Philosophical Transactions of the Royal Society of London A*, 310, 1983, 347-63. Para uma discussão do princípio antrópico em formato de livro, veja Barrow e Tipler (1988).

68. Comins (1993).

69. Expus esse argumento de forma mais completa em *O relojoeiro cego* (Dawkins, 2001b).

O PRINCÍPIO ANTRÓPICO: VERSÃO COSMOLÓGICA

70. Murray Gell-Mann, citado por John Brockman no site Edge, http://www.edge.org/3rd_culture/bios/smolin.html.

71. Ward (1998); Polkinghorne (1994: 55).

UM INTERLÚDIO EM CAMBRIDGE

72. J. Horgan, "The Templeton Foundation: a skeptic's take", *Chronicle of Higher Education*, 7/4/2006. Veja também http://www.edge.org/3rd_culture/horgan06/horgan06_index.html.

73. P. B. Medawar, resenha de *O fenômeno humano*, reproduzida em Medawar (1982: 242).

74. Dennett (1998).

## 5. AS RAÍZES DA RELIGIÃO (PP. 215-73)

### O IMPERATIVO DARWINISTA

75. Citado em Dawkins (1982: 30).

76. K. Sterelny, "The perverse primate", em Grafen e Ridley (2006: 213-23).

### SELEÇÃO DE GRUPO

77. N. A. Chagnon, "Terminological kinship, genealogical relatedness and village fissioning among the Yanomamö Indians", em Alexander e Tinkle (1981: cap. 28).

78. C. Darwin, *A origem do homem e a seleção sexual* (São Paulo: Hemus, 2002). Edição em inglês: *The descent of man* (Nova York: Appleton, 1871), vol. 1, 156.

### RELIGIÃO COMO SUBPRODUTO DE OUTRA COISA

79. Citado em Blaker (2003: 7).

### PREPARADOS PSICOLOGICAMENTE PARA A RELIGIÃO

80. Veja p. ex. Buss (2005).

81. Deborah Keleman, "Are children 'intuitive theists'?", *Psychological Science* 15: 5, 2004, 295-301.

82. Dennett (1987).

83. *The Guardian*, 31/1/2006.

84. Smythies (2006).

85. http://jmm.aaa.net.au/articles/14223.htm.

## 6. AS RAÍZES DA MORALIDADE: POR QUE SOMOS BONS? (PP. 274-304)

86. O filme, que é muito bom, pode ser adquirido em http://www.thegodmovie.com/index.php.

### UM ESTUDO DE CASO DAS RAÍZES DA MORALIDADE

87. M. Hauser e P. Singer, "Morality without religion", *Free Inquiry* 26: 1, 2006, 18-9.

88. Dostoiévski (2001: cap. 6).

89. Hinde (2002). Veja também Singer (1994), Grayling (2003), Glover (2006).

## 7. O LIVRO DO "BEM" E O *ZEITGEIST* MORAL MUTANTE (PP. 305-59)

90. Lane Fox (1993); Berlinerblau (2005).

91. Holloway (1999, 2005). A menção de Richard Holloway a ser um "cristão em recuperação" está numa resenha de livro publicada no *The Guardian*, 15/2/2003: http://books.guardian.co.uk/reviews/scienceandnature/0,6121,-894941,00.html. A jornalista escocesa Muriel Gray escreveu um belo relato do meu diálogo em Edimburgo com o bispo Holloway no *Herald* (de Glasgow): http://www.sundayherald.com/44517.

### O ANTIGO TESTAMENTO

92. Para uma coletânea assustadora de sermões de religiosos americanos atribuindo o furacão Katrina ao "pecado" humano, veja http://universist.org/neworleans.htm.

93. Pat Robertson, citado pela BBC em http://news.bbc.co.uk/2/hi/americas/4427144.stm.

### O NOVO TESTAMENTO É MELHOR?

94. R. Dawkins, "Atheists for Jesus", *Free Inquiry* 25: 1, 2005, 9-10.

95. Julia Sweeney também acerta na mosca quando menciona de passagem o budismo. Assim como o cristianismo é às vezes visto como uma religião melhor e mais amistosa do que o islamismo, o budismo é frequentemente exaltado como a mais agradável de todas. Mas a doutrina do rebaixamento na hierarquia da reencarnação devido aos pecados de uma vida passada é bastante desagradável. Julia Sweeney: "Fui à Tailândia e calhou de eu visitar uma mulher que tomava conta de um menino terrivelmente deformado. Disse a ela: 'Você é tão boa por estar cuidando desse pobre menino'. Ela disse: 'Não diga pobre menino, ele deve ter feito alguma coisa terrível numa vida passada para ter nascido desse jeito'".

96. Para uma análise detida das técnicas usadas pelos cultos, veja Barker (1984). Relatos mais jornalísticos sobre cultos modernos são feitos por Lane (1996) e Kilduff e Javers (1978).

97. Paul Vallely e Andrew Buncombe, "History of Christianity: Gospel according to Judas", *The Independent*, 7/4/2006.

98. Vermes (2006).

AMA O PRÓXIMO

99. O trabalho de Hartung foi publicado originalmente em *Skeptic* 3: 4, 1995, mas hoje está disponível de forma mais fácil em http://www.lrainc.-com/swtaboo/taboos/ltn01.html.

100. Smith (1995).

101. *The Guardian,* 12/3/2002: http://books.guardian.co.uk/departments/-politicsphilosophyandsociety/story/0,,664342,00.html.

102. N. D. Glenn, "Interreligious marriage in the United States: patterns and recent trends", *Journal of Marriage and the Family* 44: 3, 1982, 555-66.

O *ZEITGEIST* MORAL

103. http://www.ebonmusings.org/atheism/new10c.html.

104. Huxley (1871).

105. http://www.classic-literature.co.uk/american-authors/19thcentury/-abraham-lincoln/the-writings-of-abraham-lincoln-04/.

E HITLER E STÁLIN? ELES NÃO ERAM ATEUS?

106. Bullock (1991).

107. Bullock (2005).

108. http://www.ffrf.org/fttoday/1997/march97/holocaust.html. Esse artigo de Richard E. Smith, originalmente publicado na *Freethought Today*, de março de 1997, traz um grande número de citações relevantes de Hitler e outros nazistas, fornecendo suas fontes. Exceto onde afirmar o contrário, minhas citações pertencem ao artigo de Smith.

109. http://homepages.paradise.net.nz/mischedj/ca_hitler.html.

110. Bullock (2005: 96).

111. Adolf Hitler, discurso de 12 de abril de 1922. Em Baynes (1942: 19-20).

112. Bullock (2005: 43).

113. Essa citação e a seguinte são do artigo de Anne Nicol Gaylor sobre a religião de Hitler, http://www.ffrf.org/fttoday/back/hitler.html.

114. http://www.contra-mundum.org/schirrmacher/NS_Religion.pdf.

## 8. O QUE A RELIGIÃO TEM DE MAU? POR QUE SER TÃO HOSTIL? (PP. 360-95)

FUNDAMENTALISMO E A SUBVERSÃO DA CIÊNCIA

115. De "O que é verdade?", cap. 1.2 de Dawkins (2005).

116. As minhas duas citações de Wise foram tiradas de sua contribuição ao livro de 1999 *In six days*, uma antologia de ensaios de criacionistas que acreditam na Terra jovem (Ashton, 1999).

O LADO NEGRO DO ABSOLUTISMO

117. Warraq (1995: 175).

118. A prisão de John William Gott por ter chamado Jesus de palhaço é mencionada na *The Indypedia*, publicada pelo *The Independent*, 29/4/2006. A tentativa de indiciamento da BBC por blasfêmia foi noticiada pela BBC, 10/1/2005: http://news.bbc.co.uk/1/hi/entertainment/tv_and_radio/4161109.stm.

119. http://adultthought.ucsd.edu/Culture_War/The_American_Taliban.-html.

FÉ E HOMOSSEXUALIDADE

120. Hodges (1983).

121. Essa e as outras citações deste trecho foram tiradas da página do Talibã americano já mencionada: http://adultthought.ucsd.edu/Culture_War/-The_American_Taliban.html.

122. http://adultthought.ucsd.edu/Culture_War/The_American_Taliban .html.

123. Tirado do site oficial da Igreja Batista de Westboro, do pastor Phelps, godhatesfags.com: http://www.godhatesfags.com/fliers/jan2006/20060131_-coretta-scott-king-funeral.pdf.

A FÉ E A SANTIDADE DA VIDA HUMANA

124. Veja Mooney (2005). Também Silver (2006), que chegou quando este livro já estava na prova final, tarde demais para ser discutido em sua totalidade como eu gostaria.

125. Para uma análise interessante sobre o que diferencia o Texas nesse aspecto, veja http://www.pbs.org/wgbh/pages/frontline/shows/execution/readings/texas.html.

126. http://en.wikipedia.org/wiki/Karla_Faye_Tucker.

127. Essas citações de Randall Terry são do mesmo site do Talibã americano previamente mencionado: http://adultthought.ucsd.edu/Culture_War/-The_American_Taliban.html.

128. Noticiado pela Fox News: http://www.foxnews.com/-story/0,2933,-96286,00.html.

129. M. Stamp Dawkins (1980).

A GRANDE FALÁCIA BEETHOVEN

130. http://www.warroom.com/ethical.htm.

131. Medawar e Medawar (1977).

COMO A "MODERAÇÃO" NA FÉ ALIMENTA O FANATISMO

132. O artigo de Johann Hari, originalmente publicado no *The Independent* de 15/7/2005, pode ser encontrado em http://www.johannhari.com/archive/article.php?id=640.

133. *Village Voice*, 18/5/2004: http://www.villagevoice.com/news/0420,-perlstein,53582,1.html.

134. Harris (2004: 29).

135. Nasra Hassan, "An arsenal of believers", *The New Yorker*, 19/11/2001. Veja também http://www.bintjbeil.com/articles/en/011119_hassan.html.

## 9. INFÂNCIA, ABUSO E A FUGA DA RELIGIÃO (PP. 396-437)

ABUSO FÍSICO E MENTAL

136. Noticiado pela BBC News: http://news.bbc.co.uk/1/hi/wales/901723.stm.

137. Loftus e Ketcham (1994).

138. Veja John Waters no *Irish Times*: http://oneinfour.org/news/-news2003/roots/.

139. Associated Press, 10/6/2005: http://www.rickross.com/reference/-clergy/clergy426.html.

140. http://www.av1611.org/hell.html.

EM DEFESA DAS CRIANÇAS

141. N. Humphrey, "What shall we tell the children?", em Williams (1998), reproduzido em Humphrey (2002).

142. http://www.law.umkc.edu/faculty/projects/ftrials/conlaw/yoder.html.

UM ESCÂNDALO EDUCACIONAL

143. *The Guardian*, 15/1/2005: http://www.guardian.co.uk/weekend/-story/0,,1389500,00.html.

144. *Times Educational Supplement*, 15/7/2005.

145. http://www.telegraph.co.uk/opinion/main.jhtml?xml=/opinion/2002/03/18/do1801.xml.

146. *The Guardian*, 15/1/2005: http://www.guardian.co.uk/weekend/-story/0,,1389500,00.html.

147. O texto de nossa carta, elaborado preliminarmente pelo bispo de Oxford, foi o seguinte:

Caro primeiro-ministro,

Estamos escrevendo, como um grupo de cientistas e bispos, para manifestar nossa preocupação sobre o ensino de ciências no Emmanuel City Technology College em Gateshead. A evolução é uma teoria científica de grande poder explanatório, capaz de responder por uma ampla gama de fenômenos em várias disciplinas. Ela pode ser refinada, confirmada e até radicalmente alterada pela atenção às evidências. Não é, como sustentam representantes da instituição, uma "posição de fé" da mesma categoria do relato bíblico sobre a criação, que tem função e propósito diferentes.

A questão vai além do que está sendo ensinado atualmente em uma escola. Há uma preocupação crescente com o que será ensinado e como será ensinado na nova geração de escolas religiosas. Acreditamos que os currículos dessas escolas, assim como o do Emmanuel City Technical College, precisam ser estritamente monitorados para que as respectivas disciplinas de ciências e estudos religiosos sejam adequadamente respeitadas.

Atenciosamente

148. *British Humanist Association News*, março-abril de 2006.

149. *The Observer*, 22/7/2004: http://observer.guardian.co.uk/magazine/story/0,11913,1258506,00.html.

CONSCIENTIZAÇÃO DE NOVO

150. O Oxford Dictionary atribui "gay" à gíria prisional americana em 1935. Em 1955, Peter Wildeblood, em seu famoso livro *Against the law*, achou necessário definir "gay" como "um eufemismo americano para homossexual".

151. http://uepengland.com/forum/index.php?showtopic=184&mode=-linear.

EDUCAÇÃO RELIGIOSA COMO PARTE DA CULTURA LITERÁRIA

152. Shaheen escreveu três livros, antologiando separadamente as referências bíblicas de comédias, tragédias e histórias. A contagem resumida de 1300 é mencionada em http://www.shakespearefellowship.org/virtualclassroom/StritmatterShaheenRev.htm.

153. http://www.bibleliteracy.org/Secure/Documents/BibleLiteracyReport2005.pdf.

## 10. UMA LACUNA MUITO NECESSÁRIA? (PP. 438-75)

### CONSOLO

154. De memória, atribuo esse argumento ao filósofo de Oxford Derek Parfitt. Não pesquisei suas origens a fundo porque só o estou usando de passagem como exemplo de consolo filosófico.

155. Noticiado pela BBC News: http://news.bbc.co.uk/1/hi/special_report/1999/06/99/cardinal_hume_funeral/376263.stm.

### A MÃE DE TODAS AS BURCAS

156. Wolpert (1992).

# Índice remissivo

1ª EDIÇÃO [2007] 29 reimpressões

ESTA OBRA FOI COMPOSTA EM MINION PELO ACQUA ESTÚDIO E IMPRESSA PELA GRÁFICA BARTIRA EM OFSETE SOBRE PAPEL PÓLEN NATURAL DA SUZANO S.A. PARA A EDITORA SCHWARCZ EM JULHO DE 2023

A marca FSC® é a garantia de que a madeira utilizada na fabricação do papel deste livro provém de florestas que foram gerenciadas de maneira ambientalmente correta, socialmente justa e economicamente viável, além de outras fontes de origem controlada.